改訂新版

よくわかる 地方税滞納整理の実務とマネジメント

鷲巣 研二
Kenji Washizu

時事通信社

装幀／梅井裕子

はしがき

滞納整理に携わる地方団体の徴税吏員にとって、研修や講演会などの機会にぜひ「聞いてみたいこと」と「不安に思っていること」の一つに、今抱えている事案の整理方法として、自分が考えている方法で本当にいいのだろうか講師に確認してみたい（できればお墨付きをもらいたい）ということがあります。そして、もう一つは、本来あるべき姿の滞納整理が、どのようなものなのかよく分からないままに実務に就いてしまったために、前任者や先輩から引き継いでやっている現状の滞納整理の方法で本当にいいのだろうか確信を持てずにいることです。

前者は、自分の出した結論に確信が持てないという不安や自信のなさの表れであり、後者は、税務の専門職を育成するための仕組みがない中での地方税務職員の悩みの表れなのではないかと思われます。なお、これらに加えて地方団体の徴税吏員が抱えている不安や悩みをもう一つ挙げるとするならば、地方税務職員の場合、滞納整理のノウハウが継承されない現状というものがあるように思います。

以上のような実情は、程度の差はあるにしても少なからぬ地方団体、とりわけ比較的規模の小さな団体において共通する不安と悩みであるように思われます。ここに地方税の滞納整理に関する研修、講演会、解説書などが渇望される理由があるように思います。私自身も、ここ数年さまざまな地方団体や滞納整理機構からご依頼をいただき滞納整理の講演をした折に、しばしば耳にするのもこれらの事柄が圧倒的に多く、改めて地方税の滞納整理に携わる徴税吏員のみなさんの不安や悩みを肌で感じたところです。

そこで、本書が目指したのは、地方税法や国税徴収法などの税法が想定している「本来あるべき姿の滞納整理」とは一体どのようなもので、それに基づくとするならば、どのように滞納整理を進めていくべきなのか、日本国憲法を頂点とした国法体系の中における租税法律主義と、そこから導き出されるさまざまな原則に基づいた滞納整理実務について、平易な表現で、なおかつ具体例を交えながら説明することです。

これまで地方団体で行われてきた滞納整理研修のほとんどが、財産調査の方法であるとか、差押えの方法、公売の方法などといった、いわば「手引書」に書かれているような内容のものであったのではないかと思います。そして、これはこれで必要な研修だと思います。しかし、実務ではさまざまな事案に遭遇しますから、いってみれば、実務は「応用問題の宝庫」でもあるわけです。こうした日々遭遇する応用問題に対しては、税法の原理・原則や基礎の理解がその前提としてあって初めて（制度の趣旨に沿った）的確な対処ができるのであり、そうした理解を欠いたまま、前任者や先輩職員の後をなぞるような（トレースするだけの）仕事をしていると、「実は徴税吏員にはそのような裁量権などなかった」というようなリスキーなことにもなりかねない懸念を払拭できません。

例えば、徴税吏員には取立責任があるにもかかわらず、差し押さえた債権の取立てをせずに放置していたとか、取立額を（徴税吏員の判断で）勝手に減額してしまうなどの行為が、あたかもよくある普通の滞納整理であるかのように何の疑問もなく平然と行われているような実態はないでしょうか。

小規模な地方団体では研修を実施するにしても、講師となる人材がいないであるとか、人数が少ないため研修の時間を確保するのが難しいなどの困難な状況があるのではないかと思われ、とても悩ましく同情を禁じえません。一方、道府県のみなさんにしてみれば、個人道府県民税は、市町村が徴収することとなっているため、何とか市町村のみなさんには頑張って滞納整理をしてほしいという気持ちがあるのも確かです。こうしたこともあって、道府県では域内の市町村徴税吏員のみなさんを対象とした研修に力を入れたり、職員を派遣したりして懸命な努力をされているようです。また、道府県が音頭を取って、滞納整理機構といった一部事務組合や広域連合をつくっているところも少なくありません。

国家財政のみならず、地方財政においても厳しさが増している今日、「適法に課税された税金は、完全に回収する」ことを目標として、従来にも増して滞納整理に力を注いでいる地方団体が増えつつあると感じられます（当然ですね）。地方財政を取り巻く厳しい財政状況の中にあって、税収確保の最後の砦である滞納整理を担っている職場が、前述したような不安や悩みを抱えているのだとしたら、当事者である徴税吏員のみなさんはもちろん、これまで徴税吏員として長年滞納整理に携わってきた私も、何とかこの不安を解消するために、そして悩みに応えるためのお手伝いをすることはできないだろうかと考え、本書を著した次第です。

以上のような趣旨から、本書では特に次の諸点について配意しました。

① 租税法律主義を常に意識し、それに基づいた滞納整理実務のあり方を追求した。
② できるだけ実務に即した内容とするため、実際に地方税の滞納整理を担当している方からいただいた個別課題を取り上げて、それについて丁寧に説明を試みた。
③ 第Ⅲ部については、日常の滞納整理実務で頻繁に行う事務に特化して記述した。したがって、実務で使用頻度の低い第二次納税義務、徴収猶予、換価猶予などについては触れていない。
④ 第Ⅰ部第５章および第Ⅳ部については、個別の問題（用語）について解説し、該当の部分だけ読んで事典または辞典のように活用できるようにした。
⑤ 実務の参考に供するために、できるだけ実例や裁判例を多く引用した。
⑥ こういう制度であるといった制度の説明だけでなく、なぜそのような仕組みになっているのか、その理由についても可能な限り触れるように努めた。
⑦ 実務の参考に供するという趣旨から、実務で用いる実際の書式とその記入例についても具体例を掲記した。
⑧ 税収の確保、収納率の向上、滞納額の圧縮という滞納整理の目的達成のためには、適切なマネジメントが大切であるとの視点から、「滞納整理のマネジメント」に相当の紙数を割いた。
⑨ これまで地方税の滞納整理では、「納税指導」と「分納」が中心的な地位を占めてきたが、あえてこれに疑問を呈し、そこにこそ地方税の滞納整理における根源的な病理（課題）が潜んでいるとの問題提起をした。
⑩ より多くのみなさんに「読みやすく」かつ「分かりやすい」と感じていただけるように、「である調」ではなく「ですます調」の表現とした。

本書は、より多くのみなさんに手に取って読んでいただきたいとの思いから、上記のように大変欲張った内容を盛り込みました。本書のベースとなっているのは、幸いにもご好評をいただいた時事通信社主催のプレミアムセミナー「滞納整理のトータルスキル」で私がテキストとして使った資料と、かつて同社から出版した『オンデマンドブックレット　初歩から学ぶ市町村職員のための地方税滞納整理のポイント』（４分冊）です。

後者については、出版から既に10年近くも経過しており、その間に関係するさまざまな法律の改正があって、内容が古くなりましたので、必要最小限の修正を施した上で本書に収録しました。また、滞納整理の基本的なスタンスについては変更していませんが、全体を通じて、表現と内容の一部について割愛したところと加筆・修正をしたところがあります。

ところで、最近ある県の研修に招かれて滞納整理の講演をする機会があったのですが、研修会の冒頭に、その県の副知事さんから受講生のみなさんに向けて次のような挨拶がありました。「みなさんは正しい仕事をしているのですから、どうか胸を張って自信を持って（滞納整理に）取り組んでください。そして、県民のみなさんの期待に応えてください」という内容でした。

私はこの副知事さんの言葉に感動しました。本当に立派な副知事さんだなあと思います。現役の徴税吏員のみなさんにとっては素晴らしい上司であるに違いありません。これこそがまさにトップマネジメントの鑑(かがみ)というべきでしょう。滞納整理というものがストレスのかかる仕事で、しかも「ありがとうございます」と表立って感謝されることの少ない仕事であるからこそ、なおのことこの副知事さんのような言葉が徴税吏員のみなさんの心に響くのだと思います。私がお世話になったその県の徴税吏員は、このような上司に支えられ、そして見守られながら滞納整理に従事することができるのですから幸せだと思います。頑張ってほしいと願わずにはおれません。

なお、文中意見にわたる部分については私見であり、私が所属していた団体の見解ではないことをあらかじめお断りしておきます。

本書の出版について、時事通信出版局の北原斗紀彦社長と、同社のみなさんに大変お世話になりました。記して感謝申し上げます。

2015年２月

鷲巣　研二

改訂新版に寄せて

本書の初版を出版してからかなりの年月が経ち、その間、民法をはじめとした法律の改正がありました。租税制度というのは私経済と密接な関係がありますから、私経済におけるベーシックな規律である民法の改正は、税務事務にも少なからず影響があります。また、税法の分野でも新たに申請による換価猶予の制度ができるなどの動きもありました。

本書を執筆するに当たって私は、難解な法律（とりわけ税法）の規定を、できるだけ平易な表現で説明するとともに、単に条文を文理上の解釈とするのではなく、その制度趣旨、制度目的を意識して説明するように努めましたが、その姿勢はこの改訂版においても貫いたつもりです。例えば、条文上は「できる」としていて、あたかも、そうするかしないかは徴税吏員の裁量に委ねられているかのような表現になっているものの、制度趣旨に照らすと、実は徴税吏員にそのような裁量は委ねられておらず、「ものとする」という運用となっている条文（制度）もあったりします。また、法律は、徴税吏員に対して、どう頑張ってみても実現不可能なことを強いるものではなく、法律が実現することを求めている状態に向けて最大限の努力を払うことを求めているという側面もあります。そうした意味において、法律の条文というのは、その文言の字義どおりに解釈するという文理解釈が基本だとしても、それだけでは不十分なのだということを理解する必要があります。本書では、その一助となれるよう説明した関係上、やや冗長な説明と感じられる部分もあろうかと思いますが、私が本書で実現したかった趣旨をご理解願えれば幸いです。

なお、この改訂新版では前著と表記を一部改めたところがあります。前著では、国税徴収法上の表記である「徴収職員」としていましたが、本書が専ら地方税務職員向けであることに鑑み、「徴税吏員」としました（ただし、条文や判決文を引用している部分では法律どおりの表記としています）。また、従来は滞納者への働きかけを「折衝」と表記していたのですが、これでは「(納税)交渉」と五十歩百歩であるところから、内容の正確性も勘案して「納税指導」という表記に改めました。滞納整理の中で行うことがある滞納者への働きかけは、正確に言えば、行政法上の行政指導に当たりますので、そうした滞納者への働きかけが、あたかも「交渉事」であるとの誤解を防ぐためにも、「折衝」ではなく「納税指導」としました。

最後に、新型コロナウイルスの大流行による混乱下という困難な状況であるにもかかわらず、根気よく、そして適切なご指導と励ましをいただいた時事通信出版局の担当者の皆様に感謝申し上げます。

2022年10月

鷲巣　研二

本書について

本書をお読みいただく前に、本書の特徴について記しておきたいと思います。

1　本書は、Ⅳ部構成となっています。滞納整理に関するこれまでの市販の解説書の多くは、制度や法律の条文を解説するものでしたが、私は、徴税吏員に求められているのは、税収の確保、収納率の向上、滞納額の圧縮であるとの認識に基づき、そのために滞納整理で最も大切なのは、徴税吏員自身の意識であり、情熱であり、姿勢であり、そして実行力であるとの立場から、本書では、徴税吏員としての「あるべき姿勢」に関する記述を冒頭（第Ⅰ部）にもってきました。なぜなら、どれだけ徴収に関する法的な知識の量が多くても、また、いかに実務の経験が豊富であったとしても、それらを駆使して実績（成果）を挙げることができなければ、徴税吏員としては及第点をつけられないからです。

2　これまで多くの地方団体で行われてきた、そして、現在も行われつつある「納税指導中心の滞納整理」は、現状では、ある意味「信仰」にも匹敵するほどの「強い支持」ないしは「疑問を差し挟む余地のないほど当然の前提」であるかのごとき位置付けとなっています。すなわち、納税指導をして分納に持ち込むことが滞納整理の方法としてなかば常態化しているのです。しかし、租税法律主義の原則を持ち出すまでもなく、こうした方法は、効率的で効果的な滞納整理に資するものとは思いません。本書ではこのことを、単なる「信念」や「確信」といった心（主観）の問題として捉えるのではなく、実務家として滞納整理の実務経験に裏打ちされた経験主義的・実証主義的な立場から論述を試みました。

3　徴税吏員として滞納整理に臨む姿勢は大変重要であり、成果を挙げることはもとより期待されていることですが、それは、租税法律主義を理論的な背景とした正確な法的知識の上に築き上げられるべきものです。日々の実務の繁忙にかまけて、ともすれば「職場慣行」あるいは「実務慣行」が、何の疑問もなく先輩や前任者から踏襲され、実務の一つひとつについて丹念にその法的裏付け、根拠にあたるという地道な作業をおろそかにしてはいないでしょうか。もちろん、こうした作業は初めて取り組むときや、特に慎重な対応が求められるような場合のことであって、いつまでもこうしたことをやっているようでは、それこそ煩雑すぎて実務に耐えません。本書の中に、現状のこうした実務慣行を見直すヒントを見つけていただければ幸いです。

4　本書は全編を通じて「である」調ではなく「です、ます」調の表現で書かれています。それは、読者のみなさんにとって読みやすいものにしたいということのほかに、法律の解説書にありがちな「とっつきにくさ」を少しでも和らげたいとの意図を込めたからです。ですから、ある意味「読み物風」でもあると思っています。このような私の意図がどれだけ実現できているか自信はありませんが、どこのページからでも気軽に読み始められる構成にしたつもりです。

5　本書を手にされるのは、おそらく地方団体で滞納整理を担当されている（あるいは、これから担当されるであろう）職員のみなさんであると思います。したがって、そうしたみなさんの日常の実務の中でよくある出来事や、常々疑問に思っていたことなどを、できるだけ取り上げました。それについてどう考えるか、そしてまた、どのように対処したらいいのか、一つの処方箋を提示してみました。もちろん本書でお示ししている考えとは異なる考えもあると思います。大切なのは、「自ら考える」ということと、その根拠を明確にすることです。

6　文中で国税徴収法および同法基本通達等を引用している箇所については、原文をそのまま引用していますので、読者におかれましては、必要に応じて、税務署長を地方団体の長などのように読み替えてください。

7　重要なことについては、繰り返し触れているところがあります。

目　次

第Ⅲ部 滞納整理の実務

第Ⅳ部 専門用語の基礎知識

第I部

滞納整理序論

序章・初めて滞納整理の部署に配属されたみなさんへ

1 滞納整理を正確に理解する

民間企業における仕事であろうと、そしてまた公務に関わる仕事であろうといずれにも共通するのは、「それぞれの仕事の目的を正確に理解し、そして効率的にそれを実行すること」ではないでしょうか。このことをおろそかにすれば、本来、注力し力を注ぐべきポイントを見失うばかりか、まるでトンチンカンなことに労力を浪費していることに気付かず、目指すべき成果を挙げることはできないでしょう。実はこのようなことは地方税の滞納整理の中でしばしば見かけることでもあるのです。例えば、「捜索」（国税徴収法第142条）の制度趣旨を正確に理解していないために、同一の滞納者に対して10回以上もの捜索を行った末、これといった財産が発見できなかったにもかかわらず、当該滞納者に納税誓約をさせて引き揚げてきたであるとか、給与の差押えをしたものの、滞納者に泣きつかれて取立額を勝手に減額してしまうなどといった事務処理が平気で行われているところがあるようなのです。そもそも捜索というのは、質問検査とともに滞納処分をするために滞納者名義の財産を発見するために行うのですから、強制調査である捜索まで実施して差し押さえる財産が発見できなかったのであれば、滞納処分の執行停止とすべきものです。それなのに、財産のない滞納者に納税誓約をさせるなどというのは一体どういう神経をしているのかと思います。滞納処分をするための財産を発見すべく捜索をして、その結果、財産がなかったのであれば、必然的に滞納処分の執行停止へと手続を進めなくてはならないのに、財産のない人に自主納税の一環である納税誓約による分割納付をさせるなどというのは、どう考えたらそのような結論になるのか全くもって不可解です。自主納税をしないから捜索をしてまで財産を発見しようとしたのに、そうまでして財産がないことを確認しておきながら、支払い能力のない人に自主納税させる約束をさせたというのですから、これはもう支離滅裂です。また、給与の差押えでは、滞納者の生活（健康で文化的な最低限度の生活）を保障するために一定の金額については差押えをすることができないこととなっています（国税徴収法第76条）。ですから、収入からその差押えが禁止されている金額を控除した残りの部分が取立額となるのですが、これを滞納者からの申出等によって勝手に減額してしまうというのは、法律上の根拠なくして担当者（徴税吏員）の独断でやってしまうことを意味しますから、違法な取扱いということになります。ところが、そうした取扱いが滞納者に有利だからなどと勝手に解釈している例が少なからず見受けられるのは一体どうしたことでしょうか。ことほどさように地方税の滞納整理では、こうした例に見られるような従来からの職場慣行にどっぷりと漬かってしまっていて、法的な裏付けに対する認識が希薄である場合が少なくないようです。

改めて言うまでもなく、税務行政は、租税法律主義の下、法律に基づいた処理が徹底されてしかるべきです。それなのに前述したような残念な取扱いが見受けられるのは、滞納整理も含めた税務行政というものに対する基礎が十分に徹底されていないからだと思われてなりません。

そこで、本書ではまず初めて滞納整理に携わることとなった初任者の方に向けて、滞納整理における基礎的な部分に関する解説から始めていきたいと思います。とはいえ、ある程度、滞納整理の実務を経験してこられたみなさんであっても、改めて「滞納整理のあるべき姿」について確認していただくためにも参考になるのではないかと確信していますので、ぜひ、ご一読いただければと思います。

2　本来あるべき滞納整理

税務行政の本来「あるべき姿」とは、課税で言えば適正課税であり、納税で言えば納期内納税です。そこで、下の図をご覧下さい。

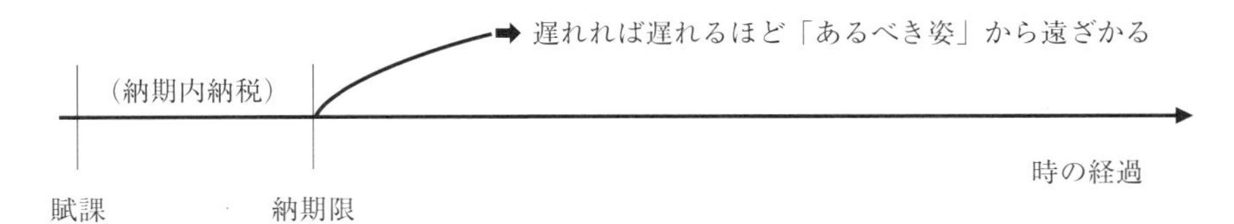

納税事務のあるべき姿は、納期内納税ですから、納期限を過ぎてしまったら、その時点から遅れれば遅れるほど「あるべき姿」から遠ざかっていくこととなります。ですから、（早期着手・早期処分によって）できるだけ早く税収を確保することこそが、「あるべき滞納整理の姿」に近いということになります。

したがって、滞納整理の基本は、できるだけ納期限後の早い段階での完納を目指す「現年度課税分の年度内整理」ということになります。それは具体的には次のような理由によります。

《理由》

① 時間が経てば経つほど滞納者の財産状況（収入・支出・資産の状況）は変化するものであるし、時の経過とともに財産が散逸してしまう危険性と可能性が高まる。

② 会計年度独立の原則（地方自治法第208条第２項）とは、各会計年度内の経費はその年度内の収入をもって充てることとする会計上の原則を言い、このことからも法律上、課税した当該年度内の税収確保（年度内収納）を目指すべきことは明らかである。

③ 地方税優先の原則（地方税法第14条）、差押先着手（同法第14条の６）、交付要求先着手（同法第14条の７）など地方税法上の諸規定を貫く「徴税に熱心な者に優先権を与える」という立法趣旨に照らせば、税収の早期確保ないしは滞納の効率的な処理を促進するためにも、処理困難事案も含めた滞納税については、徴収するのかそれとも滞納処分の執行停止とするのかその見極めを、できるだけ早期に行うことが求められている。

【参考】《会計年度独立の原則》

会計年度独立の原則とは、各会計年度の経費はその年度の歳入をもって支弁すべきこととし、特定の年度における収入支出は他の年度のそれと区分すべきこととする原則を言います。

会計年度が設けられた趣旨は、一年間の歳入歳出の状況を明確にし、財政の健全性を確保することにある以上、その期間に起こった収入と支出は一切この期間に完結し、整理し、他の年度に影響を及ぼさないことが本来の建前です。このことは予算作成上における基本的原則であると同時に、現実の予算の執行に当たっても、歳入予算が不足する場合には歳出の節約等によりその不足を補うべきであり、翌年度の剰余を見越して歳出を執行すべきではないということを要請しています。そうでなければ、無限に連続する国家の財務の処理に関し一定の期間を限った意味がなくなるからです。

〔財務省の資料より抜粋引用〕

【参照条文】地方自治法（会計年度及びその独立の原則）

第208条　普通地方公共団体の会計年度は、毎年４月１日に始まり、翌年３月31日に終わるものとする。

２　各会計年度における歳出は、その年度の歳入をもつて、これに充てなければならない。

そこで、早期着手・早期処分および現年度分整理の原則を踏まえた上で、次の実例をご覧ください。

【実例】
○○市は、市税を滞納していた30代男性が預けていた仮想通貨を差し押さえた。改正資金決済法で仮想通貨に財産的価値が定義されたことを受けた対応。差し押さえたのは122円と少額だが、市によると自治体では全国初という。市によると男性は、2013～2017年の市・○民税と延滞金など計314万9620円を滞納していた。市の再三の督促にも応じないため、自主納付が期待できないと判断。今年（2019年）９月に男性の預金口座にあった14万1400円を差し押さえたところ、仮想通貨交換業者との入出金が判明したため、市が業者に納付を求めた。10月21日に徴収したが、支払い請求時の相場で換算し、122円にとどまったという。市は対象となった仮想通貨の種類を明らかにしていない。
（2019年11月29日　時事通信社「税務経理」より抜粋引用）

この記事によれば、滞納となっていた2013年から17年に課税した住民税について、19年９月になってようやく差し押さえたとあります。このような処理をご覧になって、読者のみなさんはどのように思われるでしょうか。同記事によれば、古いものでは課税してから６年も経ってから差押えをしています。比較的新しいものでも課税してから２年経っています。滞納額は延滞金も含めて約315万円とのことです（かなりの金額です！）。今ここで読者のみなさんに考えていただきたいのは、差押えの着手時期についてです。この団体は、これだけの滞納額のある事案について、果たして早期に着手したと言えるでしょうか。年度内の決着を目指していたと言えるでしょうか。なぜ課税してから６年も経って差押えをしたのでしょうか。ここでは差押財産の選択についてはひとまず措く（考えない）こととします。

滞納となっているのは個人住民税のようですから、年税額を４期の納期に分けて納税することになっていたものと思われます。

当該地方団体でどれくらいの頻度、またどれくらいの間隔で催告書を発出していたのかは、この記事からうかがい知ることはできませんが、仮に控え目に見て、督促状発出後各期分につきそれぞれ１回ずつ催告書を発出していたとしますと、少なくとも20回は催告書を発出していたことになります。それに督促状の発出回数を加えますと、履行の請求としてはその倍の40回にもなります（⁉）。

多くの地方団体ではこのほかにもボーナス支給時だとか年度末にも催告書を発出しているところが多いと思いますし、年度を繰り越した滞納について特別催告書だとか最終催告書等の名称で催告書を発出しているところも少なくないことでしょう。こうしたことをこの実例に重ね合わせてみますと、この団体では少なくとも当該滞納者に対して督促状や催告書などにより50回以上もの履行の請求・差押えの事前警告等をしていたのではないかと考えられます。滞納整理における早期着手・早期処分や現年度課税分の年度内整理の原則などを考えるまでもなく、世間一般の常識あるいは健全な市民感覚に照らしてみても、同一滞納者に対して50回以上も督促状や催告書を発出していたなんて、尋常ではないと思いませんか。これで果たして「効率的な滞納整理」「合理的な滞納整理」と言えるのでしょうか。私にはとてもそうだとは思えません。率直に言って（本当に残念なことですが）「○○市の常識は世間の非常識」とも呼べるような滞納整理の進め方になっていないでしょうか。役所の内部にいると、ここで例示した団体ならずとも日々行っている実務についてなかなか疑問を抱きにくいし、仮に疑問に思ったことを口に出そうものなら、寄ってたかって潰されてしまうことも少なくないのだろうと思います（もとよりこの団体がそうだということではありませんが、こうした例はおそらく民間企業でも同じなのでしょう。つまり、日本社会の悪しき特徴とも言われる、いわゆる「同調傾向」ないしは「同調圧力」なのかもしれません）。ですから、これまでの慣行を内部から打ち破るというのは、日本社会では非常に勇気のいることなのです。悪くすれば周囲を敵に回してしまい、仲間外れにされたり無視されたり、ひどい場合だと異動させられたりということもないわけではありません。表向き「自由闊達（かったつ）に意見交換ができる開かれた職場」だとか「風通しのいい職場」などと言っても、実はその裏に日本人にありがちな「本音と建て前」というものが潜んでいたりして、なかなか思ったことが言いづらい職場も少なくないのかもしれません。

【参考】勤勉な国」日本で組織的不正が起こる根因――「アイヒマン実験」が教えてくれる教訓

山口周（著）　2019/01/06付「東洋経済 ON LINE」より抜粋引用

何度か転職をすれば、自分が所属していた会社＝世間での常識が、そこでしか通用しない常識だったのだという認識を持つことができるのですが、同じ会社にずっといるとそういう相対化は難しい。つまり、会社という「狭い世間」の常識が、社会という「広い世間」の常識と異なるということに気づけないわけです。

> （中略）
> 　どうやって「狭い世間の掟」を相対化し、その掟がおかしいと見抜く判断能力を身につけるか。答えは二つしかないと思います。一つは、結局は労働力の流動性を上げろ、という結論になるのではないかと思います。自分が所属している「狭い世間の掟」を見抜けるだけの異文化体験を持つ、ということです。もう一つは、教養を身につけろ、ということでしょうか。教養とは何か？「狭い世間の掟」を妄信することがないよう、人や組織とはどういうものかを知っておくことですね。

　税法の趣旨や実務上の経験則などに照らしても早期着手・早期処分や現年度課税分の年度内整理の原則が大切であることは明らかなのに、実務での実態を見てみたときに、前掲５ページの「実例」のようなことになっていないかどうか、ぜひ、読者のみなさんの職場における事務の進め方について、もう一度よく点検してみることを強くお勧めしたいと思います。

　次から次へと新規に滞納が発生してくる実務の現状の中では、処理を先送りにしたりすれば滞納の累積につながります。早期着手・早期処分や現年度課税分の年度内整理の原則というのは、このような現状を踏まえたものであると同時に、差押先着手（地方税法第14条の６）や交付要求先着手（同法第14条の７）などの規定の趣旨である「徴税に熱心な者に優先権を与える」ということにも合致するものです。ここに言う早期着手とは、できるだけ早く滞納者と接触するという意味ではありません。思うに地方税の滞納整理ではこのことについて誤解があるようです。すなわち、滞納者からの猛烈な反発を避けたいということのほかに、滞納者を説得して自主納税にもっていくことが滞納整理なのだという誤解です。

　さらに言えば、こうしたことが（少なからぬ徴税吏員に）信じられている背景には、滞納処分という強権発動は、できればしない方がよくて、それによるよりも説得という平和的で滞納者との間でトラブルにならないような方法をまず試してみるべきだとの誤解が広く信じられていることがありそうです。いつの時代から、そしてどこからこのような考え方が広まったのかは知る由もありませんが、私は、おそらく「もめ事はできるだけ避けたい」とする気持ちと、滞納者の逆鱗（げきりん）に触れないようにすることが「丁寧な行政（滞納整理）」なのだとの思い込み（!?）が根底にあるからではないかと推察しています。丁寧な滞納整理については、もとよりその通りなのですが、私からすれば、滞納者を説得するというのは、滞納整理における丁寧さのはき違えだろうと考えています。なぜなら、丁寧な滞納整理というのは、調査（必要に応じて納税指導も併せて行って差し支えありません）によって、滞納者の客観的な納付能力を把握して、その納付能力に見合った措置（納税緩和措置または滞納処分）を取ることなのであって、決して滞納者の申出（主張）どおりにすることではないからです。滞納者は、自分に不利な情報は言わないし、場合によっては虚偽の申出をすることすらも稀（まれ）ではありません（このことについては、実務を経験された方であれば十分お分かりのことと思います）。（もちろん全てではありませんが）徴税吏員にしてみれば、目の前で激高している滞納者のさらなる逆鱗に触れたくないとの思いから、なだめたり、おもねるようなことを言ってみたり、（一括納付を求めるなどの）徴税吏員として言うべきことをあえて言わないで、根拠のない分納の提案をしてみたりしてしまうのかもしれませんが、したたかな滞納者にしてみれば、そのような（腰の引けた）徴税吏員の足元を見透かして、延滞金をなんとかしろだとか、差押えを解除しろなどと不当な要求をエスカレートさせることも決して少なくありません。

滞納者と接触してはならないというのではなく、もしも接触するのであれば、複雑な事情がある事案や、解決が長期化している事案などに絞り込んで行うべきだということです。滞納であればすべからく滞納者との接触を試みるべきだというのは、大いなる誤解であるし、そんなことをしていたら大量・反復事務である税務事務において、効率的な滞納整理などいつになっても実現することはないでしょう。もしも読者のみなさんの同僚の中に、「滞納者とできるだけ早く接触する」とか「滞納者を説得する」という誤解から抜け出せない人がいるとしたら、そのような考え方から一刻も早く脱却して、効率的な滞納整理に邁進するよう助言する必要があります。法律が求めてもいない（説得という）事務に、多くの時間と労力を割くような現状から早く脱却しましょう。

【参考】時事通信社発行の「税務経理」誌に連載されている「私の苦心」から抜粋　　岡山県倉敷市納税課長（当時）　原田宗範さん（2018.4.20）

このように、催告中心から法令や判例に基づいた処分中心の滞納整理に移行したことで、着任当時と比べると滞納金額、件数ともほぼ半減しました。また、気付けば窓口等での苦情も大幅に減少し、緊張感を保ちつつも随分と穏やかに仕事に集中できております。

【参考】時事通信社発行の「税務経理」誌に連載されている「私の苦心」から抜粋　　北海道名寄市税務課長　川島史泰さん（2021.10.1）

まちづくりの財源の根幹となる市税についてですが、調査・処分等の滞納整理中心に徴収方法を徐々に転換していったこともあり、2020年度の市税収納率は、99.44％と前年度同様、高い水準で維持することができました。

徴収方針の転換は、2008年から取り組み始めました。特に当時の収納率が極端に悪かったわけでもなかったので、当然、保守的な意見もあった中、将来の税収確保への懸念を抱いていた若手職員たちの熱意により、「できることから始めてみよう」というのが最初でした。しかし、以前の対話を重視した交渉型の徴収方法と比べ、非常に効率的ではあるものの、滞納者の反発も強く、簡単ではなかったことは想像に難くありません。時には課税担当者も一緒に対応し、課税・納税への理解を求めることもあり、これを契機に課税担当と徴収担当の連携も強くなっていきました。また、人口２万5000人ほどの小さな町ですから、対象者が知人であったりすることも多く、特に捜索等の班編成には人選に苦慮したこともありました。それでもこれまで計画的に滞納処分が実施できたのは、税務課職員の徴収に対する高い意識のおかげだと思っています。とはいえ、これは一朝一夕で醸成されるものではなく、少しずつつくり上げていった諸先輩、同僚にも感謝しなければいけません。

そういった職員の地道な努力もあり、北海道35市における収納率で2011年から８年連続１位を記録するまでになりました。

3　実績の差は知識やスキルの差ではない！

地方税の滞納整理では「苦労して一人前の徴税吏員に育てても毎年の定期人事異動でリセットされてしまって、滞納整理に精通した職員がなかなか育たないし、スキルの継承もままならず、毎年年度当初には右も左も分からない初任者ばかりになってしまう」とか「地方税務職員の場合は、国税のように税務の専門職ではないので、しょせんプロとアマチュアの差がつくのは不可避である」といったような愚痴ともため息ともいえぬ半ば諦めのような声を耳にすることがあります。

しかし、私はこのような「後ろ向きな声」には与（くみ）しません。なぜなら大切なのは、その職務に在籍しているときにいかに意欲的に取り組み、そしてどれだけ努力を尽くしたかということが結果を左右するからです。現にそのような努力を尽くした結果、滞納繰越分と現年度分とを合わせた収納率が99％を超えている地方団体は少なくありません。また、インターネットを使った公売を全国で初めて導入したのも地方団体（東京都）であって、国税はそれから数年遅れて導入したのです。さらには地方団体のした差押えに対して国税が参加差押えをしていることも珍しくありません。要は事案の解決や収納率の向上に向けてどれだけ熱心に取り組み、そして、どれだけ調査と処分を実行したのかによって結果に差がつくという事実に着目すべきなのです。

そこで、滞納整理という仕事を少し離れてスポーツや学習など他の分野のことに目を向けてみましょう。スポーツの世界においても、いずれの場面でも自ら意欲的に取り組み、そして地道な努力を重ねた人が結果を出しています。ですから、所属している組織（国か地方団体か）の違いによって結果が左右されるのではなく、今いるところでどれだけ真剣に取り組み、そして、どれだけ調査と処分を実行したのかによって結果に差がつくということなのであって、知識やスキルがあるだけでそれを使って実行しなければ国税も地方税もないのだということに気付いてほしいと思います。

4 納期限までに完納することができない事由は滞納者だけが知っている！

地方税の滞納整理ではいまだに「滞納者に接触してみるように」とか「差し押さえる前に一度は滞納者の話を聞いてみるように」などという認識から抜け出せないようです。

しかし、読者のみなさんどうでしょうか。日本国民の中に「国民には納税の義務がある」ということを知らない人など果たして存在するのでしょうか。おそらく、まずいないでしょう。そして、税金には「いつまでに納税しなければならない」という納期限があることについても同様に知らない人などいないことでしょう。つまり、ほぼすべての納税者（国民）が、自分はいつまでに納税しなければならないのかについては知っているということです（納税通知書には納期限の記載がありますから当然ですね)。納税者の中にはついうっかりして納期限を失念している人もいるでしょうから、課税庁としても、督促状や催告によって、そうした「ついうっかり」を防止するために納付の催促をするとともに、もし万一納税することができないやむを得ない事由がある場合は相談するよう促しています（必要な場合の納税相談の勧奨)。

税務事務の最大の特徴は、大量・反復性にありますから、督促状はもとより催告の大半は大量処理が可能な文書によって行われています。そして何よりも（当然のことですが）仮に納税することができないやむを得ない事由が納税者にあったとしても、そのような個々の納税者の個別的な事情については、徴税吏員の側にしてみれば知る由もありません（当然ですね)。だからこそ督促状や催告によって、そのような事情があるのであれば納税相談をするように促しているのです。それなのに、督促状や催告によるそうした「履行の請求」「納税相談の勧奨」「警告」を無視ないしは黙殺するような滞納者に対してどうして徴税吏員の方から接触を試みなければならないのでしょうか。そのような考え方は税法のどこに根拠があるというのでしょうか。

仮に法律を離れて、いわゆる「社会常識」に照らして考えてみた場合はどうでしょうか。義務者が「何らかの理由によって自身の義務を果たすことができない」というのですから、ならば自ら進んでその理由を権利者に説明して相談すべきなのではないでしょうか。これほどまでに「当たり前なこと」が、なぜ地方税の滞納整理の現場では「当たり前ではない」のでしょうか。ですから、法律上の根拠もなく、しかも社会常識に照らしても大量・反復事務である税の滞納整理で徴税吏員の方から個々の滞納者に対して能動的に働きかけて話を聴かなければ次の手続に進めないなんてことは明らかにおかしいのです。おかしなことでも長年の慣行として続いてきて職場の中で定着してしまうと、誰も「おかしい」とか「合理的じゃない」なんてことに気づくことができなくなってしまうのです（恐ろしいことですよね）。日本人の間に根強く浸透している「同調傾向」（みんなと同じであろうとする気持ちやそうした傾向）ないしは「同調圧力」（周りと同じでないと仲間はずれにするぞという無言の圧力や雰囲気＝空気）ということなのでしょうか。おかしなことに気づいたら、勇気をもって発言し、そして実行に移しましょう！

5　それでも事実上の分納にこだわるのはなぜですか？

多くの地方団体ではいまだになお「滞納者を説得して納税誓約をさせて分納に持ち込む」という手法が幅を利かせているようです。その理由は、おそらく次のようなものではないでしょうか。

①以前からずっとやっているやり方である
②特別の法的な知識が必要ない
③手続が簡便である
④他の地方団体でもみんなやっている
⑤滞納者からの反発が少ない

しかし、ちょっと立ち止まって冷静に考えてみれば、事実上の分納には法律上の根拠がないことや、労多くして得るところが少ないということに気づくはずです。そもそも租税に関する事務は、納税義務者に対する一方的な経済的負担を伴うものですから、公正かつ公平であることが強く求められています。ですから、例えば徴税吏員の一存で延滞金を徴収しなかったり、勝手に差押えを解除してしまったりするようなことはできないわけです（当然ですね）。そんな恣意的なことを許してしまったら、公平であるべき負担が公平でなくなり、公正であるべき手続が徴税吏員の好き勝手によって左右されてしまい、税務行政に対する納税者からの信頼は地に落ちてしまうことでしょう。だからこそ租税に関する事務については租税法律主義（憲法第84条）や租税公平主義（憲法第14条）といった原理・原則によって統制・規律されているのです。言ってみれば、これは長い歴史の中で育まれてきた先人たちの英知なのです。租税はその昔、洋の東西を問わず、王や皇帝などの専制君主による民衆を支配するための道具の一つとして、一方的に課されるものであったし、かつ過酷に取り立てられるものでもありました。長い歴史の中で、有名な「マグナカルタ」や「権利の章典」「アメリカの独立宣言」などに代表されるように、主権に目覚めた民衆の抵抗と要求により、次第に今のような租税法律主義が出来上がってきたとされています。このような沿革から、租税法律主義は、近代民主主義における財政の骨格を形作る基本原理・原則であると言われているのです。租税に関する事務を担う徴税吏員が、法律に根拠がなく効果の不確実な事実上の分納という手法にいつまでもこだわるのは、もういいかげんにやめるべきです（少なくとも減らす努力をすべきです）。一時に完納することができないやむを得ない事由があるのであれば、法定の猶予とすべきです。

【参考】租税法律主義について触れている最高裁判例

①昭和30年３月23日最高裁大法廷判決（民集第９巻３号336頁）

思うに、民主政治の下では、国民は国会におけるその代表者を通して、自ら国費を負担することが根本原則であって、国民はその総意を反映する租税立法に基づいて自主的に納税の義務を負うものとされ（憲法第30条参照）、その反面において、新たに租税を課し又は現行の租税を変更するには、法律又は法律の定める条件によることが必要とされているのである（憲法第84条）。されば日本国憲法の下では、租税を創設し、改廃するのはもとより、納税義務者、課税標準、徴税の手続きはすべて前示のとおり法律に基づいて定められなければならないと同時に法律に基づいて定めるところに委せられていると解すべきである。

②昭和37年２月21日最高裁大法廷判決（刑集第16巻２号107頁）

思うに、国民の負担する具体的な担税義務は、法律によって定まる。このことは憲法第30条、第84条の明示するところである。そして、これらの規定は担税者の範囲、担税の対象、担税率等を定めるにつき法律によることを必要としただけでなく、税徴収の方法をも法律によることを要するものとした趣旨と解すべきである。

③昭和60年３月27日最高裁大法廷判決（民集第39巻２号247頁）

租税は、国家がその課税権に基づき、特別の給付に対する反対給付としてではなく、その経費に充てるための資金を調達する目的をもって、一定の要件に該当するすべての者に課する金銭給付であるが、およそ民主主義国家にあっては、国家の維持及び活動に必要な経費は、主権者たる国民が共同の費用として代表者を通じて定めるところにより自ら負担すべきものであり、我が国の憲法も、かかる見地の下に、国民がその総意を反映する租税立法に基づいて納税の義務を負うことを定め（第30条）、新たに租税を課し又は現行の租税を変更するには、法律又は法律の定める条件によることを必要としている（第84条）。それゆえ、課税要件及び租税の賦課徴収の手続きは、法律で明確に定めることが必要であるが、憲法自体は、その内容について特に定めることをせず、これを法律の定めるところにゆだねているのである。

④平成27年７月17日最高裁判所第二小法廷判決

憲法は、国民は法律の定めるところにより納税の義務を負うことを定め（日本国憲法第30条）、新たに租税を課し又は現行の租税を変更するには、法律又は法律の定める条件によることを必要としており（日本国憲法第84条）、それゆえ、課税要件及び租税の賦課徴収の手続きは、法律で明確に定めることが必要である（昭和60年３月27日最高裁大法廷判決参照）。

6　無理は通らないことを滞納者に理解させる

※　後掲60ページの9も参照

読者のみなさんは差押えを受けた滞納者や延滞金を請求された滞納者が窓口でごねたり、大声を出してみなさんを威嚇したりする理由をご存じですか。そのような滞納者たちだって税金は払わなければならないことや、滞納することがよくないことについては百も承知なのです。それなのになぜごねたり、怒鳴ったりするのでしょうか。常識的に考えれば払わない方がいけないし、そんなことをすれば世間の人たちからは「何を逆ギレしているんだ」と見られても仕方がないですよね。それなのに「分かっていてもやる」のは、「過去の成功体験」や「役所の及び腰を見透かしている」からなのです。

つまり、そのような非常識な言動をする滞納者は、過去の経験からちゃんと学んでいるし、役所の「事なかれ主義」を完全に見透かしているということなのです。「過去の成功体験」とは、例えばかつて延滞金を請求されたことについて窓口でさんざん担当者にねじ込んだところ、意外にもその時の担当者が折れて「分かりました。それではこの延滞金減免申請書を提出してください」と言って（ちゃんとした減免事由がないのに）減免してくれたことがあったというものなどがそうです。また「役所の及び腰」というのは、例えば、かつて差押えを受けたときに抗議のために窓口へ行って「払わないとは言っていないのに一方的に差し押さえるのはだまし討ちのようで信義に悖（もと）るじゃないか。このことをマスコミに情報提供するぞ」と言ったところ、課長が出てきて「まあまあ、そう事を荒立てないでください。分納で払っていただけるなら差押えは解除しますよ」と取りなしてくれたことがあって、役所は「事を荒立てる＝もめ事になる」のを極度に嫌っていることを肌で知ったということなどが考えられます。

こうした役所の「いいかげんでぬるい対応」を経験的に学習した滞納者は、その後も「二匹目のドジョウ」を狙ってしばしば同じ事を繰り返すのです。ですから、このような「ごねる滞納者」「怒鳴る滞納者」が苦手だというのであれば、必ず複数で対応し、決して安易な妥協はせずに法律どおりの処理をしてください。無理が通るから繰り返しやって来るのです。

《ごねたり、怒鳴ったりする滞納者に対する姿勢》

「譲らない」「根負けしない（または引き下がらない）」「恐れない」の“三ない”を貫く

そもそも租税における当事者の関係は、課税権者と納税義務者とが法律によって規律されている（つまり、要件該当性の問題な）のであって、本来「譲る」とか「譲られる」などという関係にはありません。すなわち、租税は、民事（商事・労働関係も含む）における法律関係や政治の世界（与野党の交渉、外交交渉など）とは根本的に異なっているのです。しかしながら、長年の実務慣行の中では、（法律の）要件に該当しない場合であっても、滞納者からの強い圧力によって本来あるべき処理がねじ曲げられてしまって、事実上、延滞金を減免してしまったり、何十年かかっても完納にならないような長期少額分納を認めさせられてしまったりということが必ずしも珍しくはないようなのです。これは法治主義の観点からは由々しき問題だと言わなければなりません。

言葉遣いもさることながら、部下の視線は滞納整理に臨む管理・監督者の姿勢についても注目しているのです。それはそうです。普段、自分たちに指示を出したり、決裁という仕事上の重要な判断をしている人（管理・監督者）の一挙手一投足が気になるのはごく自然なことと言えるからです。だからこそ部下職員のためにも管理・監督者としては、率先垂範して「譲らない」「根負けしない（または引き下がらない）」「恐れない」の“三ない”を貫く姿勢を見せる必要があるのです。

7　差押えは「滞納者のため」の制度である

地方税の滞納整理ではいまだに「差押えは滞納者いじめだ」とか「差押えは強力な手段だから最後の最後にすべきだ」などと思い違いをしている人が少なくないようです。

それは完全な思い違いですし、そういった見方をしている人たちは、租税そのものが「個々の納税者の同意を要せずに一方的に賦課し、徴収することができる」ものであることを看過ないしは軽視しています。税法を見てみれば、督促状によって納付を促した後一定の期間を経過してもなお完納しない場合は、差押えをしなければならない旨、規定しています（国税徴収法第47条）。つまり税法は、この方法によって徴収するよう徴税吏員に対して命じているのです。滞納者と交渉しろとか、説得しろなどとは規定していないのです（そんな規定は存在しません）。実態としては現にそうしている（いまだに交渉や説得などと称して滞納者と接触することに力を入れている）ところも少なくないのですが、それは単に以前からそうしているからとか、他の地方団体もそうしているからというだけのことで、法律の根拠があってそうしているのではありません。

《「しなければならない」の意味》

「しなければならない」との文言が盛り込まれた規定で一番わかりやすいのは、国税徴収法第47条でしょう。

【参照条文】国税徴収法

（差押の要件）

第47条　次の各号の一に該当するときは、徴収職員は、滞納者の国税につきその財産を差し押えなければならない。

一　滞納者が督促を受け、その督促に係る国税をその督促状を発した日から起算して10日を経過した日までに完納しないとき。

二　納税者が国税通則法第37条第１項各号（督促）に掲げる国税をその納期限（繰上請求がされた国税については、当該請求に係る期限）までに完納しないとき。

【参考】平成19年６月29日　大阪高等裁判所判決

滞納者が税を任意に納付することが期待できない状態になったときには、徴税吏員は、すみやかに、納税義務の履行を強制すべく、地方税法及び国税徴収法の規定に則って滞納処分（差押え等）をすべきである。

要するに、市町村の徴税にかかわる公務員は、特別土地保有税の滞納があれば、積極的な指導により任意納付を促したり、或いは、滞納処分による強制徴収の方法等により、未納者から税を徴収すべき職務上の義務があるといわなければならない。

※なお、税ではありませんが、税と同じく国税徴収法を使って滞納処分をすることができる（強制徴収公債権である）保育料の徴収について、次のような裁判例があります。

【参考】平成22年３月18日　京都地方裁判所第３民事部判決

保育料債権を納期限までに納付しない者があるとき、Ｄ市長は、期限を指定してこれを督促しなければならず、裁量の余地はないのであるから（地方自治法第231条の３第１項）、Ｄ市が適切な時期に督促を行わずに（したがって、滞納処分も行わずに）本件各保育料債権を時効消滅させたことは、このように法が行うことを義務付けている行為を行わなかったという意味において、財務会計行為（怠る事実）の違法性を根拠付ける一つの重要な事情といえる。

【参照条文】地方自治法

（督促、滞納処分等）

第231条の３　分担金、使用料、加入金、手数料、過料その他の普通地方公共団体の歳入を納期限までに納付しない者があるときは、普通地方公共団体の長は、期限を指定してこれを督促しなければならない。

以上見ていただいたように、税にしても強制徴収公債権にしても、公法（ここでは税法と地方自治法）上、公務員（徴税吏員）に義務付けられている行為（督促なり差押え）をしなかった場合（＝不作為）は、法的責任を問われることとなっています。そうすると、国税徴収法第47条の「差し押えなければならない」や地方自治法第231条の３第１項の「督促しなければならない」との規定は、単なる訓示規定ではなく、その不作為に対して法的な責任が生じると言えるでしょう。

冷静に考えてみれば、課税だっていちいち個々の納税者の同意を得た上で行っているわけではありません。しかも課税の場合は滞納整理のように、処分（賦課処分の）前に督促状や催告などの事前通知は一切発出せずにいきなり（といっても、税法・税条例で決められた時期と手続で）納税通知書を送って課税するわけです。このように課税に比べても滞納整理では（滞納処分の）事前に督促状等を送って、納付を促したり警告したりしているのですから、実に丁寧な手続を取っているとも言えるわけです。

租税法律主義の原則からすれば、課税も徴収も含めて租税制度そのものが国民的な合意事項（国会で議論の上、国民的合意文書としての法律として制定されているわけ）ですから、いずれにおいても（賦課・徴収のための）事前の通知は本来不要なわけですが、賦課の場合と徴収の場合とではその件数に圧倒的な違いがあります。すなわち、賦課件数は実に大量（しかも収入や課税物件があれば毎年賦課されるというように反復的）であって、そのうち滞納となるのはほんの一部に過ぎません。

やむを得ない事由によって納税できない人を除けば、怠慢や納期に対する無頓着あるいは反感や確信的な理由によって滞納している人については、明らかに自主的な納付が期待できないわけですから、そのような滞納者に代わって徴税吏員が、滞納となっている租税債務を消滅させるための手続を、いわば本人に成り代わって代行する必要があります。なぜなら、滞納者の租税債務を放置すれば、時効によって消滅してしまう危険性もありますし、そして何よりも滞納が続けば徒（いたずら）に延滞金の負担が増えることとなり、滞納者にとって不利益となるからです。延滞金の負担が増え続けるのを差押えによってできるだけ早く止めてあげる必要があります。

【参考】取立てがなされるまでは延滞税（延滞金）が発生し続ける

平成29年９月12日東京高等裁判所「差押債権取立請求控訴事件」判決

滞納処分としての債権差押えの場合は、第三債務者から取り立てたときに滞納者から差押えに係る国税を徴収したものとみなされるのであり（徴収法第67条第３項）、また、延滞税は本税を完納する日まで発生するから（国税通則法第60条第２項）、本件各差押えがされただけであり、取立てにより各滞納会社から本件各租税債権を徴収したものとみなされるに至っていない以上、本件各租税債権のうちの延滞税は発生し続けているのであって、これを被控訴人が取り立て得ることは明らかである。控訴人は、本件各報酬等債権の履行期が到来するごとに上記延滞税の額が確定していることを前提として、本件各差押えの終期について主張するが、控訴人が取立てに応じないため、上記延滞税の額は未確定のままなのであるから、控訴人の主張はその前提を欠くものである。

以上、できるだけ早く差押えをすることが滞納者のためになる理由を説明してきましたが、まとめると次のようになります。

《早く差押えをすることが滞納者のためになる理由》

① 経済的な負担（延滞金）が増えるのをストップすることができます。国税徴収法第67条第３項および前頁の平成29年９月12日東京高等裁判所の判決参照。

② 債務（租税債務）から解放されること。差し押さえた財産を換価して滞納税に充当すれば、債務が消滅します。民事でいえば、借金がなくなるのと同じですね。

③ 督促状や催告書あるいは催促の電話が来なくなる。何度も何度も催促が来るというのは心理的な負担になるものです。差押え（とそれに続く換価）によって滞納税が消滅すれば、そうしたうっとうしさや心理的な負担感から解放されることになります。

④滞納していることを他人（第三債務者や取引先）に知られて恥をかいたり、取引先の信用を失ったりすることがなくなります。もっとも、差押えによって滞納を解決するのですから、一回は「給与照会」や「債務照会」を受けることは避けることができませんが、何度も繰り返されることはなくなります。一回でもそうした照会をされたくないのであれば、早く自主納税すべきですね。

⑤ 必要なときに融資を受けることができるようになります。金融機関から融資を受けるときには「納税証明」の提出を求められます。ですから、早く「差押え→換価」をして滞納税を解消してあげて、「納税証明」が出せる状態にしてあげることが滞納者の利益になるのです。

第1章・三位一体の滞納整理

地方税は自治体の基幹財源として最も重要なものです。そして、その賦課事務および徴収事務に携わる税務職員については、事業系の部署の職員に比べれば、地味な存在といった印象があるかもしれませんが、自治体の財政を支える「要（かなめ）」としての重責を担っているのであって、広範な地方行政事務の中において、極めて重要な位置を占めています。また、租税の賦課・徴収は、国民（住民）に対して一定の費用負担を求めるものであるところから、とりわけ「公正で公平な事務の遂行が強く求められている」のは、いわば当然のことと言えるでしょう。

1　三位一体の滞納整理とは

地方税の場合、例えば固定資産税で言えば、不動産登記簿に基づいて課税することとされ（地方税法第343条第１項、第２項）（台帳課税主義）、また市民税・県民税で言えば、国税・地方税の申告や給与支払報告書に基づいて課税されるなど、地方団体が調査権を行使して独自に収集した資料に基づいて賦課処分するというよりも、既存の他の制度（登記制度）によって登記され、あるいは納税者等から提供された資料に基づいて賦課処分するという仕組みになっています。

ところで、このような地方税の仕組みの中にあって、法律は「滞納処分のため滞納者の財産を調査する必要があるときは、（中略）質問し、帳簿書類を検査することができる」（国税徴収法第141条）とか、「滞納処分のため必要があるときは、滞納者の物又は住居その他の場所につき捜索することができる」（同法第142条）と規定して、滞納整理では、課税の場合（地方税法第298条等）とはやや異なり、徴税吏員が独自に収集した資料に基づいて滞納者の納付能力を判断し、そして滞納処分をすることができるとしています[※1]。このように滞納整理に関して徴税吏員には比較的広範で強力な調査権限と、滞納税を強制徴収するための強い権限（自力執行権）が与えられています。徴税吏員が、こうした広範で強力な権限を法の趣旨に沿って適正に行使し、効率的で効果的な滞納整理を推進するために、地方税の徴収に関する法的な知識を身につけたり、

※１　「差し押さえる財産の選択は、徴収職員の裁量による」（国税徴収法基本通達第47条関係17）

三位一体の滞納整理

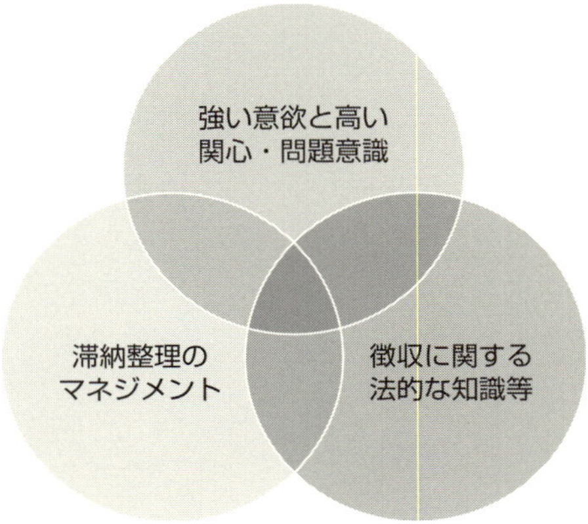

強い意欲と高い
関心・問題意識

滞納整理の
マネジメント

徴収に関する
法的な知識等

滞納整理を適切にマネジメントしたりする必要があるのは当然のこととしても、それだけでは必ずしも十分だとは言えないと思います。すなわち、私は、徴税吏員にはこれらに加えて、強い意欲と高い関心・問題意識を持つことが求められているのではないかと考えています。

2 滞納整理のバックボーン

滞納整理に限らずいかなる分野の仕事であっても、それぞれの仕事固有のスキルを持っているだけでは必ずしも十分な成果を挙げることはできないのではないかと思います。また、仕事に携わる当の本人自身も、何の目標感もなく、ただこなすだけのいわば「作業」として仕事に臨んだのでは、おそらく仕事の「やりがい」を感じることはないでしょう。なぜなら、一般に人は「自分の意図したとおりの結果が出せたとき」に仕事の「やりがい」を感じるのではないかと考えられ、そもそも「自分ならこうする」とか「このようにやってみたい」というような気持ち（意欲・関心）自体がないような場合は、意図した（ないしは目標とした）ことをやり遂げたという達成感を得ることができないからです。

かのロシアの文豪ドストエフスキーは、その著書の中で「例えば、水をひとつの桶から他の桶に移し、またそれを元の桶に戻すとか、砂を撒くとか、土の山をひとつの場所からほかの場所へ移し、またそれを元の場所に戻すなどといった作業をさせたら、囚人はおそらく４、５日もしたら首をくくってしまうだろう。『最も残酷な刑罰は、徹底的に無益で無意味な労働をさせることだ。』」

（『死の家の記録』新潮文庫）と記（しる）しています。このように「～のため」という目的や、「～を目指す」という目標は、私たちの仕事に「やりがい」を感じるための前提になっているのであり、それらを達成するためには、その原動力となる「意欲・関心・問題意識」が欠かせないのです。

仕事上のスキル（技量）はあくまでも手段であり、ツールにすぎないのであって、滞納整理においてももちろん必要なことであるには違いありませんが、それ自体は仕事の達成感や、やりがいに直結する本質的な要素ではないと思います。その意味で私は、滞納整理という仕事を通じて達成感や、やりがいを感じるためには、仕事上のツールとしての法的な知識等と、それを使って仕事全体を合理的・効率的に進めるためのマネジメントの二つを下支えする、いわばそのバックボーンとして「(滞納整理への）強い意欲と高い関心・問題意識」を持つことが不可欠なのではないかと確信しています。また、人間には達成感や、やりがいを感じると、仕事の効率が、より一層上がるという特性がありますから、滞納整理をマネジメントする立場の管理・監督者には、常に部下職員の「(滞納整理への）強い意欲と高い関心・問題意識」を高めるためのさまざまな工夫をすることと、そのためのたゆまぬ働きかけをすることが求められていると思います。

3　期待される徴税吏員像と人材育成

一般的にいえば、税法や破産法、不動産登記法など滞納整理で使うさまざまな法律に精通していて、積極的に調査（必要に応じて滞納者に働きかける納税指導）・処分を進め、徴収実績を上げる職員が理想的な徴税吏員ということになるのだろうと思います。一方、初めてということもあり、滞納整理が未知の仕事である新採用職員や、滞納整理の部署へ転入してきたばかりの職員を、これといった（人材）育成計画もなく、ただ漫然と職場に配属して、「早く仕事と職場に慣れてください」とばかりに、従来どおりの日常業務を習得（覚え）させるだけでは、そうした意欲的で、しかも実績を挙げることができる職員を育成するのは、望むべくもないでしょう。

地方税の滞納整理に関して、徴税吏員に対するこれまでの研修といえば、地方税法（とりわけその総則の部分）と国税徴収法を中心に、「財産調査の方法」や「滞納処分の方法」などのような徴収のための知識と徴収の技量に関するものがほとんどだったのではないでしょうか。確かにこうした基礎的な知識や技量が、滞納整理にとって必要不可欠なことであるのは間違いありませんが、実際に各地方団体で行われている滞納整理の実情を見てみると、知識は豊富であっても、滞納処分はほとんどせずに、催告書ばかり出していたり、延々と滞納者への接触を試みようとしてばかりいて（というよりも、滞納者の「話し相手」になってしまっていて）、解決に向けた進捗がなかなか見えてこない場合も少なくないようです。

こうしたことが全て研修のせいであるとまでは言えないまでも、従来の方法による研修の限界を示す一つのエピソードではあると思います。つまり、地方財政の状況が厳しい今日であればなおさら、期待されている徴税吏員像というものは、徴収実績を挙げるという「結果を出せる職員」※2なのであって、知識が豊富で技量にも長けているものの、「実績がついてこない職員」ではないということです。もちろん実績さえ挙がれば税法等の知識などどうでもいいという極論に与することはできませんが、徴税吏員が行う滞納整理は、まさに実務そのものであって、理論や学問などではないので、税収の確保や収納率の向上や滞納額の圧縮などの実績を挙げられる職員を育成できなければ、結局、それは掛け声倒れ、ないしは理念倒れの人材育成と言われても仕方がないように思います。

掛け声倒れ、ないしは理念倒れの人材育成に終わらない実のある人材育成とするためには、

① 滞納整理の目的
② 滞納整理に臨む姿勢
③ 徴税吏員の心構え
④ 組織的滞納整理
⑤ 滞納整理のコツやノウハウの習得
⑥ 滞納整理の（仕事の）根拠と法的知識

などの項目について、滞納整理に初めて携わる職員が本格的に実務に就く前の、できるだけ早い段階で徹底させる必要があると思います。なぜなら、ある程度、旧来の滞納整理方法（職場慣行も含む）が染みついてしまった後からでは、なかなか「本来あるべき滞納整理の姿」になじめないからです。つまり、実績を挙げられない旧来からの職員（もちろん全てというわけではありません

※２　**結果を出せる職員**　結果を出すということの意味には、徴収実績や処分実績を挙げることはもちろんですが、それ以前に「丁寧な応対」や「滞納者の真摯で誠実な申出に耳を傾ける」姿勢で滞納整理に臨むことができる職員であるという前提が含まれていることを忘れてはならないと思います。

が……）は、現にこれまでその職場で行ってきたことを“このようにするのが滞納整理の実務である”ということで（旧態依然とした滞納整理の進め方が）染みついてしまっているため、それを前提としてしか考えられなくなっているのです（つまり、硬直化してしまっているということです）。それでは遅きに失します。ここに初任者の育成が大切である理由があります。私は、これを徴税吏員の育成における「入口からの意識改革」と呼んでいます。何といっても、最初が肝心なのです。

滞納整理は法律に基づいて進められるとしても、実務はそれだけで回っていくわけではなく、実際には国税徴収法基本通達や行政実例、裁判例、参考書籍、マニュアルなどをさまざまに活用して行っていくこととなります。中でもマニュアルは、徴税吏員にとって実務の最も身近な手引書として重宝ですし、初めて滞納整理に携わることとなった職員にとっては、手放すことができない当面の必読書でしょう。

4　マニュアルの功罪と人材育成

滞納整理だけではありませんが、公債権の管理に係る事務は賦課処分や滞納処分という形で強力な権限の行使を伴うことも多いので、その執行に当たっては細心の注意を払って慎重に進める必要があります。これを円滑に進めるための指南書的な存在がマニュアルになりますので、その内容は、法令の解説にとどまらず、実務の手順や留意点、さらには各種書類の調理要領、さまざまな場面での応対方法など実に懇切丁寧に説明されているのが普通です。もちろんマニュアルが法令に基づいているといっても、大なり小なりそれを作成した人の考えを反映していますから、微に入り細を穿（うが）つような詳細なものもあれば、ざっくりとした概要書のようなものもあるでしょう。

しかし、いずれにしても徴税吏員が実務に携わるに当たり、いちいち法令を紐（ひも）解きながら進めることは稀（まれ）であり、通常は（その名称はともかくとして）マニュアルの類いを参考にしながら取り組むことが多いのではないかと思われます。とはいえ、一定程度実務に習熟してくると、いちいちマニュアルに目を通すことはなく、時折、参考にするくらいではないかと思います。

ところで、読者のみなさんも「マニュアル人間」とか「指示待ち人間」という言葉を聞いたことがあるのではないでしょうか。これは、マニュアルに書いてあることしかできない、ないしはそれしかやらない人や、上司から指示されたことしかやらない、あるいは指示されないと動かないような人のことを言い、一般的には否定的な意味で使われる言葉です。

組織の中で働いている人をよく観察すると、このような①マニュアルワーカーのほかに、②スキルワーカーと、③ナレッジワーカーに分類されるそうです（『経営者の条件』『ドラッカー名著集８　ポスト資本主義社会』P.F.ドラッカー、いずれもダイヤモンド社）。①のマニュアルワーカーは、前記の「マニュアル人間」「指示待ち人間」のことで、マニュアルどおり、または上司の指示通りに言われたことを忠実にやるだけの、いわば「作業をする人」ということです。②のスキルワーカーというのは、与えられた課題に対して、自分の持っているスキルで対処しようとする人のことで、自己のスキルの範囲内でのみ能力を発揮する人のことです。③のナレッジワーカーは、組織の抱える課題を積極的に見つけ出し、進んで必要な対応策（解決策）を考えながら、創造的な仕事をする人のことをいいます。①と②は、範囲が狭く内容が比較的単純なため、最もアウトソーシング（民間委託）の対象に馴染む（なじ）ものであるとされます（ただし、公権力の行使に関する事務については、アウトソーシングに関して制限があります）。

前述のとおり滞納整理の初任者にとっては、マニュアルは大いに頼りになる存在です。最初のうちは、マニュアルを忠実にトレースすることによって、実務の基本的なパターンを身につける必要があるからです。誰でもこうした段階は通過点として経験するものです。しかし、いつまでもその域にとどまってしまい、マニュアルに書いてあることから抜け出すことなく、同じことを繰り返している人のことをマニュアルワーカーと言うのだと思います。つまり「進歩がない」のです。「自分の頭で考えない」のです。それは、マニュアルに頼っている方が楽だからかもしれませんし、考えることが苦手だからかもしれません。あるいは、そのようにすることだけが役割として求められているのかもしれません。滞納事案の中には類似のものがあるとしても、全く同じものはありませんから、こうした前提事実に照らせば、マニュアルワーカーだけでは滞納整理は務まらないと言わざるを得ません。

スキルワーカーというのは、特定の分野でのスキルを持った人のことですから、例えば、滞納整理という事務全般にスキルがあるとか、もっと絞り込んだ公売事務にスキルがあるなど、役割次第でその持てる能力を発揮することができます。P.F.ドラッカーの分類に従うとするならば、おそらく国税における特別国税徴収官（いわゆる「トッカン」）と言われる人たちはこのスキルワーカーに相当するのではないでしょうか。

ナレッジワーカーは、知識と経験に加えて意欲と応用力を持った人なので、最も活躍の範囲が広く、そして可能性に満ちた存在と言えます。必ずしも全員がこのナレッジワーカーである必要はないと思いますが、組織の中での役割と影響力は大きいので、このナレッジワーカーとしての徴税吏員が比較的多い職場では活発な議論が行われることでしょう。

以上、要するに滞納整理ではマニュアルは必要であり、人材育成に当たって大いに有用なアイテムですが、それを使った人材育成はあくまでも通過点であって、それを超えた「その次の」人材育成プログラムが必要だということです。すなわち、徴税吏員の人材育成では、マニュアルワーカーでよしとするのではなく、徴税吏員一人ひとりの「向き・不向き」と能力を的確かつ適切に評価して、さらにその上のスキルワーカーとナレッジワーカーの育成を目指すことが大切なのではないでしょうか。

第2章・滞納整理進化論
自らの立ち位置を知ることから始める

最近では地方税の滞納整理も、ひと頃に比べて大いに進化したと実感するこの頃ですが、ここまで到達するにはさまざまな紆余曲折があったように思います。今でこそ捜索や不動産公売を実施している地方団体は少なくありませんが、2000年代の初頭あたりまでは非常に少なかったように記憶しています。

租税の滞納整理で「できること」は法律で決まっているため、それこそみんなが「あっ⁉」と驚くような奇策はないわけですが、どういった手法にどのようにして取り組んでいくかという点については、地方団体によって、それこそさまざまであり、前述のとおり不動産公売や捜索を行っているところがあるかと思えば、今日でさえ差押えを行っていないところもあるようです。

同じ法律を使っているにもかかわらず、このように滞納整理の実態が団体によってまちまちであるのは、それぞれの地方団体における職場慣行の問題や、あるいは職場の「空気」、人材育成などのほか、地縁関係が濃密であることなど、当該地域固有の事情があるからかもしれません。こうした個別の事情をすべて斟酌するとなれば、それが桎梏となって、法律に基づいた滞納整理の徹底が困難になるおそれもあります。徴税吏員には、そうした困難を乗り越えて、税収を確保し、（租税負担の）公平を実現するという滞納整理の目的を達成するために、さまざまなことへのチャレンジを通じて試行錯誤を繰り返す中で、効率的で効果的な整理手法を見いだしていくことが求められているのではないかと思います。これを、その手法や考え方の発展段階に応じて整理すると、おおむね次のような経過を辿るのが一般的なのではないかと考えられます。

1 第Ⅰ期（ステージ１） 滞納者任せの滞納整理

この段階では、滞納者に納付を依頼するなど「お願いの（姿勢の）滞納整理」が行われており、滞納整理の手法の主流は「催告中心」となっています。電話や窓口で滞納者と接触したときは、滞納者を「説得する」ことに力が注がれ、全体として「滞納者任せ」の滞納整理となっている状況です。ここでは徴税吏員の側に債権者としての自覚は希薄であり、納付金額や納付時期など納付に係る肝心なことのほとんどが、滞納者の意向によって左右され、徴税吏員の主導による納税指導はほとんど行われないばかりか、よほどのことでもない限り、滞納処分や停止などは行われず、法律に基づいた滞納整理という認識は（徴税吏員の間で）共有されていません。

【特徴】

▶滞納整理の帰趨（きすう）が滞納者の意向に左右される。
▶滞納処分や停止はほとんど行われない。
▶消滅時効の完成による欠損が多い。
▶催告中心の滞納整理となっている。
▶滞納者の説得に力が注がれている。
▶延滞金は、滞納者が応じた場合にのみ徴収しており、ほとんどの場合徴収していない。
▶事実上の分納の運用に関するルールはなく、ほとんどの場合、滞納者の申出金額で分納を認めている。

2　第Ⅱ期（ステージ2）　御用聞きのような滞納整理

この段階では、とにかく1円でも多く滞納者に払ってもらうことが滞納整理であるという認識の下に、「訪問催告」「集金」「分納勧奨」が行われています。滞納者と接触して履行の請求をし、分納とすることが、ここでの事務の中心となっており、その背景には、滞納者と接触して履行を請求することが徴税吏員本来の役割であるといった認識があって、請求に応じた滞納者から集金する実績を挙げるために、ここでは嘱託職員を雇用し、活用することが効率的な滞納整理に大いに貢献しているという考え方があります。

この段階でも、「租税債務は持参債務※3である」という認識は見られず、「徴税吏員は処分吏員である」という認識も見られません。

※3　**持参債務**　持参債務とは、給付の目的となる物または金銭を債務者が債権者の住所地（現在の住所地）に持参して引き渡す債務のことです。金銭債務については民法上持参債務が原則とされています。当事者の取決めがあればそれに従いますし、当事者の取決めがない場合は、原則として「持参債務」（債権者の住所地まで債務者が出向いて履行する）とされます（民法第484条第1項後段）。なお、国税通則法第34条第1項（納付の手続）「国税を納付しようとする者は、その税額に相当する金銭に納付書を添えて、これを日本銀行、郵便局又はその国税の収納を行なう税務署の職員に納付しなければならない」参照。

【特徴】

▶催告中心の滞納整理となっている。

▶滞納者の説得に力が注がれている。

▶とにかく滞納者に分納を積極的に勧めている。

▶窓口や滞納者宅では、現金納付を求めることに力を注ぎ、1円でも多く集金することに力が注がれている。

▶滞納処分や停止をすることは稀（まれ）であり、差押えをしても原則として換価まではしない。

▶財産調査に基づく納付能力調査によることなく、滞納者の申出に基づいて分納を認めている。

▶延滞金は、滞納者が応じた場合にのみ徴収しており、ほとんどの場合徴収していない。

3 第Ⅲ期（ステージ3） 発展途上期の滞納整理

この段階にくると、限定的ではあるものの、滞納処分については一定の財産について差押えまではやるようになります。つまり、例えば、不動産の差押えまではするものの、公売については行わず、差押えを梃子（てこ）として、「このまま滞納が続けば公売になってしまいますよ」という警告をもって納税させようとしています。したがって、ここでは、よほど常習的な滞納者でなければ差押えに着手することはなく、いわば「差押えは最後の手段」という位置づけで滞納整理を進めています。こうしたこともあって、多くの徴税吏員には、本税さえ徴収することができれば御（おん）の字だという意識があり、延滞金は、滞納者が自主的に払った場合か、または納付に同意したときしか徴収していません。

【特徴】

▶滞納者の説得に力が注がれている。

▶滞納処分はするものの、原則として、換価まではしない。差押えを梃子として滞納者に働きかけることに力が注がれている。

▶延滞金は、滞納者が応じた場合にのみ徴収しており、ほとんどの場合徴収していない。

▶財産調査に基づく納付能力調査によることなく、滞納者の申出に基づいて分納を認めている。

4　第Ⅳ期（ステージ４）　自力執行権※4展開期の滞納整理

このステージになると、徴税吏員の意識と意欲は高く、滞納税は、一括納付が原則であり、分納は例外として取り扱われ、１年を超えるものは認めていません。延滞金は、減免事由に該当しないものについては、完全徴収され、債権の差押えが中心に行われています。差し押さえた財産は、換価（取立て、公売〈インターネット公売も含む〉）され、滞納税に充当されています。ここでは、「徴税吏員は処分吏員である」という認識が、多くの徴税吏員に共有されています。

【特徴】

▶滞納税は一括納付が原則で、分納は例外という取扱いが徹底しており、分納に関する合理的なルール（年度内、最長でも１年間）がある。
▶延滞金は完全徴収されている（ただし、減免事由に該当する場合は除く）。
▶財産調査に基づく納付能力調査が行われており、納付能力がありながら納税意思のない滞納者に対しては、債権の差押えを中心とした滞納処分が行われている。
▶財産調査に基づく納付能力調査が行われており、納付能力のない滞納者については、停止が行われている。
▶不動産公売が行われている。
▶差押えに係る財産については、インターネット公売も行われている。
▶納付書による納付が徹底されており、集金は行われていない。

5　第Ⅴ期（ステージ５）　権限のフル活用による滞納整理

前記４だけでは解決することのできない複雑な事案や困難な事案について、取立訴訟や詐害行為取消訴訟などの「原告訴訟の提起」、滞納処分免脱犯や不納付犯などの「租税犯の告発」「第二次納税義務の追及」「財産管理人の選任による滞納整理」「連帯納税義務者への請求」「相続人への請求」など一般的に手

※４　**自力執行権**　「債務不履行があった場合、債権者自らが、強制手段によって履行があったのと同一の結果を実現させる権限」「債権の満足を図る手続きとして、通常は民事執行法の手続きによらなければならないところ、法令に『国税滞納処分の例による』等の規定がある場合、民事執行法の手続きによらず、自ら差押え、公売等を行うなど、国税徴収法に規定する強制力のある滞納処分を行うことができる」「地方税のように『国税徴収法に規定する滞納処分の例による』と規定されるほか、『国税滞納処分の例による』や『地方税の滞納処分の例による』と規定されている場合、自力執行権があることになる」以上、平成24年２月内閣府・公共サービス改革推進室作成の『公金の債権回収業務』より引用。

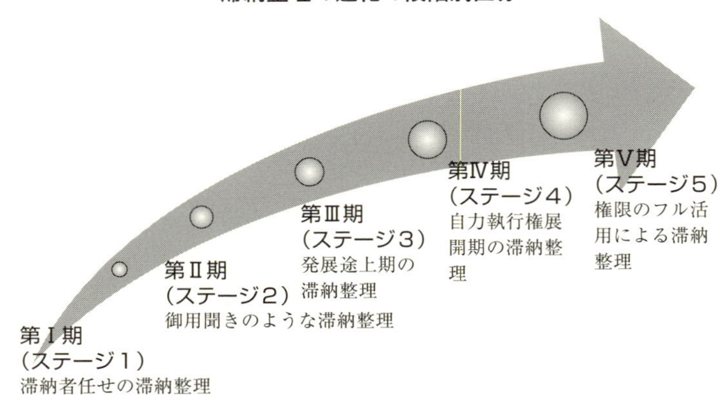

続が複雑で手間のかかる手法とされているものが日常的に駆使され、進捗（しんちょく）に緩急の差はあるものの、進展していない事案はほとんどない状態です。

【特徴】

▶法律に基づいた滞納整理が徹底されている。
▶組織的な滞納整理が行われており、無理な要求や不当な要求は一切通らない。
▶計画的な滞納整理が行われており、整理は段階的・漸進的に進捗している。
▶国税徴収法・地方税法で定められているあらゆる滞納整理手法が必要に応じて行われており、困難事案の整理が進んでいる。

以上５段階の区分は便宜的なもので、実際には、あるものはやっているが、他のものはやっていないなど、ここに紹介した期（ステージ）に含まれる手法と寸分違（たが）わずぴったりと当てはまらないこともあることでしょう。しかし、全体の流れとしては、おおむね正鵠（せいこく）を射たものとなっているのではないかと思います。自らの所属する団体が、このうち、おおよそどの期（ステージ）のあたりにあるのかを知ることによって、今後目指すべき方向性が定まるでしょうし、それに向けた人材育成計画や、マニュアルの整備、様式の整備、組織体制の整備などのロードマップ（行程表）を策定し、着実にステップアップしていくことが期待されます。

6　進化を促すもの

滞納整理に臨む姿勢や考え方は、当該地方団体の「団体としての意思・決意」のほか、徴税吏員の取組姿勢や税を取り巻く環境、あるいは社会経済情勢などによっても大きく左右されるものです。一般論でいえば、かつての昭和時代の高度経済成長期には、経済の規模が右肩上がりで拡大していたこともあり、税を賦課すれば賦課しただけ税収が伸びていたため、滞納整理は今ほど注目を集めてはいませんでしたし、力も注がれてはいませんでした。とりわけ地方税においては、国税のそれに比べて徴税吏員の（人的）体制や研修制度が、相対的に見て見劣りしていたこともあり、徴収のための技量も現在との対比では未熟なものであったことは否めません。

しかし、地方における行政需要の増大、とりわけ医療や福祉の分野でのそれは著しく、加えて、折しもバブル経済の崩壊やリーマン・ショック、デフレの長期化、国内製造業の空洞化、雇用情勢の悪化、新型コロナウイルスの流行等々がそれに覆いかぶさるように押し寄せてきた結果、地方財政は逼迫（ひっぱく）しつつあります。こうした税を取り巻く社会経済の情勢も、地方税の徴収強化へと向かわざるを得ない外的要因となったことは否めません。そのことが期せずして、前述した滞納整理の進化の段階と重なったとも言えるのではないでしょうか。

これからの滞納整理は、社会経済の情勢を意識しつつ、それへの適切な対応を怠ることなく、これまで培ってきた徴収のノウハウを継承していくとともに、法律で徴税吏員に与えられている権限を余すところなく活用して、税収の確保と滞納額の圧縮、収納率の向上を進めていかなければなりません。そして、その滞納整理を担う主体は、ほかならぬ徴税吏員ですから、その継続的・発展的育成に力を注いでいくことが、滞納整理の進化の要諦であると確信するものです。すなわち、徴収のための知識の習得にのみ偏ることなく、滞納整理への「強い意欲と高い関心・問題意識」（第１章の１「三位一体の滞納整理とは」＝19ページ＝参照）を持った徴税吏員を継続的に育成していくことが最も重要であると思います。

7　進化を妨げるもの

滞納整理の進化を妨げる最大の要因は、地方団体内部の「意識」や「職場慣行」あるいは「職場を支配する空気」です。企業の研修会などでもよく「意識の改革」ということがテーマとなって、コンサルタント等さまざまな講師が、企業体質を抜本的に改め、新生企業として脱皮するためには、従業員の意識改革が重要である旨、滔々（とうとう）と説く姿が目に浮かびます。そのこと自体は間違っていないと思いますし、そうした「総論」「一般論」に異を唱える人はおそらくいないだろうと思います。

しかし問題は、その意識改革の中身であり、それを実現するための処方箋です。そうでなければ、それは「掛け声倒れ」に終わってしまうからです。言うまでもなく徴税吏員は組織として滞納整理をしているのであって、町別や処理段階別に事務を分担しているとしても、決して一人ひとりが独立してあたかも「一人親方」のように滞納整理に取り組んでいるのではありません。組織として仕事をしている者全てに共通するのは、その（組織の）頂点ないしは、より上位の役職の職員の判断なり方針なりが、組織全体に強い影響力・浸透力を持っているということです。したがって、トップや上位の職位にある者が、まずもって率先して「意識改革」を打ち出し、実践することが大切です。

「収納率を上げたい」とか「滞納額を圧縮したい」と思うのであれば、事務改善の前に「意識改革」が必要であり、それも、より上位の職位にある者からそれを行って見せることが、最も説得力があり、しかも近道であると思います。例えば、滞納処分の決裁を上げても、上司が難色を示して、なかなか処分実績が上がらないような職場では「どうせ上に上げたってボツにされる」といった雰囲気が職場内に広がっていると思われ、そのような雰囲気の中では、いくら総論としての「意識改革」を唱えたところで、組織全体の意識が変わることはないでしょう。組織の上に立つ者が率先して範を垂れるべきです。

第3章・滞納整理の基礎

1　滞納整理の意義

滞納整理とは、調査（必要に応じて滞納者への納税指導）・処分を段階的に進めることによって、滞納税の整理・回収をし、税収を確保するとともに、租税負担の公平を実現することを目的とした事務のことを言います。そのために滞納整理は、次のような原理・原則によって貫かれています。

① 原則として、一定の期限まで（年度内）に税収を確保すること。
② 税収が自治体運営上の基幹財源であるところから、その確保のために、裁判手続を経ずに強制執行（滞納処分）をすることができること（自力執行権の付与）。
③ 賦課・徴収の根拠が、議会という民主的な組織の決定に基礎を持つものであること（租税法律主義・地方税条例主義）。

2　滞納者の心理や狙いを知る

滞納者と一口にいっても、もとより滞納の原因や滞納者の性格などは千差万別ですから、それらの全てを一つにくくって単純に決めつけてしまうのは乱暴な話だと思います。とはいえ、実際には多くの滞納者に共通した心理や行動のパターンが見て取れます。そして、滞納整理を進めるに当たり、徴税吏員はこうした滞納者に特有の言動特性とでもいうべきものをあらかじめ的確に把握しておき、その分析をして、それへの対策を考えておくことが極めて有用であり、実務ではとても役に立ちます。それは例えば、次のようなものです（全ての滞納者がこうであるというのではなく、経験的に見て、おおむね次のような傾向の人が少なからず見受けられるという意味です）。

① 滞納者は、（民事上の負債も含め）回収（徴収）に熱心なところから返済していく。
② 滞納者は、担当者の応対（言葉遣いや表情、取組姿勢、態度等）をよく観察している。（常習滞納者の場合は）妥協的で押しに弱い担当者には強く、そして毅然（きぜん）とした担当者には迎合的な態度に出る。
③ 納税義務を履行していないという自らの（法的な）義務違反を棚に上げておきながら、行政に対する一方的な批判や不当な要求をしたり、（担当者の）

応対についてことさらに不満等を言い募ったりする。

④　強く出れば担当者または組織としての役所は（自分の）言い分や要求を認めると高をくくっている（過去にそうした経験をしている滞納者にあっては、なおさらその傾向が強い）。怒鳴ったり、いつまでも居座ったりして同じことを繰り返す滞納者のほとんどがこのタイプである。

⑤　滞納しているという自らの（法的な）義務違反から話題をそらせるために「言葉遣いが悪い」とか「応接の態度がなっていない」などと納税とは関係のない事柄でクレームをつける。つまり、（納税とは）違う土俵で相撲をとろうとする。

⑥　銀行への返済など私的な借入れや、身の丈に合わない生活（収入に見合わない華美または豪奢（ごうしゃ）な生活）を送るための消費などを優先させて、納税を後回しにしている（または放置している）。そうしたことが「よくないこと」ないしは「法的に認められないこと」だという認識が全くないか、または希薄である。

⑦　（滞納処分を受けるなど）土壇場まで追い詰められないと、重い腰を上げない（納税や担保の提供に応じない）。

⑧　かつてゴネ得（法令で定められている要件に該当しないにもかかわらず、ゴネることによって延滞金の減免や長期少額分納など）を認めさせたことのある滞納者が、再度、無理を通そうとして、窓口で「以前は認めてくれたではないか！」などとゴネる。

⑨　不服申立をする、あるいは訴訟を起こして行政の不正を明らかにするなどと、ありもしないことを言い立てて、滞納処分を牽制（けんせい）する。

上記に示したような傾向のある滞納者の狙いは、稀（まれ）に担当者への抗議や感情的な反発ということもないわけではありませんが、その多くは、担当者または組織としての役所から、長期少額分納や延滞金の減免など「自己に都合のよい条件を引き出す」ことにあります。ひどい場合だと、表向き「払わないとは言っていない」と言いつつ、踏み倒そうとする自己中心的な滞納者もいます。

このような滞納者に対して、客観的な資料に裏打ちされた的確な判断に基づいて適切に対処するためには、当該滞納者の心理や、狙いをあらかじめ知っておく必要があります。眼前で起きている状況（例えば、窓口で大声を張り上げて担当者等を威嚇する滞納者など）から逃れたいがために、例えば、減免事由がないにもかかわらず延滞金を減免してしまったり、解除事由がないにもかかわらず差押えを解除してしまったりというように、原理・原則を放棄して（あるいはゆがめて）しまうことは、言うまでもなく絶対に許されません（違法です）。

3　適切な応対の技量を身につける

租税は、納税義務者がたとえ納得しなくても納税しなければならないものですから、滞納者が納得するまで何度でも、そして、いつまでも際限なく話し合いをするという姿勢を取ることは、滞納整理に対する正しい理解を欠いています。もちろん、納得した上で納税していただくことに越したことはありませんが、滞納整理は、コスト意識（地方自治法第２条第14項）も踏まえた上で、期限の観念をもって効率的に行わなければならないものですから、徴税吏員としては、同じことの繰り返しや、エンドレスな接触とならないように十分留意する必要があります。

徴税吏員は、税収の確保と租税負担の公平の実現という目的に向かって、目の前の（あるいは電話口の向こうの）滞納者に対して、いかに効果的で適切な働きかけができるか、職場内研修（ＯＪＴ＝On-the-job Training）などを通じて普段から訓練を重ね、準備しておく必要があります。滞納者と接触することがあったとしても、自らの主張にこだわって、（制度や手続を）理解しようとしない（または最初からその気のない）滞納者を説得する必要はなく、むしろ徴税吏員に求められているのは、①履行の請求、②滞納原因の把握、③納税意思の確認等ができる程度の聴取り――を主導権をもって行えるだけの（滞納整理における）応対の技量を身につけるべく、普段からそのことを心がけることではないかと考えます。

4　納税者等の総財産を引当てとする

地方税法第14条（地方税優先の原則）は、「地方団体の徴収金は、納税者又は特別徴収義務者の総財産について、本節に別段の定がある場合を除き、すべての公課その他の債権に先だつて徴収する」と規定して、納税者等の総財産を引当てに、あらゆる債権のうち租税債権が最も優先するとしています（国税徴収法第８条〈国税優先の原則〉にも同趣旨の規定があります）。また、地方自治法第231条の３第３項も「（前段・中段省略）この場合におけるこれらの徴収金の先取特権の順位は、国税及び地方税に次ぐものとする」と規定して、あらゆる債権の中で、税が最優先である旨を明確にしているところです。

ただし、こうした「租税債権の優先権は、弁済につき優先順位が与えられるにとどまり、それ以上に滞納者の総財産上に一種の先取特権が与えられているものではない」（昭和49年１月24日　岡山地方裁判所津山支部判決）ので、「地方税の優先権が認められていても、納税者または特別徴収義務者が他の公課その他の債務を任意に弁済する場合には、それに介入してその優先権を及ぼすことはできない」（『地方税法総則逐条解説』地方税務研究会編、一般財団法人地方財務協会）こととされています。つまり、法律上、地方税に与えられている優先権は、強制換価手続によって滞納者の財産が換価（取立てを含む）されて、それが弁済に充てられる段階で初めて効力を持つものであって、そのような手続によらない任意の納付による場合にまでは及ばないということです。

しかし、租税の優先権が、任意納付の場合にまでは及ばないとしても、納税者等が税以外の債務を（税に優先して）任意に弁済しているような場合は、納期限の徒過と督促状の送付を条件として、徴税機関は滞納税を確保すべく滞納処分を執行することになりますから、結局のところ、納税者等は、自らの総財産の中から納税のための資金を捻出して任意に納税しなければ滞納処分や延滞金というペナルティーを受けることとなるのです。このことは、納税者等が「住宅ローンなど他の支払い」のあることを理由として納税を後回しにしたりすれば、滞納処分を受けたり、延滞金が加算されたりすることを意味しており、その意味でこれらの規定は、間接的ではありますが、納税者等をして租税の納付を（他の債務よりも）優先するよう促す効力を持つものであるということができます。

滞納者にしてみれば、個人的な都合としては「給料は、生活費のほか住宅ローンの返済に充てる」とか「預貯金は子どもの進学や自動車を購入するために積み立てている」などといった理由があるのでしょうが、法律上は、そうした「個人的な都合は、納税よりも後にすべきもの」として位置づけられているのです。

徴税吏員は、この地方税優先の原則を基本に据えて滞納整理を進めなければなりません。住宅ローンなど他の債務の支払いを優先させて、納税を後回しにしている滞納者が少なくない中で、もしも徴税吏員が、そうした滞納者の個人的な都合の優先を追認するようなことがあれば、滞納者は「役所は理解してくれた（または認めてくれた）」というように受け止めるでしょうし、結果として（滞納者に）誤ったメッセージを送ることにもなってしまいます。いったんそのような誤ったメッセージを送ってしまうと、その後で「以前は認めてくれた」とか「前の担当者はそれでいいと言った」などということになり、事実上、滞納整理を進めにくくすることになります。したがって、徴税吏員としてはこのことを教訓として、滞納整理を進めるに当たっては、納税者等の総財産を引当てとして整理の進捗（しんちょく）を心がける必要があります。

5 法律に基づいた滞納整理

納税の義務は、憲法上の国民の三大義務（①子女に教育を受けさせる義務、②勤労の義務、③納税の義務）の一つです。憲法は、国の最高法規であって、これに反する法律等は無効とされています（憲法第98条第１項）。つまり、納税の義務は、法体系上、法律よりもさらに上位の規範である憲法によって規定された高次元の「義務」として位置づけられているのです。前述のとおり憲法は、国の最高法規であり、国家の仕組みや国民として守るべき基本原則、基本的人権などについて定めていますが、このように納税の義務が憲法で規定されたのは、それが国家存立の財政的基盤（根幹）をなすものだからです。このように納税は憲法で（もちろん法律でも）定められた義務なので、仮に滞納者が「課税に納得できないから納税しない」として、納税に拒否的な意思を表明したとしても、それによって納税の義務を免れることはできません（憲法第30条）。

ちなみに憲法第30条は「国民は、法律の定めるところにより、納税の義務を負ふ」としていますが、外国人であっても一定の要件を満たす場合は、納税の義務を負うこととなっています（所得税法第２条、同法施行令第14条、地方税法第294条第１項第１号、同法第343条第１項、第２項、第３項など）。

ところで、租税以外の一般の債権が、契約など民事上の原因に基づいて発生するのとは異なり、租税債権は、法律・条例の規定によって、一定の要件を満たした場合には、当然に発生します（課税要件法定主義）。つまり、当事者の意思にかかわらず、要件の充足という客観的な事実があれば成立するところにその特徴があります（租税法律主義、地方税条例主義）。その背景には、租税の負担を当事者の自由に委ねてしまえば、公平が保てないということのほかに、それが公の（ための）費用負担であるがゆえに、国民（住民）の代表である議員を通じて民主的な議会で制定された法律（条例）に、そのよって立つ根拠が求められているという原理的な意義があります。

このように税務事務には、民主的な議会でつくられたルールにのっとって進められていることから、

① 法律・条例を見れば誰でもその仕組みを知ることができること（透明性・

公開原則）

② 法律・条例に規定されている要件や手続によらずに課税されたり、徴収されたりすることがないこと（予測可能性・納税者の権利保護、租税法律主義、地方税条例主義）

③ 徴税吏員のさじ加減によって徴収事務が左右されるようなことがないこと（安定性・納税者の権利保護）

という機能があります。租税は国民（住民）にとっては、一方的かつ経済的な費用負担であることから、こうしたルール（法律・条例）によって、手続の公正性および負担の公平性が担保されているのです。

窓口などでは「公務員は、何かというと、すぐに法律だの規則だのと言って、融通が利かない」といった批判を耳にすることがありますが、その真意は、多くの場合、法律など制度に対する批判というよりも、むしろ、職員による説明が不十分であることに納得がいかないとか、その際の担当職員の印象（口調や態度等）に不満があるということなのではないでしょうか。

例えば、滞納者と接触する中で「なぜ突然、差押えなんかしたんだ！」との抗議を受けたときに、徴税吏員が「あなたが自主的に納税されないので、国税徴収法第47条によって差し押さえたのです」といったステレオタイプ的な答え方をしたために、滞納者のこのような発言につながったのではないでしょうか。ここで抗議している滞納者は、差押えの根拠を聞いているのではなく、（その主張に理があるかないかは別として）なぜ役所は、差押えをする前に自分の言い分に耳を傾けてくれなかったのか、あるいは、自分には差押えをされるような理由はないのだから、差押えは不当であり、差押えを取り消して、自分の主張を認めてほしいというような趣旨で抗議をしていると理解する必要があったのではないかと考えられます。それにもかかわらず、徴税吏員が「法律に基づいてした差押えなので適法な処分です」という趣旨の答え方をしたために、「もめごと」になってしまったのだと思われてなりません。

もっとも、感情的な滞納者または何らかの意図を持った滞納者の場合は、たとえ徴税吏員が誠心誠意、丁寧に説明したとしても、あえて（意図的に）抗議や批判をしてくることもありますから、相手がどのような意図（趣旨）でクレームを言っているのかをよく見極めて、その意図なり趣旨なりに応じた適切な対処をすることが大切です。

ところで、法律に基づいた滞納整理を進めるといったときに、ひょっとしたら読者の中にも若干の心理的な抵抗感（といったら大袈裟でしょうか。明確に意識しているわけではないものの、何となく素直に「得心」がいかないような心理状態を意味します）を感じる方がいらっしゃるかもしれません。つまりこうです。

「確かに滞納整理では、法律や条例を基本として事務を進めていくべきことは当然だとしても、われわれ徴税吏員が相手としているのは、（税を滞納しているとはいえ）日々生活している生身の一般住民であるから、何でもかんでも法律どおりというわけにはいかないのではないか。他の行政分野でもそうだが、滞納整理でも、住民との信頼関係だとか、共感する気持ちといった、法律などの“きまりごと”だけで割り切ることのできない『温かみのある丁寧な行政』の視点を忘れてはならないと思う」という考え方です。

いかがでしょうか。何となくもっともな考えだなあと思われるでしょうか。それとも情緒論にすぎないと思われるでしょうか。

私は、滞納整理に関して言えば、このような考えに対して Yes または No で答えるのは適切ではないと思っています。しかし、それは決して答えを回避しようとしてのことではありません。なぜなら、このような考えは、滞納整理の「意義」や「根拠」ならびに「運用」を、必ずしも明確に認識した上で述べられたものではないと考えられるからです。この点についてはもう少し説明が必要でしょう。

言うまでもなく、滞納整理は未納となっている税を徴収するなり、停止するなりして一定の整理をすることで、地方税債権を適切に管理する事務であり、公正・公平の観点から、厳正で厳格なルールにのっとって行われるべきものであることは論を俟たないところです。このようなこともあって、この項目の冒頭で述べたとおり、納税の義務が憲法で規定され、そして、賦課・徴収の要件や手続が法律・条例で厳格に定められることによって、負担や手続の根拠が明確にされているのです。根拠が明確であるということは、透明性・予測可能性・法的安定性が確保されているということにほかなりません。租税が国民（住民）に一定の費用負担を求めるものである以上、これは当然のことです。この意味において「滞納整理は、法律に基づいて厳正な運用が行われなければならない」（租税法律主義、合法性の原則）ということを、改めて確認しておく必要があると思います。

一般論としての「住民との信頼関係だとか、共感する気持ちといった、法律などの“きまりごと”だけで割り切ることのできない『温かみのある丁寧な行政』の視点」は、滞納整理も含めた行政全般に求められていることではあるものの、国民（住民）に一定の費用負担を求めるものである租税行政においては、他の行政分野にも増して、より一層の「公正さ」と「公平さ」が確保されていなければならないのであって、それがすなわち「法律に基づいた滞納整理」ということになるのです。

次に、それでは滞納整理の実務を全て法律によってのみ遂行することができるかといえば、それは無理だと思います。例えば、財産調査をするために第三債務者のところへ臨場したとします。そこでは、国税徴収法第141条に基づいて、質問したり、帳票類の検査をしたりするのですが、もちろん実際の実務では、（呈示を求められたときは）調査権限のあることを証する徴税吏員証を示して、後は終始無言で調査を進めるというわけにはいきませんから、当然、あらかじめ用意した質問をしたり、相手の回答によって臨機に質問を追加・変更したりして必要な情報を収集することになります。つまり、調査の権限は、法律にその根拠がありますが、滞納整理の実務では、それだけでは調査を全うすることはできないのであって、質問や検査という事実行為を通じて初めて、整理の方向性を判断するための内容のある具体的な調査という実務が成り立つのです。実務は、権限（根拠）だけでは成り立たず、それを行使して何らかの処理（滞納処分または納税緩和措置）に結びつけて初めて成立するということです。

滞納者に質問をするということになれば、言葉遣いのほか、語気、態度等といった微妙でかつ繊細なことへの配慮、あるいはマナーなど社会常識などにも気を配る必要があります。権限があるからといって、居丈高に振る舞ったり、語気を荒げて強引に進めたりということは、厳に慎まなければなりません。このように、滞納整理は、仕事のよって立つ根拠が法律にあるという「根拠の明確さ」だけで進めることはできないのです。その運用面で、一定の配慮が必要な場合があったり、マナーを踏まえたりなど社会的に相当な方法で行われる必要があります。そうした慎重な（消極的という意味ではなく、細心の注意を払うという意味です）運用を心がけることによって滞納整理を円滑に進めることができるのです。このような意味においては、前述の考え方のうち「滞納整理では『丁寧な行政』の視点を忘れてはならない」という部分は妥当だと思います。しかし、それはあくまでも「法律に基づいた滞納整理」を進める上での配慮事項なのであって、もとより「法律に基づいた滞納整理」を否定したり、軽んずるものであったりしてはならないということを、しっかりと確認しておく必要があります。

6　ＣＳＲと納税義務

ＣＳＲとはCorporate Social Responsibilityの略で、「企業の社会的責任」のことを言うものとされています。わが国ではおおむね2000年頃から注目され始めた言葉です。これについて確定した定義はまだないようですが、概略「企業は経済活動を中心に、さまざまなサービスや生産財を社会に供給し、利潤を得ながら実在している。このように企業が社会の中で継続して活動していくためには、さまざまなステークホルダー（利害関係者）から信頼され、そして、納税・雇用・人権・環境等々の面で（社会から）期待されている責任を果たすことでその存在が認められ、評価される。このように自らの事業活動を通じて、社会に対する一定の責任を果たしていくことをＣＳＲと言う」というように理解して差し支えないだろうと思います。

とりわけ「法令遵守」は、ＣＳＲとして最も基本的なものとされる一方、あまりにも初歩的かつ基本的な事柄であって、ＣＳＲ以前の問題ではないかとも言われているようです。つまり、ＣＳＲというのは、「法令遵守」以上の領域、すなわち、企業の価値や評価を、より一層高める寄付や環境問題への積極的な取組みなどでの社会への貢献のことを言うとする考え方です。しかし、いずれの考えによるにしても、「法令遵守」がＣＳＲの埒外(らちがい)であるとまでは言っていないようです。これは、「法令遵守」を「根本的・基本的」なものと捉え、それも含めてＣＳＲと考えるか、それとも「法令遵守」のようにあまりにも自明なことはＣＳＲに含めずに、むしろ企業の自主的な取組みである積極的な社会貢献の部分をＣＳＲとして評価対象とすべきであると考えるかの違いからきているようです。

なお、基本的に前者の立場に立つアメリカの経営学者アーチー.Ｂ.キャロルとブックホルツの「ＣＳＲのピラミッド」（次ページの図）によれば、経済的責任に続いて法的責任、その次に倫理的責任、自由裁量的責任が重層的になってＣＳＲを構成しているとのことです。

このＣＳＲによれば、企業は「納税・雇用・人権・環境等々の面で（社会から）期待されている責任を果たすことでその存在が認められ、評価される」ことになるわけですから、納税の義務を果たさないばかりか「差押えなんかして会社が潰れたら責任を取ってもらう」などとして、納税資金を調達することができない経営状態の会社にしてしまった自らの「経営責任」を棚に上げておい

CSRのピラミッド
（「Business and Society」Carroll & Buchholtz より）

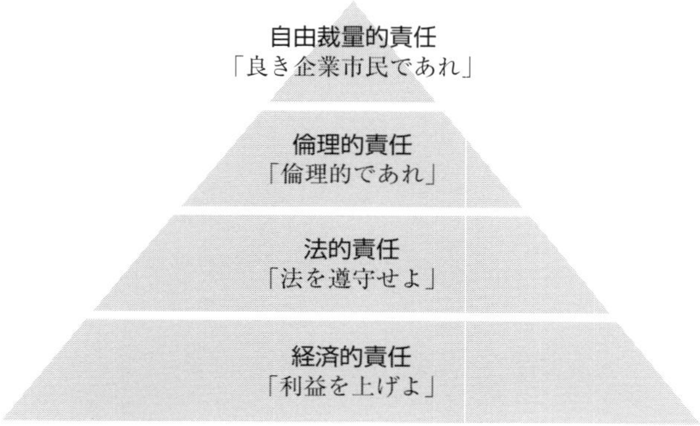

て、徴税機関に責任を転嫁するような発言をする経営者が存在するのは誠に残念なことです。このような「責任転嫁」は許されません。

7 滞納整理と適性

私は、「滞納整理と適性」の問題については、「ある」とも言えるし、「ない」とも言える曖昧さがあるのではないかと思っています。それではあまりにも「煮え切らない優柔不断な考え」なのではないかと言われそうですが、これについては、結局のところ「仕事に対する適性」というものを、どのように考えるかというその人の「主観」ないしは「価値観」によるところが大きいのではないかと考えるからです。

そこで、まず、仕事に対する適性は「ある」とする考え方に立つとしますと、おそらく一般論でいえば、「『限られた時間』と『限られた人員』という制約下で（仕事の）成果の極大化を図ろうとするのであれば、構成員一人ひとりが、その持てる能力をいかんなく発揮できるよう最適な配置とし、その上で、それぞれが効率よく職務を遂行できるよう適切な訓練を実施する」ことで組織としての仕事力を高めることができるということになるでしょう。したがって、この考え方によれば、その仕事（例えば、滞納整理）に「向いている人」を配置し、その人たちに対して滞納整理の核心部分である調査（必要に応じて滞納者への納税指導）・処分に関する適切な指導・訓練を行えば、所与の条件の中で考え得る最善の成果を挙げることが期待できるということになります。

つまり、時間と人員という制約条件は、程度の差はあるとしても、いずれの地方団体でも抱えている、いわば共通の課題なわけですから、この（各地方団体に共通する）制約条件の下で最大の成果を挙げることを目指そうとするのであれば、「向いている人」を「その仕事（例えば、滞納整理）」に就けることが、最も効率的で期待した成果を挙げることができるはずであるという考えです。もし、その仕事（滞納整理）に向いていない人を就けてしまえば、そもそもそのような人は、仕事を遂行するための能力を欠いているだけでなく、意欲を持って積極的に取り組むことができないため、効率はもちろん、職場の士気も下がり、当人にとどまらず職場全体が期待した成果を挙げることができず、しかも目標を達成しようとの意識も低いため、沈滞した雰囲気になるであろうというのです。このように「その仕事に向いていない人」が多い職場では、「面倒なことは避けたい」という問題回避的な、あるいは「今やらなくてもいい」などといった問題先送り的な仕事の仕方が日常を支配しており、モチベーションは最低ということになります。

次に、仕事に対する適性などというものは「ない」とする考え方からは、「巷間（こうかん）、適材適所などと言われることがあるが、それは幻想であり、あるとすればそれは、つまるところ『就いたところでベストを尽くしているか、それとも尽くしていないか』ということなのである」ということになります。この立場では、そもそも適性などというあたかもその人が持って生まれた能力というものが存在するかのような断定はすべきでなく、「適切な環境」「適切な指導」「適切な訓練」という条件整備をすれば、誰であっても一定の水準に到達することは可能なのであって、そのための努力を怠るべきではないと考えるのです。

この考え方によれば、例えば、滞納整理の職場に初めて配属された職員に対して、税法をはじめとした知識やその他滞納整理実務を遂行する上での必要なノウハウや技量を訓練で身につけさせる研修体制が整備されていて、なおかつ職場では常に組織的な対応をする環境も整っているのであれば、高い水準での成果を期待することができるということになります。もしも、そうした環境が整っているにもかかわらず課題があるとすれば、それは、何らかの理由でベストを尽くすことができていない職員がいるということですから、その原因を探り、原因にふさわしい対策（指導・支援）を取れば足りるということになります。

なお、この考え方からは、仕事に対する適性が「ある」とする考え方に対して「もし『適材適所』ということを徹底していったら、適材（最もふさわしい人）が適所（最もふさわしい職場）に配属されているのであるから、それを異動させることは、不適切な人材が配属されてしまうことになり、人事異動が硬直化してしまうのではないか」という批判があります。

ところで、神戸女学院大学名誉教授でフランス文学者の内田樹氏は、「戦場に投じられた時に、『こんな戦力じゃ戦えない。やり直せ』と要求することはできません。手持ちの資源（人材）をやり繰りして、何とかするしかない」（2012年４月15日、朝日新聞「キャリアの扉にドアノブはない」３回目）として、適材適所のような「ないものねだり」をしても困難な現状を打破することはできず、「与えられた状況＝今ある状況」を素直に受け入れて、その中で最善を尽くす方法を考えることが賢明であると述べています。ですから、「こんな人材じゃ滞納整理の効率は上がらないし、収納率の向上は望むべくもない」などと嘆くばかりで、何ら具体的で効果的な対策を取らないのは愚かなことだということになります。

こうして双方の考え方を見てみると、いずれにもそれなりの「説得力」があり、正直申し上げて、この問題に対する態度を決めかねるというのが正直なところです。このように迷いつつも、あえて私見を述べれば次のようになります（あくまでも「私見」であり「試論」です）。

一般に滞納整理が敬遠される理由としては、①怒鳴られたり脅されたりするのが怖い、②同じ話の繰り返しで話が長くなるのが面倒だ、③仕事の根拠が法律ということもあり、苦手な法的知識やリーガルマインドが求められるのがつらい（しんどい）、④喜ばれたり感謝されたりすることがないので、やりがいや達成感が得られない、⑤何かを創り出すようなクリエイティブな仕事ではないので、もっと企画力や創造力を生かした「夢のある仕事」がしたい――などといった理由を挙げる人が多いようです。

ここでは滞納整理について（職員が敬遠する理由を）列挙してみましたが、ある仕事には就きたくないというとき、人はさまざまな理由を挙げるもので、前述の内田樹氏は、このことを喩（たと）え話でこう述べています。「歯科医の人に聞いた話ですけれど、世の中には『入れ歯が合う人』と『合わない人』がいる。合う人は作った入れ歯が一発で合う。合わない人はいくら作り直しても合わない。別に口蓋の形状に違いがあるからではないんです。マインドセットの問題なんです。自分のもともとの歯があったときの感覚が『自然』で、それと違うのは全部『不自然』だから厭（いや）だと思っている人と、歯が抜けちゃった以上、歯があったときのことは忘れて、とりあえずご飯を食べられれば、多少の違和感は許容範囲内、という人の違いです」(『街場のメディア論』光文社新書）と。そして、さらに「『どんな職業に就いても、そこそこ能力を発揮できて、そこそこ楽しそうな人』こそが成熟した働き手であり、キャリア教育はその育成をこそ目指すべきだと僕は思っています」(内田樹氏のホームページ『内田樹の研究室』「仕事力について」より）とも述べています。

この点は私も同感で、いつも現状に対する不満や文句が多く、現状を嘆いてばかりいて、実際にはいもしない「青い鳥」を求めている人は、どんな仕事に就いても（したがって、滞納整理に携わることとなっても）そこそこ能力を発揮して、そこそこ楽しそうにすることができないのだろうと思います。内田氏流にいえば、このような人は成熟した働き手ではないということになり、直截（ちょくせつ）的な言い方をすれば、未熟な働き手ということになるのでしょうか。このような思考回路から抜け出せない人は、それこそ滞納整理に「向いていない人」と言ってもいいのかもしれません。

私のこれまでの実務経験からいえば、次のような人は、本人が相当努力し、なおかつ上司の適切な指導と、周囲の温かな支援に恵まれなければ、滞納整理でその能力・実力を（それなりに）発揮することは難しいのではないかと思います。

① **気弱な性格の人**　「怒鳴られると萎縮してしまう」「強く迫られると妥協してしまう、または譲ってしまう」「無理な要求・不当な要求を断れない」「苦手な滞納者とは震えてしまって話すことができない」

② **優柔不断な人**　「自分一人では判断できない、決断できない」「いつも不安だ」「強く出る人には頭が上がらないものの、他方、おとなしい人には杓子（しゃくし）定規な態度に出る」

③ **正義感のあまりない人**　「滞納者から怒鳴られたり、責められたりしても悔しいという気持ちはあまりない」「(私の）ほかにも滞納している人がいるのだから、自分だけ差し押さえられるのは不公平だと言われると、何となくそうだと思ってしまう」「借金があるので税金が払えないと言われると、すぐに分納を認めてしまう」

④ **滞納整理に興味・関心の持てない人**　「収納率や滞納額には関心がない」「心ここにあらず」「たまたま滞納整理を行う部署に配属されただけだ」

⑤ **責任感の希薄な人**　「消滅時効が完成してしまったのは致し方のないことだ」「全然納付されないよりは、たとえ少しずつでも分納してもらった方がよい」「差押えをして滞納者と摩擦を生じるよりも、粘り強く話し合って自

主的に納付してもらう方がよい」

⑥　**論理的・合理的に考えることが苦手な人**　「相続事案や第二次納税義務に係る事案などは面倒だ」「初めての事務には消極的」「解釈通達や判例に当たるのは面倒だ」

⑦　**実行力のない人、自信のない人**　「知識やノウハウには詳しいものの、自ら実践することはない」「疑問点について自ら文献を当たり調べることはなく、人に聞いて済ませる」「基本的に前例踏襲である」「初めてのことには及び腰」

前記①～⑦に当てはまる人には、その背景に（本人が明確に意識しているかどうかは別として）「滞納整理は嫌だ、若しくは苦手だ」という意識がありますから、そうした意識が妨げとなって、どうしても積極的、意欲的に取り組むことができないのです（その気になれないのです）。したがって、こうした人たちの滞納整理の手法は「督促状や催告書の送付などといった決まりきった作業（いわば定型的な作業）にばかり精を出し、滞納者の反発を買う滞納処分には消極的になりがち」ですし、「滞納者の虎の尾を踏むようなことはしない」ようになってしまうのです。これでは当然のごとく、滞納整理は進みませんので、税収の確保や収納率の向上や滞納額の圧縮を図ることはできません。それでは、このような人たちは、生来こうした傾向を持ち合わせているのでしょうか。

思うに前記①をはじめ、それらの（全てというわけではありませんが）ほとんどがその人の性格に由来するものであり、また、長年にわたる人格形成過程で獲得され、そしてその中で形成された性向と考えられるので、それを根本から変えることは、おそらく至難の業ではないかと思われます。その意味で私は、こうした性格や性向を持つ人には、滞納整理という仕事は向いていないと思います（ただし、「向き」「不向き」と職責を全うすることとは別です）。これを「適性」と呼ぶかどうかはおくとしても、そのような人たちには、公務員として、滞納整理以外の分野での活躍の可能性を期待したいと願うばかりです。

ただ、「ポストが人をつくる」とか「ポストが人を育てる」などとも言われるように個人差はありますが、人には「柔軟性」や「環境への適応力」というものもありますから、前記①～⑦に当てはまる人であっても、実際のところ「やってみなければ分からない」ということもないわけではありません。したがって、端（はな）から「向いていない」とか「適性がない」などとしてレッテル貼りや頭ごなしの決めつけをするのは適切ではないと思います。

滞納整理では、税収の確保や収納率の向上や滞納額の圧縮という具体的な実績・成果が（数字で）求められますから、徴税吏員の性格や性向ゆえにそれが達成できないというのであれば、それぞれがそれぞれの長所や強みを生かせる（他の）部署で活躍してもらうことこそが、本人にとっても仕事のやりがいやキャリア形成につながりますし、ひいては住民の福祉向上にもつながるのではないかと思います。ですから、徴税吏員一人ひとりについて、前記①～⑦も含めて慎重に見極めて、より一層ふさわしい人事配置とすることが、組織の活性化と職員自身のキャリア形成にとって望ましいことのように思われます。

8　滞納整理とビジネスモデル

民間のビジネスの世界では、インターネットを使った新たな事業のスタイルが盛んになりだした1990年代の半ば頃から、それと平仄（ひょうそく）を合わせるかのようにビジネスモデルという言葉が頻繁に使われるようになりました。このビジネスモデルというのは和製英語だそうで、英語圏ではビジネスメソッドというそうです。しかし、わが国では、紹介された当初のビジネスモデルという言い方が定着しているため、国内ではほとんどの場合、ビジネスモデルで通用しているのが現状です。本書でもそれに倣ってビジネスモデルという用語を使うこととします。

このビジネスモデルという用語自体が、そもそも民間のビジネス（商活動）の世界で使われているものであることを考えれば、税の滞納整理という公務の世界で使うことには何となく「しっくりとこない」面があるのですが、この用語が広く社会に敷衍（ふえん）し、いろいろな場面で使われていることに鑑み、読者のみなさんにも比較的容易に（私が伝えたいことを）イメージしていただけるのではないかと考え、あえて使ってみることとしました。滞納整理に即して言い換えるとするならば、さしずめ「（滞納整理の）仕事のスタイル」とか「（滞納整理の）ワークモデル」などということになるでしょうか。

ところで、この「ビジネスモデル」というものの定義はどのようなものでしょうか。ビジネス活動を「儲（もう）けること」と捉える立場の人からは「ビジネスの主要な特徴をモデル化し、簡単な姿で表現したもの」（元大阪市立大学副学長・高橋敏朗）とされ、一方、ビジネスを「価値の創造活動」と捉える立場の人からは「顧客価値創造のためのビジネスデザインに関する基本的な枠組み」（ハリウッド大学院大学副学長・教授、ビューティービジネス学会会長・寺本義也）と定義されています。これらはいずれもビジネスという同じ対象を、どのような切り口から見るかということからくる違いであって、本質的に異なるものではないと考えられます。一般的には前者の意味で使われることが多いようです。したがって、ここでは素直に「儲けを生み出すためのビジネスの仕組み」というように理解しておくこととします。

滞納整理について説明している本書で、ビジネスモデルを取り上げたのは、私の中に「効率的で効果的な滞納整理を行うための合理的な方法」というものが必ずやあるはずだとの発想（信念？）があるからです。民間のビジネス活動において「儲けを生み出すためのビジネスの仕組み」があるのであれば、徴税機関による滞納整理においても「税収の確保・収納率の向上・滞納額の圧縮を生み出す（実現する）ための滞納整理の仕組み」があるはずだと思うのです。

もちろんそれは、民間のビジネス活動においても「唯一無二」のものではなく、それこそ星の数ほども無限にあるのと同様に、一つということはありません。ですから、本書で提示する（滞納整理の）方法も「一つの考え方、一つの方法」にすぎないということをご理解いただきたいと思います。ただ、理屈上・観念上（「税収の確保・収納率の向上・滞納額の圧縮を生み出す〈実現する〉ための滞納整理の仕組み」が）無数にあるといっても、滞納整理は地方税法・国税徴収法という（日本全国で）同じ法律を使って行われているわけですから類似の（処理）事例も多く、したがって、自（おの）ずと似たような取扱いに収斂（しゅうれん）していくのではないかと推察されます。

【滞納整理のビジネスモデル（仕事のスタイル）】

① 法律に基づいた滞納整理をする。
② 滞納者とは必要な話をし、不必要な話をしない。
③ 客観的な資料で処理の方向性を判断する。
④ 納期限後の「任意納付（分納も含む）」は、滞納整理の過程であるにすぎず、滞納整理には「納税緩和措置」か、または「滞納処分」しかない。
⑤ 滞納整理は期限のある仕事（「納期限」「消滅時効」）であるから、処理は早ければ早いほどよい。

9 実務家としての徴税吏員

世の中にはさまざまな職業の世界があり、それぞれの（世界の）中では独自のルールや特徴といったものが存在していて、それらに対する世間一般の見方・評価・期待などにも多様なものがあるのではないかと思います。

例えば、学者の世界については、真理の探究や科学技術の研究・開発を担う頭脳集団というイメージがあるかと思えば、他方、現実離れした理想論ばかり言っている世間知らずの集団という批判もあります。ほかにも芸術家の世界、政治家の世界、実業家（経営者）の世界やスポーツ選手の世界等々いくらでもあります。

そうした中で私は、徴税吏員は、実務家の世界とでもいうべきものを形づくっているのではないかと思っています。（行政の）実務家に対する世間一般の見方は、果たしてどのようなものでしょうか。思うにそれはおそらく、法律にのっとって公平・適正に公共事務を処理するプロフェッショナル集団というものではないでしょうか。こうした見方の背後には、「こうあってほしい」という期待感や、「こうあるべきだ」という建前論・理想論のようなものも含まれているように思われます。非常に幅の広い行政事務のうち、滞納整理に携わる徴税吏員についても、（行政の）実務家としてこうした見方というものが当てはまるように思いますが、私は、それに加えて徴税吏員には、「数値による実績という結果を出せること」が求められているし、期待もされているのではないかと考えています。

徴税吏員には、学者のように真理を探究したり、理論を確立したりするのでもなく、そうかといって実業家のように経済的利益を追求するのでもなく、また芸術家のように人々を感動させるような作品を創り出すのでもなく、税法をはじめとした法律というツールを駆使して、税収を確保し、収納率を上げ、滞納額を圧縮するという数値による実績を挙げることが求められているのではないでしょうか。

もちろん学者や芸術家などにもそれぞれの実績というものは存在するのでしょうが、実務家としての徴税吏員の実績は、税収や収納率や滞納額といった数値そのものであって、真理とか作品などとは異質のものです。実業家（経営者）における利益やスポーツ選手における記録も数値で表すことのできるものですが、それらはあくまでも「私的なもの」であるのに対して、徴税吏員におけるそれは、法律に基づくものであるという大前提に加えて、国民（住民）の福祉の向上のためという「公益」が目的であるという点において異なるものです。公益が目的ということは、平たくいえば「みんなの幸せのため」ということです。私は、徴税吏員が滞納整理に臨む際は、常にこうした自覚を持ってその職責を全うすべきではないかと考えています。つまり、税法など必要な法的知識や財産調査の方法に通じていても、それらを駆使して「税収の確保」「収納率の向上」「滞納額の圧縮」につき数値上の実績を挙げられなければ実務家たる徴税吏員としては評価できないし、国民（住民）から期待されている徴税吏員像とも言えないのではないかと思うのです。

第４章・滞納整理のノウハウと姿勢

1 借金があって税金が払えない

税を滞納している理由としてこのような言い訳をする滞納者は少なくありません。いわく「住宅ローンの支払いが多く、家計を圧迫しており、税金を払うお金がない」とか「毎月の生命保険の掛け金と、車のローンや維持費で出費が多く、税金の支払いにまで回すお金がない」などです。しかし、法律の建前からすればこれは逆で、「税金の支払いがあるので借金が返せない」という言い方が正確であることになります。

不動産や自家用車を購入することは資産形成行為ですし、そもそもそれらの購買行動は、徴税機関が依頼したわけでなく、いわんや強制したことでもなく、当該購入者の自由意思によるものであって、自らの収入に照らして生活上必要な経費（税金や社会保険料等）を勘案しての判断であるはずです。にもかかわらず、そのことのゆえに納税資金を捻出することができないというのであれば、それは（購入しても納税はできるはずだと見込んだ）自らの判断ミスか、あるいは、（納税のことまでは考えずに購入したという）無思慮に基づき招いた事態にほかならず、責任ある社会人としては、速やかにその是正（本来あるべき状態に戻すこと）に取り組まなくてはならないものです。是正の方法は必ずしも一つではなく、幾つかの方法が考えられると思われますが、そのいずれによるかは購入者（滞納者）自身の責任において自ら判断すべきことです（責任ある社会人としての責務）。

すなわち、このことは滞納者の家計（のやりくり）に関することであり、徴税吏員がそこに立ち入ってどうこうすべきことではありません。それに、なまじ親切心から不用意にアドバイスなどしたりすれば「家を売って納税しろと言われた」とか、「どこかから借金でもして払えと言われた」などと、思いもよらぬクレームを受けることもないわけではありません。常に徴税吏員が意図したとおりに（滞納者が）受け止めてくれるとは限らないのです。たとえ徴税吏員が親切心からしたことであっても、相手がそれをどう受け取るかは（神のみぞ知るで）分かりませんので、納税資金をどのように調達するのかについては、滞納者自身が自らの責任において考えるべきことなのです。徴税吏員としては、その旨促すのがその職責であると思います。

なお、これはケース・バイ・ケースということになるかと思いますが、滞納者との接触で、当該滞納者が多重債務を抱えて困惑していることが把握され、なおかつ本人からの申出があるような場合には、必要に応じて法テラスや公的機関が主催する無料法律相談などを案内しても差し支えないのではないかと思います。その場合は、本人からの申出内容と、どのような案内をしたのかについて、事績記録簿に簡潔に記載しておきます（このようにして、将来、予期しない「あらぬこと」を言われるリスクに備えておくといいでしょう）。

2 払いたくても払えない

この短いフレーズの中には二つの意味があります。一つは、納税する意思があることを表明していることであり、もう一つは、気持ちとは裏腹に、納税するだけの資金がないので納税することができないということを表明していることです。しかし、これは、現行の租税制度に照らして、おかしなことです。すなわち、地方税法や国税徴収法では、納税資力・資産がある者について、納期限までに納税されない場合は、滞納者の意思にかかわらず、督促状の送達を条件として職権で調査をした上で、徴税吏員に滞納処分を義務付けていることからすると、「払える」か「払えない」かは、滞納者ではなく、徴税吏員の側で判断することとなっているのです。

「払いたい」という“納税に対して前向きな意思”は、真意であるとすれば望ましいことですが、払えるかどうかは、滞納者の意思とは関係なく、徴税吏員が職権によって財産調査をしたところに基づいて判断すべきことなのです。このことは、国税徴収法第141条、同法第142条、地方税法第15条の７などの規定を見れば明らかです。税法は、滞納者の「気持ち」という内心とは無縁であって、それゆえ徴税吏員は、税収の確保という目的を実現すべく、滞納者に対して納税という具体的な行動を求め、もしも滞納者がそれに応じないときは、要件の充足を前提として強制的に目的を実現することができるよう制度設計がされているのです。

3 払わないとは言っていない

正面切って「払わない」と言う滞納者は、まずいません。これは税を滞納することが「よくないこと」だということを滞納者自身が自覚しているからです。つまり、ほとんどの滞納者は、それが真意であるかどうかは措（お）くとしても「自分はよくないことなどしていない＝納税義務を果たさないのではなく、果たすことができないやむを得ない理由があるのだ」ということを言いたいのです。本人がそのことを意識しているか、それとも意識していないかは必ずしも明らかではありませんが、いずれにしても、このような言い方は、いわゆる「自己正当化」の発言と言わざるを得ません。

ところで、欧米では税金を滞納することは犯罪であるとしている国も少なくなく、租税警察という組織がある国さえあります（警察官ですから拳銃も持っています）。それに比べわが国の税法にも滞納整理に関連するものとして「不納付犯」（地方税法第324条等）や「滞納処分免脱犯」（同法第332条等）や「検査拒否犯」（同法第333条等）などに関する規定はあるものの、地方税の現状では、これらの規定によって立件されることはほとんどありません。それは、これらの租税犯に関する構成要件が厳格※5で、その立証が難しいことと、その立証を行う徴税吏員の調査能力と職員体制に課題があることによるものと思われます。

このように「払わないとは言っていない」として自己正当化を図ろうとする滞納者が少なからずいるのですが、前掲２でも触れたとおり、税法は、滞納者の「気持ち」という内心とは無縁ですから、滞納者のこうした言い分にかかわらず、収支や財産状況の把握に努め、それによって収集した客観的な資料によって（滞納者の）納付能力を判定すべきです。滞納整理では滞納者の「気持ち」（たとえそれがどのようなものであっても）をいくら聞いても、「整理の役には立たない」ということを理解していただきたいと思います。

4　滞納整理における信頼関係

公権力の行使に係る事務である滞納整理と、信頼関係という言葉とは一見接点がないようにも思われるかもしれません。しかし、滞納整理が法令を根拠として法令を使って行われる事務であるとしても、滞納者との関係、第三債務者との関係、職場での人間関係などから完全に切り離して考えることはできませんから、その意味で、滞納整理を円滑に進めるためには、それぞれの場面における信頼関係というものに無頓着であってはならないと思います。

例えば、滞納者との関係では、親身になって納税相談に乗るとか、あるいは

※５　**厳格な構成要件**　「偽りその他不正の行為」によって租税を免れたことが要件となっていますが、この点に関し判例は「逋脱の意図を以て、その手段として税の賦課徴収を不能若しくは著しく困難ならしめるような何らかの偽計その他の工作を行うことをいう」（昭和42年11月８日最高裁判所判決）としています。

納付書を再交付するような場合には、時間をかけずに速やかに送付するなど、担当者としてやるべきことを確実に、かつ迅速に処理することが信頼関係につながることでしょう。ことほどさように滞納者との信頼関係を築くのは、滞納整理という事務の性質上なかなか難しいことではありますが、徴税吏員としてできる限りの努力をすることによって、無用なトラブルを未然に防ぐことができるのであれば、トラブル処理に要する時間を合理化することができるわけですから、それだけ効率的な滞納整理に寄与することにもなるわけです。

また、第三債務者との関係では、給料等の照会・滞納処分において協力を求めることになりますので、丁寧な説明と確実な処理を行うことが信頼関係を築く上で大切なことであるのは、改めて言うまでもないことと思います。さらには、滞納整理では、前述のとおり滞納者等との間で軋轢(あつれき)を生じることも稀有(けう)なことではありませんから、職場での人間関係を強固なものとし、組織としての一体性を確保しておくことが、窓口等でのトラブルなど危機管理上とても大切なことです。

信頼関係は、当事者の一方の努力・心がけだけで成り立つものではなく、各当事者双方の努力・心がけが相俟(あいま)って初めてでき上がるものです。つまり、当事者相互の積極的な関わり合いの中から生まれてくるものです。滞納整理の事務の性質からすれば、とりわけ徴税吏員の側のそれ（積極的関与・働きかけ）が、より一層求められるのではないかと思います。次に担当者としてどのような努力・心がけができるのかについて見てみましょう。

【〔担当者〕に求められる努力・心がけ　例示】

① 丁寧な言葉遣いを心がける。
② 常に冷静な応対を心がける。
③ 挑発に乗らない。
④ 平易な言葉で分かりやすい説明を心がける。
⑤ 約束したことは守る。
⑥ やるべきことの先送りをしない。速やかに実行する（処理する）。
⑦ 首尾一貫した姿勢と態度を心がける。
⑧ 間違えたときは素直に、迅速に、丁寧に謝罪し、訂正する。
⑨ 日々実務能力の向上に努め、自信を持って滞納整理に臨む。
⑩ 正確な処理を心がける。

こうして見てみると、これらのいずれにも通底しているのは、当たり前のことですが「真摯で誠実に取り組む」という姿勢ではないかと思います。

5 滞納整理における見極めの意味

滞納整理とは、滞納者に対して納付を促すとともに、調査により滞納原因を探り、併せて納付能力を判定して、滞納の原因に応じて個々の事案につき滞納処分または納税緩和措置とすることで、滞納の解消を図ろうとする一連の事務のことを言います（再掲）。このことを図で示せば下図のとおりになります。

下記図中ⓐについては、その大半が自主的に納付されるものであり、ⓑについても、納税誓約どおりに納付される場合は行政処分を介さずに自主的に納付されるという点では望ましいものといえるでしょう。ただ、ⓑについては、安易に認めたものでは履行率が低いという難点があることに加え、その承認件数が多いと債権管理（履行確認）という内部事務の肥大化を招く難点があります。ⓒとⓓについては、いずれも行政処分に係るものであり、整理の確実性という点では利点があるものの、財産調査を経て事案の見極め、差押え、取立て、配当、充当などのほか、場合によっては担保設定などの事務を伴うことから、手続が煩雑であるという難点があります。また、個々の事案により事情が異なるため、判断（妥当性の検討や決裁）に一定の時間を要することも大量・反復処理には若干の課題を抱えています。

ⓒへの道とⓓへの道とを分けるのは、「納付能力」です。つまり、納税する

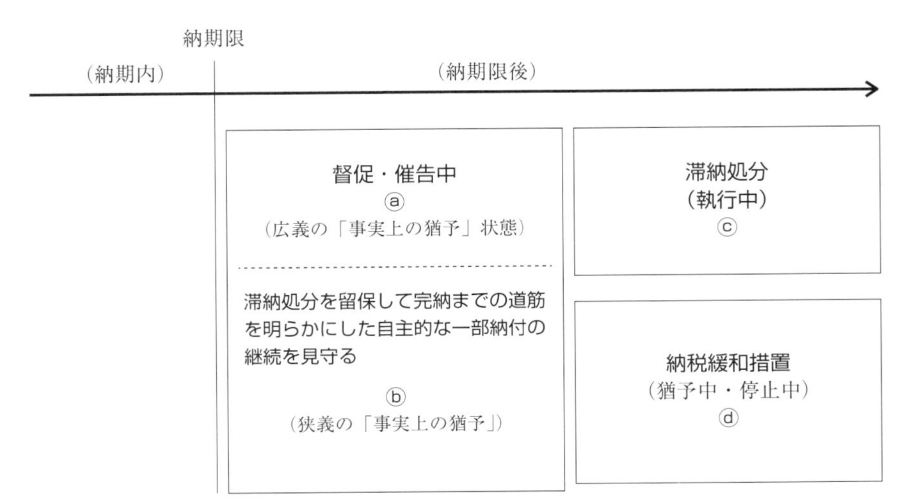

※　ⓐには、財産調査中のもの、納税指導中のものも含む。ⓑは、滞納者から「納税誓約書」を徴し、納税すべき税額を複数回に分割して納付させる事務取扱いのことをいう。

だけの資力・財産を有しているか、否かということです。納税に対する誠意を問題にする（判断の材料とする）人もいますが、それは間違っていると思います。なぜなら、第一に、何をもって納税に対する誠意と言うか非常に曖昧であり、そうした曖昧なものを判断の基準とすべきではないこと。第二に「払わないとは言っていない」とか「納税する気持ちはある」などと言いつつも、結局、滞納を続ける滞納者は後を絶たず、したがって、納税という具体的行動を伴わない誠意などという内心を判断のよりどころとすべきではないからです。ですから、「納税します」とか「払います」などと言っても、期日までに納税しない者に対しては、その発言がどのようなものであろうとも、徴税吏員は差押えをしなければならないのです（国税徴収法第47条）。これが「税法が徴税吏員に対して求める具体的な行動」ということになります。

確実な納税のための保証、裏付け、担保とならないような「（納税するという）気持ち」や「（納税に前向きな）姿勢」といった実体のない（姿かたちのない）意気込みのような漠としたものに判断を委ねるべきではありません。ここに「滞納整理における見極めの意味」が存在するのです。

かくして「滞納整理における見極め」は、（滞納者が）納税することができるだけの財産を有しているか、それとも有していないかという客観的なことで判断すべきこととなります（あれば差し押さえますし、なければ停止とします）。法律も徴収金は、納税者の総財産について、他の債権よりも優先権を有している旨、規定しています（地方税法第14条、地方自治法第231条の３第３項）。

6 滞納整理における宿題

読者のみなさんはおそらく、滞納整理で宿題とは何ぞやと思われるかもしれません。ここで宿題とは、滞納者から指図を受けること、または答えを強要されること（あるいは何かを検討させられるような状況）を言います。例えば、差押えに対して激高した滞納者から「責任者を出せ！」とか「後で責任ある立場の者から連絡をよこせ！」[※6]などと何とも筋違いで威嚇的な指図や要求をされることなどがその典型です。

このような言い方をする滞納者には二通りあって、一つは単に感情的に興奮していて、その勢いで怒鳴っている場合であり、もう一つはこのように高飛車に出ることによって徴税吏員の反応を見ながら不当な要求をエスカレートさせるかどうか様子をうかがっている場合です。前者の場合は、単純な理由であって、たとえて言えば「条件反射」「瞬間湯沸かし器」のようなものですから、ある程度言いたいことを言わせてしまえば落ち着く場合が多いでしょう。しかし、後者の場合は十分に計算ずくで相手（徴税吏員）の反応を見ながら出方をうかがう冷静さと計画性がありますから、勢いに押し切られるようにして無理を聞き入れてしまうことがないように注意する必要があります。相手に言われるがままに無理を聞き入れてしまえば、事実上、それが前例となってしまい、後任者は言うまでもなく、後々、滞納整理を進めにくくなってしまいます。その結果、仮に何かを検討する羽目に陥ってしまったり、長期少額分納を認めてしまったりするような残念な結果になってしまえば、それこそ効率的な滞納整理とは正反対の不本意な処理ということになりかねません。

滞納整理では、決して滞納者からの宿題を受けないようにしなければなりません。むしろ、宿題（例えば「一括納付を検討するように」と言うなど）は徴税吏員から滞納者に対して出すものです。

7　滞納整理の効率を上げる

「効率的な滞納整理」については、徴税吏員にとって永遠のテーマですが、いずれの地方団体でも、これまでさまざまな試行錯誤を重ねながら日々追求してきたテーマではないかと思います。

効率を上げるということは、別の言い方をするとすれば、「無駄を省く」とか「真にやらなければならないことを絞り込む」ということになろうかと思います。無駄を省くとか、やるべきことを絞り込むに当たって忘れてならないのは、「角を矯めて牛を殺す」ような本末転倒なことをしてはならないということです。例えば、滞納者の実情に合わせた滞納整理を進めるといった、一見もっともらしいお題目を掲げて、時間をかけてじっくりと滞納者の話に耳を傾

※６　「責任者を出せ！」「しかるべき責任者から連絡をよこせ！」という滞納者は少なくないと思いますが、世の中一般の健全な常識として、何かを伝えたくて、または相談をしたくて、どこかへ連絡するという場合、どちらが「連絡する側」で、どちらが「連絡を受ける側」かと言えば、その必要性を感じている人からもう一方の相手方に連絡すべきものでしょう。ですから、滞納整理で言えば、徴税吏員は、法律に基づいて滞納処分をしたにすぎませんから、取り立ててそれ以外に滞納者に何か求めることがあるわけでもなく、むしろ猶予にしてほしいとか、差押えを解除してほしいとか、延滞金を減免してほしいなど何か求めることがあるのだとすれば、申出をしたいとする側の人（滞納者）から徴税吏員に対して連絡してくるのが世間の常識ということになります。したがって、このような場合は、徴税吏員の側から連絡すべきではありません。もしもこのような場合に徴税吏員の側から連絡をしたりすれば、滞納者から「自分の言いなりになる人」と思われ、それ以後、執拗に不当な要求を突きつけられたり、要求をエスカレートさせられたりすることになりかねません。不当な要求、理不尽な求めには絶対に応じないという毅然とした姿勢で臨むことが大切です。

ける取組みを推し進めるというようなものがその典型です。滞納者の実情に合った整理を進めるのは当然のことですが、それは、滞納者の納付能力に見合った措置を講ずるという意味であって、決して滞納者の申出どおりにするということではありません。

また、滞納整理では滞納者に対して納税指導をすることがありますが、これは「必ず納税指導をしなければならない」ということではなく、原則として、滞納額が高額であるとか、不動産公売に係る事案であるなど、より一層慎重な対応が必要と認められるものについて行うのであって、全ての滞納事案について納税指導をしなければ、次に進めない（整理を進捗させることができない）というものではありません。実務にそのようなことを求めたりすれば、積み残し事案の山を築くこととなり、事実上、実務は破綻してしまうことでしょう。実務では、可能な限り限界に挑む（迫る）というチャレンジ精神は大切ですが、そうであるからといって、不可能を強いるようなことを求めてはならないと思います。法律も徴税吏員に対して必ず滞納者に対して納税指導することを求めたりはしていないのです。ですから、納税指導をすべき滞納者を絞り込むことなく、徴税吏員に対して「滞納者との接触」を求めたりすれば、本来、公平であることを目指さなければならない滞納整理の趣旨に悖ることとなってしまうでしょう。

このような滞納整理実務の実情や滞納整理の趣旨に照らすと、「滞納者との接触の機会確保」をしきりに求めている国民健康保険料（税）に関する国の通知（「国民健康保険の保険料（税）を滞納している世帯主等に対する措置の取扱いについて」〈昭和61年12月27日厚生省保険局国民健康保険課長通知〉、「被保険者資格証明書の交付に際しての留意点について」〈平成20年12月26日厚生労働省保険局国民健康保険課長通知〉など）は、効率的な滞納整理の推進という観点からは疑問です※7。

納税指導において「真にやらなければならないことを絞り込む」とはどのようなことを意味するのでしょうか。私は、この点については「聴くべきことを聴き、聞く必要のないことは聞かない」ことに尽きると考えています。せっか

※7　**意味のない接触**　私は、滞納者と接触する必要がないと言っているのではなく、接触する滞納者については絞り込む必要があるし、その他の多くの場合、すなわち、納付能力があるにもかかわらず、督促に応じず滞納を続ける者に対しては、滞納処分をすべきであると言っているわけです。なお、そのような人たちに接触してもほとんど意味がないことについては、本書の第Ⅰ部第4章11⑶「説得という幻想」を参照してください。そうすることが法律の趣旨であり、法律が徴税吏員に求めていること（国税徴収法第47条ほか）にほかならないのです。

く滞納者と接触する機会を得たのに「払えない」とか「死ねと言うのか」などといった話を繰り返し聞かされたところで、滞納整理のためには何の役にも立たないのです。そうではなく、滞納している理由（滞納原因）や、収入・支出それに財産の有無などをこそ聴くべきなのです。なぜなら滞納整理では、当該滞納者について、今後、どのような方向で整理を進めるのかを判断するのに必要な情報を聴き出すことに集中すべきなのであって、滞納者の主観的な「思い」や「気持ち」といった心情を聞いたところで、整理の方向性を判断することはできないからです。「やらなくていいことはしない」「やるべきことをやる」ということが、すなわち、無駄を省くことなのであり、効率的な滞納整理だということです。

実務は「人と人との関係」そのものですから、聞く必要のない話は聞かないとしても、滞納者をあえて不快にしたり、杓子（しゃくし）定規な応対をしたりすべきではありませんから、もしも滞納者が納税と関係のない話をし始めたら、徴税吏員は「必要な話」へと丁寧に誘導すべきです。しかし、万一、滞納者が怒鳴り出したり、延々と関係のない話を繰り返したりするようであれば、その時点で速やかに接触を打ち切り、毅然（きぜん）として「納税と関係のないお話をされるのであれば、お引き取りください」と伝えなければなりません。限られた時間を無駄なく有効に使うことこそが、効率的な滞納整理を進める上での必須の条件だからです。

8　滞納整理に求められる能力～潜在能力と発揮能力～

滞納整理には説明力や法的知識、応用力などのほかさまざまな能力が求められ、そして期待されてもいるのですが、いずれもそれらが発揮されて、顕在化して初めて実績となるのであり、評価される対象にもなるのです。先に実務家としての徴税吏員には実績を挙げることが求められている旨述べました（第3章の9「実務家としての徴税吏員」＝48ページ＝参照）が、それはまさに顕在化した能力を発揮して得られるものなのです。

「能ある鷹は爪を隠す」などと言われますが、別に（滞納整理の）能力をことさらにひけらかす必要はありませんが、隠してばかりでついに（在任中に）発揮することがなかったというのではお話になりません。実務家としての徴税吏員に求められているのは、「潜在能力」ではなく「発揮能力」であるということです。

内に秘めている能力というのは、一度使ってみないことには、それがどの程度のものなのか、そしてまたどのようなものなのかは本人も含めて誰にも分かりません。ですから、とにかく「やってみる」ということが重要です。滞納整理では、滞納者に対する納税指導や第三債務者への説明・協力依頼など、対人能力の発揮が求められる場面が多々あります。滞納整理における人材育成プログラムの中には、税法等の条文解釈や財産調査の手法などだけではなく、こうした「対人能力の開発（潜在能力を引き出す）」のメニューを入れておくことも大切なことだと思います。

9 無理な要求や不当な要求は通らないと理解させる

納期限までに完納しなかった納税義務者を滞納者と言います（国税徴収法第２条第９号）が、実際にはほとんどの滞納者が、督促状や催告書による履行の請求に応じて納税しています。しかし、一部の滞納者の中には、自らの滞納という事実には目をつむり、徴税吏員に食ってかかったり、不当な要求を突きつけてきたりする人もいます。こういう人たちに共通しているのは、自らの税滞納を、独自の理屈で正当化しようとするだけでなく、行政批判や徴税吏員への個人攻撃をすることで、徴税吏員を萎縮させたり、畏怖させたりして、事実上、自分を優位に置いた上で「税金（または延滞金）をなんとかしろ！」とか「（長期少額）分納を認めろ！」などといった、無理な要求または不当な要求をしてくるところです。

【理不尽な要求をしてくる滞納者の例】

市税を500万円滞納しているＺは、窓口に来るなり、「前の担当者を呼べ！」と怒鳴っています。担当者のＮさんが「今は私が担当していますので、ご相談でしたら私が伺います」と言ったところ、「お前じゃ話にならないから前の担当者を呼べと言ったんだ。早く呼べ」と取り付く島もありません。それでもＮさんはひるまず「担当は○○（前の担当者）から私Ｎに代わりましたので、私が承ります」と再度伝えたところＺは、「お前は日本語が分からないのか。俺はさっきから前の担当の○○を呼べと言っているんだ。○○は、俺に『払えるようになったら連絡をください』と言ったんだ。だから俺はそのつもりでいたら、突然何の予告もなく『払わなければ差し押さえる』なんて手紙（催告書のこと）をよこしやがって、ふざけるな。お前は、俺と○○（前の担当者）との約束を反故（ほご）にしようとでも言うのか。払えるようになったら俺の方から連絡するから、手紙なんてよこすな！」

親切で丁寧な応対を心がけなければならないのは言うまでもないことですが、そうした一般的な応対は、このような無理な要求や不当な要求をしてくる滞納者に対しては逆効果です。なぜなら、ここで例示しているような滞納者の目的は、本税（または延滞金）の減免や差押えの解除など、（自らの）納税義務は果たさないまま、自己に都合のよいことや有利なことを、威力を用いて徴税吏員に無理やり認めさせようということであって、あるときは怒鳴ってみたり、またあるときは冷静になったりして硬軟を織り交ぜて使い分け、徴税吏員を畏怖または懐柔することによって、無理な要求や不当な要求を認めさせようとするところにあるからです。

それではこのような場合、どう対処したらいいのでしょうか。（私の）これまでの経験から言いますと、不当な要求をしてくる滞納者の特徴として、「言いやすい徴税吏員」または「要求を呑んでくれる徴税吏員」（そのように見られても無理からぬ応対をしている徴税吏員も含む）のところへしか行かないことに気づきます。つまり、このような滞納者は、相手（徴税吏員）をよく観察していて「気の弱そうな人」や「自分の要求を受け入れてくれる人」に狙いを定めて執拗に言ってくるのです。

何度（不当な）要求をしても、絶対に引き下がらず、認めない毅然とした姿勢で応対をしている徴税吏員のところへは行かないのです。なぜならそれは**「この徴税吏員に無理は通らない」**と**知っている**からです。無理が通る、ないしは無理が通りそうだと思うからこそ、何度も何度も同じことを繰り返し、（徴税吏員を）質問攻めにしてくるのです。つまり、無理が通るかもしれないと思うからこそ（または滞納者にそのような誤解を与えてしまうから）執拗に要求してくるのです。いったんこのように見られてしまうと、さらに執拗に不当な要求が繰り返され、根競べのようになることさえあります。したがって、滞納整理では、納税の意思がある人なのか、それともない人なのかを「見極める」ことが大切であるし、納付能力がある人なのか、それともない人なのかを「見極める」ことが極めて重要になってきます。加えて、担当者を一人にすることなく、複数で応対したり、上司が支えたりして組織的に対処することも忘れてはならないでしょう。

10　譲らない・根負けしない（引き下がらない）・恐れないの「三ない」を貫く

租税法律主義の下では租税債権は、法律・条例によって成立するものですから、契約等をその根拠とする私債権とは異なり、そもそも「譲る」ということはあり得ません。つまり、法律・条例によって成立した債権を、変更したり、消滅させたりすることができるのは、やはり法律や条例等の法規に根拠がなければならないのです。例えば、税額変更（税額の更正）や減免、あるいは滞納処分の執行停止などについては、徴税吏員のさじ加減（勝手な判断）によって行うことはできないのであって、法律またはその委任を受けた条例等で定めた要件を充足して初めて可能となるのです。したがって、納税指導の際に、徴税吏員が（その裁量で）勝手に減免したり、停止にしたりすることはできません。つまり、法規上の根拠がないのに、滞納者等の主張をそのまま受け入れて「譲る」ことなどあり得ませんし、そのようなことはできないのです。

11 滞納整理の進捗を阻むもの

以下では滞納整理のビジネスモデル（前掲８参照）を踏まえた上で、その進捗を阻む要因について考えてみます。

(1) 外的要因と内的要因

滞納整理の進捗を阻む要因には、「外的なもの」と「内的なもの」とがあるように思います。外的な要因としては、経済情勢の変動や制度自体に由来するもの[※8]があります。また、内的な要因としては、地方団体内部の古い体質（これまでの滞納整理の進め方を踏襲することをよしとし、それを変えたくないとする意識と、それに基づく実務）を挙げることができます。

経済情勢の変動とは、言うまでもなく、地方団体や徴税吏員の努力ではどうすることもできない、いわば不可抗力の部分であり、それに伴う企業業績の悪化や、個人所得の減少、失業などに対応した徴収対策を講じるしかありません。これに対して、内的要因である団体内部の職員の「意識」や、実務の「慣行」については、団体としての取組みや徴税吏員の努力・工夫によって克服することが十分可能です。しかし、「言うは易く行うは難し」とはよく言ったもので、これがなかなか思うようにはいかないのが現実なのではないかと思います。なぜそうすることがそれほどまでに困難なのかといえば、その背景には人の心の中に次のような「潜在意識」であるとか、「深層心理」が潜んでいるか

※８　**制度自体に由来する要因**　例えば、固定資産税の滞納において、差押えをしても、法定納期限等以前に設定された抵当権等が配当において優先するため、どのような徴収努力をしても、無剰余公売となるため換価（公売）することができず、毎年、新規の滞納が累積するのを防ぐことができないという制度的隘路。

らではないでしょうか。

【滞納整理の進捗を阻む内的要因としての「潜在意識」「深層心理」】

① あえて面倒なことはやりたくない。
② 仕事を増やしたくない。
③ 失敗することへの漠然とした不安がある。
④ 現状の居心地のよさを失いたくない（現状への肯定や満足）。
⑤ 未知なる「新たなやり方」への漠然とした不安がある。
⑥ 滞納者等とのトラブル（もめごと）を避けたい。怒鳴る滞納者との矢面には立ちたくない。
⑦ 問題意識・課題意識の希薄さ、ないしは欠如。
⑧ よりよいもの、より効率的な仕事、より大きな成果などを希求する気持ち（もっとよくしたいという気持ち）が弱いか、または（そうした気持ちはあるものの）それは他人にやってもらいたいという依存心がある（これをさらに突き詰めていくと、自分は楽をしたいという思いに到達する）。

上記【滞納整理の進捗を阻む内的要因としての「潜在意識」「深層心理」】のような「心のブレーキ」を乗り越えて、古い体質（これまでの考え方や仕事の仕方）を改めるためには、二つの方法があると思います。一つは、徹底した研修（「入口からの意識改革」も含む）であり、もう一つは、滞納整理に向いている人材の配置です。私は、この両者を組み合わせた克服策が大切なのではないかと考えています。これまでの古い意識や古い滞納整理のやり方が染みついてしまった人を、研修で、新たな滞納整理のやり方に改めようとする試みは、実際のところ、非常に難しいと思います。しかし、人が持っている「柔軟性」には個人差がありますから、まずは現行体制の中で、（意識）変革への取組みを模索するのが順序ではないでしょうか。一般論・抽象論ではなかなかイメージしていただけないのではないかと思いますので、具体例を「滞納整理に関する意識と整理方法の新旧比較（例示）」（次ページ）で見てみます。

現行体制のままで、古い意識や、これまでの滞納整理のやり方を改めることは、現に日々滞納整理を行っている徴税吏員にとって、何かこれまでの自分（の考え方や、やり方）を否定されるかのような気持ち（や不安）があるため、心理的な抵抗感が強いのではないかと思います。しかし、もしも表の右側に掲載していることが実行できていない地方団体がある（または徴税吏員がいる）とすれば、新たな一歩を踏み出す勇気を持っていただきたいと思います。

着手する前からあれこれと「できない理由」探し（後記⒂＝100ページ＝参

滞納整理に関する意識と整理方法の新旧比較（例示）

古い意識（これまで） ➡	新しい考え方（これから）
① 滞納者を粘り強く説得する	説得ではなく、理解と協力を求めつつ、納税指導（①履行の請求、②納税意思の有無の確認、③滞納原因の把握〈財産等の聴取り〉）をする
② 差押えは最後の手段	早期着手・早期処分が基本。納付能力がありながら納税しない者に対しては、早期に滞納税債権を保全する（財産を差し押さえる）
③ 本税さえ徴収できれば御の字	延滞金は完全徴収する
④ 滞納者を怒らせてはいけない	納税指導や法律に基づいた滞納整理の結果、たとえ滞納者が怒りだしたとしても、それは「正当な業務行為」に対する「不当な抗議」である
古い滞納整理（これまで） ➡	**新しい滞納整理（これから）**
⑤ 訪問催告	臨場は、財産調査（捜索を含む）または納税指導のときのみ
⑥ 集金（訪問徴収）	集金（訪問徴収）はしない。租税債務は、取立債務ではなく、持参債務である
⑦ 分納を勧める	原則は、全額一括納付。分納は、滞納者が申し出た場合に、例外的に認める場合があるのみ。最長でも１年間を限度とする
⑧ たとえ１円でも納付できるのであれば停止にはしない	当該地方団体が定める財産調査基準に基づいて停止をする（法定要件の具体化）→合理的な基準であること
⑨ 差押えはしても換価（取立て）まではしない	滞納処分は、強制徴収処分であるから、差し押さえたものは必ず換価する（取り立てる【取立責任】）

※　ここでは便宜上「新しい考え方」「新しい滞納整理」と表記していますが、実は決して新しいものではなく、単に「これまでできていなかったこと」または「これまで徹底できていなかったこと」にすぎません。しかし、この**左側から右側への転換がなかなかできないのが現実ではないか**と思います。

照）をするのではなく、「どうすれば（または、どのような工夫をすれば）実現できるか」というポジティブな発想で議論し、検討してみてください。現行の体制ではどうしてもこうした取組みに踏み出すこと（チャレンジ）ができないというのであれば、最終的には、より一層（滞納整理に）向いている人材の配置も考慮せざるを得ないと思います。

滞納整理に限らず、どの分野の仕事にも言えることですが、初めからその仕事に向いている人材というのは、稀（まれ）なものです。しかし、一般に新規採用職員や、異動で初めて滞納整理に携わることとなった職員については、予備知識や実務の経験がないだけに「まっさらな状態」（いわば滞納整理に“無垢（むく）な状態”）にあります。そこで、採用間もないとき、また異動間もないときに、「滞納整理とは、かくあるべし（滞納整理本来のあるべき姿＝望ましい姿）」という原理・原則を、集中的かつ徹底的に指導するという研修プログラムを組む必要があります（ＯＪＴでも同様です）。

各地方団体にはそれぞれ固有の事情があることと思いますが、旧来の考え方や前例踏襲の滞納整理の進め方が染みついてしまう前に、こうした研修を年間計画の中に組み込んで実施することが、後々、職員の意識改革には大きなインパクトがあると確信するものです。こうして、異動のサイクルごとに数回（数年）経つうちに職場は、すっかり新たな滞納整理の考え方と、効率的な滞納整理のやり方が身についた職員が多数を占めるようになり、効率的で効果的な滞納整理を進める体制の基盤ができ上がることになります（このことを「入口からの意識改革」と呼んでもいいと思います）。

現行の体制の下でも、「柔軟な思考」のできる職員が多数を占める職場であれば、こうした改革（地方団体によっては「コペルニクス的転回」かもしれませんね）に比較的スムーズに取り組めることと思います。しかし、残念ながらそうでない場合は、内部の理解・納得を得るために相当な労力・エネルギーを割かれることとなり、本務であるはずの滞納整理にも支障が出かねない懸念があります。「ローマは一日にして成（な）らず」のたとえのとおり、改革というものが困難であるゆえんです。

しかし、ここで再度強調しておきたいのですが、滞納整理の進捗（しんちょく）を阻む内的な要因を克服することは、ほかならぬ徴税吏員自身の努力と工夫にかかっているということです。他力本願で誰かがやってくれるというものではないのです。先進的な取組みをしている地方団体での成功例を（そして、その陰にある失敗例も）参考にして、ぜひチャレンジしてみようではありませんか。

⑵　分納の濫用

分納の実務取扱いをしている地方団体は多いと思います。というより、ほとんどの地方団体で行われていると言った方が正確でしょうか。分納は、地方税法や国税徴収法の中に制度として設けられているものではありませんが、それが確実に履行されるのであれば、税収の確保に寄与するほか、多くは滞納者の意向にも沿うものであり、当事者（租税債権者と租税債務者）にとって共に

メリット	デメリット
①　滞納者の意向に沿うものである ②　履行されれば着実な税収の確保になる ③　事務手続が簡便である ④　滞納処分に比べれば労力は少なくて済む	①　債権管理事務が増える ②　確実に履行される保証がない（無担保） ③　履行率が低い ④　滞納者に安易感を生みやすい ⑤　徴税吏員に「自分は徴税吏員（処分吏員）である」という認識を希薄にさせる →分納に持ち込むことが徴税吏員の力量であるかのような誤解を生むおそれがある

ハッピーな実務取扱いということにもなります。

このように分納には一見メリットが多いようにも思われますが、厳格な（取扱いの）ルールと適切な管理の下に運用されるのであれば、一定のメリットが認められるものの、しからざるときは、債権管理事務の山を築くとともに、滞納の長期化と累積を招くこととなりますから、慎重で抑制的な取扱いが求められます。

分納は法律上の制度としてあるわけではないので、もちろん要式行為ではなく、少額で期間が短ければ、口頭で行われることもないわけではありません。例えば、３万円の滞納を、月々１万円ずつ３カ月で納税するという場合にまで、「納税誓約書」（文書）を徴求しているところはあまりないのではないでしょうか。どのような場合に認めるか、期間はいつまでとするか、対象金額に制限（基準）を設けるか、納税履歴をどれだけ斟酌（しんしゃく）するか、他の税務機関での取扱いを参考にするか、滞納者本人の負債の状況をどれだけ考慮するか、１回の分納金額を月々の収入の○％までとする基準（または目安）を設けるか等々、仮に分納の取扱いを認めるにしても、これらの事柄について一定のルールを作って、（職場で）認識を共有した上で抑制的な運用をすることが望ましく、何の（取扱い）のルールもなしに個々の徴税吏員の個人的な裁量に委ねるという運用は危険です。

分納の取扱いは、法定の徴収猶予や換価猶予に比べ、担保徴取が不要であるなど事務手続的に簡便だということで、安易にどんどん認めていけば、履行確認という債権管理事務が膨大になって、調査・（必要に応じて納税指導）・処分という滞納整理の本体部分の事務が圧迫されることとなり、高額事案や処理困難事案の整理にそのしわ寄せがいく懸念があります。

これらのことを踏まえると、分納については、おおむね次ページのような

（取扱いの）ルールを確立した上で、限定的かつ厳格な運用が必要なのではないかと考えます。

【分納運用上のルール】例示

① 納期を過ぎたものについては、一括納付が原則であり、分納は例外である。
② 金額が高額で担保を取れるものについては、法定の猶予（徴収猶予・換価猶予）とする。
③ 分納の期間は、法定の猶予とパラレルに考え、最長でも１年とする。できれば年度内（完結）が望ましく、期間は短ければ短いほどよい。
④ 分納が３カ月（３回）を超えるものについては､「納税誓約書（納税計画書）」を提出させる。
⑤ 納税履歴に照らして、分納不履行のある滞納者については、更新（仕切り直し）は認めない。分納期間中であっても、財産調査は行う。その結果、申出と異なる財産が発見されたときは、改めて催告することなく差押えを執行する。
⑥ 延滞金は完全徴収する（減免事由該当の場合は除く)。
⑦ 分納を承認するには、納税のための具体的な資金の裏付けを必ず確認する。資金的な裏付けのない単なる「口約束」は認められない。
⑧ 他の税務機関で分納にしてもらった旨の主張は、分納承認の理由にならない。
⑨ 住宅ローンや生命保険の掛け金支払いなどがあることは、分納承認の理由にならない。
⑩ いったん承認した分納期間中に生じた事情変更については、滞納者の側にその旨申し出る義務がある。無断不履行は、滞納処分の対象。

地方税の滞納整理では、徴税吏員の側から「分納で払っていただけませんか」などと滞納者に、分納を勧奨することが少なくないとも仄聞（そくぶん）します。実務では徴税吏員の裁量によって、納付が確実で、徴収上有利と判断したときに、分納という取扱いをすることがあるのは必ずしも否定するものではありませんが、あるとしてもそれは、滞納者から（分納の）申出があったときに、諸般の事情を総合的に判断して、徴収上有利であると認められる場合に、これを承認することがあるというものであって、徴税吏員から持ちかけたり、勧めたりするというものではありません。

分納の取扱いが常態化してしまっている地方団体の担当者にしてみれば、たとえ少しずつであっても納付が継続するのであれば、それも立派な滞納整理だとの認識なのかもしれません。しかし、いったん分納を認めれば、それに伴って爾後（じ）、その履行確認という債権管理事務が発生しますし、そのほとんどが厳

参考様式

令和○年○月○日

○○市長　様

納税誓約書

○○市○○町○○123番地の１

○○○○（滞納者署名）　㊞

私は、下記の市税等につき、令和○年○月以降毎月末日に、完納に至るまで２万円ずつ（２万円に満たない最終回については、残額全部）、本書において誓約したとおり確実に納付するとともに、次の１～８の留意事項についても了解しました。

【留意事項】

1　法律に基づき督促状が送達されます。
2　法律に基づき延滞金が加算されます。
3　財産状況をはじめ、生活状況に変更があったときは、速やかに申し出てください。
4　本誓約書提出時に申告した事実と異なる事実(例えば、未申告の財産)が判明した時は、改めて予告することなく差押えを執行することがあります。
5　本誓約書の内容に従って期日までに必ず納付してください。
6　本誓約書の内容に従って期日までに納付しなかった時は、改めて予告することなく差押えを執行することがあります。
7　分納履行中であっても、財産調査を行うことがあります。
8　下記記載の金額とは別に、４年度分市・県民税の現年度分については、納期内に納付してください。

記

年　度	税　目	期	納期限	本税額	延滞金額
３年度	軽自動車税	全期	25.4.30	7,200円	要す
２年度	市・県民税	１期	24.6.30	34,500円	要す
元年度	市・県民税	４期	24.1.31	残30,000円	要す
合　計				71,700円	要す

問合せ先　○○市　税務課徴収係

（☎○○○-○○○-○○○○　担当　山田太郎）

〔「納税誓約書」についての調理要領〕

① 本様式は、法令で定められたものではなく（法令様式ではなく）任意のものですから、「必ずこうでなくてはならない」ということはありませんが、誤解や勘違いによる後日の紛議（トラブル）を防ぐ意味でも、例で紹介している各項目については、記載しておくことが望ましいと思います。

② 分納の取扱い自体が制度として法定のものではない以上、その対象をどのようなものに設定するかは、それぞれの地方団体で判断されることですが、例えば、ここで例として取り上げた10万円以下の滞納を対象とした場合において、初めて分割納付の申出をしてきた滞納者で、まだ「約束を守る人（または守れる人)」かどうかが不明であるため、取りあえず２～３回の一部納付をさせるようなときは、運用として、そのような場合にまでいちいち納税誓約書を徴求する必要はないと思います（もちろん徴求しても差し支えありませんが)。なぜなら、そのような場合は、財産調査によって納付能力の確認が取れていないものであるため、この場合の分納※の取扱いはあくまでも暫定的なものだからです。納税誓約書を徴求した方がいいのは、分納回数が、それ以上（４回以上）に及ぶ場合（であっても最長１年以内）か、または一定の金額以上の滞納がある場合（例えば、５万円以上）に絞るべきだと考えます（私見：これは目安です。したがって、実務では多少柔軟な運用が許容されていいと思います)。実務に乗せるためには、その事務にかける手間（労力）と、それによって期待される効果とを比較衡量して判断し、そして決めるべきではないかと思います。原則を厳格かつ金科玉条のごとく墨守するあまり、煩雑な手続を実務に持ち込むことは、かえって効率的な滞納整理を妨げることになります。

※ この場合の分納は、「確実に履行される見込みがあり、徴収上有利」であるとして承認したというものではなく、財産調査によって、履行の確実性が確認されるまでの間の暫定的なもの、すなわち、一部納付が継続した状態を、一定の短期間に限って滞納処分の執行を留保して見守るというものです。

③ この納税誓約書は、契約書ではありませんが、後日、滞納者との間で紛議が生じた場合は、事実を証する資料になりますから、２枚複写とし、滞納者と徴税吏員とで、それぞれ１枚ずつ控えておきます（提出用と滞納者控用)。滞納者控用については、日付の入った受付印を押して、滞納者に交付します。

④ この納税誓約書は、契約書ではありませんが、滞納者自身が内容を理解し、自らの自由意思で提出したものであることを証するため、滞納者に署名押印

してもらいます。

⑤　参考様式中の１～８に掲げる【留意事項】については、不動産取引の際に必ず行うこととされている「重要事項」説明と同じように、必ず滞納者の面前で読んで聞かせて、理解してもらい、了解してもらった上で控え用を交付するようにします（了解されなければ、当然、納税誓約〈とそれに伴う分納〉は不承認です）。

⑥　納税誓約は、滞納者の「申出が事実であるとの前提」で承認しているものですから、未申告の財産が発見されるなど、「前提を覆すような事実」が出てきたときは、改めて予告をすることなく、法律に基づいて滞納処分を執行しなければなりません。このことについては、同書を交付する際に、「（申告すべき財産は）以上で全てですね。ほかに財産は一切ありませんね」という一言とともに、特に念を押しておきます。

⑦　本誓約書には「権利の承認」として、時効更新の効力（民法第152条）があります。

⑧　本誓約書の内容が不履行の場合は、原則として、再度の納税誓約は認められません（「約束を守らない人〈または守れない人〉とは約束をしない」）。したがって、誓約書を提出してもらうときは、各分納に係る金額の支払いにつき、その資金的裏付けを確認して、履行される蓋然（がいぜん）性が高い場合にのみ（誓約を）承認するようにします。そもそも資金的裏付けが曖昧であるような場合は、当初から（誓約を）承認すべきではありませんし、途中で不履行となった場合も、例えば、急な手術による入院等、真にやむを得ない場合にのみ、納税誓約の仕切り直しを認めるなど、厳格に運用しなければなりません。ここのところを、滞納者の懇願または脅しなどによってルーズな運用としてしまえば、分納の実務取扱い自体がグズグズとなってしまい、なし崩し的に「ルールの崩壊」を招くことになるでしょう。

⑨　滞納の明細については、何年度のどの滞納について分割して納付することを認めるのかということで、納税誓約の対象を特定するとともに、時効の更新の対象を特定する意味もありますので、正確に記載します。延滞金については、本税が完納とならなければ金額が確定しませんので、本税の納付がまだないこの段階では、「要す」とだけ記載します。なお、１枚で記載しきれないときは、適宜、継続用紙に記載して差し支えありません。その場合は、（権利の承認として時効更新の範囲を画定させる意味で）本誓約書（１枚目）と一体であることを証する割印をします。

密な納付能力調査に基づいたものではないため、そのうちの少なからぬものが履行されないこととなっているのではないでしょうか。加えて、納税誓約書の提出により「権利の承認」があったとされるため時効が更新（民法第152条）されますから、分納を認めれば認めるほど管理すべき債権は増え、滞納の累増を招くことにもなります。そうだとすると、確実性や効率性の観点から言っても、分納という実務取扱いは、非常に手間暇がかかる割には、（滞納の圧縮という）成果の乏しい方法と言わざるを得ません。（分納を）承認するときには、たとえ少しずつであっても滞納が減っていくであろうと期待するのでしょうが、実際には（履行確認という）債権管理事務が増大するばかりで、その割には思ったようには滞納は減っていかないというジレンマに陥ることになります。

このように見てくると、決して潤沢とは言えない職員数で効率的に滞納整理を行い、考えられる最大の成果を挙げようとするのであれば、分納は原則として認めないというスタンスに立ち、納期を過ぎた地方税については、原則として「一括納付」を求めていくという滞納整理を推進することが基本に据えられなければなりません。仮に例外的に分納を認める場合でも、（履行確認という）債権管理事務を極小化するために、期間はできるだけ短期間とし、最長でも年度内または（承認時から）１年間とするルールの下に厳格かつ抑制的に運用するのが合理的であると思います。最長でも１年間というのは、法定の猶予制度（徴収猶予・換価猶予）が、猶予期間を原則として１年間としていることとパラレルに考え、これとのバランスを考えてのことです。

(3)　説得という幻想

税の情報誌などを見ていますと、滞納整理の手法として「納得するまで粘り強く滞納者を説得する」とか、「滞納者の説得に全力を注ぐ」などと力説している記事が少なくないことに驚きを禁じえません。このような記事を執筆された方々は、納税義務というものを、「納得しなければ払わなくてもいいもの」とでも理解されているのでしょうか（おそらくそのようなことはないとは思うのですが……）。

そもそも税というものは、（議会で制定された法律や条例に根拠があるものですから）個々の納税者が納得しているか否かにかかわらず「払わなければならないもの」であり、そうだとすると、説得に費やす時間や労力というものは、滞納整理として本来「取り組まなければならないこと」ではなく、時間や労力の使い方を誤っていると言わざるを得ません。

仮に、滞納者を説得すると言っている人たちが「確かに（税は）たとえ納得していなくても払わなければならないものではあるけれども、『納得した上で払ってもらった方が望ましい』と思っているから説得をしている」のだとしたら、私はその人たちに伺ってみたいと思います。「世の中に納得した上で納税している人が、果たしてどれほどいると理解されているのでしょうか？」と……。納税について、そしてさらに言えば、租税制度について十分理解してもらうための活動というのは、もちろん大切なことですが、私は、それらについては、滞納整理の中で行うのではなく、むしろそれとは別の取組みとして、税務広報や租税教育などを通じて行うべきなのではないかと思っています。本来なら立法の段階で国会において（条例の場合は地方議会で）国民的な論議が尽くされているはずなのですが、実際にはその後の広報や教育等による周知も重要なことです。納税者に十分理解されているというのは理想的なことであり、そのための努力も必要なことですが、そうした理想の実現を滞納整理の前提条件にしてしまったら、滞納整理のみならず「租税の賦課・徴収」という税務行政は成り立ちません。制度や仕組みに関する理解の促進については、賦課・徴収事務とは別の事業、別の働きかけとして切り離して行うべきことのように思われます。

また、滞納税を強制徴収するための根拠法である国税徴収法を見ても、滞納の原因や、滞納に至った理由などは問うておらず、納期限までに納税しない者のことを「滞納者」と定義して、滞納処分の対象としています（同法第２条第９号、同法第47条第１項）。租税制度は複雑かつ詳細で、しかも専門性が高く、その上、税務事務には大量・反復性という特徴がありますので、あらゆる機会を捉えて（納税者に）説明することで、理解の促進を図る必要があるという一般論は正論ですが、（税務事務が）大量・反復事務であるというその特徴を考えれば、実務でそれに適切に対処するためには、効率的かつ効果的に事務を処理することが求められているはずです。そのような事情があるからこそ、実務では税務広報、租税教育、課税（賦課）事務、徴収事務（滞納整理）、不服審査事務などというように、それぞれに求められる役割ごとに、機能分担がなされているのだと思います。一つの事務の中に複数の要素（役割）を含めれば、効率が悪くなることに加えて、当該事務の目的が不明瞭になることは明らかです。

制度理解のための取組みは、滞納整理という個別性の高い事務の中で、いわば「点」の活動として行うよりもむしろ、広報や教育などより広範囲に行うことができる、いわば「面」の活動として行った方が制度の周知や理解の促進にとっても効率的・効果的なのではないでしょうか。

ところで、滞納整理で滞納者を説得するとは、具体的にはどのようなことを言うのでしょうか。例えば「福祉やごみ処理、道路や医療など行政のさまざまな分野で、みなさんに納めていただいた税金が市民生活に大いに役に立っています。ですからぜひ納税にご協力ください」などのように滞納者に働きかけるか、若しくは「自主的に納税していただけないようでしたら、差押えをすることになります」などと警告を与えることが、（滞納者を）説得することであるとでも言うのでしょうか。前者について言えば、あまりに一般的なことで、この程度のことを知らない滞納者というのが果たしてどれほどいるのでしょうか。また、こうした知識のないことが滞納の原因であるということなのでしょうか。とてもそうだとは考えられません。後者にしても、このような言い方は、説得というよりも（受け止め方にもよりますが）むしろ、脅されていると受け止める滞納者もいるでしょうし、単に手続の順番を告げているにすぎないと説明するにしても、これを説得の範疇（はんちゅう）に含めていいものか大いに疑問です。さらには、税を滞納していることが「よくないこと」であると（滞納者に）明確に自覚させ、その反省の上に立って自主的に納税してもらうことが説得の趣旨であるとすると、そのような説得（？）に、素直に応じる滞納者というのがどれほどいると想定しているのでしょうか？　これを税滞納の実態に照らして考えてみると、効果の点で大いに疑問があるだけでなく、私には、（滞納者を説得するというのは）現実離れした手法であるように思えてなりません。

ちなみに、滞納の実態を踏まえ、税滞納の原因を分類すると、おおむね次のようになると思います。

〔滞納原因の分類〕

①　うっかり忘れ
②　納税怠慢
③　生活困窮（著しい収入減少、失業等）
④　事業不振
⑤　疾病・負傷による就労困難または一時的な支出の増大
⑥　盗難・詐欺等犯罪被害

⑦　災害（火災、地震、水害、崖崩れ等）
⑧　行政または職員への反感
⑨　他の支払いを優先（住宅ローンやカードローン等）
⑩　その他（納税意識希薄等）

滞納整理の実務経験を踏まえた実感からしますと、②と⑨が最も多く、次いで④と⑧が多いように思います。③も④との関連で経済情勢と密接に連動しています。このような現下の滞納の実態に照らしたとき、例えば、住宅ローンの返済を優先していて、納税が後回しになっている滞納者に説得を試みたところで、どれだけの滞納者が、その説得に応じて「私がいけなかった。住宅ローンよりも、これからはちゃんと納税を優先していきます」ということになるというのでしょうか。

住宅ローンであれば、金融機関に抵当権を設定されているのが普通なので、滞納者にしてみれば「競売になったら大変だ」という意識がありますが、徴税吏員が「納税にご理解を」と言ったところで、素直に「はい分かりました」ということにはならないのが現実です。そこで、このような場合にしばしば行われているのではないかと推察されるのが、長期少額分納です。住宅ローンの返済をしながら、（滞納者にしてみれば）無理なく納税（⁉）していこうという思惑があるので、どうしても納税に回すことのできる資金は限られてきます。その結果が、長期少額分納ということになるのです。私には、これこそが「滞納が累積する原因の一つ」になっているように思われてなりません。

私は、滞納整理の手法として「滞納者を（粘り強く）説得する」という方法が、広く徴税吏員の意識の中に刷り込まれていて、全国的に見ても、かなりの数の地方団体において、そのように「信じられている」のではないかと懸念しています。そこで、このことについては、くれぐれも誤解のないように、より多くのみなさんに納得していただけるような丁寧な説明が必要ではないかと思い、以下にもう少し踏み込んだ説明を試みてみようと思います。

まず前提として租税法律主義について若干触れてみます。この原則は改めて言うまでもなく、憲法上の原則（日本国憲法第84条）であり、元を辿（たど）れば「代表なくして課税なし」（No taxation without representation）という議会制、代表民主制という現代のわが国の国家体制を形づくっている政治システムの中に組み込まれた近代法治主義の租税の賦課・徴収面における表れです（法律学講座双書『租税法』金子宏、弘文堂）。つまり、租税の根拠は、憲法とその憲法の下で選挙によって選ばれた議員による国会での審議を経て制定された法律にあり、租税は、それに基づいて賦課・徴収されなければならず、法律が成立した段階で、国民的な合意（社会契約）が形成されたことになりますから、その施行によって国民はそれに従うことが当然のごとく義務付けられることになります。これが租税法律主義の下における租税賦課・徴収の基本的なルールになります。

このようにして成立した法律（ここでは税法）については、現実社会の実情に鑑みれば無理からぬこととは思われますが、ほとんどの国民は不知であるか、あるいは名称くらいは知っているとしても、その内容までは知悉（ちしつ）していないのが通例なのではないでしょうか。したがって、国はもとより、地方団体もその活動の中で、それぞれ官報、広報、パンフレット、キャンペーン、教育などを通じて極力、制度の周知に努める必要があるのは当然のこととしても、法律（税法）だけでなく、地方団体の条例（税条例）まで含めれば、法規の数は数多（あまた）ありますから、その全ての理解を求めることが、相当ハードルの高い要求であることは容易に想像できることです。また、私たちが日常生活を送る上で、そこまで法律等を知らないとしても、事実上何ら不都合はないというのが生活実感だと思います。

しかし、法律等の詳しい内容までは知らないとしても「人の物を盗んではいけない」であるとか「商品を買ったらその代金を支払わなければならない」というくらいの認識は誰にでもあるはずです。翻って、租税について見てみますと「収入や財産があれば税金がかかる」ことについては、義務教育を受けた者であれば、知らない人はまずいません。つまり、税金がかかったら、払わなければならないことを知らない人はいないということです。そうだとすると「なぜこんなに（税額が）高いのか」とか、「こんなものにまで税金がかかるのか」などといった疑問はあり得るとしても、一般論として、物を売ったり、買ったり、持っていたりすると税金がかかるという認識については、国民（住民）の間で共有されていると理解してもよさそうです。

ところで、「説得」という言葉には、元々、相手に得になることを説くこと、という意味があるそうです。その由来は中国の故事にあるようです。ここではそれについて解説することが目的ではありませんから省略しますが、現在の一般的な用語の使い方として、取りあえず、ここでは「説明をして、相手に理解し納得してもらった上で、こちらが意図した行動を起こしてもらうこと」としておきます。納得するということは、別の言葉で言い表せば、得心がいくとか、なるほどと思うとか、同意する、同感だ、などという気持ちのことになるでしょうか。説得の目的は、相手に働きかけることではなく、働きかけることによって「何かをしてもらうこと」です。したがって、相手は納得したけれども、それで終わってしまい、結局、相手が何の行動も起こさなければ、結果として説得は失敗したことになります。

以上のとおり、租税法律主義の下では、納税義務者である国民（住民）の税法に関する知・不知にかかわらず法律上、納税することが義務付けられており、「知らなかった」とか、「理解できない」とか、「納得していない」などといったことは、法的な義務としての納税義務を解除する理由にはなり得ないということになります。

ここで、73ページに示した〔**滞納原因の分類**〕を、今一度見てください。

前述のとおり、説得することの意味を「説明をして、相手に理解し納得してもらった上で、こちらが意図した行動を起こしてもらうこと」だとすると、説得の対象となる滞納とは、一体これら滞納原因の分類のうちのいずれに該当するというのでしょうか。

これらについて、個別に見てみますと、

①の「**うっかり忘れ**」は、単に納期（納税すべき時期）を失念していただけですから、納得の有無とは無縁のものです。この種の滞納者には、督促や催告などをすることによって、未納となっていることをお知らせし、そして履行を促すことで滞納は解消されるはずのものです。

②の「**納税怠慢**」というのは、何か確たる理由があって滞納となっているのではなく、まさしく怠慢（怠けていること）が原因なのですから、納得していないということではありません。したがって、納得させる（説得する）必要はなく、納税を慫慂（しょうよう）する（促す）必要があると言うべきでしょう。

③から⑦までの事由については、一般には納税困難な「やむを得ない事由」とされていますから、減免や納税緩和措置の対象であり、納得していないということではありませんから、説得の対象とはなり得ません。

⑧の「**行政または職員への反感**」については、感情のもつれであるとか、当該滞納者の性格や独自の考えなどによるものであり、それを理由に納税しないというのであれば、納税を留保することによって、あえて抗議の意思表示をしているということですから、そもそも道理を説いて納得してもらうこと（なるほどと思ってもらうこと）とは全く別物と言うべきです。もしも徴税吏員の応対の悪さに起因しての反感であるとすれば、別の担当者に代わるとか、上司が

滞納原因の分類	説　明	滞納整理の方法
①　うっかり忘れ	納期の失念。納税に納得していないわけではない	督促状、催告による注意喚起と納税の慫慂
②　納税怠慢	納税のために金融機関等へ赴くのがおっくう、面倒。納税に納得していないわけではない	督促状、催告による注意喚起と納税の慫慂
③　生活困窮（著しい収入減少、失業等）	最低生活を営むだけで精いっぱい。納税に納得していないわけではない	減免または納税緩和措置
④　事業不振	事業の運転資金調達に苦労しているだけであって、納税に納得していないわけではない	
⑤　疾病・負傷による就労困難または一時的な支出の増大	一時的な理由。納税に納得していないわけではない	
⑥　盗難・詐欺等犯罪被害	一時的な理由。納税に納得していないわけではない	
⑦　災害（火災、地震、水害、崖崩れ等）	一時的な理由。納税に納得していないわけではない	
⑧　行政または職員への反感	感情的な問題。滞納者の性格による場合もある。納税に納得していないわけではない	担当者の交代または上司の支援
⑨　他の支払いを優先（住宅ローンやカードローン等）	「自分さえよければ」という利己的な理由。納税に納得していないわけではない	滞納処分
⑩　その他（納税意識希薄等）	納税に対する義務意識が薄い。納税に納得していないわけではない	督促状、催告による注意喚起と納税の慫慂

※　仮に「納税に納得していない」ことが滞納の原因であるという滞納者がいたとしても、そのような滞納者については、⑴収支・財産について、「聴取シート」などを使って具体的に聴取する。→⑵職権で財産調査をして、聴取事項の裏付けを取る。→⑶納付能力の判定をする。→⑷納付能力があり、自主的な納付意思がある場合は、自主納付させ、その他の場合は、滞納処分または納税緩和措置とするという処理をすれば足ります。そのような場合でも「説得をする」必要はありませんし、いつ納得し、いつ納税するかも分からない不確実な事務（説得）に費やす時間などないはずです。

支援するなどの方法が考えられるでしょう。

⑨の「**他の支払いを優先**（住宅ローンやカードローン等）」している場合は、自らの個人的な都合を優先させているということ（つまり住宅ローンで言えば、自分の資産形成を納税に優先しているということ）ですから、言ってみれば「自分さえよければ」（税金はほかの人に払ってもらおう）という利己的な考えに基づいた行動そのものであり、納得していないのではなく、納税を後回しにしているという明確な認識があると言わざるを得ません。これは、意図

的な滞納または確信的な滞納ということになります。ですから、この場合、滞納処分は免れません。

⑩の「**その他**（納税意識希薄等）」の場合については、納税の意識が希薄であるというにすぎませんので、納税に納得していないというわけではありません。よって、このような場合は、督促や催告によって注意を喚起する必要があります。

こうして見てくると、滞納原因の分類の中のいずれについても「説明をして相手に納得してもらった上で、こちらが意図した行動を起こしてもらう」必要のあるものなど見いだし難いのです。本書の中でも再三触れているとおり、租税法律主義の下での納税の義務は、納税者も滞納者も含めた納税義務者全般に通底する義務であって、個々の納税義務者の「納得」がなければ履行しなくてもいいというものではありませんし、滞納者が「納得すること」が納税義務を履行する条件となっているわけでもないのです。

前記滞納原因の分類からも明らかなように、滞納者というのは、「納得していない」から滞納しているのではなく、自分ではどうすることもできない「やむを得ない事情」からやむなく滞納となっているか、またはうっかりや怠慢によって滞納となっているか、あるいは感情的・利己的な理由から滞納しているかのいずれかなのであって、このような滞納の実態に鑑みれば、滞納者を説得する（納得してもらった上で納税してもらう）という場面などないのです。したがって、その必要性もないと言わざるを得ません。

滞納者には督促や催告で履行を促し、これに応じないとき（資料に基づいた合理的な弁明もないとき）は、調査により「やむを得ない事情」があると認められる場合を除き、滞納処分をすべきであるということになります。これが、「滞納者の…財産を差し押えなければならない」としている税法（国税徴収法※9）上の原則であり、趣旨なのです。

(4)　体を成していない「納税指導」

滞納整理の中で行われる「納税指導」は、単に「納税してください」と履行の請求をするだけでなく、納税意思の有無の確認と滞納原因の聴取りまで行うものでなければなりません。これは、それに続く職権による財産調査と相俟（ま）っ

※9　**国税徴収法第47条（差押の要件）**　次の各号の一に該当するときは、徴収職員は、滞納者の国税につきその財産を差し押えなければならない。

必要的聴取事項（例示） 《必ず聴かなければならないこと》	任意的聴取事項（例示） 《必要に応じて聴くこと》
①　職業および勤務先	①　（不動産収入がある場合）入居者の名簿
②　会社経営の場合は、その商号と業種	②　（滞納者が賃借人の場合）家賃
③　収入源（給料、報酬、配当、利子、その他）	③　絵画、骨董、金、プラチナ等
④　収入金額（月額、年額、臨時）、支出金額	④　宝石等の宝飾品所有の有無
⑤　取引先金融機関（支店名）、他の取引先	⑤　持っているクレジットカード全部
⑥　不動産所有の有無	⑥　高級家電や高級一眼レフカメラ等の動産
⑦　生命保険	⑦　ゴルフ会員権
⑧　その他の金融資産（株式、投資信託、社債、国債等）	⑧　その他投資先
⑨　自動車所有の有無	⑨　貸金庫取引の有無（金融機関名と支店名）
⑩　負債（公租公課、民事債務）	⑩　別荘等セカンドハウス所有の有無
⑪　滞納原因	⑪　国税還付金
⑫　任意（自主）納税の意思	⑫　財形貯蓄、積立年金

※　上記は例示であり、それぞれの項目は、これに尽きるものではありません。

て納付能力を見極めるために必要な（滞納者への）働きかけなのです。

滞納事案には個別性があるため指導内容（項目）を一般化するのはなかなか難しいのですが、財産調査とともに納付能力の判断材料の一つとなるものなので、納税指導の際に必ず聴かなければならないこと（必要的聴取事項）と、事案に応じて聴く必要のあること（任意的聴取事項）とがあります。

納税指導では徴税吏員が主導権を握る必要がありますが、主導権を握ることとは具体的にはどのようなことを言うのでしょうか。私は、徴税吏員が納税指導を主導するということは、上の表で示した「必要的聴取事項」と「任意的聴取事項」について必要な範囲で徴税吏員の側から質問をすることによって、滞納者の現状（生活状況、資産の状況、収支の状況、負債の状況等）を詳らかにすることではないかと考えます。つまり、滞納者から質問されたことに答えるだけであったり、肝心な質問をせずに、ひたすら納税してくださいと履行の請求をしているだけであったりというのでは、主導権をもって納税指導をしていることにはならないのです。徴税吏員が主導して、「聴くべきことを確実に聴き取ること」が大切なのであって、そうすることで、滞納整理のために「必要のない話」（いわば無用な話）に時間を浪費することなく、納税指導を効率的・合理的に進めることができるのです。納税指導は、主として納税の意思確認とともに、財産調査と相俟って一応の納付能力を見極めるために行うものですから、（滞納者ペースではなく）それを必要とする徴税吏員が主導して徴税吏員のペースで進めていくべきであるのはもちろんです。

納税指導で、必要事項について一通り質問をして確認をしたら、最後に必ず「以上で全てですね。ほかに財産は一切ありませんね」と念を押して、「はい。それで全てです。それに相違ありません」という趣旨の言質（げんち）を取っておくことが大切です。納税指導の最後には、必ずこのことを確認するようにします。こうすることで、滞納者は虚偽申告をしづらくなりますし、仮に虚偽申告をしたりすれば、自ら相違ない旨を明言しているため、後日、財産調査によって未申告の財産が発見されれば、徴税吏員に対して抗弁することができなくなるのです。

ところで、納税指導では徴税吏員から滞納者に対して質問することが主体とならなければなりませんが、そうはいっても滞納者からもさまざまな質問や相談を受けることがあります。しかし、その全てに答える必要はなく、納税指導の目的に照らして必要な範囲で応対すれば足ります。これを、応対する必要のあるものと、応対する必要のないものとに分け、その主なものについて一覧にすれば次の表のとおりになります。

応対する必要のある質問・相談（例示）	応対する必要のない質問・相談（例示）
① 都道府県税(市町村税)の制度・仕組み ② 税額計算（課税の根拠や計算の仕方） ③ 納税計画（どのように納税するか） ④ 納税緩和措置（納税に困ったときの措置） ⑤ 不服申立て（教示）	① 生活設計・生活相談※ ② 事業の経営に関すること（資金繰りなど）※ ③ 行政批判 ④ （担当者に対する）個人攻撃 ⑤ その他納税に関係のない事柄の一切

※ なお、滞納者が再び滞納することを防止するために、滞納者が希望した場合に限り、ファイナンシャルプランナーを紹介している地方団体もあるようです。

納税指導においても、丁寧な応対を心がける必要があることは、行政に携わる者（全体の奉仕者である公務員）として当然のことですが、不当な要求をする滞納者や、納税と関係のない行政批判や個人攻撃をする滞納者に対しては、こうした一般的・原則的な応対の姿勢なり心構えなりは通用しません。むしろ、場違いで不適切な応対をすることによって、事態をより一層解決困難なものとしてしまうことがしばしばであることは経験に照らして明らかです。

滞納整理は時間（期間）無制限の中で行うものではなく、最終的には時効期間という制約があるものの、本来であれば租税は課税された年度内に納税されるべきものですし、また、徴収されるべきものでもあることを考えれば、滞納整理では現年度分の滞納整理が中心にならなければなりません。そうだとすると、いずれの地方団体においても限られた職員数でこれに取り組まなければならない現状に鑑みれば、納税指導にだらだらと時間をかけていいはずはありません。納税指導の目的を達成できる限りにおいて、できるだけ短い時間でこれを行うよう努めることが求められているのです。

ところで、地方税の滞納整理における納税指導の実情はどうでしょうか。前ページの表中右欄のような「応対する必要のない質問・相談」に終始したり、同じことの繰り返しになったりしているようなことはないでしょうか。各地方団体では、かなりの件数の滞納事案を抱えているのですから、一件一件に必要以上に長い時間をかけて納税指導をすることのないよう留意する必要があります。仮に滞納者から「応対する必要のない質問・相談」が投げかけられたときは、例えば「納税と関係のないお話については承れませんので、納税に関するお話に絞ってください」などのように徴税吏員が主導して内容の軌道修正をしなければなりません。もし、滞納者がそうした徴税吏員の指導を無視したり、または反発したりするような場合は、納税指導を打ち切って、速やかに財産調査に着手します。

その他、納税指導において留意すべき点については、次のとおりです。

①　納税指導では常に冷静な態度と、丁寧な言葉遣いを心がけること

大勢の滞納者等の中には、納税指導時のやりとりの模様を録音（または録画）している人もいないわけではありません。しかし、録音（または録画）されているかどうかにかかわらず、言葉遣いなどに留意して納税指導に臨む慎重さが必要です。とりわけ滞納者等が興奮して大声で怒鳴っているようなときは、こちらもついそれにつられて同様の調子で応対してしまう可能性もありますから、特にこのことに留意して納税指導に臨むという心構えが必要だろうと思います。

②　納税指導の最後に必ず「以上で全てですね。ほかに財産は一切ありませんね」と念押しをすること（再掲）

残念なことに、納税指導の際、滞納者に収支や財産の状況を尋ねても、事実を洗いざらい正直に話してくれる滞納者は、ほとんどいません。このように、収支や財産を全て洗いざらい申告してくれる滞納者が少ないという現実があるからこそ、納税指導の最後に必ず「以上で全てですね。ほかに財産は一切あり

ませんね」と念押しをする必要があるのです。このような念押しは、虚偽答弁若しくは不答弁や、都合の悪いことについてとぼけたり、あえて申告しないという態度を取ったりする滞納者に対して心理的プレッシャーになり、事実に基づいた答弁を引き出す契機にもなり得るのです。もしも後日、財産調査をしたところ、不申告の財産が発見された場合は、（自らの不申告または虚偽申告ゆえに）滞納者は抗弁することができず、（徴税吏員にとり）主導権をもって滞納整理を進めることができます。ですから、納税指導の最後には必ず「以上で全てですね。ほかに財産は一切ありませんね」と念押しをするようにします。

③　納税指導は滞納者本人とすること

納税指導では時折、滞納者が「応援団（支持者？）」（個人の場合もありますし、集団〈団体〉の場合もあります）を伴って来庁することがあります。しかし、納税指導では滞納者の個人情報に触れることがありますから、滞納者が税理士資格のある税理士、公認会計士、弁護士以外の人を伴ってきたとき、または無資格の人が同席を求めてきたときは「ご本人様以外の方の同席はお断りします」あるいは「税理士資格をお持ちの方で、ご本人様から税務代理を委任されている場合に限ってご相談をお受けしています」などとして丁寧に断るべきです。仮に相手が、「（滞納者）本人が了解しているからいいではないか」と言う場合であっても、無資格者の税務代理は法律違反（税理士法違反）となりますから、断らなければなりません。

ただし、無資格者であって、滞納者本人の了解があり（そのことを確認することができ）、なおかつ同席するだけで口を挟まないということであれば、あえてこれを断らなくても差し支えないでしょう（ただし、その場合であっても同席者の名刺をもらうなどして〈名刺については、無用のトラブルを避けるために、あまり強く要求しないようにします〉できるだけ、身元を明らかにしておきます※10）。この場合、仮に途中で同席者が発言したり、暴力を振るったりなど不適切な言動があれば、その時点で直ちに納税指導を打ち切ります。そして、必要に応じて他の職員の応援を依頼したり、警察に通報したりして適切に対処します。

※10　どこの誰だか分からない人（身元不明な人）とは納税に関する話をする必要はありません。否、むしろそのような人とは納税に関する話をしてはならないのです（税法上の守秘義務や税理士法の規定）。納税に関する話は、あくまでも租税債権者と租税債務者との間で行わなければならないものです。

④　納税指導では「お願い」したり、「分納を勧奨」したりしないこと

法律と条例によって規律される租税法律関係において、租税債権者側から租税債務者である納税者等（滞納者も含む）に「お願い」をすることは、法的にあり得ないことです。もちろん、法的には租税債権者と租税債務者という関係であっても、実務では人と人との関係（担当者と滞納者）でもあるわけですから、実際の窓口応対などでは、事務的で用件のみという応接はあり得ないと思いますが、納税指導の中で、例えば「分納で納付してください」とか「いくらでしたら払えますか？」などといった「お願いの滞納整理」や「御用聞きのような（相手任せの）姿勢」は、租税法律主義・地方税条例主義に照らして、徴税吏員の姿勢としてあってはならないことです。

すなわち、国民（住民）の代表である議員で構成される議会で、民主的な手続を経て制定された法律・条例に基づいて成立している納税義務の履行を（納税義務者に）求めるときに、権利者が義務者に「お願い」をするという発想自体が、租税制度の趣旨と全く相容（あいい）れません。

租税法律関係における租税債権者と租税債務者との関係は、法的な「権利者（請求者としての地位が法律によって承認されている主体）」と「義務者（権利者からの履行の請求を法的に受忍しなければならない地位にある者）」という関係にありますから、この場合、権利者から義務者に「お願いする」という用語の使い方は、法的に不正確かつ不適切と言わなければなりません。法的に正確で実務上適切な言い方としては「履行を促す（または納税の慫慂（しょうよう））」または「納税を指導する」が妥当であると思います。

⑤　延滞金の減免を本税納付の取引材料に使わないこと

延滞金の法的な性質は、遅延利息と遅延損害金（賠償金的性質）としての意味を持つものであり、納期内に納税した納税者との公平を図ろうとする制度目的があるとされます。公平性の確保は、租税制度を貫く大原則の一つですが、これが守られないときは、「正直者がばかを見る」こととなり、健全な納税秩序・納税道徳が崩壊し、滞納がまん延することにもなりかねません。したがって、徴税吏員としては、延滞金の完全徴収（ただし、当然のことですが、条例や規則で定めた「延滞金減免の要件」を充足している場合は除きます）を通じてこのモラルハザードを防ぎ、税収の確保と滞納額の圧縮を図らなければなりません。

本税優先の原則（地方税法第14条の５、同法第20条の９の４）は、滞納額の

全額に満たない充当や納付があったときに、本税への充当・納付を優先させるということであって、決して延滞金へは充当・納付しなくていいということではありません。かつてある地方団体で「本税さえ取れれば御の字だ。収納率に影響するのは本税だから、(滞納者から怒鳴られるなど) 嫌な思いまでして延滞金の徴収にこだわる必要はない。延滞金は後で減免すればいい」という趣旨の話を聞いたことがありましたが、そのような誤った認識は、直ちに改めなければなりません。公平を旨とすべき租税制度を運用し、滞納整理事務を執行している徴税吏員自らが、その制度に係る原則を否定するかのような実務を行うことは許されません。「本税さえ払っていただければ、延滞金については何とかしましょう」などのように、延滞金の減免を本税納付の取引材料に使うことは絶対に許されません。

⑥ 「約束を守らない人 (または守れない人) とは約束をしない」こと

納税指導の目的が、①滞納額全額の履行の請求、②納税意思の有無の確認、③滞納原因の聴取り——であることについては既に述べました。実際のところ、この中ではさまざまなことが話されるわけですが、おそらく「納税する気はない」と明言する滞納者はほとんどいないと思います。そして、徴税吏員による履行の請求や質問に対しては、大抵の滞納者が「納税したいのだが、(お金がなくて) 払えない」または「他に支払わなくてはならない借金が多くて、税金の支払いまで回らない」などと答えているのではないかと思います。そのように言われれば、それを聴いている徴税吏員としても、反証となる確実な事実を把握していない限り「そんなことはないでしょう」とか「それは本当ですか」などとはとても言えません。そのような調子で滞納者の話を聴いていくうちに、滞納者から「だから分割納付で払っていきたい」という申出がなされることもしばしばです。

納税指導の目的の一つに、前述のとおり滞納原因の聴取りがありますが、これは、それだけで納付能力を判断するのではなく、それと相俟(あいま)って、職権による財産調査を行うことによって、初めて (納付能力の) 判定が可能となるものです。したがって、多くの場合、納税指導の段階では、厳密な意味での納付能力は分からないわけですから、その時点で、分納を認めるとか認めないといった判断をすること自体が本来不適切なわけです。

初めて接触する滞納者ですと、果たしてその人が約束を守る人 (または守れる人) なのか、それともそうでないのかは、通常、分かりません。したがって、明らかに虚偽の申立てであると分かる場合は別として、しからざる場合は、一通りの聴取りをした上で、とりあえず２～３回の一部納付とし、その間に、確定申告書調査、給与調査、預貯金調査、生命保険調査など比較的容易にできる調査（表見財産の調査）を済ませておき、聴取りをした内容と、それらの調査結果とが符合するかどうかを確認して、その上で残額についても分納の取扱いを認めるか否かを決めるようにします（69ページ〔調理要領〕②参照）。

また、分納の申出をしてきた滞納者が、初めて（の分納申出）でないときは、過去の履行状況や、分納に充てる資金の裏付けが確かなものと認められるかどうかによって判断することになります。

これらにはいずれもある程度の（不履行という）リスクが伴いますが、税務事務が大量・反復事務であることと、こうした取扱いが一定金額以下の、いわゆる少額滞納に限っての運用であることを考えれば、この程度のリスクが全体の収納率や滞納額の圧縮に与える影響は、少ないものと見込まれます。

(5)　不当要求への耐性と体制

納期内に納税すべき税を滞納していることが原因である（つまり自分に原因がある）にもかかわらず、督促状が届けば「こんなもの送ってよこしやがって。ちょっと遅れただけで、いちいちこんなもの送るんじゃねえ！」と怒鳴るとか、再三の催告にも応じないため差押えをすれば、「預金を差し押さえるなんてひどいことをするじゃねえか。もし万が一のことがあったら責任を取れ！すぐに差押えを解除しろ！」などと抗議してくる滞納者は少なくありません。このような滞納者に共通しているのは、納税することが国民の義務（すなわち自分の義務）であるとの認識が希薄であることと、「自分さえよければ」（税はほかの人に払ってもらおう）という利己的な考えが強いことです。（そうした滞納者にしてみれば）もちろん口が裂けても表立ってそのような本音は言えませんから「ついうっかりしていて納期を忘れただけで、納税する気持ちはある」とか、「納税しないとは言っていない。ただ、今は納税するだけの持ち合わせがないから、待ってほしいと言っているだけだ」などと、本音をカムフラージュするような言い訳をすることも多いのです。あくまでも自分は間違っていない、（自分にとっては）やむを得ない事情があるのだという立場です。

このように見てくると、徴税吏員を怒鳴りつけるような滞納者であっても、税金を滞納することが「よくないこと」だとの認識があるからこそ、前述のような言い訳をすることで、「自分には（納税することができない）やむを得ない事情があるのだ」ということを言外に表明して自己を正当化している（または自己弁護している）つもりなのです。

しかし、督促状の送達にしても、滞納処分にしても、徴税吏員は、法律という正当なルールにのっとって滞納整理を行っているのであって、「督促状を出すな」とか「差押えを解除しろ」などの不当な要求に応ずることも、また屈することもできません。こうした不当な要求に対しては、毅然（きぜん）とした姿勢で臨むべきで、仮にもこのような滞納者の勢いに押されて、督促状や催告書を止めてしまったり[※11]、差押えを解除してしまったりすることのないようにしなければなりません。

租税法律主義、地方税条例主義の下では、租税債権・租税債務は、税法の規定を根拠として、法定要件を充足することによって成立し、当事者（課税庁と納税義務者）の意向や合意によって譲ったり、譲られたりという関係にはありません。当事者を規制するのは、契約自由の原則ではなく、租税法律主義（地方税条例主義）であり、その下での課税要件法定主義や合法性の原則などということになります（第Ⅰ部第３章５「法律に基づいた滞納整理」＝37ページ＝参照）。つまり、当事者の勝手な判断や話し合いで（租税に関する）ルールを創造したり、変更したり、廃止したり、付加したりすることはできないのです（「法律の根拠に基づくことなしに、租税の減免や徴収猶予などを行うことは許されないし、また納税義務の内容や徴収の時期・方法等について租税行政庁と納税義務者との間で和解なり協定なりをすることは許されない」（前掲『租税法』）。

言い換えると、税法というルールと相容（あいい）れない不当な要求に対しては、譲ってはならないし、租税以外の他の支払いを優先することを認めることもできないのです。また、不当な要求は、何度要求されても、これに根負けして要求に応じるべきではありませんし、怒鳴られようとも、そのような要求に応じては

※11　2013年３月23日の神奈川新聞によれば、○○市○○区の国民健康保険料の滞納整理に関して次のような事件が発覚したとのことです。

「市によると、督促状などを受け取った被保険者が窓口で大声で威圧することなどがあり、対応に苦慮した担当の職員らが督促状などを引き抜き、送付していなかった。市は『組織として対応できず、市民の信頼を損なう結果を招いた。自浄作用が働かなかった』と謝罪。再発防止に向け、不当要求行為対策の徹底を図っていくとした。

不正は、同年12月に市職員通報制度を使った初の内部通報で発覚。調査では、09年度23世帯、10年度15世帯、11年度５世帯、12年度１世帯の重複を除く延べ30世帯への未送付が判明した。未収額は単純計算で約230万円に上る。

09年度にシステム上の発送停止処理が多数見つかり、本庁の指導でデータを是正したが、その後も手作業で督促状などを引き抜いていた。11年度には保険年金課の組織改編の際に不正処理が判明したが、課長は上司に報告せず是正しなかった」

ならないのです。不当な要求に対しては、組織的に対処すべきで、担当者を孤立させないようにしなければなりません。

⑹　可能性という幻惑

可能性という日本語は、とても広い範囲を包含しています。つまり、100%であれば、それは「可能」ということであり、０%であれば、それは「不可能」ということになりますから、その間の１%から99%までの広い範囲が「可能性」という言葉で言い表される領域になるわけです。しかし、１%と99%とでは天と地ほども差があって、この両者を同じ程度のものとして評価することは妥当ではありませんし、適切でもありません。それにもかかわらず、可能性という言葉で言い表すと、その広い領域が全て含まれてしまうことになるのです。可能性という言葉は、それほどまでに曖昧な言葉だということです。

聞くところによれば、何百万円も滞納している滞納者について、いろいろと財産調査をしても、これといっためぼしい財産が発見できないのだが、滞納者に請求すると少額の分納（例えば数千円）をするので、停止にしようにも停止にすることができずに悩んでいるところがあるとのことです。その担当者が言うには、「たとえ１円でも払えるということは、どこかに財産を隠している可能性があるから停止にすることなどできない」のだそうです。果たしてこの担当者に、どのような確証があって、そしてまた、どれほどの可能性（何%の可能性？　下記の模式図でいえば、どのあたりに位置する可能性）があると踏んでこのような考え方をするのかは分かりませんが、これでは、いつまで経っても滞納は解消せず、管理すべき滞納が累増し続けて、雪だるま式に滞納額が増えてしまうことは明らかです。

滞納処分の執行停止（地方税法第15条の７）は、納税義務の消滅につながる処分であるところから、安易にすべきものではありませんが、当該地方団体が定めた合理的な調査基準（少なくとも「表見財産」＋α）※12をクリアする財産調査・所在調査をしても、なお滞納処分をすることのできる財産を発見できな

不可能と可能の間の可能性を表した模式図

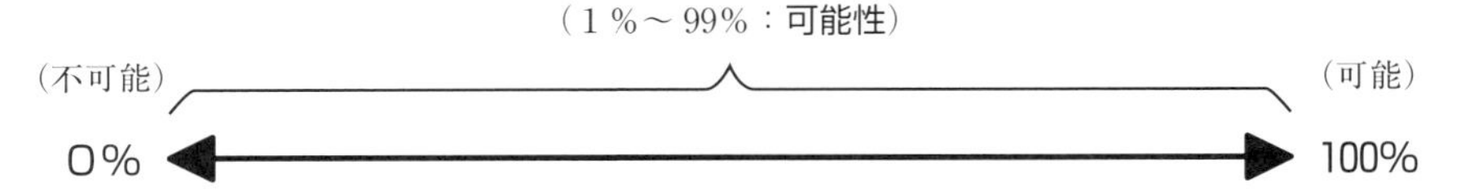

【「可能性」は低く、実現しないかもしれない】　【「可能性」は高く、実現するかもしれない】

いのであれば、速やかに停止の「判断」をすべきで、徴収もせず、また停止にもしないという（いわば「宙ぶらりん」の）状態のまま先送りをすることは許されません。消滅時効が完成してしまえば、租税債権は絶対的に消滅してしまいますから、最長でも５年以内にこうした「判断」をすることが求められています（できるだけ早期の調査→判断→方向性の決定を）。

財産調査項目　チェック表（質的滞納整理） 任意様式（参考）

滞納者名＿＿＿＿＿＿＿＿＿＿＿＿＿＿

担当者＿＿＿＿＿（最終調査日　／　）

確定申告書（法人） ※高額以外は直近の申告書を調査 （調査日　／　）	【財産の把握】 □預金　□売掛金　□不動産　□積立金　□保証金　□生命保険金 □ゴルフ会員権　□所有株式　□敷金　□家賃・地代　□その他 【財産以外の情報】 □同族会社かどうか、損益はどうか □連絡先の調査（社長、経理責任者、税理士等）
確定申告書（個人） ※高額以外は直近の申告書を調査 （調査日　／　）	【収入状況、勤務先、支払先等の把握】 □営業所得者の場合は収支内訳書の調査 □不動産収入のある者は不動産収支内訳書の調査 □報酬や配当のある者は法定資料の支払調書の調査
不動産 （調査日　／　）	【滞納者の所有する全ての不動産について調査】 □滞納者所有不動産の総合名寄帳の取得 □所有不動産を住宅地図および公図（写）に落とす □登記簿謄本（共同担保目録も含む）の取得 □抵当権者等の債権現在額の調査 □評価額の調査 □配当シミュレーションの実施
預金 （調査日　／　）	【法人の場合の調査】 □法人税申告書に記載された金融機関全ての調査 □公共料金等の振替口座の調査 □大手金融機関の本店照会　※高額以外は不要 □過去３カ月の取引状況表（コム）の取得　※高額以外は１カ月 【個人の場合の調査】 □公共料金等の振替口座の調査 □居住地・勤務先周辺の金融機関の調査 □大手金融機関の本店照会　※高額以外は不要 □過去３カ月の取引状況表（コム）の取得　※高額以外は１カ月

※12　**調査基準**　＋α（プラスアルファー）の部分は、対象事案の金額や累積の状況等を総合的に判断して、それぞれの地方団体で設定されるとよいでしょう。

項目	調査内容
生命保険 （調査日　　／　　）	□金融機関のコムより判明した生命保険会社の調査 □生命保険料控除の有無にかかわらず大手・準大手の生命保険会社に照会　※高額以外は控除がある場合に調査 □保険料の引落口座の確認・調査
現地調査 （調査日　　／　　）	□居住確認、生活状況・事業状況等の調査 □マンション等の場合、管理会社の連絡先の把握
他税務機関の状況 （調査日　　／　　）	□滞納税目、年度（法定納期限等）、金額、処分状況等の調査
給与 （調査日　　／　　）	□給与照会の上、差押可能額について確認 □給与振込口座の確認・調査
売掛金 工事代金 （調査日　　／　　）	□法人の場合→法人税申告書に記載された連絡先等の把握 □個人の場合→収支内訳書に記載された連絡先等の把握 □代金振込口座の確認・調査
国税還付金 （調査日　　／　　）	□前年度還付のあるものについて調査 □その他事業収入・営業収入のあるものについて調査 □支払調書に記載されたものについて調査 □還付金振込口座の確認・調査
損害保険 （調査日　　／　　）	□法人・個人申告書に損害保険料控除があるものについて調査 □保険料の引落口座の確認・調査
簡易保険 （調査日　　／　　）	□個人の確定申告書に記載のあるものについて調査 □保険料の支払方法（郵貯引落・現金払）の確認・調査
地代・家賃 （調査日　　／　　）	□申告書に不動産収入のあるものについて調査 □明細地図での確認→第三者が居住していれば調査 □賃料の支払方法（口座引落・現金払）の確認・調査
敷金・保証金 （調査日　　／　　）	□法人税申告書に記載されたものについて調査 □個人で不動産を借りている場合に調査　※高額以外は不要
宅建保証金 （調査日　　／　　）	□不動産業者について調査
診療報酬 （調査日　　／　　）	□医療機関・医者について支払基金・国保連合会を調査 □報酬振込口座の確認・調査
株・ゴルフ会員権 （調査日　　／　　）	□法人税申告書に記載されたものについて調査 □法定資料の支払調書で株式配当金のあるものについて調査 □会費の引落口座の確認・調査

※　必要に応じて、適宜、修正の上ご活用ください。

「質的な滞納整理」と「量的な滞納整理」の対象については、絶対的・普遍的な基準があるわけではなく、当該地方団体が抱えている滞納税の分量や、滞納の分布（税額別滞納ランクの分布）などによって変わり得るものですから、それぞれの団体の判断で設定されるべきものだと思います。すなわち、例えば、高額な滞納事案が多いようであれば、（やや高めに設定し）100万円以上のものを質的滞納整理と位置づけ、相対的に綿密な調査をすることとし、それ以外のものについては、量的滞納整理の対象と位置づけて、比較的簡易な財産調査を実施するよう実務指針等で定められるといいでしょう。

財産調査項目　チェック表（量的滞納整理） 任意様式（参考）

滞納者名＿＿＿＿＿＿＿＿＿＿

担当者＿＿＿＿（最終調査日　／　）

確定申告書（法人） ※不動産収入や配当等がある場合に調査 （調査日　／　）	【財産の把握】 □預金　□売掛金　□不動産　□積立金　□保証金　□生命保険金 □ゴルフ会員権　□所有株式　□敷金　□家賃・地代　□その他 【財産以外の情報】 □同族会社かどうか、損益はどうか □連絡先の調査（社長、経理責任者、税理士等）
確定申告書（個人） ※不動産収入や配当等がある場合に調査 （調査日　／　）	【収入状況、勤務先、支払先等の把握】 □営業所得者の場合は収支内訳書の調査 □不動産収入のある者は不動産収支内訳書の調査 □報酬や配当のある者は法定資料の支払調書の調査
不動産 （調査日　／　）	【滞納者の所有する全ての不動産について調査】 □滞納者所有不動産の総合名寄帳の取得 □所有不動産を住宅地図および公図（写）に落とす □登記簿謄本（共同担保目録も含む）の取得 □抵当権者等の債権現在額の調査 □評価額の調査 □配当シミュレーションの実施
預金 （調査日　／　）	【法人の場合の調査】 □法人税申告書に記載された金融機関全ての調査 □公共料金等の振替口座の調査 □過去１カ月の取引状況表（コム）の取得 【個人の場合の調査】 □公共料金等の振替口座の調査 □過去１カ月の取引状況表（コム）の取得
生命保険 （調査日　／　）	□金融機関のコムより判明した生命保険会社の調査 □生命保険料控除がある場合に大手の生命保険会社に照会 □保険料の引落口座の確認・調査
給与 （調査日　／　）	□給与照会の上、差押可能額について確認 □給与振込口座の確認・調査
売掛金 工事代金 （調査日　／　）	□法人の場合→法人税申告書に記載された連絡先等の把握 □個人の場合→収支内訳書に記載された連絡先等の把握 □代金振込口座の確認・調査

国税還付金 （調査日　　／　　）	□前年度還付のあるものについて調査 □その他事業収入・営業収入のあるものについて調査 □支払調書に記載されたものについて調査 □還付金振込口座の確認・調査
損害保険 （調査日　　／　　）	□法人・個人申告書に損害保険料控除があるものについて調査 □保険料の引落口座の確認・調査
診療報酬 （調査日　　／　　）	□医療機関・医者について支払基金・国保連合会を調査 □報酬振込口座の確認・調査

※　必要に応じて、適宜、加除修正の上ご活用ください。

(7)　丁寧のはき違え

滞納整理では、滞納処分という強い権限を行使しますので、慎重に進めなければならないことは当然のことですが、同時に丁寧に行わなければなりません。慎重にということは、「慎重に、やらない」のではなく、「慎重に、やる」ということです。慎重にということを別の言葉で言い表せば、細心の注意を払って間違いのないように進めるということになります。例えば、差押えをする際に、住所・氏名・生年月日によって滞納者の特定を十分に行わなかったために、同姓同名の別人の財産を差し押さえてしまったなどという事務処理ミスを起こさないように、複数の職員によるチェックを励行するとか、調書等書類のチェックをするときは、「どこかに誤りがあるのではないか」という気持ちで点検をするようにする（「多分、大丈夫だろう」とか「合っているはずだ」という認識で点検をしても、誤りを発見することは、まずできません）など、いわゆるヒューマンエラーというものが起こり得るという前提で日々の事務を進めることが、慎重さに配慮した滞納整理ということになるでしょう。

ところで、丁寧に滞納整理を進めるといった場合、これを「滞納者の言うとおりにする」こと、ないしは「滞納者の希望どおりにする」ことだというのであれば、それは違います。「生活は楽だ」とか「事業は順調だ」と言う滞納者はいません。なぜなら、生活が楽であるとか、事業が順調であるなら、納税することができるはずだからです。ですから、滞納者（ここでは納税することができない「やむを得ない事由」のある滞納者は除きます）は例外なく「生活が苦しい」とか「事業が不振だ」などと言うのです。しかし、そうした滞納者の主観（「気持ち」や「思い」）のみによって滞納整理の方向性を決めてしまうとしたら、例外なく「滞納者の希望どおり」ということになってしまい、それこそ納付能力に見合った適切な滞納整理というものに全く反することになります。

このようなことから徴税吏員には、法律によって財産調査権や滞納処分をする権能が付与されているのです。つまり、財産調査によって、滞納者の主張や申出が事実であるかどうかを確認するのです。それが滞納整理の原点ということになります。

以上述べたところにより既に明らかだと思いますが、丁寧な滞納整理をするためには、滞納者の言うとおりにするのではなく、また、滞納者のペースで「言いたいだけ言ってもらう」のでもなく、滞納者の主張や申出に誠実に耳を傾けつつも、徴税吏員が主導しながら納付能力の判断に必要な質問をして、その答えを真摯に聴取し、その後の（職権による）財産調査によって、その裏付けを取るようにするのです。そうして、滞納者が置かれた経済状況（収支と積極財産・消極財産の状況）を正確に把握した上で、それぞれに見合ったふさわしい滞納整理をしていくことこそが、本当の意味での「丁寧な滞納整理」ということになります。

なお、この実情照会書の照会項目については、納税指導の際の聴取りでも活用することができます。滞納者の収支や財産について聴取りをするときにも、同書をもとに質問をして、聴取事項を事績記録簿に記録します（または、同書を添付します）。全ての滞納者に同書を送付して回答を求めるのではなく、滞納者とのそれぞれのシーンに応じた使い方をすればいいでしょう。同書に基づいて聴取りをしたときは、最後に「以上で全てですね。ほかに財産は一切ありませんね」と念押しをするようにします。

実情照会書（兼回答書） 任意様式（参考）

いま現在のあなたの収支の状況、財産の状況、生活の状況等について、事実に基づいて下記の各項目にご記入の上、返送してください。なお、回答欄が不足する場合は、別紙に記載し、添付していただいて差し支えありません。

照会項目	回　答　欄
現住所・生年月日・電話番号	県　市　町　丁目　番地　号 明・大・昭・平・令　年　月　日生　☎　（　）
家族構成	（氏名・続柄・生年月日）
収入状況	年間収入　円　直近の年のもの、税込 □給料月額　円　勤務先： □報酬月額　円　支払者： □事業・営業収入　円　本店登記地： □賃料収入　円　物件所在地および賃料内訳 □その他の収入　円　収入の種類：
支出状況	住宅ローン　円／月　借入先金融機関等： カードローン　円／月　借入先金融機関等： その他の借入金　円／月　借入先： 光熱水費　円／月　内訳： 公租公課　円／年　内訳： 家賃　円／月　敷金・礼金・保証金： その他の支出　円／月または年　種類：
不動産	□不動産は所有していない □自宅以外に不動産は所有していない □自宅以外にも不動産を所有している　所在地：
預・貯金	金融機関名（　）支店名（　）口座番号（　） 金融機関名（　）支店名（　）口座番号（　）
携帯電話	□ＮＴＴドコモ　□ａｕ　□ソフトバンク　□楽天モバイル　□その他 携帯電話番号　090・080・070（○○○○）○○○○ 電話料金の引落口座　金融機関名（　）支店名（　） 口座番号（　）
滞納の原因	具体的に記載してください。

照会の件について、上記のとおり回答します。本日現在の収支等の状況は以上で全てであり、他に財産はありません。

令和○年○月○日

住所＿＿＿＿＿＿＿＿＿＿

氏名＿＿＿＿＿＿＿＿＿＿㊞

(8)　クレーマー

昨今は、行政に対してだけでなく、民間企業においてもいわゆる「クレーマー」の問題は深刻なようです。ここでは、徴税機関や徴税吏員に対して苦情を申し立てたり、抗議をしたりする人全般を「クレーマー」とするのではなく、正当な根拠や合理的な理由もなく社会的に不相当な方法で執拗（しつよう）に苦情や抗議を続け、正常な滞納整理業務の遂行に支障をきたす（そのおそれがある場合も含みます）事態を招来する一切の言動を行う人のことを「クレーマー」と呼び、その他の苦情等と区別することとします。

徴税吏員は、日々の業務を通じて丁寧な応対に努めなければなりませんが、ここで言ういわゆる「クレーマー」と認められる人に対しては、その他の納税者等とは区別して応対する必要があります。なぜなら、いわゆる「クレーマー」と呼ばれる人たちには、

① 相手の説明に対して聞く耳を持っていない
② 自らの滞納を正当化し、納税する意思が認められない
③ 相手の揚げ足を取ることに執着し、攻撃的である
④ 法定の要件に該当しないにもかかわらず、徴収金の免除・延滞金の減免・差押えの解除など自己に有利で都合のよい一方的な要求をしてくる
⑤ 自らの（無理な）要求が通るまで同じことを執拗に繰り返す
⑥ 怒鳴る、脅す、執拗、不退去など社会的に不相当な方法を用いる
⑦ （相手をよく観察していて）相手の出方によって態度を変える、硬軟両様、上げたり下げたりとその場を支配することに手慣れている

といった特徴が見受けられるからです。徴税吏員は、このような人たちには「丁寧な」応対というのは通用しないということを理解し、このことを共通の認識とすべきです。

しかし、そうであるとしても、いわゆる「クレーマー」に対しては、「丁寧」の裏返しである「乱暴」な応対をせよということでは決してありません（当然ですが）。そうした人たちには、それにふさわしい応対というものがあるということです。それにはある程度の実務経験が必要なのですが、たとえそうした実務経験がなくても、次善の対策として、研修によって当該滞納者がいわゆる「クレーマー」なのか、それともそうでないのかを見極める目を養うことは一定程度可能だと思われますので、ぜひ、（そのことを）研修で取り上げるべきだと思います。ただ、クレーマー対策を集合研修で身につけるのはなかなかに難しく、むしろ「ロールプレー」または「実地研修」若しくは「ＯＪＴ」など実務に近い形での訓練を重ねることで（見極める目は）徐々に涵養（かんよう）されていくものだろうと思います。

滞納整理では、こうした人たちとの遭遇機会はほとんど不可避ですから、研

修企画者は、必ずこの「クレーマー対策」を研修メニューに入れておくべきです。少なからぬ徴税吏員が、この「クレーマー」応対で悩んでいるという実情に鑑みれば、結局、それへの対策が、効率的で効果的な滞納整理につながることになるのです。

⑼　訪問催告

今ではほとんどの地方団体が滞納整理で、訪問催告という用語自体を使っていませんし、実施もしていません。税の専門誌などによると、この訪問催告については、国民健康保険料（税）の滞納整理で行われていることが多いようです（その理由は定かではありませんが、「滞納者との接触の機会を増やすように」との趣旨の厚生労働省の通知なども影響しているのでしょうか）。国民健康保険料（税）にしても、その他の（税目の）地方税にしても、あるいはその他の公課にしても、滞納整理のための人員は限られており、それゆえにこそ、いずれの地方団体においても、効率的で効果的な滞納整理の遂行が求められているのです。

滞納整理の実務では滞納者宅に臨場する必要がある場合もなくはないのですが、一日をフルに活用したとしても、経験的に言って、せいぜい10人から15人を訪ねるので精いっぱいだと思います。つまり、臨場するというのは非常に効率が悪いということです。そうであるならば、必要があって臨場するときは、単に履行の請求（納税の慫慂（しょうよう））だけして帰ってくるのではなく、納税指導（履行の請求、滞納原因の聴取り、納税の意思の確認、収支や資産の状況の聴取り）をしてくるべきですし、併せて滞納者宅の状況観察や、自動車保有の有無、必要に応じて（守秘義務と個人情報に留意して）近隣での聴取り（国税徴収法第141条に基づく質問・検査ではなく、行政調査としての任意調査）なども行ってくるべきです。「未納になっていますので納めてください」と言ってくるだけ（「差置状」という催告書を差し置いてくることも含めて）の、履行の請求（納税の慫慂）のみを目的とした臨場であるならば、処分吏員としての徴税吏員のやるべきことではありません。その程度のことならば、効率性を考えれば、通信催告の方がはるかに大量に処理することができますし、臨場によるよりも（全体量のことを考えれば）大きな効果を期待することができます。

⑽　集金

租税債務もその他の公課に係る債務も、いずれも「取立債務」ではなく「持参債務」であって、租税制度は、債権者が債務者の住所地まで出向いて集金をするというものではありません。また集金は、納付書による自主納税を妨げる要因になるとともに、口座振替納税やコンビニ納税など納税環境の整備の流れとも逆行するものです。さらに、費用対効果の観点から見ても、極めて非効率的であることに加えて、「取りに来てくれるなら、納税のためにわざわざ銀行やコンビニ、役所まで行くことはない」という滞納者の怠慢を助長しかねません。以上のような理由から、集金はすべきではありません。

【持参債務】債権者の現在の住所地を履行場所とする債務

○**国税通則法第34条第１項**　国税を納付しようとする者は、その税額に相当する金銭に納付書を添えて、これを日本銀行、郵便局又はその国税の収納を行なう税務署の職員に納付しなければならない。

○**民法第484条**　弁済をすべき場所について別段の意思表示がないときは、特定物の引渡しは債権発生の時にその物が存在した場所において、その他の弁済は債権者の現在の住所において、それぞれしなければならない。

○**地方税法第１条第１項第６号　納税通知書**　納税者が納付すべき地方税について、その賦課の根拠となつた法律及び当該地方団体の条例の規定、納税者の住所及び氏名、課税標準額、税率、税額、納期、各納期における納付額、納付の場所並びに納期限までに税金を納付しなかつた場合において執られるべき措置及び賦課に不服がある場合における救済の方法を記載した文書で当該地方団体が作成するものをいう。

⑾　増額交渉

地方税その他の公課の滞納整理において、「交渉」という言葉を使うこと自体おかしなことです。というのも、公租公課は、租税法律主義（日本国憲法第84条）と地方税条例主義（日本国憲法第92条、地方税法第３条）により、法律や条例がなければ課されることも、また徴収されることもありませんし、そこにおける債権者と債務者の関係は、契約ではなく法律や条例で決められているのです。したがって、債権者と債務者との話し合いで（つまり、交渉によって）権利義務の得喪変更や、徴収方法などを勝手に決めることはできないのです※13。

そうではなく分割納付という事実上の実務取扱いをどのようにするかについ

※13 「法律の根拠に基づくことなしに、租税の減免や徴収猶予を行うことは許されないし、また納税義務の内容や徴収の時期・方法等について租税行政庁と納税義務者との間で和解なり協定なりをすることは許されない」（法律学講座双書『租税法』金子宏、弘文堂）

ては、まさに債権者が、債務者から提出された納付能力に関わる資料や（職権）調査によって収集した資料に基づいて、それをどのように判定し、どのように扱うのが徴収上有利であるかという整理方針に係る判断（裁量）の問題です。

すなわち、財産調査等の結果を踏まえて、分割納付に係る１回分の金額を（これまでの金額よりも）増額させる必要があるというのであれば、法定の猶予制度とパラレルに考え、最長でも１年以内（できれば年度内）の範囲内で完納となるような納税計画の提出を求めるべきです。この場合、「増額」を求める徴税吏員と、「増額などできない」と言う滞納者との間で不毛な押し問答になるのを避けるために、滞納者が「増額などできない」と言うのであれば、滞納者に対してそれを裏付ける客観的な資料の提示を求める必要があります。滞納者が、それらを提示できないか、または提示しないというのであれば、分割（納付）に係る適正な金額の判定ができませんから、分納の取扱いは認められないことになります。以上のとおりですから、「増額交渉」という言い方は適切ではありませんし、滞納整理の中では用いるべきではありません。もし納付能力に見合った妥当な分割納付金額に改めさせるという意味であえて使うとするならば、「納税計画の見直し」と言うべきでしょう。

⑿　呼び出し

「呼び出す」とか「出頭を求める」という言い方は、いかにも権威主義的な響きがありますし、今の時代状況や納税者等の感覚からすれば、適切ではありません。「説明を求める」などの言い方に改めるべきでしょう。

⒀　照会書のばらまき

滞納整理では、効率的であることと、税収の確保・収納率の向上・滞納額の圧縮という成果を挙げることが求められている旨、本書の中で繰り返し述べてきました。ところで、国税徴収法第141条の質問・検査権を行使するに際しては、調査の相手方を特定する必要があります。徴税吏員は、もちろん行政機関としてそれ以外の一般的な調査（いわゆる行政調査）を行うこともありますが、いずれの場合も（任意）調査には当然、相手方の協力が必要です。過度な自主規制はすべきではありませんが、法令はもちろん社会常識も含め一定のルールにのっとって調査権を行使する必要があります。万策尽きて、もうほかに特定の調査先が見当たらないというときに「徴収する」か、それとも「停止にする」かの判断をするための最後の手段として、複数の金融機関等に調査依頼をするのはやむを得ない場合があると考えますが（ただし、この場合でも一度に著しく多くの件数を照会するのは控えるべきでしょう）、最初から、複数の相手先に照会書をばらまくような事務の進め方はすべきではありません（「徴収職員は、いわゆる普遍的・一般的な調査はすべきではない」とする『租税徴収実務講座改訂版』第２巻、浅田久治郎ほか、ぎょうせい刊の記述も参照してください）。そもそも「ばらまく」といったような、あたかも節度を欠くかのようなやり方は慎むべきで、前述した最後の手立てとして（言ってみれば、停止のための資料集めとして）「一斉照会」を行うことがある、というような運用とすべきでしょう。徴税吏員は自力執行権という強大な権限を持っていますが、それには必要な範囲で節度を保った上で行使するという態度が大切だと思います。

⒁　成功体験という桎梏（しっこく）

仕事に成功と失敗はつきものです。滞納整理でも、例えば、公売によって一度に何千万円も徴収することがある一方で、ちょっとした着手の遅れから、差押可能な財産が散逸してしまい、停止とせざるを得ない場合もあります。

成功体験には、それによって、かなりの税収を確保することができる場合や、携わった職員の自信につながるなど多くのメリットがあるのですが、将来の出来事に対しても、それと同様の方法が常に通用するとは限らないことから、過去の成功体験だけに依拠して滞納整理を行うことにはリスクが伴うことを、十分認識しておくべきだと思います。とりわけ、経験豊富なベテラン職員にありがちな「以前はこうして徴収した」式の経験を過信し、そして法令よりも経験に頼りがちな仕事のスタイルには注意する必要があります。

これには二つの理由があります。一つは、ご承知のとおり滞納整理は、地方税法や国税徴収法その他の法律にのっとって行う事務であるにもかかわらず、この点を十分自覚せずに、多くを「経験則」や「職場の習わし」のようなものに依拠して行うことです。例えば、何年にもわたる長期少額分納のように妥当でない処理が、あたかもそれがノーマルな滞納整理であるかのように平然と行われ、職場に定着してしまう（ひいては、それがその職場の習わし〈ローカルルール〉となってしまう）リスクが考えられます。そこで、もしもこのような仕事のスタイルの職員が職場にいる場合は、管理・監督者からその職員に対して、「まずは、自分が処理している事務の法令上の根拠は何で、そして次に、その権限の行使に当たって、どのように処理するのが本来のあるべき姿なのか」という基本を理解させ、そして身につけさせる必要があります。

二つ目は、実務では似たような状況の事案（類似事案）に遭遇することはあるにしても、事案の一つひとつを見ていけば、それぞれに内容や事情は微妙に異なっているのであって、過去の事例で成功したとしても、そのときに取られた手法が、そのまま将来の別の事案に対しても、常に効果的で妥当するとは限らないということを理解させることです。こうした実情に照らせば、「以前はこうして徴収した」という成功体験が、その後においても常に効果的で妥当するという保証はなく、したがって、類似の事案について滞納整理をする場合、過去の経験は大いに参考となるものの、基本はあくまでも「法律に基づいた本来のあるべき処理」だということを、しっかりと自覚しておくことが何よりも大切です。その上で、過去に効果のあった処理例を参考にして、活(い)かせるところは活かし、そして、改善や工夫をすべきところは個々の事案に合わせて修正するなど個別的に検討をすべきでしょう。これが、滞納整理における望ましい取組姿勢だと考えますし、成功体験を、いい意味で事案の解決に活(い)かすことにもなるのではないでしょうか。

なお、もう20年近くも前のことになりますが、資生堂（株）の福原義春名誉会長（当時）が、成功体験について「たとえば仕事の経験の中で非常に成功した方法論があるとしても、それはその時の、時代の流れや状況でうまくいったのではないかと冷静に考えてみてください。きょうはまた新たに、人の意見を聞き、時代の流れに耳を澄まさなければならない。本質を見据えなければならない。（中略）私たちは、自分の目で何もかも見えているようでいて、実は自分が正しいと感じることしか頭に入りません。そこに仕事人としての限界が生じてくる。変化の判断ができなくなります。難しいことですが、いつも自分の斜め上あたりから、自分を厳しく見つめる視点を持つしかありません。自分は何者か、いま成そうとしていることでいいのか。こだわりにとらわれて固まっていないか」（2003年６月29日、朝日新聞から抜粋）と語っておられたのは、まさに慧眼(けいがん)であったと思います。福原義春名誉会長のこの言葉は、滞納整理を進める上でも大いに参考になると思います。

また、先の太平洋戦争における日本軍の組織的な失敗を分析した『失敗の本質』（戸部良一ほか、ダイヤモンド社、1984年初版　文庫版は中央公論新社から1991年に出ています）によれば「（日本海）海戦で日本海軍が大勝したために、大艦巨砲、艦隊決戦主義が唯一至上の戦略オプションになった。この思想は東郷平八郎連合艦隊司令長官のもとで参謀を勤めた秋山真之少佐が起草した『海戦に関する綱領』をもとにして、明治34年に制定された『海戦要務令』以来の日本海軍の伝統になった。……しかも、海軍で聖典視された『海戦要務令』で指示されたことが、実際の戦闘場面で起きたことは、一度もなかったといわれる。海軍の用語に、『前動続行』という言葉がある。これは、作戦遂行において従来どおりの行動をとり続けるという戦闘上の概念であるが、まさに日本軍全体が、状況が変化しているにもかかわらず『前動続行』を繰り返しつつあった」との記述があります。さらに、この『失敗の本質』をお手本として、これをビジネスの視点で解説した『「超入門」失敗の本質』（ダイヤモンド社、2012年初版）では「日本人と日本組織の中には、過去に発見されたイノベーションを戦略思想化し、『虎の巻』としたい欲求が存在することです」とか、「日本軍が戦局の転換で大混乱に陥り、正しい戦略策定をほとんどすることなく、やみくもに『同じ行動』を繰り返して敗北する様子は、『本質を失った』型の伝承を想起させます」と述べて、いずれも過去の成功体験に固執したことが、日本軍が失敗を繰り返す原因であったと指摘しており、何とも皮肉なことですが、これは、歴史的な事実としての重みと説得力のある分析ではないでしょうか。これらは、滞納整理においても大いに参考となる考え方であり、指摘であると思います。

⒂　「できない理由」探し

私は、これまで税の滞納整理だけでなく、福祉など複数の職場で仕事をしてきましたが、その中でとても悲しく思ったことがありました。それは、表題にあるような、○○があるのでできないと言って憚（はばか）らない「できない理由」探しをしているとしか思えないような「残念な人」がいたことです。しかし、だからといって私は、「不可能なことなどなく、あらゆることが可能である」などというおごった考え方を持っているわけではありませんが「最後まで諦めずに努力する。できるだけのことをする」という姿勢なり、心構えなりを持って仕事（滞納整理もです）に臨むことは、とても大切なことだと考えています。

私がこれまでに経験した職場で出会った「できない理由」探しをしていた「残念な人」は、本人がそのことを意識していたか、それとも意識していなかったかは分かりませんが、思うにおそらくその人にしてみれば、「仕事を増やしたくない」とか「前例がないことは（失敗したら責任を負うことになるから）やりたくない」というような一抹の不安が頭をよぎったのでしょう。あるいは、もしかしたら「部下の反発を恐れて」のことだったのかもしれません。もしもそうだとしたら、管理・監督者として本当に残念なことでした。

「どうしたら解決できるか（または、どうすれば実現することができるか）」という発想で仕事に臨むべきだとは思いますが、そうかといって、それは「どう転んでもできないこと（不可能なこと）もやるべきだ」という意味では決してありません。あることができるかできないか（可能か不可能か）は、通常、さまざまな客観的材料や情報を総合的・多角的に検討して結論を導き出すわけですが、検討の最初から「できない理由」を、あれこれと挙げて結論を急ぐべきではないということです。

ものにもよりますが、複数人で多角的に、できれば一定の時間をかけて検討してから結論を導き出していくのが、おそらく妥当なのだろうと思います。ここでは「複数人で検討する」「多角的に検討する」「一定の時間をかけて検討する」ということがポイントです。それでもなお「できない」という結論になるのであれば、それはそれで致し方のないことだと言わなければなりません。すなわち、他日を期すか、または諦めるという決断をすることになります。このような場合は「複数人で検討する」「多角的に検討する」「一定の時間をかけて検討する」というプロセスを経ているわけですから、「できない理由」探しをしたことにはならないと思います。地方税の滞納整理を担当されているみなさんにおかれましても、このような発想で仕事を進めていただければ、必ずや期待した成果を挙げることができるのではないかと思います。

12　効率的で効果的な滞納整理

⑴　税額で区分する

これは「税額整理」を重視した方法です。例えば、30万円を一つの目安として、それ以上を質的整理の対象とするというように、各地方団体の実情に応じて整理の重点をどこに置くかを決めます。また、滞納整理では優先順位を付けて事務を進めることが効率的であり、同時に効果的ですが、100万円、300万円、500万円など適宜の金額で区分して、順次、集中的に労力を投入して整理するなどの方法も工夫してみるといいでしょう。

⑵　件数で区分する

これは総量を圧縮し、担当者の負担軽減を目指すことによって、質的整理に集中できる環境の実現を目指そうとするものです。例えば、税額の多寡にかかわらず、30件以上累積した滞納のある者で、納税指導については実施済みであるが、任意（自主）納税の意思がないと認められる場合は、差押えに向けて集中的な財産調査を行うことが考えられます。対象を絞って集中的に調査を行うことで、一定量の事務を比較的短期間で効率的に処理することができます。

(3) 課税年度で区分する

これは滞留して累積した滞納の整理に重点を置いた方法です。例えば、本来であれば消滅時効が完成しているはずの事案であるにもかかわらず、何らかの理由（権利の承認や差押えなど）から時効が更新して未解決のまま残っているもののうち、最も古い課税年度のものを抽出して、滞納処分とするのか、それとも停止または即時欠損とするのかについて、見極めをすることを主眼とした整理を進めるような場合がこれに当たるでしょう。

(4) 滞納の形態に基づいて区分する

調査手続の合理化に着目した方法です。例えば、不動産業に絞って整理を進めたり、サラリーマンを対象として一斉に給与照会を出したりというような場合が想定されます。財産調査を行うにしても、各方面に散発的に行うよりも、集中して一斉に行った方が効率的です。

(5) 個人か法人かで区分する

預金や売掛金、不動産などのように個人・法人の両者に共通する財産調査もありますが、法人登記簿（商業登記）や決算書などの会計帳簿といった法人に特有の調査があるので、これらを効率よく行うためには、場当たり的・散発的に実施するのではなく、それぞれの調査を計画的かつ集中的に実施するような事務計画を立てる必要があります。類似の調査をまとめて実施することによって、効率的な滞納整理に寄与することができます。

第５章・個別課題に関する考え方と裁判例等

ここでは、徴税吏員が滞納整理を進めるに当たって「しばしば遭遇する（であろう）課題」について、それがどのような内容のものであって、どのように考えたらよいか検討してみます。併せて、裁判等ではこの点についてどのように解釈し、そして判断をしているのかについても見てみることとします。

1　将来債権の差押え

差押財産の中でも債権は、取り立てることによって直ちに税収に直結することもあって、昨今の差押財産の中心的な存在となっています。とりわけ預貯金や給与については、それらのほとんどの場合において、第三債務者の支払いが確実であることと、調査が比較的容易であることから、読者が所属する地方団体でもおそらく差押財産の大半を占めているのではないかと思われます。

滞納額が比較的高額である場合は、給与などのような継続的給付債権であれば、給付の都度、差押えの手続を執る必要がなく、滞納額が完結するまで差押えの効力が継続する（国税徴収法第66条）ため、手続経済上も極めて合理的であると言えます。

そこで、既に発生していて、現に存在する債権が差押えの対象となるのは当然であるとしても、今現在は具体的な債権として発生していないものの、近い将来その発生が確実で、その発生原因が確定しているもの（いわゆる「将来債権」）、例えば、医師の診療報酬債権や、始期付賃貸借契約に基づく賃料債権など将来発生すべき債権の差押えが可能であるかどうか、そして、可能であるとした場合、どのように差し押さえるかについて考えてみます。

一般に差し押さえることができる財産とは、

①　滞納者に帰属する財産であること

②　金銭的な価値を有する財産であること

③　譲渡または取り立てることができる財産であること

④　差し押さえることが禁止されている財産でないこと

⑤　地方税法の施行地域内（日本国内）に存在する財産であること

※　国税徴収法基本通達第47条関係６（財産の所在）および相続税法第10条（財産の所在）参照。

以上の要件を満たす財産とされています。そして、医師の診療報酬債権や、始期付賃貸借契約に基づく賃料債権を、これらの要件に照らし合わせてみますと、①については、第三債務者（診療報酬支払基金等）に照会したり、契約書で確認したりすることができます。②については、いずれも金銭の給付（診療報酬支払請求権・賃料支払請求権）を目的とする債権（財産）であるところから、この要件についても満たしていると言えます。④については、いずれについても差押えを禁止する法律はなく、⑤については、国内で発生する債権であることから、当然この要件についてもクリアしています。若干議論があるのは、③の「譲渡することができる財産であるかどうか」という点です。

この点について診療報酬債権では、

ア　現在のわが国の社会保険制度については、医師、診療報酬支払基金等と、保険者との関係について、法律上の整備がなされており、医師による診療が行われ、その請求に基づいて診療報酬支払基金等を通じて診療報酬が支払われるという仕組みが（制度的に）確立しているところから、支払いの確実性が法的に担保されていると考えられること

イ　実際にも医師は毎月定期的に診療報酬支払基金等に対して請求事務を行っており、同基金等はその請求に対してそれに見合うだけの相当額の支払いを行っている事実があること（そうした実務が現に行われ、社会に定着していること）

ウ　前記ア・イからして、診療報酬債権については、それが正当な請求である限り、同基金等からの支払いは相当な確実性をもって期待することができること

などから譲渡することは可能であり、したがって、差し押さえることも可能であると考えられます。

具体的な差押手続については、基本的に他の債権と同様ですが、差し押さえるべき債権の特定表示については、裁判での判決を踏まえ、次によります。

診療報酬債権の場合の例

<table>
<tr><td rowspan="4">差押債権</td><td rowspan="2">債務者</td><td>所在地</td><td>東京都港区新橋２－１－３</td></tr>
<tr><td>名　称</td><td>社会保険診療報酬支払基金</td></tr>
<tr><td colspan="3">滞納者が債務者から支払いを受けるべき令和○年○月から令和○年○月までの社会保険診療報酬の支払請求権。</td></tr>
<tr><td>履行期限</td><td colspan="2">各月分の社会保険診療報酬の支払日</td></tr>
</table>

※「債権差押通知書」の送付先は、滞納者（診療担当者）の住所地の都道府県の同基金事務所宛とします。

【参考】昭和48年12月20日　最高裁判所第一小法廷判決

社会保険診療報酬支払基金法によれば、被上告基金は、各種の健康保険について、診療担当者から提出された診療報酬請求書の審査を行うとともに、政府その他の保険者が診療担当者に支払うべき診療報酬の迅速適正な支払いをすることを目的とする法人であり、一方において、各保険者から毎月相当額の金額の委託を受けるとともに、他方において、診療報酬請求書を審査したうえ、診療担当者に対して診療報酬を支払うことを主要業務とし、所管大臣から諸種の監督を受ける反面、法定の場合には診療報酬の支払いを一時差し止める権限を有するものである。これらの規定によれば、被上告基金が保険者等から診療報酬の支払委託を受ける関係は、公法上の契約関係であり、かつ、被上告基金が右委託を受けたときは、診療担当者に対し、その請求に係る診療報酬につき、自ら審査したところに従い、自己の名において支払いをする法律上の義務を負うものと解するのが相当である。

【参考】昭和53年12月15日　最高裁判所第二小法廷判決

現行医療保険制度のもとでは、診療担当者である医師の被上告人ら支払担当機関に対する診療報酬債権は毎月一定期日に一か月分ずつ一括してその支払いがされるものであり、その月々の支払額は、医師が通常の診療業務を継続している限り、一定額以上の安定したものであることが確実に期待されるものである。したがって、右債権は、将来生じるものであっても、それほど遠い将来のものでなければ、特段の事情のない限り、現在すでに債権発生の原因が確定し、その発生を確実に予測しうるものであるから、始期と終期を特定してその権利の範囲を確定することによって、これを有効に譲渡することができるというべきである。

【参考】平成11年１月29日　最高裁判所第三小法廷判決

将来の一定期間内に発生し、又は弁済期が到来すべき幾つかの債権を譲渡の目的とする場合には、適宜の方法により右期間の始期と終期を明確にするなどして譲渡の目的とされる債権が特定されるべきである。

収支見込みに基づき将来発生すべき診療報酬債権を一定の範囲で譲渡することは、それなりに合理的な行為として選択の対象に含まれているというべきである。

2　差押調書（謄本）の交付

国税徴収法第54条によれば、徴税吏員は一定の財産を差し押さえたときは、滞納者に差押調書の「謄本」を交付しなければならないこととされています。謄本とは「差押調書と同一の文字符号を用いて、差押調書の内容を完全に写し取った書面をいう。この書面は、謄写したものであると筆写したものであるとを問わないが、謄本である旨を記載する」（国税徴収法基本通達第54条関係13）とされています。つまり、差押調書（謄本）は、その内容において差押調書と全く同じものであるところから、差押えという滞納処分の事績を記録・証明し、滞納者にその事実を知らせるものです。したがって、差押調書（謄本）の交付自体は通知行為にすぎず、差押処分の効力発生要件ではありません（国税徴収法基本通達第54条関係１なお書き）。

【参考】平成12年12月21日　東京地方裁判所民事第３部判決

差押調書（謄本）を滞納者に交付すべきものとされているのは、差押の効力発生とは無関係に滞納者自身の法的利益を考慮したものであるから、本件においてこれが○○貨物に交付されていないとしても、それによって、原告が不利益を被るものではない。そうすると、原告の右主張は、自己の法律上の利益に関係のない違法を理由として本件差押処分の取消しを求めるものであり、失当というべきである。

【参考】『地方税質疑応答集』一般財団法人　地方財務協会より抜粋

Q　債権差押の場合に差押調書に地方団体の長の氏名をゴム印又は謄写印刷をもって記入した場合の差押えは、無効ですか。

A　差押調書は、差押えの事績を記録証明するものであり、その作成又は謄本の交付は、不動産等の場合を除き、差押えの効力発生要件ではありません。国税徴収法施行令第21条第１項において、記名押印でもよいとされており、地方団体の長の氏名が印刷等で記入されていたとしても無効の問題の起こる余地はありません。

Q　差押調書謄本を交付しなかった場合の効果はどうなりますか。

A　（動産・有価証券の場合）占有の事実があれば、その後に謄本を交付すれば差押えの効力には影響がなく、占有の初めから有効です。

3　預金の帰属認定

前掲103ページの①で、滞納処分において差し押さえることができる財産は、「滞納者に帰属する財産であること」が要件の一つである旨述べました。登記簿上に所有者が表示される不動産や、検査登録簿上に所有者が表示される自動車などについては、役所が管理する公簿上に所有者が表示されているので帰属主体は一見して明らかですが、預金ではその名義人が必ずしもその財産の「帰属主体」であるとは限りません。そこに「預金の帰属認定」という問題の

生じる余地があります。一般に預金の帰属認定は、
①**原資**：当該預金は、誰の原資で設定され、蓄積されたものか
②**管理**：当該預金の通帳および銀行印を誰が管理しているか
③**運用支配**：当該預金の入出金、継続又は解約は、誰の意思で行われていたか
などを総合的に勘案して判定します。そして、その方法は、関係当事者への聴取り（「聴取書」を作成します）や、捜索などによって行います。一般論では上記①～③のとおりですが、実務ではさまざまな事情の事案がありますので、具体的な事案（の認定事実）をもとに、それを上記①～③に照らして個別に認定し、判断することとならざるを得ないでしょう。

【参考】平成15年７月９日　東京地方裁判所第20民事部判決

預金契約においては、一般に、預金の出捐者が自ら預入行為をした場合はもとより、他の者に金銭を交付して預金をすることを依頼し、この者が預入行為を預入行為者の名義でした場合であっても、預入行為者が当該金銭を横領し自己の預金とする意図で預金をしたなどの特段の事情が認められない限り、出捐者をもって当該預金の預金者と解するのが相当である。（最高裁昭和32年12月19日第一小法廷判決、昭和48年３月27日最高裁第三小法廷判決、昭和52年８月９日最高裁第二小法廷判決）

【参考】平成16年10月22日　青森地方裁判所第２民事部判決

普通預金債権については、口座開設に当たり金銭を出損した者が誰かということに加え、口座の開設者及びその意図、口座の名義人、口座の管理者等の諸事情を総合的に検討して、当該預金債権が誰に帰属するかを判断すべきである。

4　送達の推定

地方税の「賦課徴収又は還付に関する書類」については、郵便若しくは信書便による送達または交付送達により送達することとされています（地方税法第20条）。ここに言う「賦課徴収又は還付に関する書類」とは、納税通知書や差押書など法令に基づいて送達することとされている書類のことを言い、「法律上の効果を有しない任意の書類は、賦課徴収又は還付に関する書類には含まれない」（『地方税法総則逐条解説』地方税務研究会編、一般財団法人地方財務協会）とされます。したがって、滞納整理で送付する「催告書」※14などは含まれないこととなります。

滞納整理では、しばしば滞納者から「そんな書類見ていない」とか「届いて

いない」などと言われるのですが、税務事務が大量・反復事務であることと、わが国の郵便制度等の高い信頼性から、法律では「通常到達すべきであった時」に送達があったものと推定することとされたのです（地方税法第20条第４項）。しかし、郵便制度等の信頼性が高いといっても、完璧であるとまではいえないことから、滞納者がその「不到達を立証した時」は、この送達の推定は働かないこととなります。

【参考】平成５年４月16日　金沢地方裁判所判決

○○税務署長は、本件延滞税の督促状を原告の当時の住所地であった神奈川県鎌倉市の原告宛てに普通郵便で発送したことが認められる。右督促状は、それが通常到達すべきであった時（同月26日）に送達があったものと推定される（国税通則法第12条第２項）ところ、原告は、これに反する事実を特に主張、立証しないから、右督促状は、同月26日、原告のもとに送達されたものと認むべきである。

【参考】平成25年５月30日　東京地方裁判所民事第２部判決

地方税に係る書類の送達について規定する地方税法20条１項は、その本文で、地方団体の徴収金の賦課徴収又は還付に関する書類の送達については、郵便若しくは信書便による送達又は交付送達により、その送達を受けるべき者の住所、居所、事務所又は事業所に送達する旨を規定している。書類の送達の効力は、その書類が社会通念上送達を受けるべき者の支配下に入ったと認められる時（送達を受けるべき者が了知し得る状態に置かれた時）に生じ（最高裁昭和26年（れ）第754号第三小法廷判決同29年８月24日・刑集８巻８号1372頁）、その者が現実にその書類を受領し、了知することまでは要しないものと解される。

5 交付要求の処分性

交付要求は、強制換価手続に参加することによって、滞納税の満足を得ようとするものであり、民事執行法でいうところの配当要求に類似したものです。交付要求をすることができるのは、納期限を過ぎた税であればよく、督促状や

※14 **催告書の法的性質**「意思の通知」といわれるものであって、履行の請求（処分の事前警告などの文言を含むこともある）をその内容とするものですが、督促状のように、それ自体に法的な効果（時効の更新・差押処分の前提）が認められるわけではなく、催告があったときは、その時から６カ月を経過するまでの間は、時効は完成しないという時効の完成猶予（民法第150条）があるのみです。催告書をいつ送付するか、また何回送付するかなどについては、法定されているわけではなく、徴税機関の判断で必要に応じて送付されるものです。

催告書を送付していることはその要件ではありません。あくまでも他の手続に参加することによって配当を受け、滞納税の満足を得るというものであるところから「それ自身強制的に租税債権を実現させるものではなく、他の強制換価手続に参加する手続に過ぎない」（『国税徴収法精解』吉国二郎ほか編、一般財団法人大蔵財務協会）ものです。

なお、交付要求も滞納処分の一環であることから、これに対して異議がある者は、不服申立てをすることができます。ただし、破産手続によることなく随時弁済される財団債権である租税等の請求に関して行う交付要求については、単に（破産管財人に対して）弁済を催告するものにすぎないため処分性はなく、これに対する不服申立てはできません（後記裁判例〈昭和57年４月16日京都地方裁判所第３民事部判決、昭和57年10月29日　大阪高等裁判所民事第６部判決、昭和59年３月29日最高裁判所第一小法廷判決〉参照）。

【参考】昭和43年10月21日　松江地方裁判所判決（第一審）

本件交付要求は、国税徴収法第82条により被告に帰属せしめられた権限であって、該交付要求により被告は滞納処分以外の強制換価手続による換価代金につき優先配当を受ける権利を取得し、一方、後順位権利者は右換価代金より配当を受ける権利を失うのであるから、右はひとつの行政処分というべきところ、行政処分はたとえ違法であってもその違法が重大かつ明白で当該処分を当然無効ならしめるものと認むべき場合を除いては、適法に取り消されない限り、完全に法定の効力を有するものである。

【参考】昭和47年２月25日　広島高等裁判所松江支部判決（控訴審）

交付要求も広義の滞納処分に属し、その性質は行政処分に該当するものであるから、これに不服がある者は国税徴収法又は国税通則法の定めるところに従い、その解除又は取消を求めるべきものであって、差押え又は交付要求につき重大かつ明白な瑕疵（かし）が存しない限り、強制執行を実施する機関（裁判所）としては、右差押え及び交付要求を当然無効として取り扱うことはできず、これを有効なものとして配当手続を行うほかないものというべきである。

【参考】昭和49年８月６日　最高裁判所第二小法廷判決（上告審）

原審の判断は正当であり、原判決に所論の違法はなく、論旨は採用することが出来ない。

【参考】昭和57年４月16日　京都地方裁判所第３民事部判決（第一審）

特定の租税債権についてそれが財団債権に該当するものか否かは破産法第47条

第２号（旧法）によって定まり、財団債権とされる租税債権は破産手続によることなく随時弁済されるものとする（同法第49条（旧法））。これによれば、交付要求があって初めて納税義務が生じるものではなく、法律上の規定によって当然に納税義務が発生するものであり、破産管財人は、交付要求がなされていると否とに拘わらず、これを随時弁済すべき義務を負うことになる。そうすると、交付要求は破産管財人に対し既に発生している納税義務についてその弁済を催告するものにすぎないというべきであり、交付要求によって新たに権利義務は発生せず、何ら国民の地位、権利義務に変動を生じさせるものではないといわなければならない。以上によれば、本件交付要求は行政事件訴訟法第３条第２項にいう「行政庁の処分その他公権力の行使に当たる行為」とみることはできず、取消訴訟の対象とはなり得ない。

【参考】昭和57年10月29日　大阪高等裁判所民事第６部判決（控訴審）

特定の租税債権についてそれが財団債権に該当するか否かは破産法第47条第２号（旧法）によって定まり、財団債権とされる租税債権は破産手続によることなく随時弁済されるものとされている（同法第49条（旧法））。すなわち、交付要求の法的効果として当該租税債権が財団債権になるのではなくて、破産管財人が右法条（破産法第47条第２号（旧法））を自己の責任において解釈し、その結果、財団債権であると判断した租税債権については、交付要求があると否とに拘わらず、これを随時弁済すべき義務を負うこととされているのである。したがって、交付要求は破産管財人に対し弁済義務を設定したり、その管理処分権を制限したりするものではなくて、単にその弁済を催告するものにすぎないのである。そして、その催告が破産管財人の判断に優越していわゆる公定力を生ずる性質のものでないことはいうまでもないから、交付要求によっては破産者ないし破産管財人の地位あるいは権利義務に何らの変動を生じることはないといわなければならない。それゆえ、本件交付要求は、これを行政事件訴訟法第３条第２項にいう「行政庁の処分その他公権力の行使に当たる行為」とみることはできないから、取消訴訟の対象とはなり得ないものである。

【参考】昭和59年３月29日　最高裁判所第一小法廷判決（上告審）

国税徴収法第82条の規定により被上告人がした本件交付要求は、行政事件訴訟法第３条第２項にいう「行政庁の処分その他公権力の行使に当たる行為」に該当するものでなく、右交付要求の取消を求める本件訴えは不適法であるとした原審の判断は、正当として是認することができ、原判決に所論の違法はない。

【参考】平成24年２月17日　大阪地方裁判所第２民事部判決

⑴本件交付要求の処分性の有無について

イ　破産債権となる租税等の請求権に係る交付要求は、当該請求権につき、滞納処分の手続として、滞納者の意思に基づくことなく強制的に、その破産財団から優先して配当を受けることを可能にするものであり、また、他の破産債権者においても自己の配当が減少することを受忍させられるという効果をもたらすものである。したがって、本件交付要求は、これにより直接利害関係者の実体法上の権利義務に変動をもたらす効果を有するものということができる。

被告は、上記効果は、通常の破産債権の届出の効果と変わらないものであり、交付要求は、滞納に係る租税等の請求権の弁済を催告する行為にすぎず、利害関係者の権利利益を変動させる効果を有しないから、処分性がない旨主張する。しかしながら、破産債権となる租税等の請求権に係る交付要求は、既に破産手続が開始されていることから、別個に差押え等の滞納処分を行う代わりに当該破産手続を利用し、これに参加するという形式で行われているというだけで、実質的には、上記のとおり破産者（租税等の請求権の滞納者）の意思に拘わらず、他の債権者に優先して強制的に租税等の請求権を徴収し、満足を得るための行為であって、差押え等と同じく滞納処分の一種であるということができる。したがって、破産債権となる租税等の請求権に係る交付要求を弁済の催告にすぎないということはできない。被告が引用する大阪高判昭和57年９月30日、最判昭和59年３月29日は、破産手続によることなく随時弁済される財団債権である租税等の請求権に関するものであって、本件と事案を異にするものである。

ウ　以上からすれば、本件交付要求は、これにより直接利害関係者の実体法上の権利義務に変動をもたらすことが法律上認められているものということができ、処分性が認められる。

6　不動産の任意売却と無益な差押え

改めて言うまでもないことですが、法律に基づいて行った差押えを解除することができるのは、法律が定めている解除の要件に合致する事実が認められる場合だけです。例えば、岡山県税務課のホームページ（下記例示）では、このことを明確に記載しています。

【参考】岡山県税務課のホームページより一部を抜粋引用

２　滞納処分

☆県税の滞納者が督促を受け、督促状を発した日から起算して10日を経過した日までに県税を完納しないときは、法律により県は滞納者の財産を差し押さえなければならないことになっています。

☆差し押さえた財産は、公売・取立てを行い、その売却代金等を滞納されている県税に充てます。

☆差押えや差押えのための財産調査は、法律に基づき職権で行います。なお、法律に基づくものであるため個人情報保護法は適用されず、滞納者の承諾は必要ありません。
☆差押えは、滞納されている県税が延滞金等も含めて完納となったとき等、法令に規定されている場合以外は解除できません。

ところが、いわゆる“ハンコ代”（「抵当権等抹消承諾料」法令用語ではなく慣用語。以下、同じ）で差押えを解除してしまったり、納税誓約書の提出と引き換えに解除してしまったりする地方団体があるようなのです。耳を疑うような話ですが、一度ならず幾度か耳にしたことがあり愕然（がくぜん）とするばかりです。憲法および法令を遵守すべき公務員（徴税吏員）にこのようなことがあってよいはずはなく、仮にあるとするならば、早急に改めるとともに、今後の実務の中で管理・監督者は、法令遵守を一層徹底させる必要があります。

バブル経済が崩壊した平成３年以降、焦げ付いた融資債権を少しでも多く回収しようとした金融機関等融資債権者の主導により、担保付不動産の任意売却による整理が増えました。そうしたこともあり、徴税機関に対して、いわゆる“ハンコ代”程度で差押えの解除を迫ってくるケースが頻発しました。しかし、いわゆる“ハンコ代”の前提となっている任意売却は「権利」ではなく（その行使でもなく）、関係する債権者全員の合意が整った場合に初めて成立する通常の売買（契約であり経済活動）なのであって、徴税機関がここうした民間の経済活動に同意しなければならない法的義務などありません。

もとより租税債権は、私債権のように契約によって成立しているのではなく、租税法律主義・地方税条例主義の下、その賦課・徴収には法律・条例の根拠が必要です。従って、当然、法律に基づかない差押解除は認められませんし、やや異例な場合として一定の場合に「みなし解除」[※15]（下記脚注15および解説(2)参照）があり得るだけです（国税の法令解釈通達による事務取扱い）。これは、国税当局が国税徴収法第79条の解釈・運用としてこのような取扱いをするとしたものです。このように滞納者の財産上に担保権を設定している融資債権者が、（自分たちの利益のため、すなわち、回収額の目減りを最小限とするために）望んでいる「回収額の極大化」に、徴税機関が協力しなければなら

※15　**国税での取扱い**　国税徴収法基本通達第79条関係８－２
なお、差押財産を換価に付しても入札又は買受申込みがない場合等において、滞納者がその差押財産を売却した代金のうちから、その売却代金を法第128条第１号の「差押財産の売却代金」とみなした場合における国税への配当が見込まれる額以上の金銭をもって滞納国税を納付し、かつ、徴収上弊害がないと認められるときは、その金銭の額が滞納国税に満たない場合であっても、法第79条第２項第２号に該当するものとする。

ない法的義務などないのです。

【参考】国税徴収法基本通達逐条解説（一般財団法人　大蔵財務協会刊）より引用

◇国税徴収法基本通達第79条関係８－２の解説

差押財産については、原則として公売に付さなければならないが、滞納者から、滞納者自らが差押財産を任意に売却し、その売却代金を国税の納付に充てることとする差押解除の申立て（任意売却の申立て）がされることがある。法第79条第１項第１号によれば、差押えに係る国税の全額が消滅したときでなければ差押えを解除することができないことから、任意売却による売却代金を国税の納付に充てたとしても、本来は滞納国税の全額が消滅しない限り差押えを解除することはできないことになる。しかしながら、当該財産を公売に付したとしても、任意売却による納付額以上の配当が見込まれないような場合には、任意売却の申立てを認めた方が徴収上有利であると考えられる。

そこで、本項のなお書きは、差押財産を換価に付しても入札等がない場合など一定の場合には、滞納者がその差押財産の売却代金のうちから国税への配当見込額以上の金額を納付し、かつ、徴収上弊害がないときには、差押えに係る国税の全額が消滅しない場合であっても、法第79条第２項第２号に該当するものとして取り扱い、その差押えを解除することができることを定めたものである。なお、この場合における売却価額については、その差押財産の客観的時価以上の金額である必要があり、公売の特殊性を控除した見積価額以上の金額ではないことに留意する必要がある。

担保不動産の任意売却をしようとしている金融機関等の融資債権者は、そもそも何のために債務者（滞納者）の所有物件に抵当権等の担保権を設定したのかといえば、それは融資金（貸付金）の返済が滞るなど万が一のときに当該担保物を競売にかけて、その売却代金から「優先弁済を受けようとするもの」であったはずです。つまり、この場合における「権利」行使は、担保権の実行なのであって、任意売却をすることではないのです。担保権者が「権利」を主張するのであれば、**担保権を実行するのが筋**だと言うべきなのです。

法律は、権利とその正当な行使を保護し、また権利の侵害（その行使の妨害も含む）があったときにその回復を図ったり、あるいは損害を補填（ほてん）したりするためのものであって、任意売却という権利ではないものを保護するものではありません。

ところで、行政事件訴訟法第９条によれば、取消訴訟を提起することができるのは、処分の取消しにつき「法律上の利益を有する者」※16でなければならないとしています（原告適格のことです)。そして、この「法律上の利益」とは、通説・判例によれば、実定法が保護している利益のことであるとされています（法の保護する利益説)。

【参照条文】行政事件訴訟法

（原告適格）

第９条　処分の取消しの訴え及び裁決の取消しの訴え（以下「取消訴訟」という。）は、当該処分又は裁決の取消しを求めるにつき法律上の利益を有する者（処分又は裁決の効果が期間の経過その他の理由によりなくなつた後においてもなお処分又は裁決の取消しによつて回復すべき法律上の利益を有する者を含む。）に限り、提起することができる。

２　裁判所は、処分又は裁決の相手方以外の者について前項に規定する法律上の利益の有無を判断するに当たつては、当該処分又は裁決の根拠となる法令の規定の文言のみによることなく、当該法令の趣旨及び目的並びに当該処分において考慮されるべき利益の内容及び性質を考慮するものとする。この場合において、当該法令の趣旨及び目的を考慮するに当たつては、当該法令と目的を共通にする関係法令があるときはその趣旨及び目的をも参酌するものとし、当該利益の内容及び性質を考慮するに当たつては、当該処分又は裁決がその根拠となる法令に違反してされた場合に害されることとなる利益の内容及び性質並びにこれが害される態様及び程度をも勘案するものとする。

【参考】平成25年７月12日　最高裁第二小法廷判決「差押処分取消、国家賠償等請求上告受理事件」

行政事件訴訟法第９条は、取消訴訟の原告適格について規定するが、同条１項にいう当該処分の取消しを求めるにつき「法律上の利益を有する者」とは、当該処分により自己の権利若しくは法律上保護された利益を侵害され又は必然的に侵害されるおそれのある者をいうと解すべきである（最高裁昭和○○年（○）第○

※16　行政事件訴訟法９条の定める法律上の利益を有する者とは、当該処分により自己の権利若しくは法律上保護された利益を侵害され又は必然的に侵害されるおそれのある者を指すものであり、当該処分を定めた行政法規が、不特定多数者の具体的利益を専ら公益の中に吸収解消させるにとどめず、それが帰属する個々人の個別的利益としてもこれを保護すべきものとする趣旨を含むと解される場合には、かかる利益も法律上保護された利益に当たり、当該処分によりこれを侵害され又は必然的に侵害されるおそれのある者は、当該処分の取消訴訟における原告適格を有するものと解される。そして、当該行政法規が、不特定多数者の具体的利益をそれが帰属する個々人の個別具体的利益としても保護すべきものとする趣旨を含むか否かは、当該行政法規の趣旨、目的、当該行政法規が当該処分を通して保護しようとしている利益の内容・性質等を考慮して判断すべきであると解される。（最高裁判所第三小法廷昭和53年３月14日判決民集32巻２号211頁、同第二小法廷平成元年２月17日判決民集43巻２号56頁、同第三小法廷平成４年９月22日判決民集46巻６号571頁、同第三小法廷平成９年１月28日判決民集51巻１号250頁参照）

○号同53年３月14日第三小法廷判決・民集32巻２号211頁、最高裁平成○○年（○）第○○号同４年９月22日第三小法廷判決・民集46巻６号1090頁等参照）。そして、処分の名宛人以外の者が処分の法的効果による権利の制限を受ける場合には、その者は、処分の名宛人として権利の制限を受ける者と同様に、当該処分により自己の権利を侵害され又は必然的に侵害されるおそれのある者として、当該処分の取消しを求めるにつき法律上の利益を有する者に当たり、その取消訴訟における原告適格を有するものというべきである。

この最高裁判例は大変重要な内容を含んでいます。すなわち、「処分の名宛人以外の者が処分の法的効果による権利の制限を受ける場合には、その者は、処分の名宛人として権利の制限を受ける者と同様に、当該処分により自己の権利を侵害され又は必然的に侵害されるおそれのある者として、当該処分の取消しを求めるにつき法律上の利益を有する者に当たり、その取消訴訟における原告適格を有する」としており、「処分の名宛人以外の者」とは、滞納者が差押処分の名宛人だとしますと、滞納者の財産に抵当権等の担保権を設定している融資債権者は、ここで言う「処分の名宛人以外の者」に該当することになります。そして、この判決では、その融資債権者が、滞納処分庁による差押えによって「権利の制限を受ける場合」には、滞納者と同じく「自己の権利を侵害され又は必然的に侵害されるおそれのある者」として取消訴訟における原告適格があると言っているのです。しかし、滞納者の財産に抵当権等の担保権を設定して融資をしている債権者は、滞納処分庁による差押えがあったとしても、担保権を実行（競売を開始）することができますから、ここで言う「自己の権利を侵害され又は必然的に侵害されるおそれのある者」には該当しません。従って、この最高裁判例によれば、権利でもなければその行使でもない任意売却（これは権利ではなく契約です）ができないことは「自己の権利を侵害され又は必然的に侵害されるおそれ」があるとは言えないので、滞納者の財産に担保権を設定している融資債権者には、取消訴訟を提起する原告適格がないということになります（この点につき後掲の平成16年８月25日岡山地方裁判所第２民事部判決参照）。

以上紹介した通説・判例に基づきこれを要約すれば、原告適格があるのは、「法律上の利益を有する者」ということになりますから、権利とその行使ではない「関係する債権者全員の合意を基礎とする任意売却」を主導する（滞納処分の名宛人以外の者である）担保権者には、この資格（＝原告適格）はないこととなります。すなわち、担保権者は、同担保物件につき執行されている滞納処分による差押えの解除を求めなくても、同担保権を実行して優先弁済を受けることができる（＝担保権者としての権利行使が可能な）のですから、「（滞納）処分の法的効果による権利の制限を受ける場合」に該当せず、差押えの解除を求めることにつき「法律上の利益」がないのです。つまり、滞納者の財産上に担保を設定している担保権者は、その担保権を実行するか、それとも任意売却をするかの選択肢を有するのですが、法が保障しているのは担保権の実行による優先弁済を受け得る権利なのであって、それゆえにこそ滞納処分による差押えがついたままで競売をすることができるのですから、担保物の競売により被担保債権の優先弁済を受けるという担保制度の趣旨に照らせば、わざわざその（滞納処分による）差押えの解除を求める必要性がないということです。同担保権者にしてみれば、競売で売却するよりもさらに高価に売却して利益をより多く確保したい（ないしは目減り額を少しでも減らしたい）というもくろみがあるものと考えられますが、そうすることを望むのであれば、同物件にかかる滞納税を完納する（担保権者に納税義務があるわけではないので、一時的に立て替えるとか、融資するなどの方法が考えられるものの、これは滞納者の意思と融資債権者の意向によりますので、徴税機関が口を差し挟むことではありません）などして全債権者の理解と協力を求めるべく努力するほかないのであって、それ（＝提訴すること）を法的に強行することは根拠がなく――すなわち、原告適格がないのでできません。

よって、一部の人が主張している「競売となると任意売却による価格より低廉にならざるを得ないケースが多く、その場合には、任意売却で有利に売却できた価格と競売の価格との差が抵当権者や破産財団などが受けた損害となり、場合によってはその損害額は国家賠償法上の対象となるものと考えられる」とする考え方については、「場合によっては」として一応“逃げ道”をつくってはいるものの、任意売却の非権利性を誤解されているか、ないしは担保権本来の意義（担保物の売却代金から優先弁済を受け得る権利）を看過しているとともに、行政事件訴訟における原告適格に関する理解を欠いた独自の見解と言わざるを得ず、このような見解に与することは到底できません。

ところで「損害」とは、法律によって保護された利益や価値が損なわれた状態のことを言い、その失われた利益や価値を補填するのが「賠償」ということになります。上記のとおり、担保不動産の任意売却は、権利ないしはその行使ではありませんから、それによって得られるであろう売却代金（見込金額）と、競売による売却代金との差額をもって「損害」ということはできないのです。なぜ「任意売却という権利行使ではないものによって得られるであろう売却代金」（これとても実際に売却されるまでは予定額であって、見込額ないしは期待額であるにすぎません！）と、「競売の実行という権利行使によって得られる売却代金」との差額が「損害」なのでしょうか。全く理解不能です。法律は、権利の侵害（とその行使の妨害も含む）に対しては、その損害の賠償を命じます（従って、正当な権利行使である競売を妨害したりすれば、それこそ賠償責任が生じます）が、権利でもなければその行使でもない任意売却（という契約）が成立しなかったからといって、それを「損害」であるとして賠償を命じることなど法理論的にあり得ないのです。

不法行為に基づく損害賠償の対象となる財産的損害には、「積極的損害」と「消極的損害」とがあり、後者は「得（う）べかりし利益」とか「逸失利益」などとも言われています。そして、損害賠償の対象となる「得べかりし利益」は、不法行為と相当因果関係にある財産的損害でなければならないことに加えて、法律によって保護され、保障された「法的利益（法益）」でなければなりません。しかし、担保不動産の任意売却は、（民事の）融資債権者がその未収債権の回収額の極大化を図ろうとして（法律の範囲内で行うこととなるのですが、特定の法律の規定を根拠として行うのではなく）それぞれの自由意思で行うもの（契約自由の原則）であって、法律は、そのような私債権者の「より多く回収したい」という意図を制度的に保障するものではありません。それは、法律の範囲内で許容される私債権者自身の回収努力によるべきものです。ましてや適法に成立した租税債権の確保を困難ならしめ、担保不動産の任意売却による私債権の確保を保障するような法律の規定など存在しません。

不法行為による損害賠償制度の基本理念は公平の観念であるとされていますが、この点からいっても「任意売却で有利に売却できた価格と競売の価格との差が抵当権者や破産財団などが受けた損害となり、場合によってはその損害額は国家賠償法上の対象となる」とする見解に与（くみ）することはできません。抵当権等の担保権を設定して融資をした債権者が、当該担保物から未収債権の回収を図ろうとするのであれば、それこそ担保権を実行して、競売により未収債権の確保を図るのが本来の法的処理であるはずなのに、敢えてそれをせずに、「より高額で売却して回収額の極大化」を図りたいという担保制度の趣旨※17とは全く別の意図を、法は保障するものではありません（そのような法の規定は存在しません）。ただし「契約自由の原則」がありますから、強行規定に反するとか、公序良俗や権利の濫用などに抵触しない限り、債権者全員の自由意思による合意が整えば、それを妨げるものではありません。しかし、それはあくまでも、債権者全員の「自由意思」が前提なのであって、合意しなければ不法行為として損害賠償請求をすることができるなどというものでは決してありません。

【本件に係る具体的裁判事例】

◇第一審　平成26年9月8日静岡地方裁判所浜松支部民事部判決

平成24年（ワ）第737号　損害賠償請求事件

〔事案の概要〕

滞納者Ａ（既に死亡）の相続財産法人である原告Ｂ（司法書士）が、Ａが存命中に同人所有の不動産を差し押さえた○○市役所に対し、同市役所が、差押解除義務を定める国税徴収法第79条第1項第2号に反して違法に当該差押えを解除しなかったため、当該差押えに係る不動産の清算業務が妨害された結果、任意売却の機会を失い競売手続による換価を強いられたなどと主張して、国家賠償法第１条第１項に基づく損害賠償の支払いを求めたものです。

〔第一審裁判所の判断〕

「国税徴収法第79条第１項第２号に関する徴税吏員の行為について、国家賠償法第１条第１項にいう違法があったと評価されるのは、国税徴収法第79条第１項第２号に該当し、差押解除義務が生じていることに加え、徴税吏員が資料を収集し、これに基づき同号所定の要件を認定、判断する中で、職務上通常尽すべき注意義務を尽くすことなく漫然と認定判断した結果として上記差押解除義務を怠った場合と解すべきである」（最高裁　平成５年３月11日第一小法廷判決）との判例を引用し、本件について検討した結果、「被告○○市が、当初は任意売却代金から相応の配当額を要求していたのが、その後、平成23年７月27日時点における未納延滞金を含めた本件租税債権等の50分の１にも満たない８万円という極めて低額の一部納付金で本件差押えを解除する旨応諾した」ことや、「本件不動産について参加差押えをしない理由について、競売手続により被告○○市に配当される見込みがないと述べていた」ことなどに鑑み、本件差押えに係る不動産の価額が高くとも678万円程度であったのに対し、優先債権額は元金のみで1928万702円

※17　**担保制度の趣旨**　被担保債権を担保物の交換価値の範囲で確保すること。租税およびその他の公課（強制徴収公債権）の徴収においては、その滞納となっている債権額全額の回収が徴税吏員に求められているのであって（結果としてそれが「できる」か「できない」かは別問題です）、租税法律主義の下では、そのことが回収額の極大化を図りたいという私的利益を追求する私債権者の都合によって左右されてはならないのです。従って、もしも、いわゆる“ハンコ代”程度で差押えを解除してほしいとの要請があったとしても、そうした要請には応じるべきではありません。解除できるのは、延滞金も含めた徴収金に係る滞納額全額の納付があったときです（国税徴収法第79条第１項）。

であり、後者が前者を大幅に上回っていたのは一見して明白であったと認められるとして、○○市が差押えを解除しなかったのは、国税徴収法第79条第１項第２号に反して違法であるとしました。

なお、同判決は「本件は、差押えの解除を全く求めていない事案や、優先債権額や差押財産の価額に争いがあるにもかかわらず、要件判断に必要な客観的資料の提示等がなされない事案などとは異なり、上記認定のとおり、原告代表者からの相応の説明と客観的な資料の提出を受けた被告の徴税吏員が、その説明に納得した上で本件不動産からの回収可能性はないと判断していた中、異議申立てや本件訴訟提起を通じて原告が被告に対して本件差押えの解除を求め続けていたという事案である」と判示して、原告が○○市に対して様々な資料を提出して説明しており、その説明に○○市も理解を示していたという状況の中で提起された訴訟であるという本件訴訟の経緯についても触れています。つまり、原告の主張に対して、○○市も理解を示していたではないかということのようです。そのような状況の中で本件訴訟は提起されたものなのだということでしょう。

また、本件判決は、「任意売却予定額と競落価格との差額に関する損害」を認定しています。

◇第二審（控訴審）平成27年３月18日東京高等裁判所第５民事部判決

平成26年（ネ）第5228号、第5951号　損害賠償請求控訴、同附帯控訴事件

〔控訴審裁判所の判断〕

控訴審では、「控訴人（○○市）は、その売却代金（本件とは別の不動産）から未納延滞金を含む本件租税債権等を全額回収したことは前記２判示のとおりであり、この経緯に照らすと、被控訴人が他の財産を処分し、それによって得られた金額によって本件優先債権額が減少する具体的な可能性があったものと認められ、この可能性を考慮すると、本件租税債権等がその一部についても回収の可能性がなかったとまでは認めるに足りず、上記判示のように、本件不動産の価格を本件優先債権額が上回っていることから、直ちに、本件不動産の価格が本件租税債権に係る優先債権の合計額を超える見込みがなくなったとは認めるに足りないのである。（中略）したがって、控訴人が平成24年９月７日以降、平成25年５月24日まで本件差押えを解除しなかったことが違法であるとは認められないのである」とし、また「平成25年５月24日まで本件差押えが解除されなかったことのほかにも、任意売却の障害になっていた事由が存在した可能性を否定することができないのであって、被控訴人代表者の陳述書をもって、控訴人が平成25年５月24日まで本件差押えを解除しなかったことと前記⑴判示の任意売却が行われなかったことによる損害の発生との間に相当因果関係のあることを認めるには足りず、他にこれを認めるに足りる証拠はないのである。したがって、その余の点について判断するまでもなく、被控訴人の請求は理由がない。以上によれば、被控訴人の請求は理由がないから棄却すべきであり、これと異なる原判決は不当であるから、控訴人の本件控訴に基づき、原判決中控訴人敗訴部分を取り消し、同部分に

ついて被控訴人の請求を棄却し、被控訴人の本件附帯控訴を棄却して、主文のとおり判決する」としました。

◇平成16年８月25日　岡山地方裁判所第２民事部判決

原告ら（滞納者＝土地所有者＝㈲コーストファイブ、根抵当権者＝㈲鶴形不動産センター）の本件訴えは、被告○○市長のなした滞納処分に係る本件差押登記について、その解除手続をなすことを求めるものであるが、行政庁である○○市長に対し、このような訴訟を提起できるとする法律上の規定はなく、また、本件には例外的に法律に規定のない訴訟を認めるべき事情もない。よって、本件訴えは、不適法なものとして、その却下を免れない。

本争点について判断する前に、本件差押によって原告鶴形不動産センターに損害が発生したか否かについて検討する。前記認定の事実によれば、原告鶴形不動産センターの前記根抵当権は、本件差押に優先していることは客観的にも明らかであるから、同原告は、同根抵当権を実行して、本件差押に優先して弁済を受けることができ、また、本件差押登記があっても、同根抵当権を、これに影響されることなく他に処分することができるといえる。

次に、原告鶴形不動産センターは、本件差押登記があるために原告コーストファイブから弁済を受けることができないと主張するが、本件差押登記があっても、弁済を受けること自体は何らの問題なく可能であるし、また、同主張が、原告コーストファイブから原告鶴形不動産センターに弁済しても、本件差押があるために本件各土地が担保等の負担のない状態にならないから原告コーストファイブから弁済を受けられないという趣旨であるとしても、前記認定のとおり、本件各土地には、原告鶴形不動産センターの根抵当権が２つ設定されているのであるから、本件差押の解除がなされても、上記の意味での原告コーストファイブから弁済を受けられない状況に変わりはなく、結局、本件差押登記があることが、原告コーストファイブから弁済を受けられない事情に当たると認定することはできない。

したがって、本件差押登記があることにより、原告鶴形不動産センターに損害が生じていると認めることはできないから、被告○○市長が本件差押を解除しないことが違法であるか否かを判断するまでもなく、同原告の同被告に対する請求は理由がない。

したがって、原告らの被告○○市長に対する請求は、いずれも不適法であるからこれらを却下し、原告鶴形不動産センターの被告○○市長に対する請求は理由がないからこれを棄却することとする。

7　徴収不作為

「租税法は強行法であるから、課税要件が充足されている限り、租税行政庁には租税の減免の自由はなく、また租税を徴収しない自由もなく、法律で定められた通りの税額を徴収しなければならない」（法律学講座双書『租税法』金子宏、弘文堂）とする考え方を合法性の原則と言います。したがって、この原則の下では、「法律の根拠に基づくことなしに、租税の減免や徴収猶予などを行うことは許されないし、また納税義務の内容や徴収の時期・方法等について租税行政庁と納税義務者との間で和解なり協定なりをすることは許されない」（前記同書）ということになります。

その上で税法を見てみますと、例えば「次の各号の一に該当するときは、徴収職員は、滞納者の国税につきその財産を差し押えなければならない」（国税徴収法第47条第１項）のように、法律は、一定の要件を満たすときには、徴税吏員に、滞納者の財産を差し押さえなければならないという義務を課していることは明らかです。合法性の原則は、徴税吏員に対して、これらの規定に従って処理すべきことを求めているのです。ただ、差押えの時期であるとか、差押財産の選択については、徴税吏員の合理的な裁量に委ねられているとしても、これらの規定で定める要件が満たされているにもかかわらず、差押えをしないという選択肢は（徴税吏員には）用意されていませんし、仮に徴税吏員が、これらの規定に背くような処理（不作為も含む）をしたとすれば、それは徴税吏員としての重大な義務の懈怠（けたい）ということになり、態様によっては違法性を帯びるとともに、損害賠償の対象にもなり得るものです。これらの規定に直接の罰則規定がないことを理由に、同規定は「訓示規定」にすぎないから違法性を問われることなどないとは必ずしも言えないのです。徴税吏員は、このことを深く自覚して滞納整理に臨むべきであると思います。

【参考】昭和25年４月18日　福岡地方裁判所民事部判決

それでは租税徴收権にはどのような特質があるかというに、第一は租税が国家の財政権に基づき收入の目的をもって国民に対し無償かつ強制的に徴收される金銭給付であること、次には納税義務の成立及びこれに基づいて負担すべき義務の内容がすべて当事者の契約によって定めらるることなく、一に法規又は行政行爲によって確定せられること、つまり納税義務がそれぞれの租税実体法規の定める課税要件の完成によって成立し、その法規に從って負担すべき義務の内容及び範囲が定められ印紙税の如く、これを確定するにつき別段の行政行爲を必要としないものもあるが、通常は税務署長の賦課処分によって確定し、法律に定められた納期において又は課税原因の発生することに納付せらるるを原則とするのであってその成立につき当事者の合意を必要とするものでも又契約によってもその負担すべき義務の内容範囲が確定せらるべきものでもないということ、第三には納税義務履行の面においては国税徴收法が特別の強制執行手続を定め又それぞれの租税法が国民に対する各種の公法上の義務を負担せしめる等租税徴収権確保のための権力的手段を講じており、これ等納税義務履行の面における法律関係は国家と国民との間における権力服従の関係として規律せられているということである。しこうして、このように公法上の権利である租税徴収権には私法上の一般債権には存しない特質があり、これらの点から考えるならば、当事者の契約によって自由に租税の年賦延納等納税義務者の負担の軽減をなし得ないことはむしろ当然といわなければならない。

【参考】昭和49年９月２日　最高裁判所第一小法廷判決

納税義務の成立、内容は、もっぱら法律がこれを定めるものであって、課税庁側と納税者側との合意又は納税者側の一方的行為によって、これを動かすことはできないというべきである。

【参考】平成12年４月24日　浦和地方裁判所第４民事部判決

被告は、○○市長として、○○市の市民税の滞納による不納欠損処理件数及びその金額が増加していたことを当然知り得べき立場にあったというべきであるから、被告（市長）は、本件補助職員から、市民税の滞納状況に関する事情についての報告や説明を求め、その原因を分析し、これに対する解決策を検討し、必要な人員を確保するとともに、職員が市民税の徴収を怠ることがないよう指導監督すべき義務を負っていたというべきである。

しかるに、被告（市長）は、前示のとおり、市民税の徴収事務については、これを個々の職員に任せており、滞納者の個別的な状況等について、右職員から全く報告を受けていなかったというのであり、被告が徴収事務担当の職員から市民税の滞納状況等について特別に事情説明を求めたり、滞納者に関する情報について報告を受けたり、右情報が被告（市長）に伝達されるような態勢を確立するなどして、市民税の徴収を怠らないように本件補助職員に対して適正な指導監督を行っていたと認めることはできないから、被告（市長）が本件補助職員による本件各市民税の徴収の懈怠を阻止し得なかったことには、重大な過失があったと認めるのが相当である。

【参考】平成19年６月29日　大阪高等裁判所判決

地方税法第611条第１項が、納税者が納期限までに特別土地保有税に係る地方団体の徴収金を完納しない場合には、市町村の徴税吏員は、納期限後20日以内に、督促状を発しなければならないと定めており、同法第613条第１項が、特別土地保有税に係る滞納者が次の各号の一に該当するときは、市町村の徴税吏員は、特別土地保有税に係る地方団体の徴収金につき、滞納者の財産を差し押さえなければならないとし、同第１号として、滞納者が督促を受け、その督促状を発した日から起算して10日を経過した日までにその督促に係る特別土地保有税に係る地方団体の徴収金を完納しないとき、と定めているほか、同条第６項により滞納処分に関して包括的に準用される国税徴収法に同旨の規定があることからすると、遅くとも、滞納者が税を任意に納付することは期待できない状態になったときには、徴税吏員は、すみやかに、納税義務の履行を強制すべく、地方税法及び国税徴収法の規定に則って滞納処分（差押え等）をすべきである。

要するに、市町村の徴税にかかわる公務員は、特別土地保有税の滞納があれば、積極的な指導により任意納付を促したり、或いは、滞納処分による強制徴収の方法等により、未納者から税を徴収すべき職務上の義務があるといわなければならない。

補助参加人丁田及び同丙村が、○×△□番の土地の差押えを解除する際に、価値の低い本件土地３を差し押さえたのみで、上記売買代金を代理受領を受けられるようにする等確実に滞納町税を徴収できる方法を取らなかった点をもって、滞納町税の徴収を過失により違法に怠ったものと認めることができる。

また、補助参加人○○は、○○町の町長として、徴税吏員らが財務会計上の違法行為をすることを阻止すべき指揮監督上の義務を負っていたところ、本件において、適正な指導監督をしたとは認められないから、過失があったと認められる。

したがって、補助参加人らは不法行為に基づき、○○町が被った損害を賠償する責任がある。

【参考】平成22年３月18日　京都地方裁判所第３民事部判決

保育料債権を納期限までに納付しない者があるとき、○○市長は、期限を指定してこれを督促しなければならず、裁量の余地はないのであるから（地方自治法231条の３第１項）、○○市が適切な時期に督促を行わずに（したがって滞納処分も行わずに）本件各保育料債権を時効消滅させたことは、このように法が行うことを義務付けている行為を行わなかったという意味において、財務会計行為（怠る事実）の違法性を根拠付ける一つの重要な事情といえる。
※本件は保育料の徴収に係るものですが、保育料の徴収では国税徴収法が準用されるので考え方は同じです。

【参考】平成18年１月19日　名古屋高等裁判所民事第１部判決

たとえ、Aから本件誓約書に従って月額10万円の納付がされ、平成17年４月分からは月額12万円に増額された納付が実際に行われているとしても、本件延滞金が完済されるまでにはこの後14年あまりかかることになるなどの諸事情に照らして考慮すると、被控訴人が、現時点においても、本件延滞金の徴収を図るための何らの担保も取ることなく、Aの上記分割納付を事実上認めることにより、本件延滞金の滞納処分を怠ることは、合理的な根拠がなく、もはや実質的に公金徴収権の確保が図られない蓋然性が相当程度高く、徴収権者としての裁量を逸脱しているものと言わざるを得ない。

8 差押禁止債権と預金債権

一定の政策目的から、滞納処分による差押えが禁止されている財産があります。これを「差押禁止財産」と言いますが、これには大別して「絶対的差押禁止財産」と「条件付差押禁止財産」があります。前者は、基本的には国税徴収法第75条に規定されている財産を言いますが、生活保護法や児童福祉法などの個別法で規定された禁止財産もあります。これらの財産の差押えが禁止されたのは、滞納者等の生活を保護するという目的によるものですから、それに反してなされた差押えは原則として無効です。ただし、当該財産が外観上、絶対的差押禁止財産に該当することが必ずしも明白ではない（微妙な）場合は、徴税吏員が（差押禁止財産に該当するか否かについて）認定すべきものですから、直ちに無効となるものではなく、（事後的に）取消し得べき場合があるということになります。つまり、差押禁止財産に該当するか否か微妙な判断が介在するような場合にも直ちに全て無効としたのでは、実務が萎縮したり、混乱したりするので、第一義的には、徴税吏員の合理的な判断による選択が尊重されるということです。

これに対して後者は、滞納者の承諾があれば差し押さえることができますし、徴収上支障がないと認められる場合は、当該財産（国税徴収法第78条所定の財産）を差し押さえないで、滞納者が提供した代替財産を差し押さえることができます。同条の「提供したとき」とは、徴税吏員が直ちに差し押さえることができる状態に置かれることを言います。本来、差押財産の選択権は徴税吏員にありますが、滞納者から税収の確保を全からしめる代替財産の提供があり、それゆえ徴収に支障がないと認められるのであれば、滞納者の生活を保護するという差押禁止財産が設けられた趣旨から、同条は、滞納者の生業に欠くことのできない財産については差し押さえないこととして、差押財産の選択権を間接的に滞納者に与えたのです。

ところで、法律上、差し押さえることが禁止されている財産（ここでは債権を想定して論述を進めます）が、滞納者の預金口座に振り込まれた場合、その預金債権（払戻請求権）を差し押さえることはできるのでしょうか。つまり、差押禁止財産としての属性が、預金債権に引き継がれるかどうかという問題です。この問題に関する裁判例を見てみますと、「引き継がれる」とするものと「引き継がれない」とするものとがあり、一見すると対立しているかのようにも見受けられますが、その内容を仔細に検討してみると、基本的な部分では必ずしも対立するものではないと思われます。

すなわち、「引き継がれない」とする見解の代表格である、いわゆる「北見信用金庫事件」に関する一連の判決（平成８年７月19日釧路地方裁判所北見支部判決〈第一審〉、平成９年５月25日札幌高等裁判所判決〈控訴審〉、平成10年２月10日最高裁判所第三小法廷判決〈上告審〉）によれば、「受給者の預金口座に振り込まれた場合においても、受給者の生活保持の見地から右差押禁止の趣旨は十分に尊重されてしかるべきではある」とし、また「一般的には預金口座には差押禁止債権についての振込み以外の振込みや預け入れも存在するのであって、年金等は預金口座に振り込まれると受給者の一般財産に混入し、年金等としては識別できなくなる」とし、さらには「預金債権は、原則として、差押禁止債権としての属性を承継しない」としていますし、平成19年９月20日大阪地方裁判所第23民事部判決も「受給者の生活保持の見地から上記差押禁止の趣旨は、できる限り尊重されるべきである」と述べていて、必ずしも無条件で差押禁止の属性を承継するとまでは言っていないのです。

つまり、「一般的には」とか「原則として」というように一種の解釈上の「逃げ」を打っていて、当該預金口座には他の振込金が一切なく、差押禁止財産に係る給付金専用の口座であるなど特段の事情があるような場合にまでも差押禁止の属性の承継はない、というようには読めないのです。ですから、そうした特段の事情がある場合はむしろ、給付金が口座に振り込まれた場合においても「差押禁止の趣旨は十分に尊重されてしかるべき」であるし、「差押禁止の趣旨は、できる限り尊重されるべき」だというように読むのが、（判決文の）素直な読み方なのではないかと思います。

今後、滞納整理を進めるに当たって、当該口座に差押禁止財産以外にもさまざまな振込金があるか否かについてまで調査の上、確認をしなければ、差押えの判断ができないということではありませんが（裁判所も、実務でそこまで求めているとは思われません）、滞納者からの（○○の給付金〈差押禁止財産〉の振込専用口座である旨の）申出があって、かつ過去の入出金の状況から、入金されているのが差押禁止財産に係る給付金の振込みのみである確率が高い場合（すなわち、こうした「特段の事情」がある場合）は、当該預金口座以外の財産を探すべきなのではないかと考えます。もしも、他にこれといった表見財産が見当たらないときは、捜索を行って、（その結果、財産があれば差し押さえますが、差し押さえるべき財産が見つからなければ）滞納処分の執行停止

（地方税法第15条の７）を検討すべきではないかと思います。

前述の平成10年２月10日の最高裁判所第三小法廷での判決をよく読んでみますと、差押禁止債権が振り込まれた預金口座は、差押禁止の属性を承継するものではないので常に差し押さえることができるとまで言い切っているわけではありません。すなわち、同判決は「差押禁止債権が預金口座に振り込まれた預金口座の預金債権は、『原則として』差押禁止債権としての属性を承継しない」と言っており、原則に対する例外に当たる場合があり得ることを暗に示唆しています。またこの例外について触れた裁判例として、「差押えを禁止された財産自体を差し押さえることを意図して差押処分を行ったものと認めるべき特段の事情がある場合には、上記差押禁止の趣旨を没却する脱法的な差押処分として、違法となる場合がある」（平成30年１月31日前橋地方裁判所判決）としたものがあります。さらには平成30年12月19日東京高等裁判所も「①滞納処分庁が、実質的に法第77条第１項及び第76条第１項により差押えを禁止された財産自体を差し押さえることを意図して差押えを行ったといえるか否か、②差し押さえられた金額が滞納者の生活を困窮させるおそれがあるか否かなどを総合的に考慮して、差押処分が上記趣旨を没却するものであると認められる場合には、当該差押処分は権限を濫用したものとして違法であるというべきである」と述べて、より具体的な判断基準を示しています。また、令和元年９月26日の大阪高等裁判所の判決では、「徴収職員において、給与債権が一般債権である預金債権に転化する時点を狙い、給与債権であれば許されない金額まで確実に差し押さえて滞納国税を徴収することを意図して預金債権の差押処分をする場合には、同条の差押禁止の趣旨を没却する脱法的な差押処分というほかない」として当該差押えに至った経緯についても見た上で判断しています。

これらの裁判例では、平成10年２月10日の最高裁判所第三小法廷判決が示唆している例外としての特段の事情とは、前掲の鳥取地方裁判所をはじめとした複数の下級審において示された「差押えに係る当該預貯金の原資が年金等差押禁止債権であることの識別・特定が可能であるときは、年金等差押禁止債権それ自体に対する差押えと同視すべきもの」（趣旨）だということのように思われます。なお、前掲の平成30年12月19日東京高等裁判所は、さらに進んで徴税機関が差押禁止債権自体を差し押さえることを意図していたかどうかや、差し押さえられた金額が実際に滞納者の生活や事業を困窮させる程度のものであるかどうかを、具体的かつ全体を考慮して判断すべきだとしているものと解されます。

これら最近の一連の裁判の結果を受けて、国税では令和２年１月31日付で「差押禁止債権が振り込まれた預貯金口座に係る預貯金債権の差押えについて（指示）」（国税庁徴収部長）という通知を発して慎重な取扱いと注意を喚起しました。この通知が国税庁長官の指示ではなく、徴収部長の指示となっているのは、平成10年２月10日の最高裁判所第三小法廷判決では、例外としての特段の事情の中身や基準が必ずしも具体的、明示的に示されていないので、今後、最高裁においてそれが示されるまでの暫定的な取扱いだからではないかと思われます。

【参考】平成８年７月19日　釧路地方裁判所北見支部判決（第一審）

確かに、年金等のように差押ができない旨定められている給付については、それらが受給者の預金口座に振り込まれた場合においても、受給者の生活保持の見地から右差押禁止の趣旨は十分に尊重されてしかるべきではある。しかしながら、一般的には預金口座には差押禁止債権についての振込み以外の振込みや預け入れも存在するのであって、年金等は預金口座に振り込まれると受給者の一般財産に混入し、年金等としては識別できなくなると言わざるを得ず、このようなものについてまで差押を禁止することとなると、取引秩序に大きな混乱を招く結果となると言うべきである。したがって、差押禁止債権の振り込みによって生じた預金債権は、原則として、差押禁止債権としての属性を承継しないと解するのが相当である。

なお、原告は本件労災保険金が振り込まれた時点以後は、本件預金口座に存在した金員はすべて労災保険金であると識別される旨主張するが、年金等以外の入金、支払いが継続して多数存在する以上、年金等が振り込まれる直前の残高及び振込みに係る年金等の金額のみをもって当該預金口座に係る預貯金払戻請求権が、すべて年金等が振り込まれた金員を対象とすると断定することはできないというべきである。

【参考】平成９年５月25日　札幌高等裁判所判決（控訴審）

控訴人に支払われる国民年金及び労災保険金が本件預金口座に振り込まれて、控訴人の被控訴人金庫に対する預金債権に転化し、控訴人の一般財産になったこと、右債権は差押等禁止債権としての属性を承継しているものではないこと、したがって、同被控訴人がした本件の相殺が禁止されるものではないことは前記認定判断のとおりである。

【参考】平成10年２月10日　最高裁判所第三小法廷判決（上告審）

年金等の受給権が差押等を禁止されているとしても、その給付金が受給者の金融機関における預金口座に振り込まれると、それは受給者の当該金融機関に対する預金債権に転化し、受給者の一般財産になると解すべきである。

【参考】平成15年５月28日　東京地方裁判所判決

年金受給権者が受給した年金を金融機関・郵便局に預け入れている場合にも、当該預貯金の原資が年金であることの識別・特定が可能であるときは、年金それ自体に対する差押えと同視すべきものであって、当該預・貯金債権に対する差押えは禁止されるべきものというべきである。

【参考】平成19年９月20日　大阪地方裁判所第23民事部判決

厚生年金保険法によって差押えの禁止が定められている給付であっても、いったんそれが受給者の貯金口座に振り込まれた以上、それは年金受給者の日本郵政公社に対する貯金債権となる。年金受給権が国に対して年金の支払を請求できる権利であるのに対し、貯金債権は日本郵政公社に対して貯金の払い戻しを請求できる権利であるから、年金受給権と貯金債権は明らかに法的性質を異にするものであり、貯金債権が年金受給権の給付目的の同一性を承継するとはいえない。したがって、貯金債権は年金受給権の差押禁止債権としての属性を承継しないから、貯金債権の全額を差し押さえることは何ら違法となるものではない。

受給者の生活保持の見地から上記差押禁止の趣旨は、できる限り尊重されるべきであるが、上記差押禁止の趣旨を理由として、年金受給権の給付目的を承継しない貯金債権まで差押禁止債権とすることは、法の明文の規定なく責任財産から除外される財産を認めることとなり、取引の安全を害することとなる上、年金を原資とした貯金債権であっても、受給者が年金以外に財産を所有して生計を立てている場合などには差押えを禁止する必要はないことをも考慮すれば、年金を原資とした貯金債権を差押禁止債権とするのは相当でない。

【参考】平成20年１月24日　神戸地方裁判所第３民事部判決

年金債権が差押禁止債権であることからすれば、本件口座の預金債権に対する差押えも禁止されると解するのが相当である。

【参考】平成25年３月29日　鳥取地方裁判所判決

差押えに係る本件預金債権の原資のほとんど（本件預金債権13万73円のうち13万円）は本件児童手当の振込みによるものであったところ、被告は、平成20年６月11日に児童手当が振り込まれる可能性が高いことを認識しつつ、あえて児童手当の振込み時期に合わせて差押えを実施したものであり、また、県税局職員が本件差押え処分を執行した際には、本件取引履歴を確認して、差押えに係る本件預金債権の原資のほとんどが児童手当を原資とするものであることを現実に認識したものと認められる。しかも、県税局職員は、原告の経済状態が楽でないことを認識しながら、まとまった金額を差し押さえるためには本件預金口座に振り込まれる児童手当を押さえるしかないとの認識の下差押えに至ったことも考えられ、以上を総合すると、被告は、差押対象財産を選択するに当たって、実質的には、本件預金口座に振り込まれる本件児童手当を原資として租税の徴収をすることを意図し、その意図を実現したものと評価せざるを得ない。そして、このような県税局職員の主観面に着目すれば、実質的には、差押禁止債権である児童手当受給権の差押えがあったのと同様の効果が生ずるものと評価するのが相当である。

そうすると、本件においては、本件差押処分を取り消さなければ、児童を養育する家庭の生活の安定、児童の健全育成及び資質の向上に資することを目的とする児童手当の趣旨（児童手当法第１条参照）に反する事態を解消できず、正義に反するものと言わざるを得ないから、本件差押処分は権限を濫用した違法なものと評価せざるを得ない。

【参考】平成25年11月27日　広島高等裁判所松江支部判決（以下は、鳥取県から提供を受けた資料をもとに作成しています）

【判決の概要】

・差押・配当処分の取消しについては、訴えの利益がないと認定し、却下。
・本件口座に児童手当が振り込まれると認識した上での差押えと認定。
・預金債権のうち13万円については、児童手当の属性を承継し、差押処分が児童手当法第15条に違反していると認定。
・最高裁判例に則り執行した差押処分であり、不法行為を構成する故意、過失はないと認定。
→損害賠償請求を棄却
・生活困窮者と県が認識できた事情は見いだせない。
・県の訴訟費用の負担割合→１割（原審では７割）

〈預金債権のうち13万円に対する裁判所の判断〉

以下の事実に基づき、児童手当の差押えと同等と判断

①　児童手当が振り込まれる口座であると認識できたと認定
②　児童手当振込時間と処分執行時間との近接性
③　預金残高に占める児童手当の構成比

9　金融機関の貸出稟議書

滞納整理では、庁外調査（所外調査）の一環として税務署や国税局へ赴いて、所得税の確定申告書（とその附属書類）や法人税申告書（とその附属書類）や滞納者に関するその他の情報などを閲覧することがあると思います。それは、それらの書類から、滞納者に帰属するさまざまな財産を把握することができる場合があるからです。「三税協力」の建前もあり、税務署（または国税局）も協力してくれていると思います。そして、おそらくそこまではいずれの地方団体でも行っているはずです。

しかし、現状では滞納整理の中で、金融機関の貸出稟議書まで閲覧している地方団体は少ないのではないかと思われます（というよりも、ほとんどされていないと言っていいのではないでしょうか)。それは、

① 貸出稟議書そのものがどういったものなのか分からない
② 金融機関が閲覧に協力してくれない（拒否された）
③ これまで閲覧した経験がないので、どのような手続で閲覧したらよいか分からない

などの理由からではないかと推察されます。地方税の滞納整理では、いわば未開拓の分野であると言っていいでしょう。

貸出稟議書とは、金融機関が顧客から融資の申込みを受けたときに、その妥当性を検討して融資案件としての採否を決定するために作成する一連の文書のことを言います。なお、判例によれば、「金融機関の貸出稟議書は、当該金融機関が貸出しを行うにあたり、組織体として、意思決定の適正を担保し、その責任の所在を明らかにすることを目的として作成されるものと解されるから、貸出稟議書は、貸出しに係る意思形成過程において重要な役割を果たすとともに、当該組織体内において、後に当該貸出しの適否が問題となり、その責任が問われる場合には、それを検証する基本的資料として利用されることが予定されているものというべきである」（平成12年12月14日最高裁判所第一小法廷決定）と説明されています。

この貸出稟議書に記載されている主な事項は、次のとおりです。

① 融資対象名（顧客名）
② 貸出案件の内容（貸出金額、貸出利率、返済期限、返済方法、用途、担保等）
③ 経営状況（売上高、経常利益、当期利益、配当率、金利負担率、自己資本比率等）
④ 他の金融機関との取引状況（借入状況、返済状況、担保等）
⑤ 担当者所見
⑥ 支店長（本店）所見

これらのほか、稟議書本体に附属する主な書類として、

① 資金繰り表
② 取引先一覧
③ 財務諸表
④ 担保物件一覧

⑤　借入金残高推移表

などがあります。滞納者に関するこれらの情報は、税の確定申告書とその附属書類などとともに、滞納処分をするためには欠かすことができない貴重な資料です。

この貸出稟議書の調査に関して、徴税機関等（国税徴収法を使って強制徴収することができる公課も含む。以下同じ）に対する金融機関の対応は、「貸出稟議書については、単なる銀行内部のメモであること、秘密性を伴うものであることから慣行的に資料の提出などを行っていません」（昭和30年7月21日全国銀行協会通達・全業第29号「銀行の預金などに関する税務調査について」）というものでした。しかし、貸出稟議書が前述したように詳細な内容のものであって、しかも金融機関内部で起案し、決裁をしているにもかかわらず、「単なる銀行内部のメモ」であるというのはいかにも苦しい言い方で、不自然だと言わなければなりません。

すなわち、組織体として単なるメモについて、決裁などするでしょうか。メモとは、会議で話し合われたことなどを忘れないように、その主要な点について書き留めておくものであり、備忘録といったものであるはずです。「そのようなものであっても、事実、（決裁は）しています」と言い張ることはできるとしても、そのようなものに決裁をするなどという言い分をにわかに信じることはできません。しかし、重要なのは「決裁をしているか否か」ではありません。それが一体どのようなもので、法的にはどのような意味を持つ文書であるかが大事なことなのです。徴税吏員も仕事の中で起案し、決裁権者の決裁を受けて滞納整理を行っていますが、いくらなんでも決裁文書のことを「単なる内部のメモ」であるなどと言ったりはしませんし、そのように位置づけたりもしていません。全国銀行協会（以下、「全銀協」と言います）が通達の中で、慣行的に資料の提出などをしていないという苦しい言い方をしているのは、法的には徴税機関等から提出（または閲覧）要請があれば提出（または閲覧に供）せざるを得ないけれども、できれば見せたくないという思惑が透けて見えるようです。

判例によれば「金融機関は、顧客との取引内容に関する情報や顧客との取引に関して得た顧客の信用にかかわる情報などの顧客情報につき、商慣習又は契約上、当該顧客との関係において守秘義務を負い、その顧客情報をみだりに外部に漏らすことは許されない」（平成19年12月11日最高裁判所第三小法廷決定）として、金融機関の「守秘義務」は、法律上のものではなく、「商慣習又は契約」によるものであることを明らかにしています。また、同決定の補足意見の中で、田原睦夫裁判官は「金融機関が法律上開示義務を負う場合のほか、その顧客情報を第三者に開示することが許容される正当な理由がある場合に、金融機関が第三者に顧客情報を開示することができることは言うまでもない。その正当な理由としては、原則として、金融庁、その他の監督官庁の調査、税務調査、裁判所の命令等のほか、一定の法令上の根拠に基づいて開示が求められる場合を含むものというべきであり、金融機関がその命令や求めに応じても、金融機関は原則として顧客に対する上記の一般的な守秘義務違反の責任を問われることはないものというべきである」と述べています。

徴税吏員による調査は、法律の規定に基づくもの（国税徴収法第141条、同法第142条）ですから、商慣習または契約上の守秘義務を理由に、法律に基づく税務調査を拒否することはできません。

行政調査としての一般的な協力要請であれば、信用を看板として営業をしている金融機関としては、顧客情報の保護という観点から、それこそ慣行的に（調査に）応じていないこともあると思われますが、徴税機関等による法律上の権限に基づく調査に対しては、慣行による非協力は認められません。滞納者または取引先等の第三者に対する調査や、税の確定申告書の調査などから、滞納者に対して融資していると認められる金融機関には、国税徴収法第141条による徴税機関等の調査に応じなければならない法的な義務があります（応答義務）。

金融機関に臨場して同稟議書の閲覧を要請したところ、仮に行員から前記全銀協の通達を盾にとって「これまで税務調査で出したことはありません」とのことで断られた場合は、先方としても「出せない（閲覧させられない）」と言うと法に触れるので、「出したことはない（閲覧させたことはない）」→つまり、出せない（閲覧させない）とは言っていない、出した（閲覧させた）経験がないだけだという事実を言ったまでだという「逃げ」を打って（徴税吏員の）要請を断るかもしれません。全銀協の通達でも「慣行的に資料の提出などを行っていません」という言い方をしていて、「慣行的に」とか「行っていません」などと事実としてやっていないだけで、拒否するとまでは言っていないではないかという「逃げ」を打ったような表現としているのです。つまり、法的には拒否することができないが、そうかといって見せたくはないということを「出したことはない」とか「慣行的に行っていません」という曖昧な表現でごまかしているのです。

もしも、そうではなく銀行員が不勉強で、法律の規定（国税徴収法第141条）に基づく調査に対しては「応答義務」（税務調査の受忍義務）があることを知らないのだとしたら、本店の法務部（またはそれに相当する部署）に照会させるべきです。もしその本店法務部も同じ見解で拒否するようであれば、正当な理由なくして「帳簿書類の検査を拒み」に該当しますから、国税徴収法第141条違反で告発しなくてはなりません（公務員は「その職務を行うことにより犯罪があると思料するときは、告発をしなければならない」とされています〈刑訴法第239条第２項、地方税法第70条第１項第２号、同法第72条の70第１項第２号、同法第333条第１項、同法第375条第１項ほか〉）。

実務的には、いきなり「告発します！」とするのではなく、次に示す段階を踏んで事務を進めていくといいでしょう。

⑴　銀行員に根拠条文や裁判例を示しながら丁寧に説明し、調査への協力を要請する。その際は、徴税吏員には厳しい守秘義務があって、収集した情報・資料は滞納整理の目的以外には絶対に使用しないことについても併せて説明します。

⑵　上記の丁寧な説明を繰り返してもかたくなに拒否するような場合は、後日の告発に備えて、応対した銀行員の名刺をもらっておきます。もらえない場合は、名札で氏名を確認します。また、あらかじめ拒否が予想される場合は、ＩＣレコーダー等により銀行員との会話を録音しておくことが望ましいでしょう。帰庁したら、銀行員との「やりとり」を録音したものを書面に記録として残しておきます。後で公判の際に必要になりますので、銀行員からは、なぜ調査に協力できないのか、理由と根拠について明確に聴き取っておくようにします。そうしないと、後で「断ってなんかいない。今までお見せしたことがありませんと言っただけです」などととぼけられてしまうかもしれないのです。それから、拒否するという判断は、現場の銀行員の判断なのか、それとも本店の法務部の判断なのかについても明確に答えさせてください。そうしないと、後で「現場の行員が勝手に言ったことだ」とか、「銀行としての公式的な見解ではない」などととぼけられてしまいます。公判は「証拠」と「証言」によって行われますので、そのための資料収集と作成をしっかりと行っておいてください。

⑶　地方税法（第70条第１項第２号および第72条の70第１項第２号、同法第333条第１項、同法第375条第１項ほか）違反により告発する旨の警告文（事前に持参してもいいし、事後に書留郵便で送ってもいい）を交付します。警

告文に対して無反応、反発、無視などの態度である場合は、告発に向けて「市町村（県の場合は当該県）の顧問弁護士」に相談します。そのアドバイスに従い、必要に応じて「地方検察庁」に相談に行ってください（その前に自庁の法規担当部署（法務課ないしは文書課など）と相談してください）。

【参考】「新訂　滞納整理の実務」岩橋憲治（著）、ぎょうせい刊より引用

貸出（貸付）稟議書を調査して、自行預金欄に記載されている預金残高を確認する。

（注）稟議書には、一切の預金が計上されているから、表見の各種預金のほか簿外預金を発見できる場合がある。

【参考】平成14年１月30日　東京高等裁判所第11民事部判決

質問・検査の範囲、程度、時期、場所等実定法上特段の定めのない実施の細目については、右にいう質問・検査の必要があり、かつ、これと相手方の私的利益との衡量において社会通念上相当な程度にとどまる限り、権限ある税務職員の合理的な選択に委ねられているものと解すべきである。（昭和48年７月10日最高裁判所第三小法廷決定）

調査担当者が質問をし、本件各稟議書等の提出を受けることは、その調査検査権の範囲内の行為であるということができるから、これらの行為が違法であるとは認められない。

【参考】平成19年12月11日　最高裁判所第三小法廷決定　裁判官田原睦夫の補足意見

金融機関が、顧客情報について全般的に守秘義務を負うとの見解が主張されることがあるが、それは個々の顧客との一般的な守秘義務の集積の結果、顧客情報について広く守秘義務を負う状態となっていることを表現したものにすぎないというべきである。その点で、民訴法第197条第１項第２号に定める医師や弁護士等の職務上の守秘義務とは異なる。そして、この顧客情報についての一般的な守秘義務は、上記のとおりみだりに外部に漏らすことを許さないとするものであるから、金融機関が法律上開示義務を負う場合のほか、その顧客情報を第三者に開示することが許容される正当な理由がある場合に、金融機関が第三者に顧客情報を開示することができることは言うまでもない。その正当な理由としては、原則として、金融庁、その他の監督官庁の調査、税務調査、裁判所の命令等のほか、一定の法令上の根拠に基づいて開示が求められる場合を含むものというべきであり、金融機関がその命令や求めに応じても、金融機関は原則として顧客に対する上記の一般的な守秘義務違反の責任を問われることはないものというべきである。

10 滞納整理と信義則

滞納整理において信義則との関わりがあるとすれば、それは、分割納付の取扱いに関して考えられるのではないかと思います。例えば、滞納者が納税誓約に従って分割納付を履行していたにもかかわらず、滞納処分を受けたのは、処分庁による信義則違反であるとするものなどです。この場合、滞納者にしてみれば、提出した納税誓約書の内容を（役所が）承諾して、滞納処分の執行を留保してくれたものと思っていたにもかかわらず、その期待（信頼）が裏切られて滞納処分を受けたのは、信義に悖（もと）る行為であるとの思いがあります。しかし、事実上の分納は、地方税法や国税徴収法の中に制度として設けられているものではなく、滞納者の申出が真実であるとの前提があって、しかも徴収上そうすることが有利であると徴税吏員が判断した場合に、強制徴収処分を留保して（滞納者の）自主的な履行を見守るというものですから、もしも、その前提となっている「滞納者の申出」が事実と異なることが判明したとすれば、そのような場合にまで（事実上の分納の取扱いが）維持されなければならないものではありません。ですから、そうした前提が事実であるにもかかわらず（あるいは分納の取扱期間内であって、事情の変更があるわけでもないのに）、徴税機関側から納税誓約を一方的に破棄して滞納処分を執行したというのであれば、場合によっては信義に悖るという場合も想定されます。ただ、（滞納者の）納税誓約を受け入れて、自主的な履行を見守るといっても、通常、（それを受けた徴税吏員も）そのまま漫然としていることはなく、滞納者の申出の裏付けを取るという意味からも、それと並行して財産調査を行っているはずですから、実際の実務では、そのような事態はほとんどあり得ないことではないかと思います。

分納の取扱いは、一見すると便宜な方法であるようにも思えるのですが、納税誓約書または納税計画書といった書面が存在する場合は、（滞納者との間で）紛議が生じる可能性はほとんどなく、もめる場合の多くは、口頭で分納の取扱いとしたとき※18です。

これには次のようなものが考えられます（例示）。

① そもそも分納の取扱いを「認めた」とか「認めていない」という存在の有無自体を問題とするもの

② 分納の取扱いに伴い延滞金を減免すると「言った」とか「言っていない」という発言の有無を問題とするもの

③　分納の期間または回数を「いつまでとする」または「何回とする」という期限や回数を問題とするもの

信義則は、いわゆる「法の一般原則」※19として民事法のみならず、租税法律関係においても妥当する場合があると考えられますが、租税法律主義の下では、債権・債務の関係は契約ではなく、法律によって発生し、消滅するものですから、その適用場面は極めて限定的にならざるを得ないと思います。この点につき判例は、租税法律関係において信義則の法理を適用するには、税務官庁による「公的見解」がその前提として存在しなければならない旨述べています。そして、この「公的見解」は、徴税吏員が述べたことの全てが対象となるのではなく、「原則としては、一定の責任ある立場の者の正式の見解の表示のみが信頼の対象となると考えるべきであろう」（前掲『租税法』）とされます。

結局のところ、滞納整理における信義則の問題とは「租税法律主義の一つの側面である合法性の原則を貫くか、それともいま一つの側面である法的安定性＝信頼の保護の要請を重視するか、という租税法律主義の内部における価値の対立の問題である」（同前掲書）ということになります。したがって、この問題は、いかなる場合においても、常にいずれかが絶対的に優位に立つというものではなく、具体的な事例において、個々の認定事実を前提として、当該認定事実の下では、どちらの価値を優先させて結論を導くのが正義や公平に適（かな）うのかというように、非常に個別性の高い問題ではないかと考えられます。

【参考】昭和62年10月30日　最高裁判所第三小法廷判決

租税法規に適合する課税処分について、法の一般原理である信義則の法理の適用により、右課税処分を違法なものとして取り消すことができる場合があるとし

※18　実際には事実上の分納の取扱いを認めていない場合であっても、滞納者との認識の違い（勘違いや早合点）から、滞納者にしてみれば「約束したはずだ」とか「認めてくれた」などと思い込んでいる場合もあり得ます。いずれにしても、書面が存在しない場合は、紛議が生じると、後の処理に多大な労力を要する場合があることを覚悟しておかなければならないでしょう。しかし、僅少な税額等の場合にまでいちいち文書の提出を求めるのは実務上煩雑でもあるので、内規により一定の金額以下、または一定の回数以下の場合には、文書の提出を省略する取扱いを認めてもよいのではないかと思います。とはいえ、滞納者とのトラブルを回避するためには、事実上の分納の取扱いは極力控え、認める場合であっても原則として納税誓約書を徴求することとするのが望ましいことは言うまでもありません。

※19　**法の一般原則**　一般に正義に適う普遍的原理と認められている諸原則は法の一般原則乃至条理と呼ばれ、法として扱われる。平等則、比例原則、禁反言の原則、信義誠実の原則などをあげておこう。これらの法の一般原則も不文法源の一つで、私人間の法律関係のみならず、行政上の法律関係をも拘束する。行政庁の行為が形式上は適法であっても、特定人の信頼を裏切る特段の事由のある場合には信頼保護の見地から、違法と解されるがごときである。（『行政法要論』原田尚彦、学陽書房）

ても、法律による行政の原理なかんずく租税法律主義の原則が貫かれるべき租税法律関係においては、右法理の適用については慎重でなければならず、租税法規の適用における納税者間の平等、公平という要請を犠牲にしてもなお当該課税処分に係る課税を免れしめて納税者の信頼を保護しなければ正義に反するといえるような特別の事情が存する場合に、初めて右法理の適用の是非を考えるべきものである。そして、右特別の事情が存するかどうかの判断に当たっては、少なくとも、税務官庁が納税者に対し信頼の対象となる公的見解を表示したことにより、納税者がその表示を信頼しその信頼に基づいて行動したところ、後に右表示に反する課税処分が行われ、そのために納税者が経済的不利益を受けることになったものであるかどうか、また、納税者が税務官庁の右表示を信頼しその信頼に基づいて行動したことについて納税者の責めに帰すべき事由がないかどうかという点の考慮は不可欠のものであるといわなければならない。

【参考】平成22年９月29日　国税不服審判所裁決（上記最高裁判例を引用）

租税法規に適合する税務官庁の処分について、法の一般原理である信義則の法理の適用により、これを違法として取り消すことができるのは、租税法規の適用における納税者間の平等、公平という要請を犠牲にしてもなお、当該処分を取り消して納税者の信頼を保護しなければ正義に反するといえるような特別の事情が存在する場合に限られるべきであると解されるところ、この特別の事情があるかどうかの判断に当たっては、少なくとも、①税務官庁が納税者に対し信頼の対象となる公的見解を表示したことにより、②納税者がその表示を信頼しその信頼に基づいて行動したところ、③後にその表示に反する処分が行われ、④そのために納税者が経済的不利益を受けることになったものであるかどうか、また、⑤納税者が税務官庁の表示を信頼しその信頼に基づいて行動したことについて納税者の責めに帰すべき事由がないかどうかという点の考慮は不可欠なものであると解される。

11　個人年金保険の差押え

個人年金保険を差し押さえることができるかどうか検討してみます。個人年金保険は、あらかじめ定められた年齢に到達したときから一定の期間または生涯にわたって年金としての給付を受けることができる私的年金のことを言います。すなわち「法律」の規定により発生する公的な年金債権とは異なり、その債権の発生根拠は「契約」にあり、民間の保険会社が提供する保険サービスという商品になります。

そして、この商品は裁判で「私的年金契約による継続的収入は、民事執行法第152条第１項第１号に含まれるが、生計維持に必要な限度で、現に年金として支給が開始されているものに限られる」（平成13年６月22日大阪高等裁判所第11民事部決定）と認定されています。

以上のとおり、契約によって発生する「個人年金保険」は、民事執行法上差押禁止債権とされており、原則として、支払期に受けるべき給付額の４分の３に相当する金額の差押えが禁止されています（民事執行法第152条第１項第１号）。しかし、「個人年金保険」は、国税徴収法第５章第１節第６款で規定している差押禁止財産には含まれておらず、また、その他の個別法[※20]によって差押えが禁止されているわけでもないので、税の滞納処分として行う差押えは可能です。ただし、滞納整理では、差し押さえることによって滞納者およびその者と生計を一にする親族の最低生活に支障を及ぼすと認められる場合には、国税徴収法第76条の規定によるほか、民事執行法第152条第１項に規定する差押禁止額の限度においても、その差押えを行わない実務取扱いがなされています（国税徴収法基本通達第76条関係４）。

当該保険の中途解約返戻金を差し押さえる場合は、保険の「生活保障」としての側面はほとんど考えられないため、普通の生命保険の差押えの場合と同様に考えていいでしょう。すなわち「年金保険契約の普通契約約款に『老後の生活の安定を図ることを目的とした保険』との記載があることを考慮しても、まさに貯蓄目的の保険契約であると認められる」（平成13年６月22日大阪高等裁判所第11民事部決定）からです。

12 共済事業に係る共済金等の差押え

「小規模企業共済」の差押えについて、「小規模企業共済」は「差押えはできるが、解約は本人の承諾がないとできない」との見解を耳にしたことがあります。
差押えができても、解約権がないとなると、あまり効果がないように思いますが、いかがでしょうか。

「小規模企業共済」の差押えですが、小規模企業共済法を見てみますと「共済契約者は、いつでも共済契約を解除することができる」（同法第７条第３項）とされ、「共済契約が解除された場合であって、共済契約者の掛金納付月数が

※20　かつての簡易生命保険法第81条では、当該保険に係る給付については、差押えが禁止されていましたが、郵政の民営化に伴い同法が廃止されたため、現在は、民間の保険会社が提供する保険と同じになりました。

12月以上のときは、機構は、共済契約者に解約手当金を支給する」（同法第12条第１項）とあります。また、共済金等の支給を受ける権利は、民事での差押えが禁止されていますが、「ただし、（中略）国税滞納処分（その例による処分を含む。）により差し押さえる場合は、この限りでない」（同法第15条）と規定されているところから、契約解除に伴う解約手当金は、滞納処分により差し押さえることができます（差押禁止債権ではありません）。

解約手当金は、解約を停止条件として発生する給付請求権ですから（同法第12条第１項）、法律で滞納処分による差押えができるとしているにもかかわらず、その前提としての解約はできないとするのは、法理論として矛盾しています。ですから、同共済制度の趣旨を「生活保障としての性格が強い」とか「社会保障制度の一環である」などと理解し、解約請求できるのは本人だけであるとするのは適切ではありません。

確かに同共済制度には社会政策的な観点から、そのような側面もなくはないと思います。だからこそ、民事債権の実現のための差押えは禁止されているのです（これは立法政策の問題でしょう）。しかし、同共済の掛け金は、あくまでも広い意味での企業活動の一環（商活動）であり、そしてまた、貯蓄性の高いものですから、租税債権の実現という高度な公益性の前では「ただし、（中略）国税滞納処分（その例による処分を含む。）により差し押さえる場合は、この限りでない」（同法第15条）として、差押禁止の例外とされているのだと考えられます。なお、この件については、国税の滞納処分に関して裁判例がありますので、その要旨を紹介しておきます。

【参考】平成21年10月８日　東京高等裁判所第８民事部判決

一審被告（独立行政法人）は、小規模企業共済法による共済契約を解除する権利は共済契約者以外の第三者が行使することはできないものと解すべきである旨を主張するが、租税債務を滞納し、その督促に応じない者に貯蓄と同等の経済的効用を有する共済掛金を保持させたままで租税債務の取立てを禁止することは、社会的公平の見地から妥当なものとは言えないから、上記の主張を採用することはできない。

租税債権が金銭債権であることに鑑みれば、取立の目的・範囲を逸脱するか否かの判断に際して考慮すべき事項は、特段の事情がない限り、滞納している租税債務の額と解約手当金の額との比較以外には存在しないものと考えられるから、特段の事情の認められない本件においては、一審原告（国）の解除権の行使は是認できるものと言うべきである。

13 信用金庫の出資金の換価方法

信用金庫は、会員の出資による非営利法人で、「協同組織の金融機関」とされ、ルーツはドイツで考案された協同組織の信用組合制度や、わが国古来の無尽講（東日本）や頼母子講（西日本）などであるとされています。その意味で、（信用金庫は）和洋折衷型の金融機関であるともいわれています。地域の会員による相互扶助を目的とした金融機関であるところから、その会員資格は、当該信用金庫の営業区域内に住んでいる人、勤めている人、事務所・事業所を有する法人で従業員300人以下または資本金９億円以下であるものとなっています（信用金庫法第10条）。

出資金は、預金とも株式とも違います。したがって、株式のような流通性はなく、預金のようにいつでも自由に払戻しを受けることもできません。預金保険の対象でもありません。出資金を換金するためには一定の手続が必要で、会員であることを辞めるときは、原則として全額払い戻されます。出資金を提供して会員になると、会員としての持分（金額）を表す「出資証券」が発行されます。この「出資証券」は、権利を表象する有価証券ではなく、証拠証券であるとされているところから、それ自体財産的な価値があるわけではありません。

会員でなくなることを「脱退」と言い、この脱退には「自由脱退」（同法第16条）と「法定脱退」（同法第17条）の２種類があります。持分の全部（出資金全額）を譲渡して会員を辞める場合が前者で、当該信用金庫の営業区域外への転居、死亡、破産、除名、持分の全部喪失などにより会員資格を失う場合が後者となります。以上のことから信用金庫は、①地域性、②中小企業専門性、③協同組織性――という三つの特色を持った金融機関であると言うことができます。

次に上記で見た出資金の滞納処分に関係する国税徴収法の条文を見てみます。出資金は、前述のとおり預金でも株式でもなく、預託金会員制のゴルフ会員権と似たようなもので、「出資金」と「議決権」とが一緒になった、いわば会員としての一種の「地位」というべきものです。このような性質（単なる金銭債権ではなく、議決権とセットになっているという性質）があるからこそ、預金のようにいつでも自由に払戻しを受けられるというようにはならないのです。国税徴収法では第三債務者等のある無体財産権等として滞納処分をすることとなります（同法第73条）。

ところで、信用金庫法第15条によりますと、会員の持分は金庫の承諾があれば譲渡することができる旨規定されています。したがって、差し押さえた持分を滞納税に充てようとするには、「金庫の承諾が得られる場合」と「金庫の承諾が得られない場合」とで換価の手続が異なります。

金庫の承諾が得られる場合

持分の譲渡につき金庫の承諾が得られる場合は、電話加入権などと同じように国税徴収法第94条以下の公売の手続により換価、配当、充当します。なお、持分を公売する際は、その公売公告において、「買受人は、信用金庫法第10条に定める『会員たる資格』を有する者であることが必要な旨」および「買受人が組合員以外の者である場合、加入について金庫の承諾が得られなかったときは、売却決定を取り消す旨」を記載します（国税徴収法第95条第１項第７号）。

金庫の承諾が得られない場合

この場合の請求は、滞納者である会員の脱退の意思の有無にかかわらず、徴税機関の一方的な意思で行うものです。持分の譲渡につき金庫の承諾が得られない場合は、国税徴収法第74条に基づいて信用金庫に対して持分の払戻請求をします。同条によれば、払戻請求をするための要件は次の三つです。

ア　持分以外の財産につき滞納処分を執行してもなお徴収すべき滞納税に不足すると認められるとき。

イ　持分を再度[※21]換価[※22]に付してもなお買受人がいないこと。

ウ　持分の譲渡につき法律または定款に制限があるため、譲渡することができないこと。

これらア・イ・ウが三つとも（全部）そろったときに信用金庫に対して払戻請求をすることができます。この請求に当たっては、１口分の出資額を残して残額分について払戻しの請求をします。これは、前述したとおり、持分というものが、「出資金」と「議決権」とが一緒になった、いわば会員としての一種の「地位」であることに鑑み、１口分だけ残しておき、滞納者である会員が引き続き会員としての活動ができる余地を残しておくための取扱いです。

徴税機関がこの請求をしようとするときは、その30日前（信用金庫の定款にこれと異なる予告期間が定められていることがありますので、定款を取り寄せ

※21　「再度」ということですから、２回は公売を行う必要があるということです。
※22　ここで「換価に付す」とは、例えば、公売にあっては、公売期日を開くことをいい、現実に入札等の売却手続を行うことを要しません。（前掲『国税徴収法精解』）

るか閲覧して、実際は何日なのかを確認してください）に信用金庫に対して払戻請求をする旨の予告通知書（「会員の持分の払戻請求の予告通知書」）を送付します（国税徴収法第74条第２項）。信用金庫法の規定によれば、脱退者の持分の払戻額が決まるのは、事業年度終了後とされている（同法第18条第２項）ので、事業年度終了後速やかに「会員の持分の払戻請求書」により信用金庫に対して払戻請求をします。この払戻請求をしてから実際に請求金額が信用金庫から支払われるまでには約２～３カ月かかるようです。信用金庫から入金があったら、いったん歳入歳出外現金として受け入れ、そこから税の科目へ払出しをして配当・充当をします。

14 給与の差押えと解雇権の濫用

労働者の懲戒・解雇に関する法制としては、労働基準法と労働契約法があります。通常、労働者がどのような場合に雇い主から解雇されるかについては、就業規則に列挙しなければならないこととされています（労働基準法第89条第９号）。さらに、解雇に関する予測可能性を持たせる趣旨から、就業規則に「解雇の事由」を記載すべきこと（同法第89条第３号）が、また、労働契約を締結する際には書面により「解雇の事由」を明示すべきこと（同法第15条）が規定されています。

従来から労働者の解雇を巡る問題については、労使間で争いが絶えなかったため、既に判例上確立していた「解雇権濫用の法理」（昭和50年４月25日最高裁判所第二小法廷判決「日本食塩製造事件」、昭和52年１月31日最高裁判所第二小法廷判決「高知放送事件」）が、平成15年に成文法として明確に規定されました。これが労働基準法第18条の２の規定で、そこでは「解雇は、客観的に合理的な理由を欠き、社会通念上相当であると認められない場合は、その権利を濫用したものとして、無効とする」とされました。

その後、平成19年の労働契約法の制定に合わせて労働基準法の一部が改正され、同法第18条の２は削除され、その内容は、新たに制定された労働契約法第16条に引き継がれることとなりました。

そこで、最近におけるこのような労働法制の改正・制定を踏まえた上で、「労働者の私生活上の非行」を理由として、雇い主は労働者（従業員）を解雇することができるかどうかについて考えてみます。例えば、労働者が税や社会保険料を滞納している場合や、交通違反をした場合、あるいは自己破産をした場合などはどうでしょうか。これらのうち交通違反以外のものについては、経済的な困窮状態に陥っているなど、必ずしも当該労働者の責めに帰すことができない場合（やむを得ない事情がある場合）も考えられます。ですから、これらの事情があるからといって、一律に解雇できるとも、解雇できないとも断言することはできません。つまり、個々の事情を斟酌（しんしゃく）して判断する必要があるということです（判断の個別性）。

しかし、これらの事柄に個別の事情があるとしても、それが会社の事業目的や事業活動に密接に関連し、影響を及ぼすものでない限り、それは、労働者個人の問題であって、会社の経営・事業の遂行には関係のないことです。すなわち、雇い主が労働者との関係において、「解雇」という究極の厳しい処分を下すのは、そのような処分をもって臨まなければ、会社の事業活動に甚大な支障または損害を与えることが不可避であって、そうしなければ会社として企業秩序を維持することができない場合にのみ許されるということです。これが「解雇権濫用の法理」の趣旨であるということになります。

労働契約というのは、会社がその事業活動を円滑に行い、その事業目的を達成するために必要な限りにおいて、その規律と秩序を根拠づけるものにすぎないのであって、労働者の私生活に関し雇い主が、その（労働者の）一般生活全般にまで支配を及ぼし得ることを定めるものではありません。つまり、「労働者の私生活上の非行」と「労働契約上の解雇事由」とは別の問題ということです。

以上のことについて判例では「従業員の不名誉な行為が会社の体面を著しく汚したというためには、必ずしも具体的な業務阻害の結果や取引上の不利益の発生を必要とするものではないが、当該行為の性質、情状のほか、会社の事業の種類・態様・規模、会社の経済界に占める地位、経営方針及びその従業員の会社における地位・職種等諸般の事情から総合的に判断して、右行為により会社の社会的評価に及ぼす悪影響が相当重大であると客観的に評価される場合でなければならない」（昭和49年３月15日最高裁判所第二小法廷判決「日本鋼管事件」）として「労働者の私生活上の非行」が、会社の事業活動に直接関連を有するものおよび会社の名誉・信用や社会的評価の毀損（きそん）をもたらすものについては、（解雇も含む）懲戒の対象になる旨述べています。このように「懲戒の対象」を、相当厳しく絞り込んでいます。

税の滞納により徴税機関から滞納処分を受けることは本人にとって不名誉なことであるのはもとより、給与の差押えということになれば、会社にも一定の負担が生じることにもなりますが、そのことと、会社がその事業活動を円滑に行い、その事業目的を達成するために必要な限りにおいて、その規律と秩序を根拠づけるものである労働契約とは直接関係のないことですから、税の滞納を理由として解雇するのは、解雇権の濫用として認められません。根拠条文は、労働契約法第15条と第16条になります。つまり、就業規則にもなく、事業遂行にも全く関係のない理由を持ち出してきて解雇することはできないということです。税の滞納など個人的な問題を就業規則に懲戒事由として盛り込むことも、それ自体不合理な理由として、労働契約法第16条に反し認められません。

なお、一般的には上記のとおりですが、例外的に、例えば、多重債務を抱えている労働者が金融機関に勤務している場合など、特に信用が重視される業務の場合には、会社の信用が著しく毀損され、また、職務遂行において不適格として解雇が相当とされる場合もあります（平成10年９月14日東京地方裁判所判決「東洋信託銀行事件」）。

【参考】平成10年９月14日　東京地方裁判所判決「東洋信託銀行事件」

原告は従来より多額の借金を抱えており、被告の人事担当者から再三にわたり財務を改善するよう勧告され、その債務の整理に当たって被告から種々の協力を得ながら、一向に改善されず、債権者から給料の仮差押えを受けたり、勤務中にも債権者から電話がかかってくるようになるなどいわゆる多重債務者といわれる状況に至ったが、このような状況に立ち至ったことは他人の財産をその信頼の上に信託を受けることを主業とする被告の従業員としての適格性に欠ける。

15 連帯納税義務

連帯納税義務に関して、次の事例について考えてみます。

【事例概要】

① 滞納者は市内居住の旧家女性Ａで、単身者である。収入は給与11万円／月、地代収入17万円／月のみとなっている。

② 共有に係る固定資産税の滞納が約230万円（「Ａ外３名様」で納税告知、本税約160万円、督促手数料・延滞金約70万円）ある。他の共有者Ｂ・Ｃ・Ｄ（○○県・△△県・本市内に居住）は叔母３名で、持分は各自1/4である。

③ 共有土地として課税されている土地には、先々代以前の山林事業失敗で約2200万円の山林公社の抵当権が付いている。Ａの申立てによれば、それについては今でも10万円／月の返済をしている。残債は約1000万円ある。

【経過概要】

① 本件滞納については、元々Aが、3万円／月の少額分納をしていて、滞納が累積している状況で現担当者が引き継いだ。

② 当初は地代収入の差押えも検討したが、その後Aと接触・納税指導したところ、分納額を8万円／月に増額したため、当面、履行確認をすることとした。

③ さらに、Aからの要望で共有者B・C・Dへ連帯納税義務に係る納税通知書を平成25年10月1日付（納期限：平成25年10月31日）で送付した。

④ 納税通知書を受領したB・C・Dから、延滞金に関する次のような問い合わせ電話があった。「私たち（B・C・D）が納期限（納期限：平成25年10月31日）内に全額納めたら、当然延滞金は発生しないと思う。しかし、その場合、既にかかっている姪（A）の延滞金約70万円はどうなるのか」と。

【質問】

① B・C・Dのいずれかが本税160万円全額を10月31日までに一括納付した場合、当初の納税告知によって「A外3名様」で発生していた督促手数料・延滞金債務約70万円は消滅（Aは督促手数料・延滞金を払わなくてよい）するか。

② B・C・Dが共同で80万円、その後Aが80万円をそれぞれ10月31日までに納付し、本税160万円を完納した場合、当初の納税通知書「A外3名様」で発生していた督促手数料・延滞金債務は消滅（Aは督促手数料・延滞金を払わなくてよい）するか。

③ Aの債務が免除された場合等には連帯納税義務者B・C・Dの納税義務額は各1/4ずつ減になる。それと同じ考え方に立てば、本税160万円がB・C・Dのいずれかにより10月31日までに完納されても、Aは少なくとも持分1/4の督促手数料・延滞金については、当初の「A外3名様」の納期限から起算した額を負担すべきではないか。

「連帯債務とは、数人の債務者が同一内容の可分給付につき、各々独立して全部の給付をすべき債務を負担し、しかもそのうちの一人が全部の給付をすれば債権は満足させられて消滅し、その結果すべての債務者は債務を免れる多数当事者の債務である」（地方税法総則逐条解説　一般財団法人　地方財務協会　第10条関係の【解説】1参照）とされ、この制度の目的は、税収の確保であるとされています（地方税法総則逐条解説　一般財団法人　地方財務協会　第10条の2関係の【趣旨】参照）。

地方税法では連帯納税義務に関して民法の規定が準用されています（同法第10条）が、民法の連帯債務制度も「債権の強化（弁済の確実性）を目的とする法手段であり、重要な人的担保制度として機能している」（『民法講義Ⅳ　債権法総論』近江幸治、弘文堂）ことからすると、地方税の連帯納税義務の制度も、性質において共通する限りにおいて（民法と）同趣旨と考えていいでしょう。

ところで、「課税要件の充足によって成立した納税義務は、まだ抽象的な存在であって、国家（地方団体）にとって、それが履行を請求しうる債権となるためには、その内容が確定することが必要」（前掲『租税法』）で、これを固定資産税について見てみると、1月1日現在の登記簿上の所有者が納税義務者とされ（地方税法第343条、同法第359条）、その者に対して文書で告知することによって初めて納税すべき具体的な納税額が確定することとなります（同法第364条）。すなわち、1月1日に成立した抽象的納税義務は、そのままの状態では納税すべき金額は確定しておらず、したがって、履行を請求するための具体的な手続を進めることができない（徴収手続を開始することができない）ので、その後の告知処分によって、納税が可能な具体的固定資産税債権（額）として確定させなければなりません。これは債権の発生原因として租税債権に特有のことであり、契約によって発生する民事債権とは根本的に異なるところです（税額確定処分〈納税の告知〉＝租税債権特有の要式行為）。

本税については以上のとおりですが、それでは、延滞金についてはどうでしょうか。延滞金は附帯債権であり、確定した本税の存在がその前提となっています。つまり、（当然のことですが）本税の税額や納期限が確定していなければ、延滞金の計算をすることができませんから、そもそも発生しません。延滞金についてはこのような性質から、「延滞金は、成立と同時に確定し、特別の確定手続を必要としない（不要式行為）。普通徴収によって徴収する地方税（固定資産税も含まれる）については、通常、納税の告知が必要であるが、（告知処分を俟つまでもなく）納税者が自ら延滞金の額を計算して納付書に記載した上、本税と併せて納付することもできる」（『図解　地方税総論』森元恒雄ほか、良書普及会）ことになります。

次に税額確定処分としての納税の告知に関する裁判例を見てみましょう。

「共有土地についての固定資産税等は、納税通知書の送付によりその名宛人として送付を受けた者に対してのみ具体的な租税債権が成立し、その余の連帯納付義務者は、抽象的租税債務を負担するにとどまり、未だ具体的租税債務は成立していないことになる」「本件納税通知書によれば、Aに対してのみ課税処分をなしたことは明らかであるのみならず、処分庁である被控訴人は、本件土地についての昭和51年度固定資産税及び都市計画税全額を共有者の一人であるAのみに対して賦課する意思で本件課税処分をなしたものであり、納税通知書の『ほか169人』の記載は、右全額の課税であることを明かにする趣旨で注記したものにすぎず、本件納税通知書の記載その他によって、A以外の控訴人を含む169名の共有者にとっても自己に対して課税処分がなされたと解しうる余地は存しないのであるから、本件課税処分は、Aを名宛人として、同人のみに対してなされたものと解するのが相当である」（昭和58年3月30日大阪高等裁判所判決）

以上の前提をもとに本件について考えてみます。

①　B・C・Dのいずれかが本税160万円全額を10月31日までに一括納付した場合は、連帯納税義務の「連帯納税義務者のうちの一人が全部の給付をすれば債権は満足させられて消滅し、その結果すべての債務者は債務を免れる」（地方税法総則逐条解説第10条関係の【解説】1参照）という性質に照らせば、本件の本税に係る滞納は、その時点で解消します。ところでその場合、既に発生しているAに係る延滞金についてはどのように考えるべきでしょうか。

地方税法第10条によれば、連帯納税義務に関しては、民法の連帯債務の規定が準用されています。そこで同条により準用される民法第436条を見てみると「債権者は、その連帯債務者の一人に対し、又は同時に若しくは順次に全ての連帯債務者に対し、全部又は一部の履行を請求することができる」と規定されています。これを本件に当てはめてみますと、「連帯納税義務者A・B・C・Dの一人（本件ではA）に対する履行の請求は、他の連帯納税義務者（B・C・D）に対しても、その効力を生ずる」と読み替えることができるようにも見えます。つまり、本件につき民法の規定が準用になるとすれば、Aに対して既に請求している徴収金（本税・督促手数料・延滞金）については、その他の連帯納税義務者（B・C・D）に対しても履行の請求としては全員に効力が生じるということになりそうにも見受けられます。

ところで本件では、Aに対しては既に「A外3名様」ということで納税通知書が送達されている（納税の告知がなされている）とのことですので、Aに対する「税額確定処分」と「履行の請求」が有効になされていることに異論はありません。しかし、本件ではその他の連帯納税義務者（B・C・D）に対しては、平成25年10月1日まで納税の告知がなされていなかったとのことですから、A以外については履行を請求するための条件（税額確定処分）が整っていなかった（徴収手続を開始することができない状態であった）ことになります。そうしますと、地方税法第10条で準用している民法第436条が「債権者は、その連帯債務者の一人に対し、又は同時に若しくは順次に全ての連帯債務者に対し、全部又は一部の履行を請求することができる」としていても、B・C・Dについては、肝心の「税額確定処分」としての納税の告知がなされていないので、この３人に対して履行を請求しようとしても請求すべき税額が定まっておらず、具体的な徴収手続を進めることができません（B・C・Dには納税すべき税額が通知されていないので、自分たちが納税すべき税額について不知ということになります）。このようにB・C・Dについては、平成25年10月１日まで徴収手続の前提（である「税額確定処分」としての納税の告知）を欠いていましたので、本件については、地方税法第10条で準用している民法第436条の適用対象とはなりません。したがって、Aにつき既に生じている督促手数料・延滞金を（納税の告知をしていない）B・C・Dから徴収することはできません[※23]。

ただし、Aについては前述のとおり、告知済みであるところから「税額確定処分」と「履行の請求」がいずれも有効になされていますから、これらの徴収金を徴収することができます。もちろん（Aについては）督促も行われているので滞納処分をすることもできます[※24]。

民法の連帯債務の規定については、租税債務の性質が民事債務のそれと同様のものである限りにおいて各連帯納税義務者間について準用されるのであって、「税額確定処分」や「差押えの前提としての督促」など税法に特有の性質については準用されません。すなわち、既にAに対してなされた「税額確定処分」としての納税の告知の効力は、Aについてのみ有効であって、他の連帯納税義務者であるB・C・Dに対してはその効力は及びません。

「連帯納税義務における絶対的効力」は、連帯納税義務者の一人について生じた事由であっても、その生じた事由は、その他の連帯納税義務者にも及ぶという意味において「絶対的な」効力だという意味です。これはいわば「みなし」規定のようなものです。民法の連帯債務の制度自体が、わが国の立法政策

※23　**昭和58年３月30日大阪高等裁判所判決「固定資産税賦課処分取消請求控訴事件」**
　Aに対する本件課税処分が連帯納付義務を有するその余の共有者に対し、直接その効力を及ぼし得ないことは、前叙のとおりであり、控訴人を含むその余の共有者には未だ具体的納税債務が成立していないから、本件納税通知によっても、民法の連帯債務の効力等（特に履行の請求及び時効の中断）の規定を準用する余地は存しない。

※24　税額確定処分としての納税の告知や、差押処分の前提要件としての督促については、税法に特有のものなので、これらの処分に関しては民法の連帯債務の規定の準用はありません。納税の告知の際の履行の請求としての場合と、督促の際の履行の請求としての場合には（民法の連帯債務の規定が）準用されます。

として「債権の強化（弁済の確実性）を目的とする法手段」（前掲『民法講義Ⅳ　債権法総論』）として位置づけられていて、地方税法で連帯納税義務については、性質において共通する限りにおいて、そうした民法の制度と基本的に同じ立場を取っています。

以上によれば、B・C・Dのいずれかが本税160万円全額を10月31日までに一括納付したとしても、Aに対してなされた納税の告知の効力は、Aについては有効であるところから、既にAについて生じている督促手数料・延滞金債権約70万円は消滅しないこととなります。なぜなら、この70万円の附帯債権は、連帯納税義務者A・B・C・Dにつき（等しく）生じたものではなく、唯一当初から納税の告知を受けていたAについてのみ生じたものだからです（A固有の債務）。

B・C・Dについては、納税の告知後、その指定された納期限内に本税を完納したことになりますから、附帯債権としての督促手数料・延滞金の納付義務は生じていないことになります（納税の告知後の義務違反はない）。

このようにAとそれ以外のB・C・Dとの間で附帯債権の負担につき対応が分かれるのは、当該附帯債権の発生につき、納税の告知と滞納による当該附帯債権の発生との間の因果関係が認められるかどうかによるものです。また、本来であれば当初から連帯納税義務者全員に納税通知書を送達しておくべきであったにもかかわらず、便法として「○○外○○名様」で納税通知書を送達していたことからこのような問題が生じることになったものです（そうであるからといって、実務上連帯納税義務者全員に対して当初から納税通知書を送達すべきだということではありません）。ただ、連帯納税義務に係る固定資産税の課税実務として「○○外○○名様」で納税通知書を送達することは違法とは言えず、ただそれが滞納となった場合に、本件のような問題が生じる余地があるというにすぎません。「納税の告知」がなければ課税なし（具体的納税義務なし）というのは、租税法律主義の原則に照らせば当然の帰結ということになります。

【更問1】 Aに対してのみ督促手数料・延滞金債権約70万円を請求するのは、他の共有者との負担のバランスを欠いているのではないか。

租税法律主義の原則は「代表なければ課税なし」という思想の下に構築され、国民の経済生活に「法的安定性」と「予測可能性」を与えるものであるとされます（前掲『租税法』）。

ところで、不動産を所有していれば固定資産税が課税されることについては、法律（地方税法）や条例（市町村の税条例）を見れば明らかですし、世間一般の常識（社会人としての一般常識）に照らしても、このことを知らない人はほとんどいないと考えられます。また、事実としての知・不知（当該の人が知っていたかどうか）にかかわらず、法令等（条例も含む。以下同じ）に根拠があることをもって「予測可能性」があった（つまり、知ろうと思えば知り得る状況にあった）ということになります。なぜなら、法令等は国民（住民）の代表である議員によって議会で制定され、公布されているので、民主的な基礎を持つものであると同時に、国民（住民）は、その存在につき「知らなかった」としてその適用を免れることはできないからです。

したがって、賦課期日現在の登記簿上の所有者に固定資産税が課税されることと、税額確定処分としての「納税の告知」については、法令等に規定されていることであり、国民（住民）は、そのことを知ろうと思えばいつでも知り得る状況にあったのですから、「知らなかった」という抗弁は通りません。

すなわち、このことを本件に当てはめてみますと、Ｂ・Ｃ・Ｄは、自分たちの共有物件につき固定資産税が課税されるであろうことについて、「法令等を知らなかったので、固定資産税を払う必要はない」ということは言えないわけです。

本件についていえば、Ｂ・Ｃ・Ｄに対しては、租税債権の発生につき税法特有の「税額確定処分」としての納税の告知がなされていなかったため、これを既に納税の告知がなされていたＡと同列に扱うことはできません。つまり、「税額確定処分」がなされていない者（納税額が決まっていない者）と、それが既になされている者（納税額が決まっている者）とを一緒にすることはできないということです。この両者を一緒にしてしまうならば、「税額確定処分」としての納税の告知の手続が意味をなさなくなってしまうからです（やってもやらなくても同じということになってしまいます）。

10月31日までに本税が完納になったとしても、Ａが督促手数料・延滞金債権約70万円を負担しなければならないのは、既に納税の告知を受けていたにもかかわらず、納期限までに納税することを怠っていたからであり、税法上当然のことであって、このことはＡに対して過大な負担を強いるものではありません。連帯納税制度の制度趣旨を考えれば、むしろ、Ａが滞納となったもっと早い段階でＢ・Ｃ・Ｄに対して納税の告知をしていなかったことの方が実務上、問題です（実務上は、Aが滞納となった早い段階でB・C・Dにも告知をしておくべきでした）。

納税の告知をしていなかったB・C・Dに対して督促手数料・延滞金債権約70万円を請求することは、確定していない債権（具体的に発生していない債権）を請求するものであり違法です。

② この設問は、①の場合と、A・B・C・D間の負担の割合のパターンが異なるだけで、結論は①の場合と同じです。持分は割合ですから、仮に4人のうちの誰かが他の3人よりも多く負担したとしても、またその逆に少なく負担したとしても、それはその負担した割合の限度で当該課税物件に係る納税義務が消滅するというにすぎません。

③ 前記①で考察したとおり、本税160万円がB・C・Dのいずれかにより10月31日までに完納されても、既にAについて生じている督促手数料・延滞金債権約70万円は（Aについては）消滅しません。質問の中で例として引き合いに出されている「連帯納税義務者の一人について生じた免除」の場合の考え方は、地方税法第10条で準用する民法第445条に係るものであり、③の質問の場合は、前記①で説明した地方税法第10条で準用する民法第436条に係るものであるため該当しません。

【更問2】 以前、ある雑誌で「B（連帯納付義務者）に対する納税の告知の指定納期限は、A（当初、納税告知を行った代表者）の納期限とは別に定めることになるため、AとBの延滞金の計算も別々にされることになる。Aには延滞金が発生していても、Bが指定納期限までに連帯納税義務に係る租税債務の全額を納税すれば、Aの租税債務は消滅し、その結果Aの延滞金は発生しないことになる」という趣旨の記述を見たことがあるが、この点についてはどうか。

また、「もしも、B・C・Dの納付が、指定納期限より遅れ、延滞金が発生した上で、（延滞金も含めて）完納した場合、Aの負担すべき延滞金は、B・C・Dの納付した延滞金の額だけ減額されることになる」のか。

納税の告知には「税額の確定処分」としての意味と、「履行の請求」としての意味とがあります。したがって、納税通知書の送達※25があったときは、当該の納税義務者につき法的にこの双方（「税額の確定処分」と「履行の請求」）の効力が生じたことになります。

また、附帯債権としての延滞金については、その計算の基礎となった本税が完納になると、その完納となった時点で納付すべき延滞金の金額が確定します（確定延滞金）。

なお、地方税の連帯納税義務について定めた地方税法第10条で準用する民法第436条については、「税額の確定処分」に関しては適用がありません。

【参考】『地方税法総則逐条解説』一般財団法人　地方財務協会

税額の確定処分として行う納税の告知又は更正、決定および差押えの前提要件としての督促は、履行の請求としてするものではないので、民法第436条の規定は準用されず、したがって、連帯納税義務者各人に対して行わなければその効力は生じない。

【参考】『地方税質疑応答集』一般財団法人　地方財務協会

地方税法第10条において準用する民法第436条の規定は、すでに連帯納税義務者が、認知している債務についてのみ適用があるもので、これら債務を確定させる行為には適用がないものである。

したがって、共有の不動産に係る固定資産税の納税通知書については、その効力（「税額の確定処分」と「履行の請求」）を各連帯納税義務者につき生じさせるためには、共有者全員に対して送達しなければなりません。

ところで、以上の前提に照らせば、更問２で述べられていることのうち、前半の「Ｂ（連帯納付義務者）に対する納税の告知による指定納期限は、Ａ（当初、納税告知を行った代表者）の納期限とは別に定めることになるため、ＡとＢの延滞金の計算も別々にされることになる」としている部分は、納税の告知をＡとＢとで別々に行ったわけですから、時期は「ずれている」にしても、それぞれに税額確定処分が行われており、ここに記述されているとおりで差し支えありません。

※25　通常、納税通知書に同封する「納付書」は、単に金融機関等に納付するために必要な帳票にすぎませんから、これ自体には「税額の確定処分」としての意味はありません。
【参考】 納付書は、既に納税通知書の送達により賦課処分の効力が生じているものについて、各納期ごとに納税義務者に対し納期の到来が近いことを告げ、その注意を喚起して納期内納付を促すというねらいを持つものに過ぎず、それ以上の意味はありません。したがって、納付書は、地方税法第20条第１項にいう「賦課徴収に関する書類」には含まれません。（『地方税質疑応答集』一般財団法人地方財務協会）

【参考】「連帯納税義務における延滞税の取扱い」税務大学校講本『国税通則法』より

延滞税の起算日は、法定納期限の翌日等法定されているから、原則として税額の確定手続又はその時期が異なっても、連帯納税義務者により相違することはない(※)が、その計算期間については、それぞれの納税者ごとに相違を生ずることがあるから、確定する延滞税の額は異同が生ずることがある。

※ここで「相違することはない」と言っているのは、時期がずれても「法定納期限の翌日と法定されている」ことについては同じであるということです。

しかし、後半の「Aには延滞金が発生していても、Bが指定納期限（下の模式図の「納期限（イ）」）までに連帯納税義務に係る租税債務の全額を納税すれば、Aの租税債務は消滅し、その結果Aの延滞金は発生しないことになる」としている部分については、妥当ではありません。

これを本件の場合に当てはめて図示してみると次のようになります。

後半部分の記述のうち「Aには延滞金が発生していても、Bが指定納期限（下図「納期限（イ）」）までに連帯納税義務に係る租税債務の全額を納税すれば、Aの租税債務は消滅し」としているところについては、連帯納税義務者の一人について生じた事由の絶対的な効力として認められているところであり、異論はありません。

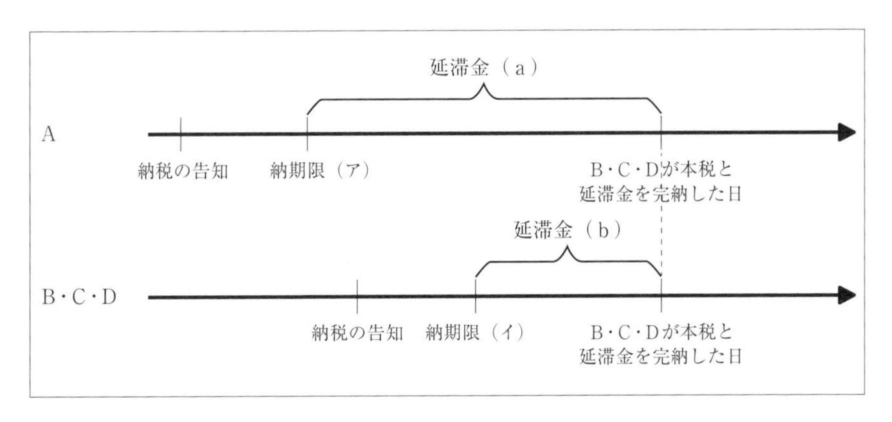

【参考】『地方税法総則逐条解説』一般財団法人　地方財務協会

連帯納税義務者の一人がした納付の効力は、他の納税義務者の全員に及び、納付した額だけ連帯納税義務は消滅する。これについては、民法に規定はないが、債務を履行したのであるから当然のこととして一般に認められている。

【参考】『民法講義Ⅳ　債権法総論』（近江幸治、弘文堂）、『新訂　債権総論』（我妻栄、岩波書店）

「弁済」は、債権の消滅をきたす債権本来の目的であるから、民法には規定がないが、絶対的効力を及ぼすことは当然である。

※これを租税債権に当てはめて読み替えると「『納付』は、租税債権の消滅をきたす租税債権本来の目的であるから、税法には規定がないが、絶対的な効力を及ぼすことは当然である」となります。

ところで、その次の「その結果Aの延滞金は発生しないことになる」としている部分については、その雑誌の見解に誤解があるように思われます。すなわち、第一に、消滅するのは「納付した額」について（本税の160万円の部分）だけであること、第二に、B・C・Dが本税を完納したことの効力（本税債務の消滅）は、あくまでもB・C・Dへの告知後のB・C・Dが本税を完納した日に生じたのであって、Aの納期限（ア）にまで遡るわけではないことから、既に発生しているAの延滞金の部分（延滞金（a）のうち「納期限（ア）」から「納期限（イ）」までの部分）にまでは及ばないからです。

当該雑誌の筆者にしてみれば、本税に係る160万円の租税債務が消滅したのだから、それを計算の基礎とする延滞金は、附帯債権として本税の消滅と運命を共にするから、そもそも発生しないという理解なのかもしれませんが、前述のとおり、B・C・Dによる本税納付の効力（連帯納税義務に係る租税債務の消滅）は、その納付をした日に生ずるのであって、本来の納期限（当初Aに対して納税通知書を送達した際の納期限。前ページの模式図でいえば「納期限（ア）」）にまで遡るものではありません。つまり、B・C・DであれAであれ（その他の第三者による納付であれ）誰が納付をしたとしても、納付をした日その日に租税債務は消滅するのであって、その消滅する日までは存在していたのです。したがって、誰が納付したかには関係なく、納付があったその日までに生じた延滞金については、遡って帳消しになることはないのです。当該雑誌の筆者が、遡って消滅するとしている根拠・理由が不明です。例えば、「取消し」のように法律上、遡及効があるとされているものであれば格別、税の納付に遡及効があるなどというのは聞いたことがありませんし、そのような法律上の根拠はどこにあるのでしょうか。

地方税の債権債務は、納付によってその目的を達成して消滅しますが（前掲

『租税法』『図解　地方税総論』）、その効力（租税債務の消滅）は、「納付があった日」に生ずるのであって、遡ることはあり得ません。もし当該雑誌の筆者が言っているように、Ｂ・Ｃ・Ｄの本税納付によりＡの延滞金債務もそれに伴って消滅するという考え方にのっとるとすれば、「ＡとＢの延滞金の計算も別々にされることになる」としていることの意味が不明です。

延滞金が別々に計算される（前掲「連帯納税義務における延滞税の取扱い」税務大学校講本『国税通則法』）ということは、今回の質問のようにＢ・Ｃ・Ｄが指定納期限（前記模式図でいえば、納期限（イ））までに納付せずに、その後に納付することとなったため延滞金が加算される場合には、ＡとＢ・Ｃ・Ｄとで延滞金の金額が異なる場合があるのは、前掲の税務大学校の講本が言っているとおりです。そうでなければ、延滞金を別々に計算する意味がないからです。当該雑誌の筆者の考え方によれば、このように延滞金が加算される場合、ＡとＢ・Ｃ・Ｄとで延滞金の計算も別々にされるとしている一方で、Ｂ・Ｃ・Ｄが、指定納期限（前記模式図で言えば、納期限（イ））までに本税を納付した場合についてはこれと異なり、「Ａの租税債務は消滅し、その結果Ａの延滞金は発生しないことになる」としているのは矛盾しているように思います。確かにＢ・Ｃ・Ｄが、指定納期限までに本税を完納すれば、連帯納税義務に係る本税債務は、Ａも含めた全ての納税義務者につきその時点で消滅しますが、その効力が発生したのは、納期限（イ）の時点なのですから、納期限（ア）から納期限（イ）までの間にＡにつき生じた延滞金が帳消しになってしまう（消滅してしまう）根拠はどこにあるのでしょうか。

もう一つ解せない点があります。逆に、Ｂ・Ｃ・Ｄではなく、Ａが納期限（イ）の時点で本税160万円を完納したとしたら、Ａの延滞金はどうなるのでしょうか。Ａについては、既に納税の告知が本来の時期に有効に成立していますから、当然、納期限（ア）から完納の日（ここでは（イ）の時点）までの延滞金を負担しなければなりませんが、Ｂ・Ｃ・Ｄについては、告知に係る指定された納期限内なので当然延滞金の負担はなく、本税債務のみ免れることとなります。同じ時期（納期限（イ）の時点）に本税を完納しているのに、Ｂ・Ｃ・Ｄが納付すればＡの延滞金も帳消しになるのに、Ａが納付すれば延滞金が加算されるというのは、どのような理屈で説明されるのでしょうか。それともＡが納期限（イ）の時点で納付してもＡの延滞金は帳消しになる（消滅する）とのお考えなのでしょうか。納税する人によって延滞金が加算されたり、加算されなかったりというのは理解できません。

なお、納期限（イ）の時点からB・C・Dが本税・延滞金を完納した日までの延滞金（b）の部分については、B・C・Dについて既に納税の告知済みですから、B・C・Dが連帯して負担すべきものです。

連帯納税義務に関しては、条文上「共有物、共同使用物、共同事業、共同事業により生じた物件又は共同行為に対する地方団体の徴収金は、納税者が連帯して納付する義務を負う」（地方税法第10条の2）との文言があることから、多くのみなさんが誤解しているようです。そこで、次の事案を例にして改めて考えてみたいと思います。

なお、本事例は、前掲の事例と類似していますが、条文上の「連帯して」の意味をより一層明確にしようとするものです。

【質問】

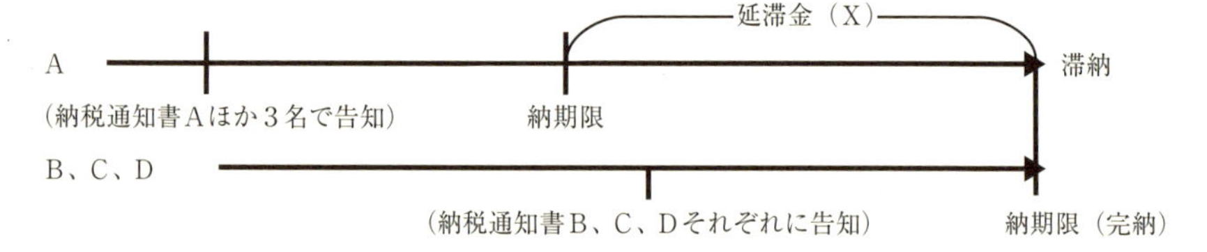

A、B、C、D4人共有の不動産（持分は各自1/4ずつで等しいものとします）に係る固定資産税で、当初Aほか3名で納税通知書を送達していたのですが、Aが納期限までに納税しなかったので、その後B、C、Dそれぞれに宛てて納税通知書を送達したところ、そのうちの一人（例えば、B）が、納期限までに完納した場合、当初Aに課税したものに加算される延滞金（X）の扱いはどうなるのでしょうか。

［考え方1］

Bが完納したことにより納税義務は当初に遡って消滅するから、そもそもA、B、C、Dの誰にも延滞金の納付義務はなくなる。

［考え方2］

地方税法では延滞金も徴収金とされている（同法第1条第14号）から、Aにだけ加算されて（Aにだけ）納付義務があるのではなく、徴収金である延滞金についても、A、B、C、D全員が「連帯して」（延滞金の）納付義務を負う。

［考え方3］

納税通知書によって告知された納税義務は、あくまでもその告知された者についてのみ生じるのだから、Aに告知された納税義務につき加算される延滞金（X）については、あくまでもAだけがその納付義務を負うのであって、その他のB、C、Dはかかる延滞金の納付義務は負わない。

本件は、地方税法が規定する連帯納税義務における「連帯して」の意味をどのように理解すべきなのかという問題を考察するために設定したものです。

ところで、「連帯債務とは、数人の債務者が同一内容の可分給付につき、各々独立して全部の給付をすべき債務を負担し、しかもそのうちの一人が全部の給付をすれば債権は満足させられて消滅し、その結果すべての債務者は債務を免れる多数当事者の債務である」（地方税法総則逐条解説　一般財団法人地方財務協会　第10条関係の【解説】１参照）とされ、この制度の目的は、税収の確保であるとされています（地方税法総則逐条解説　一般財団法人　地方財務協会　第10条の２関係の【趣旨】参照）。このように連帯納税義務の肝（肝心要のポイント）となるのは、課税庁が共有者たる連帯納税義務者の誰に対しても課税額の全額を請求することができるとしているところです。共有者の誰に対しても課税し、そして請求することができるわけですから、課税庁にとっては、税収確保の観点からすれば、これほど確実性の高いことはないわけです。この事例で言えば、実際の負担能力（納付能力）はさまざまであるにしても、課税庁は共有者A、B、C、D４人のうちの全てに対して課税して請求することができるのですから、単純に考えれば税収を確保するための確実性が４倍もあるようなものです。

ところで、この連帯納税義務について規定している地方税法第10条の２で言うところの「連帯して納付する義務」について誤解している徴税吏員の方が少なくないようです。すなわち、この「連帯して」の文言を字義どおり国語的な意味として理解して「（共有者）みんなで」とか「（共有者）全員で」のように理解している人がいるようです。ですからこのように理解している人からすれば事例のような場合、当初課税されたAの固定資産税に係る延滞金（図にある（X））についても、地方税法が連帯納税義務の対象としている徴収金なので、みんなで（共有者全員で）負担すべきだということになるようです。つまり、そのような理解をしている人は当然［考え方２］が正しいと考えるわけです。しかし、地方税法が規定している連帯納税義務（第10条の２）で言うところの「連帯して」というのは、国語的な意味としての「（共有者）みんなで」とか「（共有者）全員で」という意味ではありません。それは、前述のとおり連帯納税義務の制度趣旨が「税収の確保」であり、その目的達成のために共有者の誰に対しても課税し、そして請求することができるというものであって、共有者みんなで（納付義務を）シェアするという意味ではないからです。そのことは裁判例からも明らかです。例えば、前掲の昭和58年３月30日大阪高等裁判所の判決では「共有土地についての固定資産税等は、納税通知書の送付によりその名宛人として送付を受けた者に対してのみ具体的な租税債権が成立し、その余の連帯納付義務者は、抽象的租税債務を負担するにとゞまり、未だ具体的租税債務は成立していないことになる」として、共有者の一人であるＡに対し、Ａほか３名として告知された場合（納税通知書が送られた場合）は、Ａを名宛て人として課税したのであって、Ａ以外のＢ、Ｃ、Ｄには課税されていないことになります。さらに言えば、納税義務者は自らが告知を受けた（納税通知書が送られた）ものについてだけ納付責任を負うということですから、ＡはＡ名義で自分に告知されたものについて、ＢはＢ名義で自分に告知されたものについて、ＣはＣ名義で自分に告知されたものについて、ＤはＤ名義で自分に告知されたものについて納付責任を負うことになります。そして、それぞれの納付義務は税法上は、Ａ、Ｂ、Ｃ、Ｄ間に連携性はなく（つまり、それぞれの納付義務は独立している）、ただ民事上の内部関係としてＡ、Ｂ、Ｃ、Ｄ間に求償権の関係があるにすぎません。ところが、少なからぬ徴税吏員の方が、「連帯して」という文言（それも国語的な意味）に惑わされて、あたかもみんなで（共有者全員で）負担すべきものというように誤解されているようです。平成25年２月26日福岡地方裁判所の判決でも「持分に関係なく、各自独立して共有物全体に係る固定資産税等の連帯納付義務を負うのであって、その課税処分は当該不動産の共有者の各持分に応じて又はこれに対してされるものではない」としており、各共有者がみんなで（共有者全員で）負担するのではなく、各自が独立して（＝つまり、一人ひとりが独立して自分に対して告知されたものについてだけ）納付責任を負うものであるとしています。

以上を踏まえて事例について考えてみますと、共有者であるＡ、Ｂ、Ｃ、Ｄ４人の間に連携性はなく、各自の納税義務は独立しており、具体的な納税義務が生じるのは告知を受けた（納税通知書の送達を受けた）その名宛て人だけに生じることからすれば、事例におけるＡについて加算されるべき延滞金（156ページの図にある（X））は、その延滞金の計算の基礎となる本税について告知を受けたAのみが負うことになります。したがって［考え方３］のように考えるのが妥当です。

［考え方２］は、「連帯して」という文言を国語的な意味に理解して解釈している点で妥当ではありませんし、そのように解した場合、そもそもＢ、Ｃ、Ｄは自分に対して告知されたものではないものの納付責任まで問われることとなり失当です。納税義務者は、自分に対して告知されたものについてだけ（したがって、告知された本税を計算の基礎として加算される延滞金もその限りで）納付責任を負うということに留意する必要があります。

［考え方１］によれば、納付（事例では完納）の効果である納税義務の消滅には遡及効があることになりますが、もしも税の納付に遡及効があるなどとすれば、延滞金の制度が成り立たないこととなります。すなわち、納付するとその効果（納税義務の消滅）が常に遡るのだとしたら、納期限後に納付したとしても延滞金を算出する期間そのものが存在せず計算不能であり、制度そのものが存立し得ないこととなります。納付の効果（納税義務の消滅）は、納付した事実のあったその時に生じるものです。したがって、税の納付に遡及効があるとする［考え方１］は論外ということになります。なお、遡及効というわけではありませんが、差し押さえた債権を取り立てた場合は、「取り立てたときは、その限度において、滞納者から差押に係る国税を徴収したものとみなす」（国税徴収法第67条第３項）こととされています。

【参照条文】地方税法

（用語）

第１条　この法律において、次の各号に掲げる用語の意義は、当該各号に定めるところによる。

十四　地方団体の徴収金　地方税並びにその督促手数料、延滞金、過少申告加算金、不申告加算金、重加算金及び滞納処分費をいう。

【参照条文】地方税法

（連帯納税義務）

第10条の２　共有物、共同使用物、共同事業、共同事業により生じた物件又は共同行為に対する地方団体の徴収金は、納税者が連帯して納付する義務を負う。

【参考】昭和58年３月30日大阪高等裁判所判決

共有土地についての固定資産税等は、納税通知書の送付によりその名宛人として送付を受けた者に対してのみ具体的な租税債権が成立し、その余の連帯納付義務者は、抽象的租税債務を負担するにとゞまり、未だ具体的租税債務は成立していないことになる。

○○市における実務の取扱いをみるに、原審証人Cの証言によれば、同市においては、共有土地についての固定資産税等は、一筆の全課税標準額及び税額を記載した納税通知書を原則として不動産登記簿の筆頭者あて送付して課税処分をなし、納付がない場合等には順次その余の共有者あて納税通知をしていること、賦課課税処分の効力は、右納税通知書の名宛人にのみ発生するものと解されているので、連帯納付義務を負うその余の共有者が右税額の全部又は一部を納付したときは、第三者納付の取扱いをしていることが認められ、右認定に反する証拠はない。

本件納税通知書によれば、Aに対してのみ課税処分をなしたことは明らかであるのみならず、処分庁である被控訴人は、本件土地についての昭和51年度固定資産税及び都市計画税全額を共有者の一人であるAのみに対して賦課する意思で本件課税処分をなしたものであり、納税通知書の「ホカ169ニン」の記載は、右全額の課税であることを明かにする趣旨で注記したものにすぎず、本件納税通知書の記載その他によつて、A以外の控訴人を含む169名の共有者にとつても自己に対して課税処分がなされたと解しうる余地は存しないのであるから、本件課税処分は、Aを名宛人として、同人のみに対してなされたものと解するのが相当である。

【参考】平成25年２月26日福岡地方裁判所判決

共有者である各共同相続人は、地方税法10条の２第１項により、持分に関係なく、各自独立して共有物全体に係る固定資産税等の連帯納付義務を負うのであって、その課税処分は当該不動産の共有者の各持分に応じて又はこれに対してされるものではない。

固定資産税等の徴収は、普通徴収（地方税法１条１項７号）の方法によることとされ、納税通知書を当該納税者に交付することによってその租税債権が具体的に成立するものと解すべきである（同法364条１項、702条の８第１項、13条１項）。そして、納税通知書による納税の告知は、納税義務者に対し抽象的に発生していた租税債権を具体的に確定し、その税額について履行の請求をするという二つの性質を有しているところ、前者の租税債権の確定は、民法434条にいう「履行の請求」には含まれないから、同条を準用する余地はない。そのため、共有土地についての固定資産税等は、納税通知書の送付によりその名宛人として送付を受けた者に対してのみ具体的な租税債権が成立し、その余の連帯納付義務者は、抽象的納税債務を負担するにとどまり、具体的納税債務を生じさせるものではないと解される。

【参照条文】国税徴収法

（差し押えた債権の取立）

第67条　徴収職員は、差し押えた債権の取立をすることができる。

２　省略

３　徴収職員が第一項の規定により金銭を取り立てたときは、その限度において、滞納者から差押に係る国税を徴収したものとみなす。
４　省略

16 事実上の分納の性質

法定の猶予制度に基づかない、いわゆる事実上の分納は、納付義務者と地方団体との契約という考え方で整理できるのでしょうか。

税法の標準的な教科書によりますと、租税法律主義の内容には①課税要件法定主義、②課税要件明確主義、③合法性の原則、④手続的保障原則――の四つがあるとされます。このうちの「合法性の原則」については「租税法は強行法であるから、課税要件が充足されている限り、租税行政庁には租税の減免の自由はなく、また租税を徴収しない自由もなく、法律で定められたとおりの税額を徴収しなければならない」という原則とされ、この原則は、わが国においても戦前から一貫して判例法上承認されてきたものです。したがって「法律の根拠に基づくことなしに、租税の減免や徴収猶予を行うことは許されないし、また納税義務の内容や徴収の時期・方法等について租税行政庁と納税義務者との間で和解なり協定なりをすることは許されない」ということになります（前掲『租税法』）。

【参考】事実上の分納について触れている裁判例等

①　昭和25年４月18日　福岡地方裁判所判決

租税徴収権にはどのような特質があるかというに、（第一、第二については省略）第三には、納税義務履行の面においては、国税徴収法が特別の強制執行手続きを定め、又それぞれの租税法が国民に対する各種の公法上の義務を負担せしめる等租税徴収権確保のための権力的手段を講じており、これら納税義務履行の面における法律関係は、国家と国民との間における権力服従の関係として規律せられているということである。しこうしてこのように、公法上の権利である租税徴収権には、私法上の一般債権には存しない特質があり、これらの点から考えるならば、当事者の契約によって自由に租税の年賦延納等納税義務者の負担の軽減をなし得ないことは、むしろ当然と言わなければならない。
※この裁判は、控訴・上告され、結論は最高裁でも維持され、確定しています。

② 昭和49年９月２日 最高裁判所第一小法廷判決

納税義務の成立、内容は、専ら法律がこれを定めるものであって、課税庁側と納税者側との合意又は納税者側の一方的行為によって、これを動かすことはできないというべきである。

③ 平成14年５月７日 奈良地方裁判所葛城支部判決

実務上、地方税の滞納者がいわゆる「納付誓約書」を作成する場合がある。その内容は、当該納付誓約書に記載のある税目・年度に係る地方税については、その作成時点で明確に支払義務を承認し、分納を約するとともに、今後の税金についても納期限の納付を約するものである。このような納付誓約書の作成の趣旨及び体裁からすると、それ自体が当該滞納地方税の「承認」に当たることはもちろん、それ以後に当該納付誓約書に記載のない税目・年度の地方税の一部のみを納付した場合であっても、当該納付が納付誓約書作成時点から著しく長期間が経過してされたとか、当該納付の際に納付者が納付誓約書に記載のある滞納税について明確に支払拒絶の意思を表示したなどの特段の事情のない限り、当該納付誓約書に記載のある地方税の存在を承知したうえで、滞納地方税全体の一部を納付したものと認めるのが相当であるから、当該納付誓約書に記載のある滞納地方税の「承認」にも当たるものと解するべきである。

④ 平成18年１月19日 名古屋高等裁判所判決

不動産取得税の「賦課徴収は、不動産の取得の事実があった後なるべく早期に行うべきものであるが、情状によっては、納税者の申請により分割納付の方法等を認めることも差し支えないものであること」（昭和29年５月13日自乙府発第109号各都道府県知事宛自治庁次長通達、乙イ３）とされている。そうすると、徴税をする地方団体の長は、滞納者に対して滞納処分を行う時期やその対象等について、当該滞納者の税の負担能力（担税力）や誠実な納入意思の有無に応じてその事業の継続や経済生活の維持がむやみに損なわれることのないよう配慮しつつ、他方、徴税行為が区々(まちまち)になり、公平を欠き、偏頗(へんぱ)なものとならないようにすべきであり、これらを踏まえて、計画的・能率的かつ実質的にその徴収権の確保を図るに相当な範囲での裁量が与えられているものと解される。

なお、昭和29年５月13日自乙府発第109号各都道府県知事宛自治庁次長通達は、（平成22年４月１日総税都第16号）によって廃止されています。

総税都第16号
平成22年4月1日

各都道府県知事 殿

総務大臣

地方税法の施行に関する取扱いについて（道府県税関係）

地方税法等の一部を改正する法律（平成22年法律第4号）、地方税法施行令及び国税収納金整理資金に関する法律施行令の一部を改正する政令（平成22年政令第45号）及び地方税法施行規則の一部を改正する省令（平成22年総務省令第27号）が平成22年3月31日にそれぞれ公布され、いずれも原則として同年4月1日から施行されることとされました。これに伴い、「地方税法の施行に関する取扱いについて（道府県税関係）」を下記のとおりといたしますので、貴職におかれましては、この趣旨を御理解いただき、適切に対処されるようよろしくお願いします。なお、本通知は地方自治法（昭和22年法律第67号）第245条の4（技術的な助言）に基づくものです。また、「地方税法の施行に関する取扱いについて（道府県税関係）（昭和29年5月13日自乙府発第109号自治庁次長通達）」は廃止します。

※平成22年4月1日総税都第16号によれば、「36　納税の猶予　納税の猶予制度は、納税者の申請又は届出による猶予、特別徴収義務者の申請による猶予及び地方団体の長の職権による猶予とがあり、いずれも納税者又は特別徴収義務者の個別的、具体的な事情に即応して地方税の徴収を緩和することをその目的とするものであること。また、**法において認められている納税の猶予は、徴収の猶予、換価の猶予及び滞納処分の停止に限るものであり、これらの猶予に該当しない事実上の猶予は、法の認めるところではないことに留意すること**」とされていますが、ゴチック体の部分は、次の⑤の裁判例で示されているゴチック体の部分と同趣旨であり、事実上の猶予（分納）が違法だと言っているのではなく、別物（つまり、事実上の猶予〈分納〉は法定の猶予のような法的効果〈時効の完成猶予・延滞金の免除・督促や滞納処分をすることができない＝地方税法第15条の2の3および第15条の9〉は生じないということ）だから、その点について留意されたいという意味です。

⑤　平成19年3月30日　名古屋地方裁判所決定

納税猶予に関する地方税法第15条によれば、分納の期間は1年以内とされており、同法第16条第1項では、50万円を超える地方税を猶予する場合には、特別の事情がない限り担保を徴さなければならないと規定されていることに照らしてみると、**前記納付誓約書の提出による分納は、いずれも地方税法所定の行政処分たる納税猶予処分であるとは解されない**。

そして、納付誓約書の提出を受けて分納とした経過は前記のとおり担当者において整理状況と題する文書に記載して上司の供覧に付していることが認められるところ、なお稟議書を作成して決裁を受けた経過があることを推認すべき事情はみあたらない。それは、分割納付額の増額の経緯についても同様である。

以上のことからしますと、租税法律主義の下では税務当局と納税者との契約による分納ということはあり得ないし、あってはならないということになります。そうすると、実務で行われている分納は、どのように説明されるのでしょうか。

分納の運用を見てみますと、滞納者の申込みがあって、それを受けた税務当局の承諾により、あたかも契約が成立しているかのようにも見えますが、租税債権者と租税債務者との契約は認められないとすれば、④で紹介した平成18年1月19日の名古屋高等裁判所判決が言っているように、徴収権の確保を図るに相当な範囲での徴税吏員の合理的な裁量に基づく事務取扱い（事実行為）ということになると考えます。事実行為ですから、そのことによって何らの法的効果が生じるものではありません。したがって、延滞金は、本来の納期限の翌日から起算しますし、分納履行中であっても、分納申出時の滞納者の申述内容が虚偽であることが判明した場合は、差押えをすることがあります（事実上の分納の取扱いは、滞納者からの申出内容が事実であることを前提として履行されている限りにおいて、一時的に滞納処分を留保しているにすぎません）。

ところで、事実上の分納の取扱いは法律の根拠に基づかないから違法である旨主張する識者もいるようです。確かに事実上の分納は、納期限を過ぎた滞納税について、一括で納付せずに、これを分割して複数回にわたって納付するというものですから、外観上は法定の猶予に類似していますが、特定の根拠規定があって、それに基づいて措置しているというわけではなく、滞納者から自主的に「分割して納付する」との申出があって、その申出に沿った履行がなされている限りにおいて、滞納処分の執行を留保して（履行を）見守るというものにすぎず、滞納者による自主納税の一種ということであって、処分ではありませんから、特段法律の根拠は要しないわけです。すなわち、事実上の分納は法律行為ではなく、事実行為ということになります。したがって「事実上の分納」は、法律の根拠に基づかないから違法であるとの主張は、それこそ根拠がなく失当であると言わざるを得ません。

17 相続人に対する滞納整理

相続人に対する滞納整理に関して、次の事例について考えてみます。

【事例概要】

固定資産税を滞納したＡが死亡したことにより、「納税義務承継通知」を相続人に送達しました。不動産は元々、誰も住んでいない家屋と土地であり、これまでの固定資産税納税通知書でも「Ａ外　相続人　様」で納税の告知をしていました。被相続人（Ａの父親）は昭和50年に死亡しており、本来相続登記すべきところ、何もしないまま現在に至っています。

相続人は６人存在し、○○市、△△市などの孫（60代）にも送達したのですが、誰も法定相続分を支払わず、１人は物納を申し入れてきました（所管の財政課は寄付受納を拒否しました）。

滞納処分を行う場合、国税徴収法第51条（相続があつた場合の差押）の規定にあるとおり「まず相続財産を差し押えるように努めなければならない」を考慮すべきですが、換価価値のない原野と、老朽化した家屋であることを考えれば、無益な差押えに該当し、今日まで毎年、代表者（市内の娘）を指定して納税通知書を送るのみとなっています。

少子高齢化の進展に伴い、こういったケースが増えると思われますが、どのような対処ができるでしょうか。

⑴　「本来相続登記すべきところ、何もしないまま現在に至っている」「『Ａ外　相続人　様』で納税の告知をしていた」とのことですので、いわゆる「現に所有している者」（地方税法第343条）に課税していたものと思われます。そして、「Ａ外　相続人　様」という形式で納税通知書を送達していたとありますから、税額の確定処分としては、Ａ氏だけについて効力が生じていたことになります。

したがって、Ａ以外の５人について滞納処分をしようとするのであれば、改めて各人に対して納税の告知（納税通知書の送達〈地方税法第１条第１項第６号、第13条〉）をしなければなりません。

⑵　Ａが死亡した後は、市内在住の娘を相続人代表者（地方税法第９条第２項）として指定し、納税通知書を送っているとのことです。しかし、今後、本件について滞納整理を進めていくとすれば、他の共有者全員に対しても納税通知書を送達すべきですから、ここでは説明の便宜上、相続人全員に対して有効な告知行為（全員に対して税額確定処分としての告知）がなされたものと仮定して考えてみることとします。

⑶　相続財産は「換価価値のない原野と老朽化した家屋」とのことですから、ほかの財産を見つけ出さなくてはならないでしょう。ところで、国税徴収法第51条は「被相続人の国税につき」と規定しているため、もしAの父親やAの名義で課税した分が今でも滞納として残っているのであれば、それぞれ相続した財産から差し押さえるように努めなければなりませんが、それ以外の相続人名で（「現に所有している者」として）課税して、それが滞納となっているときは、同条の適用はありません。なお、同規定は訓示規定ということもあり、（相続財産には「換価価値がない」という）客観的な状況があるのであれば、滞納者の固有財産を差し押さえても何ら差し支えないわけです。

⑷　滞納整理における処理の優先順位を考えれば、相対的に高額な事案から着手する（このことを「税額整理」と言います）とともに、高額な事案であればあるほど多くの投下労働量と時間をかけて処理するのが一般的だと思います。もっとも、少額であるからといっても、公平の観点からは、いずれは着手しなければならないのですが、優先順位としては劣後せざるを得ません。ここでは、「高額滞納事案」と仮定して論述を進めます。

⑸　換価価値のない当該課税物件以外の財産を調査する場合、本件が連帯納税義務に係るものであることを考えると、「最少の経費で最大の効果を挙げる」（地方自治法第２条第14項）ためには、遠隔地にいる滞納者の財産よりも、まずは近くに居住している代表者（娘）の財産を調査するのが先決であると思われます。

つまり、連帯納税義務の場合は、各義務者のうちの誰に対しても全額を請求し、そして全額を徴収して差し支えないわけですから、わざわざ手間暇をかけて遠隔地の財産調査をしなくても済むのであれば、その方が合理的なわけです。

⑹　次に、相続人のうち最も多くの財産を所有している者に対象を絞って滞納整理をするのが合理的です。そこで、効率的な滞納整理の観点からは、できれば債権の差押えの方が望ましいので、各相続人が居住している住所地の地方団体に照会書を出して、課税の有無や勤務先、年金支給の有無、収入（給与、利子、配当、不動産等）、生命保険料控除の有無などを調べ、その中から差押可能な財産を有していると思われる滞納者を特定します。なおその際、これまで「○○市、△△市などの孫（60代）にも送達したが誰も法定相続分を支払わず」

とのことですので、差し押さえる前には「差押事前通知書」（催告書）を一度送付します[※26]。

もうこの段階までくれば、納税指導をする必要はありません。否、むしろここに至っては、納税指導などすべきではありません。なぜなら「○○市、△△市などの孫（60代）にも送達したが誰も法定相続分を支払わず」という事実がある以上、既に「納付する意思のないこと」が明らかになっているからです。つまり、段階的・漸進的に前に進めていくのが滞納整理であることに照らせば、本件の場合は、納税指導の段階はとっくに過ぎてしまっており、決して「後戻り」するようなことがあってはならないのです。「差押事前通知書」（催告書）に対して反応があった場合でも、まず「分納ありき」の話をしないようにしなければなりません。原則として「一括納付」である旨請求します。なぜなら徴税吏員は、差押可能な滞納者の財産を把握しているわけですから、滞納者が「一括納付しない」というのであれば、滞納処分によって強制徴収するのが徴税吏員の責務だからです。

(7)　本件の場合、相続人には年金受給者が多いのではないかと推察されますので、年金の差押えは十分可能性があると思われます。もちろん滞納額にもよりますが、預貯金でもいいでしょうし、生命保険でもいいですし、差押可能な債権が見当たらない場合は、不動産でも差し支えありません。とにかく差押えをして債権を保全しなければなりません。なお、滞納額が高額であれば、多少遠隔地であっても「捜索」を考えてもいいかもしれません。

(8)　ところで、これは滞納整理が終わってからのことですが、当該課税物件は「換価価値のない原野と老朽化した家屋」なので、今後も毎年固定資産税が課税され、これまでと同様のことが繰り返される懸念があります。当該物件をどのように処分するかは、ひとえに所有者である6人の相続人が考えなければならないことですが、今後、有効利用されないまま固定資産税の負担だけが発生

※26　催告書の送付は差押えの前提条件でもなければ、督促状のように法律で送達することが義務付けられているものでもありませんが、「強制換価処分を努めて避けようとする行政目的」（『国税徴収法精解』一般財団法人　大蔵財務協会）すなわち、滞納処分の謙抑的な執行のためには、処分の前に自主的な納付の機会を与えることが望ましいと考えられるので、このような取扱いとするものです。

なお、国税での取扱いは、「（着手前の催告）督促状若しくは納付催告書又は譲渡担保権者に対する告知書を発した後6月以上を経て差押えをする場合には、あらかじめ、催告をするものとする」（国税徴収法基本通達第47条関係の18）となっています。

するのは、相続人たちにとっても本意ではないはずですから、そのへんのことは、６人の相続人にしっかりと説明して、将来のことを考えるよう（決断を）促す程度のことはしてもいいのではないでしょうか。

18 年金受給者の預金口座の差押え

年金受給者の預金口座の差押えに関して、次の事例について考えてみます。

【事例概要】

年金受給のための振込口座を差し押さえた場合、差押えを受けたことにより、年金受給者の生活に著しい支障が生じているような場合には、滞納者が裁判所に差押命令の取消しを請求し、認められれば、返さなければならなくなりますが、年金が振り込まれる前日に預金口座にある額だけを差押えすれば、年金受給者の生活に著しい支障が生じるとは考えられないが、このような場合でも差押えをしてはいけないのでしょうか。

また、振り込まれた年金の中から別の預金口座に積立てをしているような場合、その積み立てた預金を差し押さえることは可能でしょうか。

さらに、その積み立てられた預金口座が他の人の名義（例えば、妻名義、子ども名義）であっても差し押さえることが可能な方法はあるでしょうか。

⑴　本件では、「生活に著しい支障が生じている」とありますが、このように認定する根拠が明確ではありません。滞納整理において滞納者の「納付能力」の有無は、徴税吏員が財産調査をして判定することとなっています。すなわち、国税徴収法第141条および同法第142条により財産調査をして、滞納者に納付するだけの資力・資産があるのか、それともないのかを判定するのです。

⑵　滞納者への納税指導ではほとんどの場合、滞納者は「生活が苦しい」とか「事業が不調だ」と言います。なぜなら、「生活が楽」であり、「事業が順調」ならば一括で支払うことができるからです。したがって、滞納者の「言葉」だけで生活に支障が出ているかどうかを判断してはならないということです。

生活実感としての生活水準というのは、人それぞれです。例えば、20万円の家賃のマンションに暮らしている人と、月５万円程度のアパートに住んでいる人とでは、生活感覚はまるで違います。人は現在の生活水準を下げることに心理的な抵抗を感じるとともに、抵抗もすることでしょう。つまり、現在の生活水準を下げることはなかなかできないものなのです。何をもって「身の丈に合った（収入に見合った）生活」というのかはなかなか判断が難しいのですが、少なくとも、税金やその他の公課の支払いよりも住宅ローンの返済があるなどの自己都合を優先させていることだけは認められません（地方税法第14条、地方自治法第231条の３第３項）。

(3)　こうしたことを十分承知した上で、滞納者の「生活に著しい支障が生じている」か、どうかを判定しなければなりません。給与や年金の差押えでは「差押禁止額」（国税徴収法第76条、同法第77条、同法施行令第34条）があり、これらの禁止額は、滞納者が生活していく上で最低限必要な金額であるとされています。ですから、この禁止額が差押額から控除されている場合（＝法律どおりの手続が執行されている場合）は、生活に著しい支障が生じているとは言えないのです。滞納者は、支給されている控除金額の範囲内で生計を立てなければならないからです（受忍義務）。ところが給与や年金が振り込まれる銀行口座の預金債権（払戻請求権）にはこの差押禁止額は及びませんので、形式的には全額差し押さえても問題はないようにも思えます。

(4)　判例でも「差押禁止債権も預金口座に振り込まれれば、預金債権として区別がつかなくなり、差押禁止債権と他の一般財産としての預金債権とを判別することができないことから、差押禁止債権が預金口座に振り込まれることによって生じる預金債権は、原則として、差押禁止債権としての属性を承継しない」（平成10年２月10日最高裁判所第三小法廷判決）として、預金債権として差し押さえることは差し支えない旨の判断を示しています。一方、これに対して「年金受給者が受給した年金を金融機関・郵便局に預け入れている場合にも、当該預貯金の原資が年金であることの識別・特定が可能であるときは、年金それ自体に対する差押えと同視すべきものであって、当該預貯金債権に対する差押えは禁止されるべきものというべきである」（平成15年５月28日東京地方裁判所判決）とする下級審の判断もあります。

(5)　預金を差し押さえる「狙い」は、年金支払請求権という債権を差し押さえれば差押禁止額があるけれども、それが振り込まれた預金口座なら全額取り立てられるからということなのでしょう。しかし、上記で紹介した二つの裁判例の判断は、一見すると真っ向から対立するかのようにも見えますが、前者の最高裁の判決で言っている預金口座は、「複数の振込み」があって、それらがいわば混然一体となっており、預金の中身のどこまでが「振り込まれた年金の分」なのかが特定できないような場合なのです。したがって、最高裁も（明確に言っているわけではありませんが）年金のみが単独で振り込まれた預金口座の差押えまでも是認しているわけではないとも考えられます。実際に裁判になった事例では、複数の振込みがあって、それらが混然一体となっているような状況であったために、特定が困難であるとして「原則として、差押禁止債権としての属性を承継しない」と言っているのです。

注意していただきたいのは、「原則として」と言っている点です。つまり、あらゆる場合に（差押禁止の）属性を承継するものではないことを暗に言っているのです。したがって、最高裁判決（の趣旨）は、後者の東京地裁の判決と必ずしも真っ向から対立しているわけではないとも考えられます（この点につき、前記８「差押禁止債権と預金債権」＝124ページ参照）。

⑹　次に、積み立てた預金の差押えについてですが、一般に「当面使い道が確定していない現金」を預金という形で預けるのが実態だとしますと、積立てをするということは、その目的が事故や病気等、将来の万が一の予測不能な事態に備えるためから、孫に与える小遣いのために至るまで、何であるにせよ「当面は使わない」という意味で、現時点では余剰資金と認定して差し支えないと考えられます。積み立てているということは、少なくとも、日々の生活に欠くことのできないお金でないことは確かです。したがって、当然、差押えは可能です。

⑺　その積み立てられた預金が他人名義であったらどうかということについては、事例の文面からすると「他人名義」とされる預金の原資は滞納者の年金であることが明らかだと合理的に推察できますから出損者は滞納者として差し支えないでしょう。一般に預金の帰属認定は、

①　**原資**：当該預金は、誰の原資で設定され、蓄積されたものか
②　**管理**：当該預金の通帳および銀行印を誰が管理しているか
③　**運用支配**：当該預金の入出金、継続または解約は、誰の意思で行われていたか

などを総合的に勘案して判定します。そして、その方法は、当事者への聴取り（「聴取書」を作成します）や、捜索によって行います。以上の調査によって、当該口座が実質的に滞納者のものであると認定したら、他人名義預金として

（○○〈他人〉こと○○〈滞納者名〉の預金として）差し押さえることができます。

19 買受代金の納付期限の解釈

不動産公売において、買受人による買受代金の納付がなされた後、買受代金の納付期限までに滞納者が完納した場合、どのように取り扱うべきでしょうか。

(1) 公売は、徴税機関が滞納者になり代わって差押財産を強制的に売却し、その売却代金を滞納税に充てるというものであり、いわば「滞納者」と「買受人」との売買契約を、徴税機関が仲立ちするというものです。この場合、入札が「申込み」で、売却決定が「承諾」として契約が成立するという法律構成になります。

(2) 公売に関する手続について定めた国税徴収法の規定によれば、不動産の公売については、公売期日（入札日）から起算して７日を経過した日が「売却決定日」（同法第113条第１項）とされ、この売却決定日が「買受代金の納付期限」（同法第115条第１項）であるとされています。

(3) 前述のとおり、「売却決定」が契約の「承諾」に当たるので、その時をもって売買契約が成立することとなりますから、実務上、契約成立前（売却決定前）に売買代金を受け入れることはありません。すなわち、法文上は、買受代金の納付「期限」とされていて、「期日」とされていないので、期限前であれば買受代金を納付することができるように解釈する余地がありそうですが、実質的には（「実務上は」と言ってもいいかと思います）契約が成立すると同時に、または契約成立後に買受代金を納付させる取扱いとすべきであると考えます。国税徴収法が、売却決定日を買受代金の納付期限としたのも、契約成立日と代金支払日とを一致させるという意味があるように思います。

(4) なお、この「買受代金の納付期限」には、そのほかにも「不服申立期間の特例」（地方税法第19条の４第３号）としての意味があり、滞納者は、その日までは不服申立てをすることができます。これは「公売期日と売却決定日とを分離し、この間に７日間の余裕を置き、滞納者及び利害関係人に異議申立ての機会を与えようとするものである」（『国税徴収法精解』第113条の解説参照）との趣旨によるものと考えられます。

(5)　実務上は、売却決定の日に買受代金を納付させる事務取扱いとしているので、それ以前に同代金が納付される事態というのは考えられないのですが、観念的には考えうることです。その点について、参考になると思われる文献を次に幾つか紹介します。

【参考】月刊地方税別冊「地方税質疑応答集」一般財団法人　地方財務協会より

売却決定前に地方団体の徴収金が完納されたときは、換価を中止するほか、さらに国税徴収法第79条第１項第１号の規定によって差押えを解除することとなります。この場合、最高価申込者に対する通知について明文規定はありませんが、換価を中止した旨を通知すべきです。

【参考】月刊地方税別冊「地方税質疑応答集」一般財団法人　地方財務協会より

売却決定は、買受の申込み（入札）に対する承諾です。滞納税金が完納されれば、当然差押えは解除することになり、差押えによって徴税機関が有していた差押財産の売却権は消滅します。したがって、税金完納後においては、徴税機関は滞納者に代わって差押財産の売買について承諾の意思表示（売却決定）をする権限を有しないことになります。このような考え方から明文の規定を俟つまでもなく、公売の取消し、又は最高価申込者の決定の取消しを行わなければならないものです。

【参考】月刊地方税別冊「地方税質疑応答集」一般財団法人　地方財務協会より

問１　差押不動産を公売に付し、最高価申込者を決定した後、売却決定までに地方税の完納がなされた場合の公売中止は、国税徴収法第117条に基づく売却決定の取消しによるのでしょうか。もしそうでなければ、国税徴収法第79条の規定によるのでしょうか。

問２　また、売却決定までに地方税の一部納付があったときは、その後の手続きを中止することができるでしょうか。もしできる場合、長の裁量によるものか、又は根拠規定をご教示ください。

答１　事例の場合は、国税徴収法第113条の規定による売却決定をすべきではないから、換価を中止してさらに国税徴収法第79条第１項第１号に基づき差押えを解除することとなります。

答2　差押財産の換価処分は、行政機関の一方的な処分ですから、これを中止することは可能でしょうが、一部納付の事実を以て中止することは適当でないと考えられます。

【参考】月刊地方税別冊「地方税質疑応答集」一般財団法人　地方財務協会より

問　不動産の公売の場合、国税徴収法第117条は、売却決定を滞納者の完納により取消しできる規定であるが、最高価申込者決定の取消しではなく、買受代金の納付期限前（公売期日と売却決定の日の間）に最高価申込決定者が代金を納付し、その後、滞納者が完納したとき、どのように考えるべきかご教示ください。

答　売却決定をする日より前に売却代金を受領することはできません。したがって、売却決定は取り消すこととなります。

【参考】月刊地方税別冊「地方税質疑応答集」一般財団法人　地方財務協会より

問　下記の場合は、その売却決定は取消しになると思われますが、地方税の完納が証明された日と買受代金を納付した日とが、たまたま同日同時刻である場合、この売却決定は有効でしょうか。それとも取り消さなければならないものでしょうか、ご教示願います。

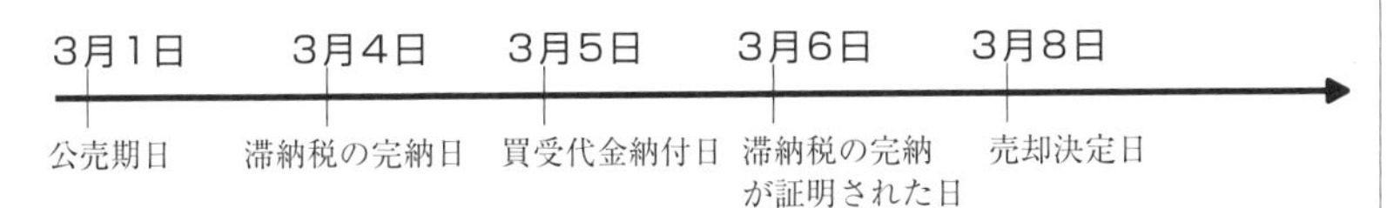

答　売却代金の受領は売却決定日以後に行われるものであり、売却決定日以前の納付は、事実上の納付準備行為にすぎません。したがって、事例の場合は当然取り消すべきであり、また、右の両事実が同時刻であった場合は、売却決定を取り消すのが適当でしょう。

20　在留期間が短い外国籍滞納者への対応

外国人が入国し、すぐに国保には加入するものの、短期間の滞在で市税を滞納したまま帰国した場合には対応が困難になることが多い。このようなケースについて、市税の徴収における効果的な取組みの事例について伺います。

(1)　外国籍の滞納者が帰国してしまった場合の滞納整理は、事実上、困難を極めます。したがって、そのようなことにならないようにするのが最善の対策です。

⑵ まずは滞納対策というよりも、滞納を未然に防止するための対策が必要ではないかと思います。日本人の滞納者でもそうですが、外国人の場合であっても、さまざまな理由（原因）から滞納となっているわけです。意図的に滞納する人（そもそも納税する気のない人）は論外だとしても、例えば、地方税の制度がよく分からなかったり、納期や納税の方法が分からなかったりというごく基本的なことへの理解を欠いていることが滞納の原因になっているとしたら、それは、賦課時または督促時に地方税の仕組みに関する平易な説明書を同封するとか、転入時にそのへんの説明を尽くすなどの努力をすることによって、ある程度は改善できる可能性があるのではないでしょうか。

また、外国籍の人を雇用している事業所に協力してもらって、そのような説明書を配布してもらったり、事業主から地方税に関する簡単な説明をしてもらったりするほか、口座振替納税を勧奨してもらうことも有益だと思います（事業主が説明しやすいようなパンフレットを地方団体が作成して事業主に配布したり、口座振替依頼書〈申込書〉を事業主に配布したりしておくのもいいと思います）。

もちろん、こうした努力をしても、滞納が激減するような劇的な効果はないかもしれませんが、費用対効果も考慮しつつ、可能なことは尽くすことが大切ではないでしょうか。これさえやれば「短期滞在の外国籍の人」への対策は完璧だというような「打出の小槌（こづち）」などありません。多少なりとも効果の期待できる幾つかの対策を複合的に組み合わせて実施していくことがベストな対策ではないかと思います。

⑶ 次に、残念ながら滞納となってしまった場合は、何といっても「早期着手・早期処分」に尽きます。ここで注意しておきたいことは、滞納整理は国籍や人種等によって対応を異にして行っているものではありませんから、日本人であろうと外国籍の人であろうと、処理の優先順位は「税額整理」（つまり、高額な事案が優先）だということです。それに加えて行政事務全般に通じることですが、「公正」で「公平」であることは、もちろん滞納整理にも妥当します。

(4)「公平」であるためには滞納額の多寡にかかわらず、徴収努力をしなければならないわけですが、一方で、限られた人員、限られた時間という制約の中で最大の効果を挙げるためには、「効率性」にも気を配らなければなりません。とても悩ましい問題ですが、こうしたさまざまな要素を総合的に勘案して、全体として合理的な滞納整理であるというように（納税者、議会などから）評価していただけるような進め方が求められているのだと思います。

なお、さまざまな制約環境の中で最善を尽くすことが求められていることについて触れた裁判例を紹介しておきます。

【参考】水戸地方裁判所　平成19年８月８日判決（要旨）

市においては、督促から滞納整理、催告及び滞納処分に至るまでの滞納整理に関する一連の事務につき、１件当たり平均10万1062円の費用を要していたことが認められるところ、滞納に係る税額が上記平均費用を下回る案件（＝少額案件）については、人員及び予算に限りがあることを前提に、徴税事務又は行政事務の全体を、適正かつ効率的に遂行しなければならないという、○○市における地方行政の実情に照らせば、徴収に要する労力・費用を無視してでも必ず全額を徴収すべきとすることは不可能を強いるものであるから、徴税のために実施される措置として合理的と認めるに足りる程度の措置が講じられている限りは、仮に当該案件に係る市税債権について差押え等が実施されることのないまま消滅時効が完成するに至ったとしても、徴税事務の監督者たる被告らに不法行為が成立することはないというべきである。（中略）

徴税に向けられた相応の努力が払われたにもかかわらず、事案ごとの個別事情により徴収が著しく困難な状態に至っていた案件については、限りある人員及び予算の中で適正かつ効率的に徴税事務又は行政事務を遂行しなければならないという、○○市における地方行政の実情に照らせば、さらに差押え等の措置が実施されることのないまま消滅時効が完成するに至ったとしても、やむを得ないものというべきであるから、当該案件につき消滅時効が完成したことをもって、直ちに徴税事務の監督者たる被告らが違法にその管理を怠っていたということはできず、この点について不法行為が成立することはないというべきである。

(5)「早期着手・早期処分」のためには、できるだけ早く財産調査に着手することです（このことは外国籍の滞納者に限らず日本人滞納者についても同様です）。税にしろ、国保料にしろ、督促状に対して何の反応もないときは、まずその賦課の根拠となった収入が発生したところ（勤務先、事業所その他）に臨場して（または「文書照会」をして）国税徴収法第141条に基づいて財産調査をします（当然ここでも滞納額によって優先順位を付けて順次着手します）。

日本語の通じない（または通じにくい）外国籍の人を相手に、例えば、通訳を介して納税指導を試みたり、身振り手振りで納税指導を試みたりするのは、効率的・効果的とは考えられませんので、既にこの段階では納税指導はすべきでなく、法定の要件を充足している以上、財産を発見したら、速やかに差し押さえるべきです。

現状では、外国籍の滞納者で「納税管理人」（地方税法第300条ほか）を定めて申告する人は、ほとんどいないのではないかと思われます。そこで、国内に連絡を取れるような人がいない場合、出身国（母国）に帰国してしまった外国籍の滞納者から滞納税を徴収することができるかどうかですが、残念ながら、それはほとんど不可能に近いと思われます。海外にある資産を差し押さえることについて、次のような解説がありますので参考にしてください。

【参考】『ケーススタディ滞納整理50選』徴収事務研究会編、ぎょうせい刊より

問　住民税の滞納者甲について財産調査をしましたが、差押え可能な財産を発見することができません。風評によれば、同人は海外に高価な不動産を購入しているとのことですが、仮にその所在が確認できた場合、当該不動産から滞納税金を強制徴収することは可能でしょうか。

答　現在、わが国が締結している租税条約では、極めて限定的な滞納を除き、海外資産からわが国の滞納税金を強制徴収することはできず、また、条約によらないで海外資産から徴収する有効な手段もありません。したがって、今後のＯＥＣＤ多国間税務執行共助条約への署名及びその実施のための国内法の整備を待つほかありません。

その後、平成23年11月３日に、わが国が税務行政執行共助条約および同条約を改正する議定書に署名し、それに伴い平成24年度税制改正において「租税条約等の実施に伴う所得税法、法人税法及び地方税法の特例等に関する法律」「国税通則法」「国税徴収法」「破産法」が改正された（平成25年７月１日施行）ため、今後は、租税条約締結国（現在、日本を含め32カ国）との間において、徴収共助により滞納者が海外に有する財産から滞納国税を徴収することが可能となりました。ただし、これにより徴収共助が実施されるのは、所得税、法人税、復興特別所得税、復興特別法人税、相続税、贈与税、消費税などの限られた税目（国税）だけで、地方税は含まれていません（財務省のホームページより）。

21 滞納処分の一部執行停止について

ア　生活困窮者における滞納処分の執行停止については、原則、債権の全部を執行停止するが、他団体では、無財産等で自主納付はあるが完納の見通しは立たない場合に、一部停止をする例があると聞いている。本市でも同様の事案を抱えており、債権の一部を執行停止させる場合の考え方、基準等、参考になる事例があればご教示願いたい。

イ　前記アに関連して、給与等の継続債権での差押えが少額可能な者から、差押可能額を上回る分割納付の申出があるものの、事業廃止や固定資産税等の賦課により滞納の解消が長期にわたって見込めない者について、債権の一部を執行停止させることについても、参考になる事例等があれば、併せてご教示願いたい。

（例）

・年齢65歳、収入は年金（13万円／月）のみ、年金差押可能額1万円以外に処分可能な財産がない場合。

・滞納額　総額180万円

・市税滞納額　令和2年度　市県民税 100万円、固定（居宅）10万円
　　　　　　　　　3年度　市県民税　50万円、固定10万円
　　　　　　　　　4年度　市県民税　年金特徴のため滞納なし、固定10万円

・納税指導により、2万円／月の支払いを申出。

・完納見込みは10年以上。

※令和2、3年度市県民税のみを執行停止し、分納させることはできないか。

ア　そもそも滞納処分の停止とは、当該滞納者について、無財産であるとか行方不明であるなど、納税することができない固有の事由がある場合に、その者に関して行う行政処分であり、該当・非該当という択一的な選択となるべき性質のものです。つまり、当該滞納者に係る固有の事由という「人（自然人・法人）」に着目した処分ということです。そうだとすると、「あるのか、それともないのか」といった択一的な判断が想定されていて、制度上、一部停止ということは、元来、想定されていないものと考えられます。

しかし、滞納整理の実務では徴税吏員に不可能を強いるものでもなければ、学問のように絶対的な真実（真理）を追究するものでもありませんから、現実的な妥当性であるとか、合理性といったことを基準として、効率的に処理していくべきものです。こうした考え方の下に実務での処理方法を考えたとき、ある滞納者について、現在、把握している財産の限度で納付させ（または徴収

し)、残余の租税債務(滞納額)については、不良債権としての(徴収不能の)処理をすることが合理的であると考えられます。つまり、滞納者が置かれた客観的な状況に鑑み、徴収することができない債権をいつまでも抱え込んでいることが、その他の未収債権の増高を招来すると認められる場合は、全体の処理促進の観点から、当該事案については一部停止とすることによって、その事案に係る労力を、他の事案に振り向けることが効率的な滞納整理に資すると考えられるのです。

そこで、こうした考え方を背景として、国税においても、一定の場合には、例外的に一部停止を認めているのです(国税徴収法基本通達第153条関係８参照)。

【参考】国税徴収法基本通達第153条関係

(一部停止)

8 滞納処分の停止は、原則として、滞納者の有する滞納国税の全部について行うものとする。ただし、次のいずれかに該当する場合において、徴収可能と認められる金額に相当する金銭の配当が見込まれる滞納国税以外の滞納国税について滞納処分の停止をすることができると認められるときは、その滞納国税について滞納処分の停止をして差し支えない。この場合においては、滞納処分の停止の通知に際し、その旨を明らかにするものとする。

⑴ 滞納処分により差し押さえた債権について、その全部又は一部の取立てに長期間を要すると認められる場合

⑵ 強制換価手続の執行機関に対して交付要求をしているが、その執行機関からの配当を受けるまでに長期間を要すると認められる場合

⑶ 滞納処分により差し押さえた不動産について、その不動産を再公売に付しても売却できないなど換価に長期間を要すると認められる場合

なお、前述のとおり、滞納整理は、徴税吏員に不可能を強いるものでもなければ、学問のように絶対的な真実(真理)を追究するものでもありませんから、所要の財産調査を尽くしたものの、これといった財産を発見することができなかったので、停止または一部停止としたところ、その後、実は納税することができるだけの財産を隠し持っていることが判明するようなこともないわけではありません。そのような場合は、停止を取り消して(地方税法第15条の８)滞納処分を執行します。

国税徴収法基本通達では、いずれも「長期間を要する」という文言が入っていますが、停止期間が３年であることを考えると、これが一つの目安となるものと考えられます。つまり、３年以上かかることが明らかであるような場合に

は、一部停止としてもよいというのが、この通達の趣旨であるように思います。

ところで、中には停止中に時効が完成してしまうものもありますが、そのような事案については、時効が完成する時期（停止後３年よりも前）も判断の目安となるでしょう。

イ　本事案は、「差押可能額を上回る分割納付の申出があるものの、事業廃止や固定資産税等の賦課により滞納の解消が長期にわたって見込めない者」というものですが、もしも○○市において財産調査を尽くした結果、事例のとおりだとしますと、この滞納者は、納税資金の具体的な目当てがないにもかかわらず「分割納付の申出」をしていることになりますから、「その点に関しては信用することができない人」ということになります。本書の中でも触れていますが、「約束を守らない人（または守れない人）」とは約束すべきではありませんから、この滞納者と分納の約束をすべきではありません。

なお、念のため、もし分割納付をするというのであれば、その資金的な裏付け（何の収入・何の財産をもって納税に充てようというのか）を具体的に聴き出し、その確認をする必要があるでしょう。滞納者の言っていることを鵜呑（うの）みにしないことです。

次に、この滞納者について、捜索は実施したのでしょうか。とりわけ高額な滞納事案であれば、停止（一部停止も含む）とするにしても、捜索をしておく必要があると思います。もとより少額滞納（各地方団体で定める金額）についてまで捜索をしなければ停止にすることができないというわけではありませんが、この滞納者の場合は、滞納が累積していますし、金額も約180万円（おそらく延滞金も含めれば200万円を超えることでしょう）と、かなりの金額ですから、徴収するにしても停止にするにしても、捜索をしてから整理の方向性を判断すべきでしょう。捜索をするときは、直ちに換価できるものだけでなく、通帳・証書類・契約書・各種の会員証・登記関係書類・領収書や請求書など財産発見の端緒となるようなものの発見にも努めます。

この事案では滞納者に固定資産税（居宅分）が発生していますので、不動産公売は考えないのでしょうか。それとも自宅ということで回避しているのでしょうか。生活保護行政においても、必要最小限の居宅保有は認めているようですから、これとのバランスを考慮されているのかもしれませんが、生活保護を受けているわけでもない滞納者が、税金は他人に払ってもらって、平然と暮らしているのは、市民感覚からしても受け入れ難いことだと思います。いきなり不動産公売に持っていくのではなく、まずは捜索をして、それでもこれといった財産が出てこないのであれば、残った不動産を公売すべきです。延滞金を含めても200万円くらいの滞納であれば、（あればですが）公売代金の残余金を滞納者に交付することができるものと思われます。世の中にはアパートなど賃貸住宅住まいの人はいくらでもいます。そうした人たちとの「バランス」も考える必要があるでしょう。持ち家がなくとも真面目に納税している人はたくさんいます。租税行政の根底にある思想は、「公平」「公正」です。

前述のとおり、滞納整理は、徴税吏員に不可能を強いるものではありませんが、やればできることについては、尽くさなければなりません。まだやることが、あれもある、これもあるというのでは停止にすることはできません。やるべきことをやり尽くしたけれども、もうほかにやれることはない、という状況になって初めて停止とすることができるのです（ただし、それも実務に乗る程度の〈実施可能な〉事務が求められています）。

22 滞納処分の執行停止について

「滞納処分の停止」の要件である地方税法第15条の７第１項第１号「滞納処分をすることができる財産がないとき」に該当するかどうかを、ある団体では捜索を行って確認しているとのことですが該当するもの全てについて実施すべきものでしょうか。

捜索マニュアル同様に、「滞納処分の停止マニュアル」のようなものの作成は必要でしょうか。

地方税法第15条の７第１項第１号は、「滞納処分をすることができる財産がないとき」としているだけで、具体的にどこまで調査すれば、財産がない状態と言えるのかについてまで言及していません。また、法令解釈通達である国税徴収法基本通達でも、ざっくりと抽象的に述べているだけです。こうしたこともあり、多くの地方団体の方から、「停止の基準」について質問をいただきます。インターネットを検索してみますと、幾つかの地方団体では、規程や要綱などで、停止の基準を定めているところもあるようです。

このように法律では抽象的な要件しか規定していないような場合は、その趣旨を踏まえて、各地方団体で合理的な基準（目安）を定める必要があります。停止は不利益処分ではないので、訴訟になることはないと思われますが、法律が細目を定めていないような場合、すなわち、徴税吏員の裁量によるような場合は、「合理的な内容であるかどうか」または「裁量権の濫用に当たるかどうか」ということが裁判で問われています。したがって、停止の基準を作る場合は、合理的な内容であることが大切です。また、その運用に当たって濫用となることがないよう留意する必要があるでしょう（この場合は、徴収不作為が問われることが想定されます）。ただ、この場合でも、何をもって合理的といえるかという課題もあると思いますが、これについては、先に紹介した水戸地方裁判所平成19年８月８日判決（要旨）＝175ページ＝を参考にしていただきたいと思います。「徴収に要する労力・費用を無視してでも必ず全額を徴収すべきとすることは不可能を強いるものであるから、徴税のために実施される措置として合理的と認めるに足りる程度の措置が講じられている限り（以下略）」という部分です。つまり、際限なく詳細で緻密な調査を義務づけて、それができなければ停止とすることができないとすれば、時間と人員が無限に必要なこととなり、そのようなことは現実的でないばかりか、「必要な労力と時間を他に振り向けて税収の確保の進捗（しんちょく）を図る」という停止の趣旨にもそぐわないこととなるからです。

【参考】国税徴収法基本通達第153条関係
（財産がない場合）

２　法第153条第１項第１号の「滞納処分の執行」をすることができる財産がないときとは、滞納処分の停止をするかどうかを判定する時（以下第153条関係において「判定時」という。）において、次に掲げる場合のいずれかに該当するときをいう。

⑴　既に差し押さえた財産及び差押えの対象となり得る財産の処分予定価額が、滞納処分費（判定時後のものに限る。）及び法第２章第３節《国税と被担保債権との調整》の規定等により国税に優先する債権の合計額を超える見込みがない場合

⑵　差押えの対象となり得るすべての財産について差し押さえ、換価（債権の取立てを含む。）を終わったが、なお徴収できない国税がある場合

以上のことを踏まえて考えてみますと、全ての対象事案について捜索まで行わなければ、停止にすることもできないというのは極論であって、合理的な（内容の）財産調査基準に従って調査をして、その調査したところに基づいて、処理の方向性（滞納処分または納税緩和措置）を決めるのが妥当であろうと思います。量的整理の対象と質的整理の対象とを区分する基準は、金額とす

るのが一般的です。金額については、それぞれの地方団体で、抱えている滞納件数や、滞納整理に携わる徴税吏員の人数などを勘案して決めるといいでしょう。

23 預金調査について

一部の地方団体では、銀行と協定を結んで、自動的に預金の一斉差押えを実施しているところもあるようですが、そうしたところでは少額（滞納の）差押えも結構な件数あるようです。このことについてはどう考えたらいいでしょうか。

差し押さえる財産の選択は、徴税吏員の裁量によりますが、効率的で効果的な滞納整理を行うという観点からは、１回的な解決を図ることのできる財産であることが望ましいわけです。また、財産調査においてもそうであるように、個々の事案の事情（滞納金額や経緯など）を一顧だにせずに、画一的な処理に流れるのは、決して望ましいこととは言えないと考えます。もちろん効率性には最大限の配慮をしてしかるべきですが、例えば、100万円もの滞納があるにもかかわらず、数千円の預金を差し押さえるなどという手法は、滞納整理の王道ならぬ「滞納整理の邪道」であるように思われます。

時効完成が間近に迫っている高額事案で、取りあえず時効の進行を止める必要があるようなときは、例外として、時効を更新させるために、少額預金を差し押さえることがあってもいい場合があるかもしれませんが、一般的には（高額滞納でないような場合は）、そのような例では、停止とすべきでしょう。滞納整理は、税収の確保が最優先の課題だとしても、所要の調査をしたものの、これといった財産がない場合は、停止として不良債権処理をすることも、立派な「整理」です。

税務行政では「公平」であることが、重要な原則の一つですが、そうであるからといって、ささいなことにこだわるあまり、より大きな矛盾を生んでしまったり、より高額な滞納事案の整理にかかわる時間を削らざるをえなくなったりしたのでは、「小さなものを得るために、大きなものを失う」ことにもなりかねません。ここに全体を俯瞰（ふかん）してマネジメントすべき課長・係長の役割があります。

担当職員は、どうしても自分が受け持っている一つひとつの事案の成り行きが気になるものです。それをもっと広い視野・全体という「高み」から、滞納整理全体をマネジメントしていくことが大切なのだと思います。細部にこだわるあまり全体がおろそかになってしまってはならないのです。

実際には実務上の（合理的な内容の）ガイドライン（判断の目安）を作って、それにより処理するといいでしょう。

【例１】少額預金の差押え　差押財産については、「１回的な解決」の観点から、当該財産の価額が滞納額に見合ったものとすること。例外的に少額預金を差し押さえても差し支えないのは、高額滞納事案であって、時効完成が目前に迫っている場合に限る。さらに「深度のある財産調査」をするための時間を確保するため。

【例２】見極めの促進　（財産調査票を使った）所要の調査をした場合において、滞納額に見合わない少額預金等しかないと認められるときは、処理の促進を図り、滞納額の累積を防止するために、停止とする。どう見ても滞納額に見合わないような少額預金等を差し押さえるのは、見方によっては、単なる「嫌がらせ」のようにも見られかねない。

24　上場株式売却時の買受人に対する売却決定通知書の要否

差し押さえた株式は、原則として、証券会社に委託して証券取引所で売却することで換価する。国税徴収法第118条によると、振替社債等の買受人が買受代金を納付した場合、その者に対して売却決定通知書を交付するとともに、発行者および振替機関等に対して売却決定通知書を交付することとなっている。

しかし、以前行った差押えでは、委託先証券会社から買受人の特定は不可能だと言われた。コンピュータ上で高速・大量に取引が行われるため、実務上、特定が難しいためだと考えられるが、かといって売却決定通知書発行不要の根拠規定も見いだせない状況にある。

売却決定通知書発行を省略している団体もあるが、その場合、売却決定通知書発行不要の根拠は何か。

株式を含む「振替社債等」の差押えについては、国税徴収法第73条の２（振替社債等の差押えの手続および効力発生時期）によることとされ、また、その換価については、同法第109条（随意契約による売却）によることとされています。

上場株式売却時の買受人に対する売却決定通知書の要否ですが、上記条文のほか関連の条文等を手がかりとして、以下、このことについて検討してみたいと思います。

まず、同法第109条第１項第２号によれば、「取引所の相場がある財産をその日の相場で売却するとき」は、公売に代えて、随意契約により売却することができるとありますので、株式の場合はこれに当たります※27から、本条を根拠として換価することとなります。

このように法律は、随意契約により売却することができるとしているのみで、それでは具体的にどのような手続でこれを売却するのかについてまでは触れていません。そこで、先に見た国税徴収法基本通達第109条関係５を見てみると、振替社債等（株式を含む。以下同じ）については、金融商品取引業者である証券会社等を通じて随意契約により売却する（以下「委託売却」という）旨書かれています。そして、換価事務提要の92（振替株式等の委託売却の手続）には、さらに詳細な記述があります。手続の内容については、同事務提要をご覧いただくとして、売却決定通知書の交付に関して同事務提要の92は、その(5)において「委託株式等の発行者及び振替機関等に対して「売却決定通知書」を交付する（徴収法第122条第１項）」としています。そこで、同法第122条第１項を見てみますと、「税務署長は、換価した債権又は第73条第１項（電話加入権等の差押手続）若しくは第73条の２第１項（振替社債等の差押手続）に規定する財産の買受人がその買受代金を納付したときは、売却決定通知書を第三債務者等に交付しなければならない」とあります。（同事務提要の）57（売却決定通知書の交付）の内容は、同法第118条の条文を、ほぼそのままおうむ返しに記述しているのですが、そのなお書きにおいて「有価証券を公売した場合には、その買受人に『売却決定通知書』の交付を要しないが（徴収法第118条本文）」との記述があります。

【参照条文】国税徴収法

（売却決定通知書の交付）

第118条　税務署長は、換価財産（有価証券を除く。）の買受人がその買受代金を納付したときは、売却決定通知書を買受人に交付しなければならない。ただし、動産については、その交付をしないことができる。

※27　**国税徴収法基本通達第109条関係５（取引所の相場がある財産）**　法第109条第１項第２号の「取引所の相場がある財産」とは、金融商品取引所又は商品取引所における相場のある財産、例えば、株式、社債、生糸、天然ゴム、金等をいう。

ところで、売却決定通知書の法的な性質は、売却決定をしたという事実を証する書面であるとともに、権利の移転を証する書面としての両面を有するもので、それ自体に権利義務の変動を伴うような法的効力があるわけではありません。つまり、いずれの場合も、事実を証する「観念の通知」ということになります。ただ、後者の意味では、権利移転の登記をする際の添付書類として必要な場合があります（国税徴収法施行令第46条、不動産登記法第115条）。

以上見てきたところによれば、委託売却により振替社債等を換価した場合の売却決定通知書の交付については、同法第118条の規定によることとなります。同条によれば、換価財産が有価証券である場合には、売却決定通知書の交付を要しないこととされています。この点について、もう少し仔細に検討してみたいと思います。

国税徴収法基本通達第118条関係３に関する同通達逐条解説（25年版）には、「換価財産が有価証券の場合には、その性質上、換価前に徴収職員がこれを直接占有して買受人に引き渡すべきであるから、売却決定通知書の交付を要しないこととされている」との説明がありますが、これは、有価証券（国税徴収法第56条第１項）一般の換価に関する原則的な取扱いについて述べたものであって、有価証券のうち、振替社債等のように券面を必要としない新たな振替決済制度により流通するもの、すなわち、権利の帰属が振替口座簿の記録等により定まるとされているもの（社債、株式等の振替に関する法律第２条）の取扱いについては、従来の条文とは別の新たな滞納処分手続が必要とされたため、同法第73条の２が設けられたものです。

すなわち、有価証券とは、「財産権を表彰する証券であって、その権利の行使又は移転が証券をもってされるもの」のことを言い、株券もこれに含まれます（国税徴収法基本通達第56条関係13および14）。ところで、平成21年１月５日から「社債、株式等の振替に関する法律」が施行されたため、この中で株式については、従来の株券という券面による譲渡・流通がなくなり、その限りにおいて「換価財産が有価証券の場合には、その性質上、換価前に徴収職員がこれを直接占有して買受人に引き渡すべきであるから、売却決定通知書の交付を要しないこととされている」との前記の説明は該当しなくなりました。

しかし、有価証券のうち、従来どおり、依然として券面により譲渡・流通するもの（手形・小切手・商品券・劇場入場券などのほか、国税徴収法基本通達第56条関係14に列挙されている有価証券のうち、社債、株式等の振替に関する法律第２条に規定する社債等を除いたもの）については、「換価財産が有価証券の場合には、その性質上、換価前に徴収職員がこれを直接占有して買受人に引き渡すべきであるから、売却決定通知書の交付を要しないこととされている」との説明が、今なお妥当するため、国税徴収法基本通達第118条関係３に関する同通達逐条解説（25年版）には、当該記述がそのまま残されているものです。つまり、平成21年１月５日に社債、株式等の振替に関する法律が施行された以降は、有価証券には、券面で譲渡・流通する従来のものと、同法の適用を受けることとなり、券面での譲渡・流通がなくなった振替社債等の２種類が併存することとなったのです。

【参照条文】社債、株式等の振替に関する法律

（定義）

第２条　この法律において「株券等」とは、次に掲げる有価証券をいう。

一　株券、新株予約権証券及び新株予約権付社債券

二　投資信託及び投資法人に関する法律（昭和26年法律第198号。以下「投資信託法」という。）に規定する投資証券

三　協同組織金融機関の優先出資に関する法律（平成５年法律第44号。以下「優先出資法」という。）に規定する優先出資証券

四　資産の流動化に関する法律（平成10年法律第105号。以下「資産流動化法」という。）に規定する優先出資証券、新優先出資引受権証券、転換特定社債券及び新優先出資引受権付特定社債券

五　次に掲げる有価証券のうち、前各号に掲げる有価証券をもつて償還されるもの

イ　社債券

ロ　投資信託法に規定する投資法人債券

ハ　保険業法（平成７年法律第105号）に規定する相互会社の社債券

ニ　資産流動化法に規定する特定社債券

ホ　その他特別の法律により法人の発行する債券

六　外国又は外国法人の発行する債券で新株予約権付社債券及び前号（ニに掲げるものを除く。）に掲げるものの性質を有するもの

２　この法律において「保管振替機関」とは、次条第１項の規定により主務大臣の指定を受けた株式会社をいう。

３　この法律において「参加者」とは、保管振替機関が第６条第１項の規定により株券等の保管及び振替を行うための口座を開設した者をいう。

以上のとおり、社債、株式等の振替に関する法律の施行に伴って、券面での譲渡・流通がなくなったとはいえ、振替社債等が有価証券でなくなったわけではありません（前掲「社債、株式等の振替に関する法律第２条（定義）」参照）

から、国税徴収法第118条本文の規定により、上場株式売却時の買受人に対する売却決定通知書は、交付しなくてよいということになります。

なお、換価事務提要148（株券等保管振替制度の下における預託株券等の換価）によれば、換価した株券の権利移転手続については、「滞納者の口座（保有欄）から買受人の口座（保有欄）に振替株式等の振替を請求することにより買受人に対する権利移転手続を行う（振替法第132条第2項等）」こととなっており、不動産の場合のように、売却決定通知書が権利移転の手続の際に必要な添付書類となっているわけではありません。また、株券等保管振替制度の下における株式の売買では、大量かつ連続して取引が行われ、しかも券面という「現物」で行われるわけではなく、コンピュータ上で、持分の売買として行われるため、買受人の特定は事実上不可能でしょう。

上場有価証券等について、国税での取扱いが、「振替株式等の換価については、委託売却（88の(4)参照）を原則とする」（換価事務提要92(1)）とか、「振替社債等及び有価証券（日本銀行の出資証券等）については、金融商品取引業者である証券会社等を通じて随意契約により売却（以下「委託売却」という。）することができることに留意する」（国税徴収法基本通達第109条関係5のなお書き）などとしていることから考えれば、こうした換価の手続において、株券等保管振替制度下の市場で、不特定多数の顧客が大量かつ高頻度で取引を行っている実情に照らせば、そもそも差押えに係る滞納者保有の株式相当分（別に○○分として色が付いているわけでもない持ち株）を誰が購入したのかを特定すること自体を想定していないと言えるでしょう。

つまり、滞納整理における換価という観点からすれば、株式のように市場で転々と（しかも大量に）流通するような財産の場合は、誰が買受人であるかが重要なのではなく、いくらで売却できたのかが重要だということです。したがって、「売却決定通知書は権利の移転をも証明する書面であるから、原則としてすべての買受人に交付すべきである」（国税徴収法基本通達第118条関係2に関する同通達逐条解説〈25年版〉）としても、株券等保管振替制度の下における株券の権利移転手続については、「滞納者の口座から買受人の口座への振替請求」により行うこととされ（社債、株式等の振替に関する法律第132条）、そして、権利の帰属は振替口座簿の記録等により定まることとなっています（つまり、買受人は、自分の口座に、買い受けた銘柄と数量が、記録された時点で権利移転の事実を知ることができるので、売却決定通知書を交付してもらう意味がないし、買受人にとっては、当該銘柄を購入したことに意味があるのであって、誰から購入したのかは意味がありません）から、この場合にまで、買受人に対して権利の移転を証明する書面としての売却決定通知書を交付することは、その実質的な意義もないものと考えられます。

25 上場株式の配当金受領の可否

> 株式の配当金の権利確定日に株主であるならば、配当金を得る権利が発生する。仮に、権利確定日に株式の差押えを執行している場合、配当金は滞納者（株式の所有者）に帰属するのか、差押執行機関に帰属するのかが問題になる。
>
> 国税徴収法第52条では差押えの効力は、差押財産から生ずる「天然果実」に及ぶと規定している。一方で、「法定果実」については、「債権を差し押えた場合における差押後の利息」を除き、差押えの効力が及ばないと規定している。
>
> 株式の配当金は法定果実であり、かつ利息にも該当しないので受領できないと思われる。しかし、発行会社に対する差押通知書には、滞納者に対する債務の履行を禁じ、差押執行機関に対してその履行をすべき旨を記載することになっており、あたかも差押執行機関に配当金を帰属させているかのように読める。国税徴収法施行令第30条第３項第４号にある「債務の履行」は配当金にも及ぶのか否か。
>
> ちなみに、以前に株式を差し押さえた株式発行会社によると、「配当金まで取る自治体と、取らない自治体とに分かれている。国税は、配当金まで取っている」とのことであった。

差押財産の換価とは、債権者である地方団体が、差し押さえた地方税の強制的実現を図るために、その差押えによって取得した差押財産の換価処分権を行使して、滞納者の意思にかかわらず、滞納者の財産を売却する処分ですから、地方団体が自らの財産として処分するのではなく、滞納者の財産を滞納者に代わって強制的に処分するというものになります。そして、差押えの効力は、その差押財産の所有権を滞納者に帰属させたまま、その事実上・法律上の処分を禁止するというものであって、当該差押財産の所有権をいったん差押執行機関に帰属させるものではありません。

法定果実とは、「元物の使用の対価として収取される金銭その他の物、例えば、家賃、地代、小作料、利息等をいう（民法第88条第２項）」（国税徴収法基本通達第52条関係14）とされています。そして、株式の配当金は法定果実であるとする国税での裁決例もあります※28。

なお、国税の解説書の中には「法定果実は、元物自体から生ずるというよりは、むしろ、滞納者と第三債務者との契約に基づく別個の債権債務関係から生ずるものであるから、第三債務者を拘束するためには差押えの効力を法定果実に及ぼさせるという方法よりは、別個に債権差押手続をとることによるのが妥当であると考えられたため、新徴収法において改正がされ、原則として差押えの効力は、法定果実には及ばないこととされた」（国税徴収法基本通達第52条関係14に関する『平成25年版　国税徴収法基本通達逐条解説』〈塚田利彦編、一般財団法人大蔵財務協会〉）とするものがあります。

ところで設問の「差押通知書には、滞納者に対する債務の履行を禁じ、差押執行機関に対してその履行をすべき旨を記載することになっており[※29]、あたかも差押執行機関に配当金を帰属させているかのように読める。国税徴収法施行令第30条第３項第４号にある『債務の履行』は配当金にも及ぶのか否か」については、差押えの効力は、その差押財産の所有権を滞納者に帰属させたまま、その（株式の）処分を禁止するというものです。したがって、株式の配当金が法定果実であって、かつ利息にも該当しないとするならば、その「差押の効力は、差押財産から生ずる法定果実に及ばない」（国税徴収法第52条第２項）という国税徴収法の規定により、株式の差押えの効力は、その株式の配当金には当然には及ばないようにも見受けられます。

しかし、前記国税の解説書にあるとおり、「法定果実は、元物自体から生ずるというよりは、むしろ、滞納者と第三債務者との契約に基づく別個の債権債務関係から生ずるものである」とすると、株式の配当金を請求する権利（利益配当請求権＝会社法で言うところの「剰余金配当請求権」会社法第105条第１

※28　平成３年３月29日　国税不服審判所裁決
　相続人らの名義の株式について、被相続人が生前配当金等の法定果実を収受していたこと、各名義人の印鑑が被相続人自身の取引に使用されていた印鑑と同一であること、及び各名義人はこれらの株式等の取得の時期に取得資金を有していたとは認め難いことから、被相続人の財産と認めるのが相当である。

※29　国税徴収法第73条の２関係
（効力発生の時期）
７　振替社債等の差押えは、差押通知書が振替機関等に送達された時にその効力が生ずる（法第73条の２第３項）。この場合において、滞納者に対する差押調書の謄本の交付及び振替社債等の発行者に対する差押通知書の交付は、差押えの効力発生要件ではないが、法第54条《差押調書》及び第73条の２第１項の規定により、滞納者及び振替社債等の発行者に交付しなければならないことに留意する。
（注）電子記録債権の差押えは、第三債務者との関係においては、債権差押通知書が第三債務者に送達された時にその効力が生ずる（法第62条の２第３項）。
（差押えの効力）
８　振替社債等の差押えにより、滞納者はその振替社債等の取立てその他の処分又は振替若しくは抹消の申請が禁止され、発行者はその振替社債等の履行が禁止され、振替機関等はその振替社債等の振替又は抹消が禁止される（法第73条の２第２項、令第30条第３項第４号、第５号）。

項第１号）は、契約によって生ずるのではなく、法律の規定によって株主に与えられている自益権と呼ばれるものの一種だということになります。

【参照条文】会社法

（株主の権利）

第105条　株主は、その有する株式につき次に掲げる権利その他この法律の規定により認められた権利を有する。

一　剰余金の配当を受ける権利（→「剰余金配当請求権」）

二　残余財産の分配を受ける権利

三　株主総会における議決権

２　株主に前項第一号及び第二号に掲げる権利の全部を与えない旨の定款の定めは、その効力を有しない。

自益権　自益権とは、株主が会社から経済的な利益を受ける権利です。

▶剰余金配当請求権＝配当金など、会社が出した利益の一部を受け取れる権利。

▶残余財産分配請求権＝会社が解散・清算したときに会社の債務を弁済した後に残る財産の分配を受ける権利。

▶株式買取請求権＝一定の場合に会社に対して、株式を買い取ることを請求する権利。

このように自益権たる剰余金配当請求権は、滞納者と第三債務者との契約に基づく別個の債権債務関係から生ずるものではなく、法律の規定に基づき株主に固有の権利として、いわば会社における地位の一環として株主に認められているものです。したがって、株主の自益権たる剰余金配当請求権は株主の地位としての株式と一体を成すものであり、「株式を滞納処分により差し押さえた場合には、株主の地位に基づく権利に対して差押えの効力が及ぶことから、これらの権利が具体的に確定した場合には、改めて差押えの手続をとることなく、取立てができる」（国税徴収法基本通達第73条関係36解説）ことになります。

【参考】株主の権利

自益権

自益権というのは、株主が会社から経済的利益を受けることを目的とする権利のことで、最も馴染（なじ）みのあるものとしては「配当をもらう権利（剰余金配当請求権）」があります。その他にもさまざまな種類があり、具体的には、

①　剰余金配当請求権（会社法第105条第１項第１号）
②　残余財産分配請求権（会社法第105条第１項第２号）
③　株式買取請求権（会社法第160条、第469条、第785条）
④　取得請求権付株式の取得請求権（会社法第166条）
⑤　株券交付請求権（会社法第215条）
⑥　株式名簿名義書換請求権（会社法第130条）
⑦　単元未満株式買取・売渡請求権（会社法第192条、第194条）
などがあります。

共益権

共益権というのは、株主が会社の管理や運営に参加することを目的とする権利のことで、具体的には、
①　株主総会における議決権（会社法第105条第１項第３号）
②　株主総会招集権（会社法第297条）
③　株主提案権（会社法第303条、第305条）
④　株主総会招集手続調査のための検査役選任請求権（会社法第306条）
⑤　累積投票請求権（会社法第342条）
⑥　役員解任請求権（会社法第854条第１項）
⑦　代表訴訟提起権（会社法第857条）
⑧　取締役・執行役の違法行為差止請求権（会社法第360条、第422条）
⑨　解散請求権（会社法第833条第１項）
などがあります。

第II部

滞納整理のマネジメント

第1章・マネジメント総論

1 滞納整理におけるマネジメントの重要性

(1) 期限の観念を持つ

研究や芸術など一部の分野を除けば、仕事には「いつまでに終えなければならない」という期限があります。多くの場合、その（仕事の）期限は、「決め事」「約束事」という形で契約（約款、協約、規則など名称はさまざまです）によって決められています。例えば、どこかへ品物を届けるという請負仕事であれば、その請負契約で定められた「納期」がありますし、執筆者が出版社へ原稿を届ける場合は「締切日」という期限があるようにです。

法律上の期限

租税債務にも納期限という期限があり、それを過ぎても完納されない租税債務がある場合に、当該租税債務者を対象として行われるのが滞納整理という事務になります。そして、この滞納整理には消滅時効（完成日）という期限があり、徴税吏員はそれを最終期限として調査・必要に応じて納税指導・処分というアクティブな方法で、滞納に係る租税債務の整理・回収に努めなければならない職責を負っているのです。一般の仕事における期限の多くが契約によって決まるのに対して、滞納整理における期限は、法律にその根拠があるところが異なっています。

マネジメント上の期限

滞納整理の進め方にはいろいろな方法があります。例えば、エリアごとに担当者を設ける方法（町別担当）、整理の進捗（しんちょく）段階ごとに担当者を割り振る方法（整理段階別担当）、金額や難易度に応じて担当者を充てる方法（税額別・処理内容別担当）、担当者の経験履歴（年数）に応じて事案をあてがう方法、特定の税目の滞納整理に専念する方法（例えば、自動車税担当や特別徴収担当）などが考えられますが、地方税の滞納整理で最も広く行われているのは町別担当方式ではないでしょうか。ともあれこれらのいずれの方法によるにしても、「期限」を意識して滞納整理に取り組むことが大切です。

前述のとおり消滅時効は、滞納整理の最終期限ですから、いわばそれは、徴税吏員に許容された最後の最後ギリギリのタイムリミットであって、税収確保の観点からすれば、課税した年度内にその年の税収を確保するのが本来の姿なのであって、「時効が完成するまでに何とかすればよい」というものではありません。ここに滞納整理におけるマネジメントの意義を見いだすことができると同時に、マネジメントの役割があります。

滞納となってしまったものについては、できるだけ早く整理（徴収するかまたは停止とすること）しなければなりませんが、督促状の発出から消滅時効完成までの間に、どのように整理していくかについて法律は沈黙しています（整理手順などについては特段触れていません）。これは、滞納事案の個別状況が千差万別であることに鑑み、整理の手法や進捗管理については、徴税吏員の合理的な判断に委ねられているからであると考えられます。つまり、徴税吏員には発生した滞納事案について最も合理的で効果的な手法を選択し、手立てを講じることによって処分（滞納処分または納税緩和措置）の促進を図り、滞納事案をできるだけ早期に解決していくことが求められているのです。

言い換えるならば、滞納整理に係る事務[※1]に関する期限を、徴税吏員が滞納整理計画の中で主体的に設定して、それに沿って段階的に整理を進捗させていかなければならないということです。法律で定められた期限以外の、滞納整理の進捗に係る事務処理上の期限については、管理・監督者が、マネジメントの一環として整理の進捗を見通して、合理的な範囲でそれぞれの事務の終期を設定し、以後、逐次それらを的確に管理していかなければなりません。これがマネジメント上の期限と呼ばれるものです。

⑵　前に進める

滞納整理の対象

税の滞納整理は、経済的な事情などから「納税することができない人」と、そうした事情はなく、行政へのいわれなき反発や他の支払いを優先させているなど「納税しない人」、それにその他、明確な理由はないものの結果として滞納となってしまっている「納税に怠慢な人」等を対象としています。

職場環境の整備

このうち特に「納税しない人」に分類される滞納者[※2]との間では、窓口等で

※1　**滞納整理に係る事務**　催告、財産調査、滞納処分、納税緩和措置などの事務のこと。
※2　**滞納者**　「納税者でその納付すべき国税をその納付の期限までに納付しないものをいう」（国税徴収法第2条第9号）

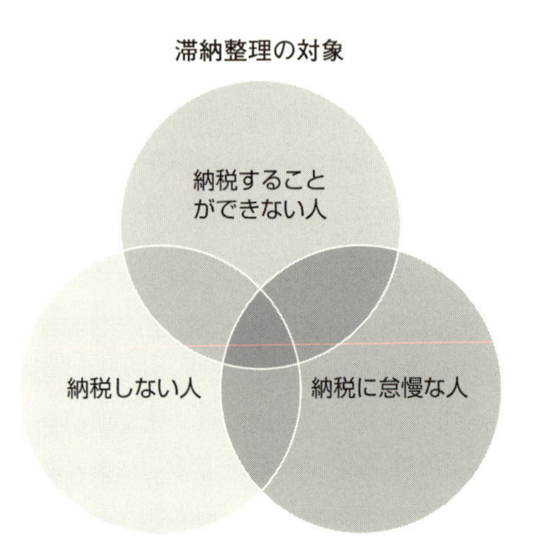

滞納整理の対象

しばしば緊張したやりとりが交わされることがあります。そのような場面で徴税吏員の心強い後ろ盾として防波堤の役割を担うのは、徴税吏員（担当者）にとって最も身近な存在である係長であり、そして課長です。滞納整理の第一線では、このような状況があるからこそ徴税吏員（担当者）は、係長や課長の（滞納整理に臨む）姿勢を常に意識しながら滞納整理をしているのです。

滞納者から心ない暴言を浴びせられても、なお毅然として「納税にご協力ください」と履行を促し納税を指導することは、少なからぬ徴税吏員（担当者）にとっては相当な勇気と度胸を必要とします。つまり、徴税吏員（担当者）にとってこのような場面は大変なストレスになっていますし、できることならば（そうした場面は）避けたいと思っていることでしょう。徴税吏員（担当者）がそうした困難な状況を乗り越えて、勇気を振り絞って「他の支払いを優先して納税を後回しにすることは認められません」とか「何よりもまず滞納税を先にお支払ください」などのように、毅然たる姿勢で納税指導ができるようにするためには、やはりそのための職場環境を整えておく必要があるのです。

ここで言う職場環境の整備とは、一つには係長と課長による（徴税吏員〈担当者〉への）サポートであり、もう一つは、職員相互の協力体制の確立です。滞納整理を円滑に進めるためにはこの両者がうまくかみ合っていることが何よりも大切ですし、（滞納整理事務の）管理・監督者である課長・係長は、こうした環境整備に積極的に取り組む必要があります。

段階的進捗とマネジメント

滞納整理では通常、調査→必要に応じて納税指導→処分の順に事務を進めていきます。総じていえば、個々の滞納者についておおむねこの順序に従って事務が順調に進捗していくように管理をするのが、滞納整理における管理・監督者の大きな役目の一つです。前述したとおり、滞納整理では滞納者から心ない暴言を浴びせられることも決して珍しいことではありませんが、そのことから受けるストレスを徴税吏員（担当者）が乗り越えて滞納整理を前進させるためには、課長・係長のサポートと職員相互の協力体制に加えて適切なマネジメントが必要不可欠です。

滞納整理のマネジメントの要諦は、「同じことを繰り返さずに、事務を確実に前に進める」よう部下を指導・支援し、それを確実に実行させることです。例えば、期日までに回答がないからということで、同じ金融機関に何度も預金照会を繰り返すなど、同様の調査の反復に終始したり、同じ内容の納税指導を繰り返したりすることは、相手方に安易感を抱かせ、整理の停滞を招くとともに、事案の解決を一層困難にし、税収につながらないばかりか、公平性の観点からも大いに問題だと言わなければなりません。部下を信頼することは大切ですが、しかし、だからといって任せっきりにしてチェックを怠ったり、定期的に報告を求めることなくそのままにしておいたりするようなこと（いわば放任状態）は許されません。仮にも（部下が）苦手な滞納者をたなざらしにして手を付けないまま放置するようなことがあるとすれば、管理上もそして公平上も重大な問題を生じることが十分考えられるので、管理・監督者としては適切なマネジメントをあだやおろそかにすることはできません。

また、場合によっては、不適切なマネジメントが思わぬ事件・事故※3につながる不幸な事態もないとはいえません。とりわけ現金の取扱い、証券の受託および滞納処分については、必ずダブルチェックできる体制を確立して、慎重の

※３　**事件・事故の例**　（その１）特別土地保有税のＡ社への課税に際して、Ａ社が拒否的な態度を取っていたことや、徴収が容易でないこともあり、適切な債権管理と徴収を行わなかったため、同税の徴収権が時効により消滅してしまったという事案について、裁判所は、「適切な管理がされていれば、時効消滅せず、Ａ社の特別清算手続きの完了までに徴収できた可能性があるなどとして、当時の市の職員（局長・部長・課長）に対して損害賠償金の支払い」を命じました（平成21年７月17日　大阪高等裁判所）。

（その２）納税課職員の徴収不作為を認定して、市長に損害賠償責任を認めた裁判で裁判所は、「納税課職員は、本件市民税滞納者の資産を調査して、その不動産について参加差押をすべきところ、これを行わず、債権を時効消滅させて徴収を違法に怠った」と指摘しました（平成12年４月24日　浦和地方裁判所）。

上にも慎重に取り扱うようにしなければなりません。

⑶ マネジメントは人と人との相互作用

マネジメントは、「仕事を管理する」ことと、「人を管理する」ことであると言われることがあります。確かにそのとおりですが、仕事（滞納整理）をするのは人（徴税吏員）ですから、滞納整理におけるマネジメントを突き詰めて考えてみると、人（徴税吏員）の「モチベーションをいかに高め」そして、「いかに有能な人材（徴税吏員）を育てるか」ということに尽きるのではないでしょうか。モチベーションが低く、有能な人のいない職場では、効率的で効果的な滞納整理など望むべくもないと思います。

人は機械やロボットではありませんから、ときに合理的でない選択をしてしまうこともありますし、また必ずしも理性的でない応対をしてしまうこともあります。しかし、滞納整理は、滞納者という人を相手とした事務であり、公金管理や統計的な処理を機械化（システム化）することはできても、滞納整理を全て完全に機械化してしまうことは考えられません。なぜなら、滞納整理の中で行う財産調査や必要に応じて行う納税指導は、人（徴税吏員）が人（滞納者や第三債務者等）に対して行わなければできない部分であり、しかも、その遂行には一定の業務知識（法的知識）とノウハウが必要だからです。ここに「モチベーション」と「育成」という、人が人に対して作用させなければならない不可欠な部分が存在すると思います。「作用させる」とは、別の言葉で言い表すとすれば、「働きかける」ということです。

システムでは機械（コンピュータ）を更新すれば、処理速度を速くしたり、処理項目を増やしたりすることができるようになりますが、これは決まりきった作業（プログラムされた作業）を短時間に大量処理することに限定され、あくまでも特定の領域の作業が対象です。もっと広く滞納整理全体の進捗を効率よく促進させようとするときは、徴税吏員のモチベーションを高め、士気を高揚させることができれば、全体の効率も上がりますし、徴収上のさまざまな工夫をすることも、また、新たなチャレンジをすることなども可能となり、そうなれば業務への貢献の度合いは、より一層高まるものと思われます。つまり、滞納整理におけるこうした創造的、改革的、チャレンジングな取組みは、徴税吏員自身がその主体となって行うことで初めて実現させることができるのです。

例えば、これまでは捜索もインターネット公売もしていなかったけれども、新たにこうした手法にも取り組もうとするのであれば、通常、管理・監督者が「やろう」という決断をし、上層部にその効果等を説明し、理解を得るとともに、職場では十分な事前研修を重ね、段取りを整えた上で実施する必要があります。このようにして実施することで、徴税吏員にはノウハウが蓄積されていきますし、その成果は税収の確保、収納率の向上、滞納額の圧縮といった具体的な形として表れ、そしてまたそのことが徴税吏員の自信に結びつき、さらにモチベーションが向上するという好循環となっていくのです。

⑷　大局観と包容力

職場の共通認識

滞納整理は、税収の確保と租税負担の公平性を実現することを目的とした徴税吏員による能動的な事務であって、調査・必要に応じて納税指導・処分を段階的に漸進させながら、滞納処分または停止へと収斂(しゅうれん)させるという方法によるのが通常の形態です。したがって、滞納整理における重要なキーワードは、全体として事務が着実に前に進んでいるかどうかということであり、別の言葉で言い表すとすれば、「管理・監督者が大局観をもって事務全体を掌握し、従事している徴税吏員全員が（滞納整理が）前に進んでいることを実感できること」ということになります。

ここで重要なのは、全員が、全体として前に進んでいることを実感することであり、一部の徴税吏員しかそうした意識を持っていないとか、一部の滞納事案しか進捗していないというのでは、大局観に立って滞納整理が進められているとは言えないということです。このような観点に立って滞納整理を見てみると、担当者によって整理が進んでいるところと、逆に整理が遅れているところがあるような場合は、大局的に見れば、順調に整理が進捗しているとは言えません。やはり、整理が順調に進捗しているというためには、徴税吏員一人ひとりが、滞納整理が着実に前に進んでいることを実感しているという職場の共通認識（実感）が必要です。そうした職場の共通認識（実感）という土壌があって初めて、その上に大局観に立った滞納整理というものが成り立つのだと思います。

管理・監督者に求められる大局観

ともすれば、個々の事案（とりわけ処理困難事案）の解決に注意力も労力も集中しがちですが、全体としてどれだけ前に進んでいるのか、あるいはまた、どれだけ遅れてしまっているのか、といった事務全体の進捗状況に注意を払って、大局観に立った滞納整理事務計画の策定と、債権管理を行う必要があります。

もとより一人ひとりの徴税吏員が個々の事案を受け持っていることからすれば、そのような各人に大局観を求めるのは酷であり、むしろ、より広いスパンの事務を俯瞰（ふかん）する立場にある管理・監督者こそが大局観に立って滞納整理をマネジメントしていかなければならないでしょう。

包容力　～芽のある失敗～

ところで滞納整理に携わる管理・監督者には、以上のような大局観に立つことに加えて、二つの意味で包容力が必要なのではないかと考えます。すなわち、その一つは、部下が失敗をしたときに、それをしっかりとサポートし、当該部下の再起を促すとともに、そのことを意欲につなげていくことです。よかれと考えてやってしまった失敗は、「芽のある失敗＝将来の再起につながる失敗」と捉え、単に結果を叱責するのではなく、次回はどのような点に注意してトライしたらよいかアドバイスをするのです。このように、部下の「意欲の芽」を摘むことなく、意欲を育むことが大切だと思います。もう一つは、短期間で成果を求めることに汲々（きゅうきゅう）とするのではなく（もちろん事柄によっては、短期的に結果を出すことが求められるものもありますが……。したがって、事柄の性質上、それが短期的に結果を出す必要があるものなのか、それとも中長期的な展望に立って成果を期待すべき事柄なのかを見極める目が重要になってきます）、一定の「ゆとり」を持って部下職員の自主性・自発性が育つのを支援し、見守ることです。物事には短期間で成果の出るものと、成果が出るまでには一定の期間（いわば熟成期間）を要するものとがあります。「急（せ）いては事をし損じる」ということもあるのではないでしょうか。

マネジメントを支える要素

マネジメントという単語にどのような意味を込めるかは、論じる人によって必ずしも一様ではないと思いますが、私は、単に事務の進捗管理というだけにとどまらず、マネジメントする立場にある管理・監督者には、ここで取り上げたような「大局観」と「包容力」というものが求められるのではないかと考えています。つまり、マネジメントというものが、「物事が、予定された時期までに、所期の目的を達成するのに必要な手立てや働きかけ」のことを意味する

のだとすれば、私は、「大局観」と「包容力」は（マネジメントにとって）不可欠ではないかとさえ思っています。思うに、大局観なきマネジメントは、目先の些事（さじ）に終始することとなり、将来を洞察したロードマップ（行程表）を描くことができませんし、一方、包容力なきマネジメントは、職員を萎縮させ、事務を縮小再生産のスパイラルに陥らせるとともに、意欲の減退を招くことから、目的の達成を困難ならしめる懸念を払拭（ふっしょく）することができないからです。

(5) 意欲の醸成

滞納整理を前に進めようとするのであれば、何らかの具体的なアクションが絶対に必要であって、何もせずにただ「放置」し、「静観」していたのでは、思ったとおりの方向へは決して進みません。やはり、到達したいと思う具体像（目的や目標）を明確に打ち出し、次いで、それを達成するための手法と、達成したい時期を決め、それに至るロードマップ（行程表）を組み立てるという一連の作業が必要不可欠です。大量・反復性が税務事務の特性であるとすると、その一環として行われる滞納整理を、効率的かつ着実に前に進めるためには、徴税吏員一人ひとりの**属人的な仕事**になってしまうことのないよう、組織的に進めていくための工夫がどうしても必要となってきます。「滞納整理事務計画」は、そのための重要なツールとなるものですが、どんなに緻密で立派な計画を立案したとしても、実現可能性がほとんどないものや、実際に実務を担当する徴税吏員の理解が得られないものであれば、所詮それは絵に描いた餅と言わざるを得ません。

そこで、十分実現可能で、高い水準の効果が期待できる「滞納整理事務計画」とするためには、それが徴税吏員の高い意欲によって支えられていることがとても大切なことだと思います。そもそも「意欲」というものは、何の仕組みもなく、また何の働きかけもないところに自然発生的に、あたかも泉のごとく湧き出てくるものではありません。適切な「きっかけ」と「環境」と「指導・支援」といった条件が揃って初めて芽生えうるものだと思います。以下に私の考える「滞納整理における意欲の醸成の方法」について述べてみることとします。

きっかけと意欲

「無」から「意欲」が生まれることはなく、仕事をしていれば、誰であっても必ず「何とかしたい（またはこうしたい）」と思うに至った（意欲するに至った）何らかの「きっかけ（契機や動機）」が存在するはずです。例えば、滞納者から「お前のような若造に何が分かる。もっと話の分かる上の人を出しなさい」などとひどいことを言われ、落ち込んだことをきっかけとして、そのような場合に効果的な切り返し方（応対の仕方）をするにはどうしたらいいのだろうかと一所懸命考えたことであるとか、給料等の差押えをした際に、取立てに係る事務を第三債務者に分かりやすく説明するにはどうしたらいいだろうかと思い悩んだことなどがきっかけとなって、それらを解決するためのアイデアが浮かんできたという経験をされた方は少なくないのではないかと思います。つまり、ある「困難」なり、「不都合」なりがきっかけとなって、それを克服したい、あるいは解消したいという欲求が原動力となって、意欲という心のパワーが発生するというメカニズムです。そして、こうした「きっかけ」は、日々の滞納整理実務の中に無数に存在しているのです。

ただ、人によっては、そうしたせっかくの「きっかけ」が、それを克服したいとか、解消したいという原動力として、意欲という心のパワーの発生に結びつかない人もいるのです。すなわち、それを「避けよう」としたり、「他人に依存」しようとしたりして、反対の方向に心が動いてしまう人も存在するということです。つまりこうです。滞納者からひどいことを言われれば、それから逃れようとし、また、第三債務者への説明については、先輩や上司に委ねてしまうといった具合にです。ですからこのような人については、何らかの「支援」が必要なのです。そのような場合は、最も身近にいる係長（または班長や主査、主任など）が、（そうした兆候を）見逃すことなく、「○○さん（当該の徴税吏員）、あなただったらそのような場合、どのように答えるかな？　あなたの考えを聞かせてもらえませんか」などと優しく声かけをするといいでしょう。ここで大切なのは、「自ら考え、行動する」ということです。自ら考えることが習慣づいていない人は、すぐに逃げたり、他人に依存したりしがちです。このような性向のある徴税吏員に対して、積極的に声かけなどの働きかけをすることも、滞納整理におけるマネジメントの一つです。

とらわれ（機能的固着）と意欲

法律に基づいた滞納整理を妨げる要因の一つに、「滞納者をとことん説得する」とか「滞納者を粘り強く説得する」ということがあります。説得するというと一見もっともなことであるように思われるかもしれませんが、租税債務は、（納得ずくで）納税していただくのが望ましいことだとしても、そうした個々の納税義務者の「内心」[※4]にかかわらず、納期内に納税しなければならない法的な義務があるのです。しかも、この義務は法律上の義務（地方税法）であると同時に、憲法上の義務（日本国憲法上の国民の三大義務[※5]の一つ）でもあり、国民にとってあまりにも自明なことである（税金を払うことが国民の義務であることは誰でも知っています）とともに、非常に重い義務でもあります。「納得できないから納税しない」などということを容認してしまったら、国や地方団体の財政的な基盤が揺らぐこととなってしまいます。このように納税に「納得しない」という滞納者の「内心」に基づく滞納を滞納整理の実務で尊重しなければならないなどということになったら、わが国の租税制度・財政制度は崩壊してしまいます。

人の内なる心に踏み込んだり、干渉したりすることは許されないとしても（ですから道徳や社会常識上はともかく、法理論上は、納税したくないという考えを抱くこと自体は法的に無答責です）、憲法上・法律上の義務に反する滞納は、それとは別物です。内心の自由の尊重（日本国憲法第19条）と、滞納という憲法上・法律上の義務違反とを混同すべきではなく、両者は峻別（しゅんべつ）すべきものです。税法上も例えば、「地方団体の徴収金を一時に納付し、又は納入することができないと認めるときは」（地方税法第15条第１項）とか「滞納者が督促を受け、その督促に係る国税をその督促状を発した日から起算して10日を経過した日までに完納しないときは、徴収職員は、滞納者の国税につきその財産を差し押えなければならない」（国税徴収法第47条第１項第１号）として、一

※４　**内心の自由**　「納税に納得できない」という滞納者の態度・気持ちは、日本国憲法第19条（思想・良心の自由）とは全く別の問題です。滞納者が心の中でどのような考えを持ち、またどのような思いを抱くかは個人の自由ですが、納税義務に反する（またはこれと矛盾する）考えは、憲法上尊重されなければならない基本的人権としての「思想・良心の自由」とは相容（あいい）れない別物です。憲法を頂点とする法体系は、自らの内に矛盾を内包するものではありません。

※５　**国民の三大義務**　①保護する子女に普通教育を受けさせる義務（日本国憲法第26条第２項）、②勤労の義務（同第27条第１項）、③納税の義務（同第30条）

定の期限までに完納しなければならない旨規定して、個々の滞納者の「内心」にかかわらず徴税吏員には、税法で定める期日が徒過すれば、滞納処分により強制徴収しなければならない、というルールに基づいて税収の確保を図ることが義務付けられているのです。つまり、法的に問題とされるのは、滞納（完納していない）という事実なのであって、「納得しているか、納得していないか」などといった気持ち（内心）の問題ではないということです。

以上、少々長くなりましたが、「滞納者をとことん説得する」とか「滞納者を粘り強く説得する」といった「(固定観念による）とらわれ」（機能的固着）が、「だから差押えはしない」という方向への徴税吏員の心のモーメントとして働き、その結果、法律に基づいた滞納整理を妨げ、ルールにのっとった滞納整理を積極的に進めようとする徴税吏員の「意欲」を削ぐことになっていることは否めないのです（なお、滞納者を説得することの無意味性については、第Ⅰ部第４章の11⑶「説得という幻想」＝71ページ＝以下も参照してください）。この機能的固着から脱却することは、長年の職場慣行という束縛もあって実際には相当の困難を伴いますが、最も効果的な脱却法は、「やってみせる[※6]」ことではないかと思います。幾度となく説得を試みても解決しない事案を、滞納処分によって解決してみせることで「論より証拠」ないしは「百聞は一見にしかず」ということを実証してみせることだと思います。なぜなら、この種の「とらわれ」の根底には、論理的・合理的なものというよりも、ベテランとしての信念や、先輩としての体面に関わるなどというような情緒的な思い込み、ないしはそうした思い込みに基づくプライドが潜んでいるのではないかと思われるからです。このような機能的固着から抜け出せずにいる徴税吏員に働きかけ、法律に基づく滞納整理に転換させることも、滞納整理におけるマネジメントの一つです。

同調傾向と意欲

同調傾向というのは、「周りのみんなと同じ」であろうとする心理的態度のことを言います。こうした傾向は日本人に多いといわれています。確かに、ファッションなどの流行や、会議での意見の右に倣えの状況などを見ていると、頷けるところがあります。私たちは多くの場合、こうした傾向を否定的に

※６　山本五十六元帥の言葉　「やってみせ、言って聞かせて、させてみせ、ほめてやらねば人は動かじ」という山本五十六元帥の言葉は、あまりにも有名であり、読者もご存じのことと思います。今でも傾聴に値する言葉ではないでしょうか。

は捉えずに、むしろ「協調性がある」として肯定的に捉えているのではないでしょうか。その心理の根底には、人と違っていることへの不安があり、仲間外れになることを恐れる気持ちがあるのだと思われます。

しかし、こうした心理と、それに基づく行動は、集団の表面的なまとまりにはプラスに働くとしても、独創的・創造的な発想を生み出す土壌としては不適であり、そのような「出る杭は打たれる」のであり、結果として「長いものには巻かれる」ことになってしまうという現実があります。「協調性のある職場」や「風通しのよい職場」が決して悪いわけではありませんから（むしろ望ましい⁉）、管理・監督者は、部下が、これまでの尺度・基準に照らして、それに当てはまらない新たな考え（独自の発想）に基づく提案なり意見なりを表明したときは、大局観と包容力をもってこれを受け止め、意欲の芽を育ててほしいと思います。ただ、徴税吏員は発明家ではなく実務家ですから、実現可能性とか費用対効果といった現実から逃れることはできません。したがって、一見して明らかに荒唐無稽と思われる提案等については、本人の気づきや自覚を促すべく、場合によっては、具体的な費用計算、効果測定、ロードマップ（行程表）の作成、必要な人工（にんく）※7に関するシミュレーションなどの検討をさせることも必要でしょう（本人の意欲を削ぐような頭ごなしの否定はお勧めできません）。これも滞納整理におけるマネジメントの一つです。

安心感・危機感と意欲

部下は職場における上司の一挙手一投足をよく見ています。だからというわけではありませんが、上司には、既に述べた「大局観」「包容力」のほか、「首尾一貫性」「決断力」「説明力（プレゼン能力）」「寛容さ」「洞察力」「冷静さ」「鋭さ・的確さ」等々さまざまな能力や人間性が期待されています。これらの全てを満たしている上司は、そうざらにはいないのではないかと思いますが、（これらの能力が上司の）役割として一般的に期待されていることは確かですから、（上司として）かくあるべく努力することが運命づけられていると覚悟する必要がありそうです（期待が大きいだけに大変です！）。

ところで、これとは逆に部下にも、常に上司から見られているという意識が強くあります。それだけでなく、職場の人間関係というものは、同期（の職員）は言うに及ばず、周囲のあらゆる人から見られているという一種の緊張状

※7　**人工**　職員1人が1日働く量のこと。業務量積算のときに使います。

態にあるのがおそらく普通だろうと思われます。そうした中で、従来のやり方にこだわらない新たな提案をするというのは、相当に勇気のいることに違いありません。そうした目に見えない「圧力」に抗して勇気を振り絞って発言したことを、上司が叱ったり（そこまでいかないまでも、否定してかかったり）、周囲が潰しにかかったりしたのでは、せっかくの意欲の芽を摘むことになってしまいます。たとえそれが、これまでのやり方と真っ向から対立するようなやり方であったとしても、まずは上司や周囲が冷静に耳を傾けてくれるという安心感は、自由な発想や意欲を促進する基本的な条件（受け入れのための土壌）だと言わなければなりません。

また一方、これとは逆の旧態依然・十年一日のごとき「ぬるま湯的な」職場環境も、新たな発想・独創的な発想を生み出すための土壌としての条件を欠いていると言わざるを得ません。つまり、現状に満足してしまって危機感が全く感じられないような職場や、「心ここにあらず」といった職員が多い職場では、そもそも何も変えたくないし、従来どおりが居心地がよいという雰囲気が充満していて、改革・改善の意欲が育まれるような土壌ではないからです。そのような職場では、改革・改善がもたらすメリットを、職員一人ひとりに実感させる必要があり、既に紹介したのと同様に「やってみせる」ことで、「論より証拠」ないしは「百聞は一見にしかず」ということを実証してみせるのが何よりの手本ではないかと思います。このような職場では、まずはそうした努力をした上で、それでも変化の兆しが見えないときは、雰囲気を変えるためにも、多少の人事刷新も場合によっては必要ではないでしょうか。これも滞納整理におけるマネジメントの一つです。

⑹　滞納整理におけるリーダーシップ

リーダーシップの定義

街の書店のビジネス書コーナーをのぞくと、いわゆる啓発本やマネジメントに関するものが所狭しとばかりに並んでいます。それだけ社会に需要があるということでしょう。リーダーにしてもマネジメントにしても、いずれも組織というものが前提となっており、これらの書籍類のほとんどは、その組織をいかに効率的に運営して目標を達成するか、または目的を実現するか、その技法を説くものがほとんどです。

滞納整理も徴税機関という組織によって行われる事務ですから、当然、リーダーも必要ですし、マネジャーも必要です。リーダーシップをどのように定義するかについては、それこそ無数にあり、この世の中に定説といわれるようなものは確立しているとも、あるいは確立していないとも言え、いずれにしろはっきりとせず混沌（こんとん）とした状況です。それというのも、リーダーシップといわれているものも、その求められる姿が必ずしも一様ではないからです。すなわち、よくいわれるように「非常時（緊急時）のリーダー」と「平常時（日常期）のリーダー」とは違うとか、会社などにおいても「創業時のリーダー」と「安定期のリーダー」では求められる（期待される）人物像が全く異なるということです。つまり、あらゆる場面に適合し、ふさわしい、いわばオールマイティーなリーダーなどというものは存在しないということではないでしょうか。

それでは、滞納整理において求められるリーダーシップとは一体全体どのようなものなのでしょうか。私は、「徴税の第一線の責任者として滞納整理の目的と方向性を部下に明確に示し、それを理解させ、納得させることによって、組織全体を動機づけ、税収の確保、収納率の向上、滞納額の圧縮という目的達成のために部下の積極的な行動を促すとともに、意欲を引き出すこと」であると定義してよいのではないかと考えています。

ところで、なぜ今滞納整理においてリーダーが必要なのでしょうか。それは、多くの地方団体で税収の確保や収納率の向上や滞納額の圧縮に悩んでいるという実態があり、その課題を解決するために「旧来の古い滞納整理の考え方」を克服したり、「従前の（滞納整理の）やり方」から抜け出したりするために、それを先導してくれる人（リーダー）が求められているからではないでしょうか。いわゆるバブル経済が崩壊して以降、もう30年も前からわが国の経済成長が鈍化し、国民の所得が横ばいか逓減しつつあって、雇用情勢も厳しいというような情勢下における滞納整理では、催告の繰返しだとか滞納者を説得するといった「従来型の滞納整理」が通用しなくなってきているのです。この閉塞（へいそく）状況を打破して、新たな状況に対応（適応）した、効率的で効果的な滞納整理のスタイルを確立し、それを推進していくためには、それを先導してくれる強力なリーダーが必要とされているのだと思います。

また、一般に人は「これまでのやり方」[※8]を変更することを嫌がりますし、反対したり、抵抗したりもします。そのような実態があるからこそ、改革や改

※8　「これまでのやり方」の例　滞納者本位の滞納整理と称して、とにかく事実上の分納に持ち込むことを優先してきたこと。また、自主納税の体裁を整えるために、とことん滞納者を説得することに力を注ぎ、よほどのことがなければ滞納処分はしないといったような滞納整理の進め方など。

善というものが一筋縄ではいかないのです。その高いハードルを乗り越え、克服するためには、情熱を持って将来ビジョンを語り、そしてそれを示し、部下を納得させ、実行するところまで持っていくリーダーが必要なのでしょう。人が嫌がること（先送りしたり、臭いものにふたをしてしまったりしがちなこと）に対して、先頭に立ってこれを改善すべく取り組むというチャレンジ精神を持った人（リーダー）が待望されるゆえんです。

リーダーシップと似て非なるもの

リーダーシップのことを「部下に次から次へと指示を連発し、部下をそれこそ自分の手足や道具のように使う」ことと勘違いをしている人がいます。これが高じてくると「俺が法律だ」とか「俺がルールだ」といった思い上がりとなり、職場では「暴君」のように振る舞う上司が出現することとなります。今ではこれをパワーハラスメントとして人権問題と捉える動きもありますが、わが国ではこうした取組みはまだまだの感があります。

このようにリーダーシップをはき違えている人にしてみれば、そうした自覚はありませんから、気持ちがいいし、バリバリ働いて「俺は仕事ができる」と勝手に思い込んでいることでしょう。しかし、冷静に見てみれば、これはリーダーシップなどではなく、実は本来なら部下がやるようなレベルの仕事を、お前には任せられないとばかりに奪ってしまっているのであり、リーダーでもなければマネジャーでもなく、単なる「はた迷惑なプレーヤー」になってしまっていることに気づいていないのです。これでは、組織としての仕事になっていませんし、部下も仕事を奪われてしまっているので、育ちもしません。その結果、「そんなに言うなら、気の済むようにあなたが自分でやってください！」ということになり、部下は無責任な指示待ち人間になってしまうかもしれません。そんな「指示待ち人間製造機」のような、誤ったリーダーシップを発揮されたら、期待される徴税吏員の育成は遠のくばかりです。

リーダーシップとマネジメント

事務の進捗（しんちょく）管理が、滞納整理のマネジメントにおける中核であることについては既に触れたところですが、このことは、とりもなおさず滞納整理の成果は、管理・監督者のリーダーシップによるところが大きいということを意味しています。しかし、事務内容を熟知していないと、リーダーシップを発揮することができないということでは必ずしもありません。もちろん、全然知らないというのでは話になりませんが、最も大切なのは、要所要所のポイントを押さえた上で適切な指示を出し、部下職員を支えていくことです。そのためには、管理・監督者といえども（滞納整理に関する）必要な知識については、できるだけ早く身につける必要があります。部下の説明や意見に耳を傾けることは必要ですし大切なことですが、それをそのまま受け入れて従来どおりにすることが、「理解あるいい管理・監督者」ということでは決してありません。

また逆に、着任して間がなく、十分実務に精通しているわけでもないのに、知ったふうな口調で、矢継ぎ早に指示ばかり出すのも、職場の運営上必ずしもいい結果をもたらさないでしょう。管理・監督者である課長・係長が、いい意味でのリーダーシップを発揮するためには、その前提として、部下との良好な人間関係・信頼関係が必要であると思います。そのための手法は、決して一つではなく、多様であると考えられますし、その人の持っているキャラクター（個性・持ち味）もありますので、本書で「かくあるべし」といった定義づけができるわけではありませんが、少なくとも挨拶や復命や報告・連絡・相談が日常的に行われていない職場は、風通しのいい職場であることの要件を満たしていないと考えられます。組織として基本的な、こうしたことができていないようでは、仕事上の指示は徹底しません。

2　組織的な滞納整理

⑴　マイペースでの整理を防ぐ

滞納整理では、倒産事案や捜索などのように職場を挙げて組織的に行う事務がある一方、担当者が町別（または整理段階別）に分担している部分もあります。そこで、各担当者がそれぞれ自分のペース（マイペース）で整理を進めてしまうようなことがあれば、職場の連帯感は育ちませんし、計画的な整理もできず、担当者によって進捗状況がバラバラで、職場全体としての滞納整理の効率は悪くなってしまいます。

したがって、管理・監督者は、滞納整理が組織的・計画的に行われるように、そしてまた、職場全体が目標達成に向けて一丸となれるようにリーダーシップとマネジメント力を発揮して、職員間の進捗状況のバランス確保に努めなければなりません。

⑵　属人的な整理の克服

滞納整理の事務分担については、地方団体によって「町別」としているところ、「処理段階別」としているところ、「処分前と処分後」に分けているところなどさまざまであろうことについては前にも触れました。しかし、いずれの（分担）方式を取るにせよ、「あの人がいたから整理が進んだ」とか、あるいはその逆に「あの人が足を引っ張ったので収納率が下がった」などのように、影響の程度に差はあるものの、整理の結果が特定の職員の属人的な要素によって左右される側面のあることは否定できません。もちろんこのことは、滞納整理という事務に特有のことではなく、「個人差」というものがある以上、どの分野の仕事でも起こりうることです。しかし、このことを放置しておくと、職場内の不協和音が増幅して、ぎすぎすした雰囲気の職場になったり、事務量の不平等感から職員の不満が鬱積（うっせき）して、それがいつ爆発してもおかしくないような不安定な職場になったりする危険性があります。管理・監督者としては、そのようなことにならないよう、事務量配分と、個々の徴税吏員の進捗管理に細心の注意を払う必要があるでしょう。

⑶　良好な職場環境の形成

滞納整理は、積極的にやればやるほど滞納者との軋轢（あつれき）が増すという側面があります。だからこそ例えば、ある担当者が窓口で滞納者に怒鳴られているような場面では、すぐに他の職員や係長が、その職員のそばに来てサポートするようになっていることが望ましいわけです。したがって、職場内の人間関係が良好で、お互いに助け合い、補い合うことができるようにしておくことが理想的です。そのような良好な職場環境を形成するために、管理・監督者のマネジメント力が何よりも期待されているし、求められているのです。

⑷　一貫方式か分業方式か

滞納整理の進め方については、督促状の送達や催告といった初期の段階の事務から、公売や取立て、配当といった最終段階の事務に至るまでを、一人の担当者が一貫して担当する「一貫方式」と、例えば初動班・指導班・調査処分班・換価班などのように、それぞれの事務を分担する「分業方式」とがあります。いずれも一長一短であるとの見方もありますが、新聞報道でこの点に関して気になる記事が目に留まりました。

それによると、民間の製造業では、これまでベルトコンベヤーの流れに合わせて、それぞれの部署の組立作業員が、自分の持分だけを受け持って同じ作業をひたすら繰り返す「分業生産方式」が主流でしたが、最近これを改め、一人が複数の工程を受け持つ「セル生産方式」を取り入れたところ、組立作業員の働きがいや仕事の自信につながったところがあるというのです。

確かに複雑な工程を最初から最後まで一人で受け持つと、一般的には作業効率は下がるでしょう。しかし、督促に始まって換価・配当・充当によって終わる（もちろんこれと違う経過を辿（たど）る場合もありますが……）滞納整理という一連の事務を細分化して、例えば初動班・指導班・調査処分班・換価班などのようにしてしまうと、滞納整理の流れという全体像が把握しにくくなります。同時に、細分化したそれぞれの事務と事務との間に垣根ができてしまって連携が難しく、処理方針の一貫性や相手への対応の一貫性などが欠け、それが処理の遅延やクレームの原因になることが考えられます。

やはり徴税吏員としては、滞納整理の全体像を把握しておく必要があると思います。なぜなら、滞納整理は、①猶予なら猶予、滞納処分なら滞納処分というように、調査や納税指導によって事案を見極めた後は、一定の方向性を持って処理すべき事務であり、また②滞納者に対する姿勢や応対は、右往左往することなく首尾一貫している必要があることに加えて、③滞納者（法人の場合は代表者や経理担当者など）という人格を相手とする事務であるため、信頼感や、ぶれない姿勢が必要不可欠な事務だからです。

最初（着手）から最後（完結）までを一人で受け持つことによる処理効率の悪さについては、否定できない側面がありますから、そうした課題を軽減する意味で、滞納を「量的なもの」と「質的なもの」とに分けて整理を進める必要があります。量と質とを区分する基準としては、「金額の多寡」と「新規分か繰越分か」によるのが一般的です。つまり、少額なものや新規分は、量的な滞納整理と位置づけ、通信催告を中心とした滞納整理に徹するとともに、特に担当者を設けずに全員で行うこととするのです。残りの質的な滞納整理の対象についてのみ担当者を置き、調査・必要に応じて納税指導・処分を各担当者が一貫して行うこととすれば、量的な整理に関する効率の悪さは一定程度カバーすることができるものと思われます。

(5) 庁舎管理者との連携

以前ある市役所で滞納者が市役所の建物に放火するというショッキングで不幸な事件がありました。人が亡くなるという最悪の事態が避けられたのが不幸中の幸いでした。逆恨みから暴言を吐く滞納者はいますが、放火までするというのは極めて稀（まれ）ですし、特異なことです。

残念なことですが、滞納整理ではこの例のように徴税吏員に対して攻撃的な滞納者も少なくありません。その多くは言葉の暴力（暴言や脅し）ですが、危機管理の鉄則は、常に最悪の事態を想定して、それへの対処に備えることですから、滞納整理担当課だけでなく、庁舎管理を掌（つかさど）る部署（総務課や庁舎管理課など）とともに、普段から「万一の事態」に備えておくことがとても大切です。

【万一の事態への備え（例示）】

① 大声を上げるなどして騒ぐ人を含めて、滞納者との応対は、原則として、担当者が行う。

② 滞納者等がナイフ等の凶器を振り回すなど、身体への危害が現実に切迫しているような状況があるときは、速やかに庁舎管理者に連絡し、応援を依頼するとともに、警察に通報する。切迫の度合いが著しいときは、庁舎管理者への伝達・報告は事後でもよく、まずは、警察へ通報することを優先し、併せて身体の安全を確保する。

③ 緊急事態の程度に応じた対処の方法をあらかじめ打ち合わせしておき、（滞納整理所管課と庁舎管理部署〈総務課や庁舎管理課など〉とで）共通認識を持っておく。

④ 必要に応じて滞納者等との応対の状況を録画または録音しておく。

⑤ 緊急時に素早く的確に行動することができるように、普段から役割（通報・直接応対・救護・応援要請など）を決めておくとともに、緊急時連絡先の電話番号や簡単な対処方法などを、職場の柱や壁など職員の目につくところに貼っておく。

危機管理は管理・監督職の役目としてとても大切です。徴税吏員が安心して、かつ安全に滞納者等と応対できるような環境を整え、そして（徴税吏員を）支えてあげることが、積極的な滞納整理を推進していくための「職場の環境基盤」整備ではないかと思います。

第2章・マネジメント各論

1　人材の発掘と人材の育成

(1)　人材発掘の役割

最近つくづく思うのは、仕事の質を決定づけるのは、やはり、それに携わる人材に負うところが大きいということです。一口に人材と言っても、人間には一定の幅で適応力・柔軟性があり、しかも、それぞれの仕事の分野・種類によって向き・不向きも決して同じではないため、完璧な人材とか、いかなる分野・種類の仕事にも適応できるオールマイティーな人材というような人は、そうざらにいるはずもありません。ある人はAという分野の仕事に向いていたとしても、別のBという分野では日の目を見ないかもしれないのです。そうだとすると、ある分野・種類の仕事に向いている人材を特定の職に充てようとするときに、その人材の向き・不向きを的確に見抜く確かな目を持った人物がいなくてはならないことになります。いわば、その分野でキラリと光るものを持った将来性のある人材を発掘するスカウトマンのような存在でしょうか。滞納整理に従事する職員に期待される要素としては、下記の７点を挙げることができると思います。

【滞納整理に従事する職員に期待される７要素】

第１の要素　滞納整理に関心・興味を持っている（好きである）。

第２の要素　現状に満足して停滞することなく、常に改革・改善への意欲を持ち続けている。

第３の要素　「あれがあってできない。これがあるからできない」という否定的・後ろ向きの考え方ではなく、「どうしたらできるだろうかと考え続け、こうすればできる」という積極的・意欲的な発想で考えることができる。

第４の要素　コンメンタール（逐条解説書）や参考書、判例集などを渉猟し、勉強熱心である。

第５の要素　事務処理は正確・迅速であり、滞納者等との応接は、親切・丁寧だが、不当な要求に対しては毅然（きぜん）としている。

第６の要素　探究心・研究心は旺盛であるが、こだわりはない。

第７の要素　バランス感覚に優れ、all or nothing のような極端な考えはない。

ここに掲げた７要素を備えている人は、例外なくその根底に「情熱に裏打ちされた滞納整理への意欲」を持っています。上司から「言われたこと、指示されたこと」すら満足にできないというのでは論外ですが、「言われたこと、指示されたこと」しかできないというのもまた困ったものです。すなわち、「情熱・意欲に欠ける」「応用が利かない」「チャレンジ精神がない」「前例踏襲」「指示待ち」などというのでは、本人はもちろんのこと、職場のモチベーションも上がりません。したがって、そのような職員が多数を占める（または幅を利かせている）職場では、効率的で効果的な滞納整理というものは望むべくもないことでしょう。そのような職場の雰囲気を変えるのは専ら管理・監督者の役目であり、部下職員との信頼関係を土台に、部下へのさまざまな働きかけや、意欲を引き出す仕組みづくりを通じて徐々にモチベーションを上げ、その中で、キラリと光るものを持った将来性のある逸材を発掘するのもマネジャーとしての管理・監督者（とりわけ課長）の重要な役割の一つです。

もう一つ忘れてはならないことがあります。滞納整理に向いている人材を見極める中で、やはりどうしても向いていない職員をどう処遇するかということです。これについては、本人の意向と実績を適切に斟酌して、将来的には当該職員に向いていると思われる分野の仕事への異動を考慮すべきでしょう。本人も滞納整理が苦手で、できれば異動したいと思っているのであれば、管理・監督者（とりわけ課長）は、その相談に乗ってあげて、異動のルールの中で可能な限りその意向に沿えるよう努力する必要があります。

例えば、本人に（滞納整理への）苦手意識はないものの、実績が上がらないばかりか、前掲の「滞納整理に従事する職員に期待される７要素」を満たしていないと認められるような場合は、面談の上、本人にとって、（本人の意向を踏まえて）より一層向いていると思われる分野の仕事への異動をアドバイスしてあげるのが、管理・監督者（とりわけ課長）のもう一つの重要な役割なのではないでしょうか。滞納整理に向いていない職員が、その職に長く居続けることは、本人の意欲やキャリア形成上好ましくないだけでなく、実績が伴わないことから、税収の確保にも少なからぬマイナスの影響を与えることになるからです。

以上のことにつき、くれぐれも誤解のないように強調しておきたいことは、人には「向き・不向きというものがあるので、最も効率よく滞納整理を行い、そして最大の成果を挙げようとするのであれば、（滞納整理に）向いている職員を配置することが、最もよくその目的を達成することができる。したがって、（滞納整理の）マネジメントを掌る立場にある管理・監督者は、客観的かつ適切にその部下職員が滞納整理に向いているかどうかを見極めなければならない」ということと、「職員本人の自覚も含め、やりたいとも思っていない（滞納整理という）事務を、毎日、嫌々やることは、決して本人のためにならないし、税収の確保や税負担の公平の実現という滞納整理の目的に照らしても、決してプラスに働くことはない」ということです。この場合、仮にも向き・不向きを隠れ蓑（みの）とした「恣意（しい）的措置」であってはなりません。すなわち、これは、本人のキャリア形成と税収の確保等を総合的に勘案した、いわば双方にとってウィンウィンの効果を期待するものなのです。

⑵　人材育成の役割

人材の育成というと、すぐに研修が頭に思い浮かびます。研修という用語は、「研究」と「修養」という二つの語句からなる複合語です。地方公務員の場合、研修は勤務能率の発揮と増進のために行うものであるとされています（地方公務員法第39条第１項）。したがって、公務の範囲が非常に広いこともあり、研修がカバーすべき範囲も相当に広く、勤務時間の制約もあることから、多くの場合、地方公務員の研修は啓発的なものや、講演会的なものが多いのではないかと思われます。ただし、国税の場合は税務大学校という専門の研修機関がありますし、消防には消防大学校、建設と運輸には国土交通大学校というように、それぞれの専門分野に特化した研修機関も若干見受けられます。地方公務員の場合は、総務省所管の自治大学校と、公益財団法人全国市町村研修財団の市町村アカデミー、全国市町村国際文化研修所があります。地方団体の規模も１千万人を超える人口を擁する東京都から、数千人というところまで千差万別ですから、それぞれ自前で研修を行うにも予算や人材などの諸点で制約があり、一様ではありません。

一般論として言えば、規模の大きな地方団体は、規模の小さな地方団体に比べて恵まれた研修環境にあるように思われますが、現代は、まさに情報通信技術（ＩＣＴ）の時代であり、かつてに比べれば交通機関も発達していることから、努力と工夫次第では、規模の大小を問わず、レベルの高い滞納整理を行うことは必ずしも不可能ではないと思います。現に不動産公売やインターネット公売を行っている町村もあります。

どの分野の仕事でも言えることですが、最初からその業務に精通している職員などいないわけですから、適切な指導と育成が行われるのであれば、優秀な徴税吏員を育てることは、地方団体の規模の大小を問わず可能です。滞納整理の人材を育成する際に重要なのは、財産調査の仕方や差押調書の書き方などの

「徴収技量」と、どのような姿勢・心構えで滞納整理に取り組むかという「滞納整理に臨む基本的な姿勢（考え方）」の二つです。

私のささやかな経験と考えによれば、どちらかといえば、前者よりもむしろ後者の方が重要だと思います。というのも、どんなに国税徴収法や地方税法に通暁していても、理屈ばかりで、実際にそれらを使って滞納整理を進めていく実行力がなければ、税法の知識は、しょせん絵に描いた餅にすぎないからです。つまりは、宝の持ち腐れなのです。国税徴収法や地方税法を駆使して税収に結びつけて初めて滞納整理の目的を達成することができるのです。そのためには「ゴネ得は許さない」とか「正直者がばかを見るようなことにはしない」というような強い信念と凛（りん）とした使命感を背景に滞納整理に臨むことが大切なのであり、滞納整理の研修では、このことを、徴税吏員一人ひとりに徹底的に理解させ、自覚させる必要があります。こうした強固な信念と揺るぎない使命感が、滞納整理の強力な推進力となるのです。

最近ではほとんど聞かれなくなりましたが、かつて、覇気のない教師のことを称して「でもしか先生」と言っていた時期がありました。「教師にでもなるか、教師にしかなれない」といった安易な気持ちで教職に就いた人たちのことを揶揄（やゆ）してのことです。世の人々には、「教師たるもの確たる信念と、明確な目的意識を持って教育に取り組んでほしい」という願望や期待があるにもかかわらず、こうしたふがいない動機で教師になられたのではたまらないという世間の気持ちを代弁した言い方なのでしょう。

同じことは徴税吏員にも当てはまるのではないでしょうか。自治体財政の基幹財源である地方税の滞納整理に携わる徴税吏員が、「でもしか」では住民のみなさんは、たまったものではありません。「ゴネ得は許さない」「正直者がばかを見るようなことにはしない」というような強い信念と凛とした使命感を背景に滞納整理に臨むことが大切であるゆえんです。このような強固な信念と揺るぎない使命感を持った職員を育成することが、管理・監督者の重要な役割であると思います。

(3) 「分かる研修」から「できる研修」へ

研修には、それによってあることに気づいたり、さらに進んで学ぶためのきっかけとなったりするような「啓発型」のものと、それによってある技量を身につける「訓練型」のものとがあります。なお、知識を身につけるためには、むしろ自らコンメンタール（逐条解説書）や参考書、判例集などを紐解（ひもと）

き、反復熟読することが必要なのであって、（知識は）講義や講演によって獲得するものではないように思います。ですから、集合研修に参加することによって、何がしかの知識的なものを得ようとするのであれば、それは、研修に参加することによって、そこから得ようとするものを見誤っているように思われます。

ところで、研修の形態としては、講義・講演・グループ討議・事例研究・ロールプレー・研究発表などさまざまなものがありますが、いずれも知識を獲得するというよりも、知識を土台として、それを使ってどのような論理構成や説明ができるかとか、知識を駆使してどのように解決に導くかといった方法論や経験を語り、そして紹介するというものであるように思います。ロールプレーにしても、結局は、具体的な事例を想定して、それぞれが役割演技をする中で、課題を発見したり、解決方法を模索したりすることがその狙いとしてあるわけです。そうだとすると、研修の場を「知識的なものを獲得する場」とだけ捉えるのではなく、むしろ新たな取組みや滞納整理の考え方を学び、そこからヒントを得たり、何かを発見したりして、自らが抱える課題解決のきっかけの場と捉えるのが望ましいのではないかと思います。

それでは「啓発型」にしろ「訓練型」にしろ、予算や人材などさまざまな制約のある徴税吏員の研修は、どのようにあるべきでしょうか。私は、見出しにある「分かる研修」から「できる研修」へと転換することがいいのではないかと考えています。これまでの滞納整理研修では、財産調査の仕方とか財産差押えの仕方、公売の仕方などといったように、国税徴収法や同法基本通達の解説が中心で、研修を受講しているときは「理解できた」と思っていても、それぞれの地方団体に帰庁して、さあ研修で習ったことを実務に反映させようとしたところ、なかなかそのとおりにはいかなかったという経験をお持ちの方も多いのではないでしょうか。

それはそうだろうと思います。私たちにとって、ある仕事のスキルが身につくという状態になるまでには、幾度となく反復練習を繰り返し、数々の試行錯誤を経ることが必要だからです。仕事の内容の難易度や頻度によって、身につくといえるまでの期間には長短の程度の差はありますが、この「反復練習・試行錯誤」という経験を経なければ、従来型の研修を何度受講しても、一過性の理解（したつもり）に終わり、その仕事を体で覚えたこと（体得）、すなわち、真に理解し、実践することができるようにはならないものです。

このことは、スポーツにたとえてみると分かりやすいと思います。講義で

「平泳ぎは、手足をカエルのように前後に動かして水をかき分け、そして足で水を蹴るようにして前に進むようにします」ということを何回聞いても、実際に泳げるようにはなりません。実際に水の中に入って、インストラクターから手足の動かし方を手取り足取りレクチャーしてもらって、自ら積極的にトライし、そうした動作を繰り返すことで、徐々に泳げるようになるのです。滞納整理も同じです。講義で「滞納者との応対はこのようにします」と言われて、そのときは「なるほど」と思っても、それではやってみてくださいと言われると、なかなかそのとおりにはできないものです。それは、訓練（トレーニング）が欠けているからなのです。頭で分かっていても、反復練習をしていないから、体が必ずしもそのとおりに動かないのです。

以上のように考えると、研修は「啓発型」か、それとも「訓練型」か、という二者択一ではなく、国税徴収法など法的な知識については、あらかじめ各自で自習しておき、その上で、その知識を使って納税指導や調書の作成などの実技について訓練（トレーニング）をし、再び、講演等によって、成功例・失敗例などの事例について学ぶというトータルな研修というものが理想的なのではないかと思います。これまでの知識伝達型中心の研修を、訓練中心・実技中心型の研修へと転換していく必要があると思います。訓練のメニューとしては、実際に差押調書や登記嘱託書を書かせたり、納税指導の実地指導を行ったりする実技が中心となります。

地方税の場合、きのうまで福祉関係の職場にいた職員が、辞令をもらったら滞納整理の職場だったということも珍しくありません。人的にも時間的にも人材育成のために使える資源は、必ずしも潤沢であるとは言えない状況にあります。そのような厳しい状況であるからこそ、研修には工夫が必要なのであって、できるだけ短期間のうちに、ひとかどの徴税吏員を育成するためには、「分かる研修」から「できる研修」への脱皮が喫緊の課題であるように思われます。

⑷　研修における“学びのピラミッド”

滞納整理のマネジメントでは、人材育成も含めた「成果の極大化を目指すためのトータルマネジメント」を構築することが求められていると思いますが、一般に人材育成には三つの困難な課題が伴うといわれています。すなわち、

①　成果が直ちに表れないこと

②　成果を数値で表すことが難しいこと（したがって、客観的な検証が難しい

こと）

③　一定の費用と時間が必要であること

です。

市区町村では都道府県とは事情が異なり、これらに加えて、講師となる人材を確保することが難しいという事情もあるかもしれません。人材育成にはこのような困難が伴うのですが、滞納整理の機械による処理（電算化）がいかに進歩しても、結局は、それをコントロールするのは人間であり、そしてまた、調査・納税指導・処分という滞納整理の担い手（主体）も人間であることを考えると、徴税吏員の能力と、その処理効率を高めることこそが、究極のマネジメントであるという結論に辿り着きます。

そこで、徴税吏員の能力を高め、処理効率を上げるために人材育成（研修）に力を注ぐことが求められるのですが、そのために割くことのできる時間は有限であり、しかも、滞納整理のノウハウの蓄積があまりない地方団体では、研修の開催さえままならないという事情もあるのではないでしょうか。このようなこともあって、近年、地方税管理回収機構（名称は地方によりさまざまです）のような地方税の徴収に特化した組織（一部事務組合や広域連合）の立ち上げが各地で相次いでいます。

こうした傾向は、滞納整理の人材育成という観点からも好ましいものと思いますし、これまで、どちらかというと催告や集金に軸足が置かれていて、なかなか滞納処分まで踏み切れなかった地方団体にとっては、とても心強いことなのではないでしょうか。そこで行われる研修は、これまで、それぞれの地方団

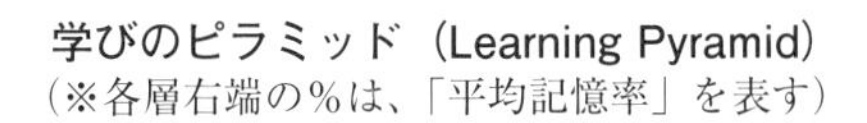

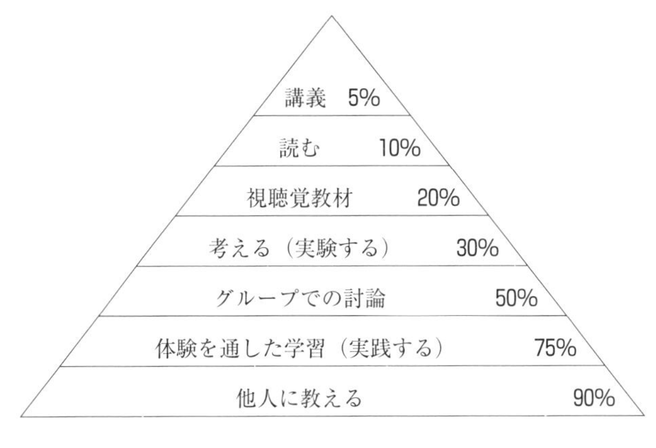

体で行ってきた研修に比べると、格段に充実したものとなっているのではないかと推察します。とはいえ、国税における税務大学校のような研修機関に比べれば、及ばないのかもしれませんが、私は、大切なのは時間数（研修期間やコマ数）ではなく、研修の中身であり、いかに分かりやすく濃い内容であるか、ということではないかと考えます。

限られた時間と、講師となるべき人材の少なさを補うには、受講生が、研修で教授された内容を細大漏らさず吸収し、それらを確実に、血となり肉となすことによって、実務の中でそれらをいかんなく発揮して成果に結びつけることが求められているのだと思います。

ここで紹介するのは、アメリカ国立訓練研究所（National Training Laboratories）が考案した“学びのピラミッド”（前ページの図）というものです。研修というと、通常、講師による講義という形態を取ることが多いのですが、“学びのピラミッド”によると、講義を聴いた受講生の記憶に残っているのは、僅（わず）か５％程度とのことです。多少の幅はあるにしても、５％といえば、ほとんど記憶に残っていないということになります。われわれもよく経験することですが、話術の巧みな講師の「冗談」や「余談」のような部分はよく覚えているのに、悲しいかな、肝心な講義の核心部分については、ほとんど覚えていないということがままあります。全ての講義がそうだということではないと思いますが、平均値として５％ということですから、限られた時間内での研修を、最大限効果的に行おうとするのであれば、講義だけとするのではなく、グループ討論やロールプレーなどを織り交ぜた多彩な研修内容とすることが望ましいでしょう。

以上見たように、さまざまな制約の下で行われる、限られた研修の機会を最も効果あらしめるためには、法律の条文の逐条解説や財産調査の方法を解説するだけでなく、実際に処分関係の書類を作成してみたり、滞納者とのやりとりをロールプレーで実践してみたりするメニューを研修の中に取り入れることを強くお勧めします。

2 滞納整理における三つの進行管理

(1) 全体の進行管理

全体の進行管理とは、１年度間の事務スケジュールと各月における具体的な事務内容とその割り振りを、どのようにマネジメントしていくかということです。すなわち、調査・納税指導・処分に伴う各種の事務を、いつの時期に何人でどれだけやるかということを、年間スケジュールにまとめて、それがそのとおりに進捗(しんちょく)しているかどうかを定点観測し、必要に応じて適時に指導するとともに、必要な修正を加えながら目標を達成する過程のことにほかなりません。

この年間のスケジュールは、職員一人ひとりに周知徹底させる（全員で共有する）必要があります。そして毎月必ず振り返りを行い、達成できなかったことについては、その原因分析を通じて翌月以降に改善策や挽回策を講じます。全体の進行管理をすることによって年間目標を計画的に達成することができるのです。加えて、そうすることで全体の進捗状況を把握することが可能となるので、途中で時点修正による柔軟な運用をすることもできます。

⑵　個々の事案の進行管理

これは1件ごとの事案の進捗状況を個々にマネジメントすることです。量的な滞納整理ではほとんど必要ありませんが、質的な滞納整理では必ずやらなければなりません。具体的には、高額事案と処理困難事案について、1件ずつヒアリングを行い、事案の内容を正確に把握し、その後に取るべき必要な対策を、当事者全員と管理・監督者が共有します。ヒアリングでは単に聞き置くだけでなく、当事者全員で解決に向けた知恵を出し合うことが大切です。そこで決定した対策については、いつまでに何をやるというように、期限を区切って具体的な形にしておかなければなりません。そこで決めたことは、期限までに確実に実行することとし、それを担保するために、管理・監督の職にある者は、それが確実に実行されていることを定期的（例えば毎月）にチェックする必要があります。それが管理・監督の立場にある者の職責です。

⑶　個々の職員の（業務の）進行管理

職員の能力と意欲は千差万別です。全員が一定の高い能力を持って、積極的に取り組むという職場環境ができているのが理想的ですが、現実は必ずしもそのようになっていないことも少なくないことでしょう。だからこそ、個々の職員の（業務の）進行管理が必要であるし、大切なのです。職員間の仕事の進捗状況にでこぼこが生じると不協和音が出かねません。そうなると、仕事の効率が低下することもあるでしょうし、風通しの悪い職場となってしまうことも懸念されます。

職員には一人ひとり個性や能力に個人差があります。したがって、一律の指導には馴染(なじ)みませんし、そうすべきでもありません。個々の職員の個人的な特性にふさわしい方法で各別にアプローチし、意見や不満にも十分に耳を傾けることが大切です。しかし、意見や不満があったとしても、「組織として仕事をしている」という自覚を持ってもらうことと、「一定の時期までに一定の成果を出す」ことが求められていることだけは理解してもらう必要がありますし、理解させなければなりません。それが滞納整理を所管する管理・監督者の重要な役目です。

3 マネジメントのポイント

(1) 個人情報等の適切な管理

滞納整理では、非常に多くの個人情報を扱います。コンピュータによる処理は、量的な処理と迅速な処理には大変便利で、適正に管理しながら使えば、極めて有用であることは誰しもが認めるところだと思います。しかしながら、その便利さとは裏腹に、ほんの一握りの不心得者のために、甚大なダメージを被ることもあります。近年、多発している民間のカード会社における顧客データの流出などの問題は、そうした懸念を実証しているようにも思われます。

税金の滞納整理に関しても、かつて、ある市で委託先の社員が滞納者のデータを大量に捨てていたという事件が発覚したことがありました。また、別の市においては、市税の賦課徴収に関する個人情報が盗まれ、犯人（その市の元職員）が、逮捕されたこともありました。窃盗を働く犯人が悪いことは明らかですが、そのときに問われたのは、そうした重要な個人情報を、所管課が必ずしも適切に管理していなかったという管理責任でした。

【個人情報の流出など不適切な管理の例】（自治体のHPより引用）

① 令和２年12月２日、本人から市税の納付を依頼され、納税課の窓口へ納付書を持参した来庁者から納付書と現金を窓口で受付しました。その後、窓口職員から対応を引き継いだ職員は、来庁者は本人と同世帯の親族であると思い込み、本人との関係について確認を怠り、市税の金額等が記載されている明細書を提示しながら説明をしてしまい、本人の市税の金額等の情報が漏えいしてしまいました。

令和２年12月３日、本人の親族から本人の市税の情報を本人以外へ伝えたことについて納税課へ電話があり事態が発覚しました。（千葉県八千代市のHPより引用）

② 栃木県税事務所において、事務所職員から自宅でテレワーク中の職員の自宅パソコンに必要な情報を送付しようとして、誤ったアドレスによりメールを別の第三者に送信した結果、法人の納税情報を含む当該情報が外部に流出した。

（栃木県のHPより引用）

滞納整理の所管課では大量の個人情報等を扱いますので、公表された不幸な出来事を十分に踏まえ、同種の過ちを繰り返さないためにも、これらを他山の石として、書類の管理、データの管理には遺漏のないよう十分な管理体制と点検の仕組みを整えておく必要があります。

【適切な管理の例】

① 端末の画面を、滞納者等来庁者に見せない。また、容易に覗（のぞ）かれないような配置とする。
② プリント出力した書類や納付書を、不用意に机やカウンターの上に放置しない。
③ 外出時や退庁時には、個人情報を含む書類等は、施錠のできる書庫に収納する。
④ 課内で、点検者を決めて、毎日、退庁時に書類が机上に放置されていないかなどをチェックする。
⑤ 課内（執務室内）には、滞納者をはじめ、外部の人間を入れない。
⑥ 離席するときは、端末の画面を「初期画面」（個人ＩＤ番号入力画面）に戻しておく。
⑦ 財産調査や納税指導のために滞納者情報を庁外に持ち出すときは、必ずかばんの中に収納して携行することとし、体から離さないこと（電車の網棚に置いたり、バスの座席に置いたりしない）。帰庁したら、持ち出したときと同じものが揃（そろ）っていることを、必ず確認すること。
⑧ 誤記載・誤交付・誤送付が生じないよう、書類・郵便物・現金・有価証券の取扱いについては必ずダブルチェック（１人で２回チェックするのではなく、複数人でチェックする）を励行すること。

⑵　事務計画の立案（年間・月間）

税務事務の特徴の一つに、大量・反復性があることについては、既に述べたところですが、だからこそ、効率的な滞納整理に努めなければならないのであり、そのためには、事務計画に基づいて、着実に滞納整理を前進させる必要があります。事務計画を策定することで、課内の全員が、自らの役割を自覚し、やるべきことをいつまでにやり遂げればよいか共通認識を持つことができるようになります。これをマネジメントツールの一つとして活用することにより、滞納整理がそれぞれの担当者のペース（マイペース）で進められ、属人的な仕事になってしまうことによる弊害を防ぐことが可能となります。また、成果として目指すべき目標が明確になり、仕事の進捗(しんちょく)状況（達成状況）が把握しやすくなるというメリットがあることに加えて、ＰＤＣＡサイクル[※9]を回す際にも不可欠です。

【滞納整理計画策定上の留意点】

① いつまでに何をして、どのような成果を目指すのか（収納率○％、滞納額を○○円圧縮など）を、具体的に示す必要があります。個々の職員がバラバラにやるのではなく、催告書の送付や照会書の送付など定型的な事務については、一定の時期に全員で一斉に取り組むことが効率的です（または嘱託職員に委ねるなど）。もちろん、ここでは個別対応しなければならない事案（緊急な処理を必要とする事案や特別な事情のある事案）は除きます。

「照会」事務における配慮

滞納整理では、金融機関や官公署などに対してさまざまな照会をしますが、その根拠は法律（国税徴収法第141条、地方税法第20条の11）にあるものの、どのような方法で、どれだけするのかについては、法律上規定がなく、結局のところ、財産調査の進捗状況や必要性に応じて、徴税吏員の合理的な裁量や照会先機関等の事情・考え方や社会常識といった諸々(もろもろ)の要素を斟酌(しんしゃく)して決めるほかありません。

法律上の調査権限があるといっても、一度に極端な件数の（例えば、何百件もの）照会書を送ったりすれば、それを受ける側が困惑したり、場合によっては業務に支障が出たりすることも考えられますから、ある程度の分量を依頼するときは、調査先との間で、何らかのルール化がなされることが望ましいでしょう。

〔事務計画に盛り込む事務の例〕

※以下は、例示であり、必ずしも全てを盛り込まなければならないものではありません。

■催告書の一斉送付（一次催告、二次催告、市（県）外特別催告、年末特別催告、年度末特別催告、差押事前催告等[※10]）

催告書は、個々の滞納者に個別に送付する場合もありますが、文書催告の長所は、大量処理が可能なところにあるので、原則として、一斉に送付します。ここでは、どのような段階（または状況）にある滞納者を対象として送付するのかについて記載します。

■勤務先への給料等の照会

※9　**PDCA サイクル**　仕事の質の維持・向上および継続的な改善を推進するマネジメント手法で、Plan（計画）→ Do（実行）→ Check（評価）→ Act（改善）のプロセスを順に実施していきます。

※10　催告書の名称と種類については、地方団体によりさまざまだと思います。ここでは一般的と思われるものを例示しています。

緊急な事案や特別の事情のある事案については、個別に照会することもありますが、ある程度の数をまとめて照会することで、効率的な処理が期待できます。ただ、照会をすると、それに対する問い合わせがあるので、１人の担当者が一度に送付する照会書は、１週間当たりおおむね10～15件程度（目安です）とします。例えば、「給料等照会・差押集中月間」※11を設けて、その月は毎週、給与照会・差押えをすると仮定すると、おおむね40～60件程度の取扱いが可能です（もちろん、その中には差押可能額の出ないものや、第三債務者の非協力などにより、予定したとおりに進まない場合も想定されますが）。

■生命保険会社への照会

同上。ただし、同一生命保険会社に対して一度に大量の照会書を送付すべきではなく、１社当たり（一度に）おおむね20件程度を目安※12に照会します（ただ、どの程度の件数にするかは、相手方の生命保険会社とあらかじめ調整しておくといいでしょう）。

■金融機関への照会（本店照会も含む）

同上。ただし、同一金融機関に対して一度に大量の照会書を送付すべきではなく、１行当たり（一度に）おおむね20件程度を目安に照会します（ただ、どの程度の件数にするかは、相手方の金融機関とあらかじめ調整しておくといいでしょう）。

■不動産登記簿（登記全部事項証明）**の取得**

同上。ただし、一度に大量の交付請求をすべきではなく、どの程度の件数にするかは、あらかじめ法務局と調整しておくといいでしょう。

■取引先への債権・債務の照会

会社または個人事業者の場合は、売掛債権の差押えに向けて、散発的に（または順次）照会するのではなく、ある程度まとめて一斉に照会する。

■捜索の予定

捜索もその都度パラパラと散漫にやるのではなく、例えば、「捜索強化月間」を定めて、そこに向けて、捜索すべき事案かどうかを集中的に見極める時間を確保することで、比較的効率よく対象事案を取捨選択し、特定することが可能となります。要は、複数の事務を複線的（同時並行的）に処理すると効率が下がるということです。処理すべき事務を絞り込んで、単線化・集中化することで効率を上げる工夫が必要です。

■不動産公売の予定

不動産公売は、現地の確認や権利関係の洗い出し、優先劣後の確定、物件の

※11　このような集中整理月間を設けることの趣旨は、整理の効率を上げることと、全員で一斉に取り組むことで、課全体の事務の進捗状況の把握が容易になり、進捗管理が徹底するというメリットが認められるところにあります。もとより、これとは別に個々の事案の進捗状況に応じて、その都度、給料等の照会・差押えをすることもあります。

※12　生命保険の場合は、給料等の照会に比べれば問い合わせの件数は一般的に少なく、差押禁止額などがないこともあり、問い合わせがあったとしても、それへの対応にそれほど時間はかからないので、給料等の照会よりもやや多めの件数としました。

評価、配当シミュレーションなどそれなりの手間暇がかかりますので、これを日常的に行うことは困難ですから、最低でも年１回、できれば（努力目標として）複数回行うこととして、計画の中に盛り込みます。徴収のノウハウの継承という観点からも、途絶えることなく、毎年実施することが望ましいと思います。

■量的整理集中処理月間

例えば軽自動車税（または自動車税）や均等割だけのものなど、１件当たりの税額が小さく、大量にあるものの整理は、ある一時期に集中的に取り組むことで、効率を上げるようにします。

■滞納繰越分と現年度分

例えば、年度の前半を「滞納繰越分集中処理期間」と、後半を「現年度分集中整理期間」と位置づけて、整理に手間暇のかかる繰越分を年度の前半に集中させます。出納整理期間（４、５月）のある現年度分については、年度の後半に集中させて、催告や差押えをまとめて行います。

■市（県）外分集中整理月間

市（県）外分で、比較的金額の大きいものについては、出張整理（集金ではなく、財産調査や臨戸による納税指導のため）を実施します。課内で該当する事案を、まとめて一定の時期に一斉に実施します。少額のものについては、一斉に催告書を送付します（この項冒頭参照）。

■ボーナス対策

給与収入のある滞納者については、給与の差押えだけでなく、賞与（ボーナス）の差押えも視野に、ある程度の件数をまとめて処理します。

■高額事案検討会・困難事案検討会

これらの事案については、その解決に一定の労力と多角的な検討が必要ですから、管理・監督者も交えて、例えば、四半期ごとに検討会を行うなど、スケジュール化しておきます。これらの重要事案の内容については、課長も把握しておく必要があります。

② 「滞納繰越分」と「現年度分」、「量的整理」と「質的整理」、「税額整理」と「件数整理」などのように、整理の対象に見合った、ふさわしい対策を盛り込むこと（前記①の〔事務計画に盛り込む事務の例〕参照）。

１年間をのんべんだらりと、これといったメリハリもつけずに「端から順次着手する」というような平板な進め方をしていると、緊張感・目標感・達成感がなく、したがって、何をやったかの実感も湧かないまま何となく時間ばかりが経過してしまいます。そこで、どういった視点で、何を対象として、どのように整理していくかということを、計画の中に具体的に反映させる必要があります。

③ 「課全体で取り組むこと」と「担当者がそれぞれの役割分担に基づいて取り組むこと」とを明確にすること。

滞納整理では、担当者が一人でできる事務も少なくありませんが、一定程度の規模の捜索や、不動産公売などは、担当者個人では無理ですから、必要に応じて課単位で取り組む必要があります。何が「課全体で取り組むこと」で、何がそれ以外なのかを、計画の中である程度明確にしておくことが大切です。

例えば、○月に県と市の不動産の共同公売を実施する予定である旨計画に盛り込んでおけば、それに向かって事前の準備を、計画性を持って行うことができます。

④　重点整理ポイント（例えば、上位○○件の重点整理、市〈県〉外滞納重点整理、軽自動車税〈または自動車税〉重点整理、現年度分重点整理など）を計画に盛り込むこと（前記①の〔事務計画に盛り込む事務の例〕参照）。

滞納整理では、さまざまな整理の切り口がありますので、それらを1年の間に幾つか盛り込むことによって、（例えば、軽自動車税〈または自動車税〉の滞納ばかりが累積してしまうというような）偏頗（へんぱ）な整理結果とならないよう配慮する必要があります。

⑤　そのほか時効管理（適切な更新措置）、履行確認（徴収猶予・換価猶予・分納）、処理困難事案検討会等（前記①の〔事務計画に盛り込む事務の例〕参照）についても、計画に盛り込むこと。

近年、首長をはじめ税の徴収について責任ある立場の職員の「徴収責任」（徴収不作為）が問われる裁判例もありますので、時効管理をおろそかにすることはできません（この点については、第Ⅰ部第5章の7「徴収不作為」＝120ページ＝参照）。滞納整理は、「徴収する」か「停止とする」かですから、「徴収する」のであれば、滞納処分をするか時効更新の措置を講ずべきですし、「停止とする」のであれば、停止処分（事案によっては、納税義務を消滅させて、即時欠損）をしなければなりません。これを担当者任せでやって（各担当者のペースに委ねて）いたのでは、効率的ではありませんし、整理漏れが出ないとも限りません。そもそもそのようなことではマネジメントの名に値しません。したがって、計画の中に盛り込んで、ある時期に集中的に事案の見直しを進める必要があります。処理困難事案検討会についても、年間計画の中にきちんと位置づけて、確実に行います。

(3)　ヒアリングの実施

滞納整理を確実に進捗させることを担保する重要な事務の一つが、このヒアリングです。ヒアリングは、高額な事案および困難な事案を中心に定期的（必要に応じて随時）に行い、その主な内容としては、いつまでにどのような事務を行うのか、また、納付能力の判定などを通じて、「徴収する」のか「停止とする」のかといった具体的な整理の方向性を明確に打ち出すというものです。

そして、その中で管理・監督者から出される指示が、例えば「もっとよく調査するように」のような抽象的で、いつまでにどこをどう調査すればいいのか判然としないようなものではだめで、「来週中に、滞納者が借入れをしている金融機関に臨場の上、貸出稟議書（とその添付書類）を調査して、収入源や他の担保財産の発見に努めてください」のように具体的な指示をしなければなりません。

【ヒアリングを実施する上での留意点】

① 対象を選定するに当たって、あらかじめ「選定基準」とその「考え方」を明示しておくこと。

全ての滞納事案についてヒアリングを行うことは、その件数の多さから物理的に不可能です。それだけでなく、必要性という観点からも滞納事案全件のヒアリングについては、消極に考えるべきです。というのも、そもそもヒアリングを実施するのは、金額が大きく滞納整理全体に与える影響が大きい事案の整理を促進する必要性や、内容が複雑で、解決が困難な事案について、多角的な検討を行い整理の促進を図る必要性があるからにほかなりません。そうだとしますと、影響の小さい少額事案や、比較的シンプルな事案についてまでヒアリングを行う必要性は、ほとんどないと言わなければなりません。

どのような状況にある滞納事案をヒアリングの対象とするかについて、絶対的な基準があるわけではありませんから、それぞれの地方団体が抱えている滞納の状況と、それを整理する当該団体の滞納整理の組織体制とを総合的に勘案して決めるべきでしょう。例えば、高額な滞納事案は比較的少ないものの、長年解決できずに滞納が累積してしまっている事案が多いような場合は、「５年以上経過している事案」とか「○○件以上累積している事案」などのような選定基準を設けてもいいと思いますし、また、相続に係る事案が多いような場合は、「相続人の間でもめていて、３年以上滞納となっている事案」という基準でヒアリングを行ってもいいと思います。要は、ヒアリングという手間暇をかけることによって、滞納整理の進捗が期待できるのは、どのような状況にある事案なのかという視点で選定基準を定め、その上で、なぜそのような基準にしたのかを職員に明示し、説明することが大切です。

② 滞納整理の中で、ヒアリングをどのように位置づけるのか、あらかじめ周知しておくこと。

ヒアリングは、滞納整理を確実に進捗させるために行うものですから、その進捗を阻んでいる原因をみんなで検討し、それを解決するための知恵を出し合い、効果的な対策を立てるようにします。事前にその趣旨を職員によく周知しておき、職場全体で共通の理解に立った上で実施することで、その効果が十分に発揮されます。

〔ヒアリングの位置づけ〕
◆滞納整理を確実に進捗させるための手法である。
◆質的整理では不可欠な手法である。
◆現状を正確に把握し、その上で多角的な検討を通じて、整理の方向性を明確に打ち出す重要な事務である。

③　ヒアリングでは、具体的にどのようなことを聴き、そして検討するのか、その内容を明らかにしておくこと。
　ヒアリングが整理の方向性を明確に打ち出すというものである以上、そのための判断材料となる事柄を聴き取ります。したがって、担当者は事前の調査によってそれらの資料を収集し、分析しておく必要があります。
〔ヒアリングでの聴取事項と検討事項（例示）〕
◆基礎的事項（個人の場合は職業、法人の場合は業種・処分履歴・公租公課の滞納など）
◆滞納原因（貧困・疾病・災害・失業・納税怠慢・失念・他事優先〈各種ローンや消費者金融などへの返済等〉）
◆最新の収支の状況と保有資産（消極財産も含む）
◆調査予定箇所または調査予定財産
◆差押予定財産または換価予定財産
◆今後の処理の方向性（捜索・滞納処分・納税緩和措置〈徴収猶予・換価猶予・停止・即時欠損〉）
◆その他（担当者所見・当面〈半年以内・年度内〉の徴収見込額など）

④　ヒアリングを通じて検討し、決定した整理の方向性に沿って進めることとした事務は、いつまでに行うこととするのか、終期を職員に明確に伝えること。
　ヒアリングが「聴きっ放し」に終わらないようにするために（確実に整理が前進するようにするために）、その中で判断し、決定したことについて、いつまでに行うのか具体的な時期・期限を、担当の職員に明確に伝えなければなりません。そして、そのことを事績記録簿に明記しておき、後日、結果を検証します。

⑤　滞納整理全体を通じて「効率的な整理」が求められているから、ヒアリングの内容は簡潔なものとし、それに伴い整理すべきこととされた事務は的確でなければならないこと。
　ヒアリングの内容が、あまりに微に入り細をうがつようなものであると、かえって効率性を犠牲にすることもあるでしょうし、何よりも担当者が辟易（へきえき）としてしまい、モチベーションが下がり、意図したところとは逆の結果になるリスクがあります。したがって、ヒアリングでは、前記③の〔ヒアリングでの聴取事項と検討事項（例示）〕を目安としながらも、個別事案に応じて項目を取捨選択するなど、臨機応変に進めていくといいでしょう。

⑷ 率先垂範する姿勢

既に述べたとおり、部下は常に上司の姿勢を見ています。滞納整理では、しばしば（一部の）滞納者による心ない暴言にさらされることがあります。そうしたときに、上司として毅然（きぜん）とした姿勢を取ることができるのか、それとも滞納者の不当な要求に押し切られたり、不適切な分納を甘受してしまったりということになるのか、（上司が）これにどのように対処するかによって、その後の（上司の）指導力に極めて大きな影響を及ぼすことになります。そのような重要な場面において、上司としての責務を果たすだけの力量を発揮することができるか否かが、重要な分岐点になります。

例えば、滞納整理担当の管理・監督者として着任間もない頃で、滞納整理の手続の細かなことにまで精通していなかったとしても、不当な要求をしてくるような滞納者に対して、「私どもが調査したところによると、○○さんには、お支払いただけるだけの資力・資産がおありのようですから、延滞金も含めて全額を一括で納付してください」のように毅然として滞納税の履行を求められるのであれば、部下の信頼を得ることができるでしょうし、何よりもそれが、部下へのよいお手本になると思います。

しかし管理・監督者は、必ずしもあらゆる場面で率先垂範する必要はなく、危機または困難に臨んで「職員の後ろ盾」としての存在感を示すときや、高額事案・処理困難事案（の中でもとりわけ重要な事案）の解決に向けて「整理の方向性」について判断を下すときなど、幾つかの重要な場面で、説得力があり、納得性の高いお手本を示すことが期待されています。

⑸ 復命の習慣づけ

これは、滞納整理以前の組織人としての基本的な問題ですが、庁外で調査等の事務をしなければならないときは、出張する職員に出張命令簿に記帳させる（電子申請の場合も含む）だけでなく、出かけるときは「～へ行ってきます」、また帰庁したときは「○○の件については、△△でした」と、簡単な報告（口頭復命）をさせるよう習慣づけることが大切です。職員へのねぎらいとともに、こうした機会をコミュニケーションの一環として、日常ごく自然な形で行えるような職場風土を築き上げることも管理・監督者のマネジメントだと思います。

(6) 記録の取り方

納税指導を行ったときの記録の取り方について、適切な例と不適切な例を紹介しておきます。いずれの地方団体でも、数多くの滞納事案を抱えて日々奮闘されていることと思います。したがって、できるだけ無駄な事務を減らして効率的・合理的に滞納整理を進めようと、あれこれ知恵を絞っておられることと思います。整理記録は、箇条書きにするなど事実を簡潔に書いて、どういうこと（内容）が話し合われたのか、またはどこを調査して何が判明したのか等を記録として残しておく資料です。その意義としては、

① 上司への復命としての意味
② 後日の滞納処分等の判断材料としての意味
③ 後日、万一争訟となったときの証拠（疎明資料）としての意味
④ 今後の整理の方向性を見極めるための資料としての意味

の四つの意味があります。読者のみなさんのところではこの事績記録簿を、どのように位置づけ、そして作成しているでしょうか。

【不適切なものの例】

① 個人の日記のようになっているもの。公簿であるという認識が希薄であるもの。
② 不適切な用語が用いられているもの。例えば、差別用語や品格が疑われるような言葉が使われている。
③ テープ起こしのようになっているもの。当事者がしゃべった言葉の一字一句が議事録のように詳細に記載されているもの。
④ 事実というよりも担当者の思いや感想といった主観的な表現が多いもの。
⑤ 主観と事実とが入り混じっていて、どの部分が事実なのか判然としないもの。
⑥ だらだらと長い文章で書いてあって、最後まで読まないと、何を書いてあるのか要点（ポイント）がはっきりとしないもの。

以上①から⑥までに掲げたようなものについては、前述の四つの意味（①～④）に照らして、ほとんどその用をなしていないと言わざるを得ません。これでは整理の記録としては失格です。事績記録簿は、「簡にして要を得た」ものでなければなりません。ですから、一番いいのは、箇条書きです。当事者が言ったことを全て一言も逃さずに書き表す必要はなく、滞納整理に必要な範囲で（判断材料として必要な限りにおいて）、要点（ポイント）を箇条書きにしておけば十分です。

■ 適切な例　滞納者は、10万円の市・県民税（普通徴収）を滞納している。

記事年月日	入力担当者	記事内容（相手・処理内容・処理結果・処理予定等）
R4.○.○	○○花子	本人来庁（申出） 現在失業中 ＊　月15万円の雇用保険で食べつないでいる。 ＊　預金は、○○銀行○○支店に1万5000円と△△銀行△△支店に5000円 ＊　アパート住まいで家賃は月5万円 ＊　光熱水費　月1万円 ＊　携帯電話代　月1万円 ＊　生命保険は、○○生命のがん保険　掛け金は月5500円 ＊　自動車は所有していない。 ＊　カードローンの返済　月3万円 ＊　残りは食費・雑費として使っている。 ＊　現在、求職活動中（滞納の原因は失業したこと） ＊　持病のぜんそくのため、毎月通院中　医療費月1万円 ＊　以上のとおりなので、当面、食費や雑費を削って5000円の分納を希望している。 （担当者所見）とりあえず5000円の一部納付を３回認め、その間に申出の裏付けを取るとともに、財産調査をしてから整理方針を立てたい。

■ 不適切な例（その１）　個人の日記のようになっているもの

記事年月日	入力担当者	記事内容（相手・処理内容・処理結果・処理予定等）
R4.○.○	○○太郎	きょうは天気も良く、気持ちがいい一日になりそうだ。 朝、出勤して「さあ、きょうもがんばるぞ」というタイミングに、懸案の滞納者Xが来庁する。 何となくXの形相が険しいので、嫌な予感がする。すると案の定、突然「このヤロー、差押えなんてしゃれたまねしやがって、やったのはどいつだ、出てこい！」とえらい剣幕だ。 やれやれと思いながら、「担当は私です」と言って窓口まで行くと、Xはさらに畳みかけるように「俺はお前を許さない。上司と一緒に謝罪に来い。さもなくば、とんでもないことになるぞ。そうなったら全て責任はお前にある。覚悟しとけ！」ときた。 取りつく島もないとはこのことだ。しかし、これまで一回も顔を見せなかったXが、初めて来庁したので、話を聴かなければと思い、勇気を振り絞って「まあ、Xさん落ち着いてください。お話を伺いましょう」と言ったら、これが火に油を注いだようで、「お前か、

		この俺様に差押えをするとは、いい度胸をしてるじゃねぇか。俺は決してこのことを忘れねえぞ」と、まるで収まる気配はない。

■ 不適切な例（その2）　不適切な用語が用いられているもの

記事年月日	入力担当者	記事内容（相手・処理内容・処理結果・処理予定等）
R4.○.○	○○一郎	滞納者Sから電話あり。 前回来庁した折に納税相談をして認めてもらった分納額が事情によって払えなくなったとのこと。 前回の納税誓約は、二度目でもあり、さらに仕切り直しをしてほしい旨の申出は受けられないと伝える。 すると、人でなしとか、鬼とか非難の言葉を浴びせてくる。一度ならず二度も約束を反故（ほご）にするあなたに責任がある旨申し向けると、さらに口汚くののしる。 こんな大うそつきの納税誓約はもう認められないので、「あなたの言うことは信用できないから、分納は認められない」旨告げたところ、一方的に電話を切られた。 （今後の方針） うそつきで信用できないから、再度の納税誓約は絶対に認めない。至急、財産調査に着手して、発見次第、差し押さえること。

■ 不適切な例（その3）　テープ起こしのようになっているもの

記事年月日	入力担当者	記事内容（相手・処理内容・処理結果・処理予定等）
R4.○.○	○○二郎	滞納者Wが納税相談に来庁。W「このままだと差し押さえるという書類（催告書）が届いてびっくりしている。きょうは、生活の状況を説明して、何とか分割で払えないものか相談したいと思って来た」 **担当**「どうぞお掛けください。それでは、さっそくですが、Wさんの最近の収支についてご説明いただけますか」 **W**「はい、分かりました。以前は正規職員として勤めていたのですが、１年前に病気をして入院して以来、退職しまして、今はアルバイトをしています。コンビニのアルバイトなので、月によって若干変動はありますが、おおむね月12万円ほどです。預貯金は、お恥ずかしいですが、○○銀行○○支店に5万円ほどしかありません。住宅ローンはありませんが、家賃は月5万円で、食費や光熱水費、その他雑費などが約5万円なので、どんなに頑張っても月1万円の分納が限度です」 **担当**「そうですか。なかなか厳しそうですね。他に収入や借金はありませんか。以上で全てということでよ

		ろしいですね」 **W**「はい。全て正直に申し上げました」 **担当**「分かりました。ありがとうございます。それでは、次回○月○日にいらしたときに、今おっしゃっていただいたことが分かるアルバイト代の明細などの資料をお持ちください。今後のお支払いについては、そのときにお伝えします」

■ 不適切な例（その４） 事実というよりも担当者の思いや感想といった主観的な表現が多いもの

記事年月日	入力担当者	記事内容（相手・処理内容・処理結果・処理予定等）
R4.○.○	○○三郎	滞納者Ｐ宅に臨場して納税指導。 納期もとっくに過ぎているので、全額一括で納税するよう求める。 Ｐからは次のような申出あり。 寝たきりの母親の面倒を見るために仕事を辞めて、今は多少の蓄えで何とか生活しているとのこと。 親の介護は確かに大きな負担だと思う。単に経済的な負担にとどまらず、肉体的・精神的にもかなりの負担で、同情してしまう。 自分も数年前まで親の介護を経験しているから、Ｐの訴えももっともだと共感できる。できれば、いいヘルパーや訪問看護師を紹介してあげたい。 全額一括で納めてほしいとは言ったものの、一人の人間として、少ない蓄えについては、親の介護を優先してほしいという気持ちが強い。 今後は、Ｐの経済状況を見つつ、分割納付の可能性を模索していこうと思う。

■ 不適切な例（その５） 主観と事実とが入り交じっていて、どの部分が事実なのか判然としないもの

記事年月日	入力担当者	記事内容（相手・処理内容・処理結果・処理予定等）
R4.○.○	○○四郎	滞納者Ｓと電話で話す。 今相続の関係で、兄弟間でもめている。税金の支払いについては、この裁判が決着したらと考えている。だから、それまでは、督促状や滞納処分については凍結してほしい。納税する気はある。相続に関して兄弟間でもめるのはよくあることで、やれやれという感じである。督促状については、法律で決められていることなので、出さないわけにはいかないが、納税する気があるようなので、滞納処分については、判決があるまでは待つ。判決の時期と見通しについては、年内にＳの主張が通る。それまでの間に、戸籍簿や相続人の財

		産を調査しておくこととする。どのような内容でもめているのかSに聞いたところ、それについては、まだ判決の前なので言えないとのことだが、そういうことであれば、判決が出たら連絡をよこすようSに念押しをして、きょうのところはこれで当方の用件は済んだので電話を切った。 今後については、Sからの連絡を待って、各相続人に払ってもらうようにしたい。

■ 不適切な例（その6）　だらだらと長い文章で書いてあって、最後まで読まないと、何が書いてあるのか要点（ポイント）がはっきりとしないもの

記事年月日	入力担当者	記事内容（相手・処理内容・処理結果・処理予定等）
R4.○.○	○○五郎	滞納者M所有の不動産について、登記簿（全部事項証明）を取って見たところ、○○銀行○○支店から平成○年○月○日に、1億円の融資を受けていることが分かった。共同担保もあるようなので、同目録も取ることとした。その後の返済状況がどうなっているのか調べる必要があるので、同行に照会する必要あり。あわせて、同行の預金額や貸金庫の取引があるかなどについても調べること。借り受けた時期がバブル期であるため、担保の評価を上回る融資額であった可能性もあるため、当該物件の現在のおおよその評価額について調べること。それによっては無益な差押えになることも考えられるから、差押えについては慎重に検討する必要がある。このほか、債権を探す必要があるので、Mに対する聴取調査と、生命保険の照会もあわせて行おうと思う。また、Mは工務店を経営しているので、取引先の売掛金も調査する必要がある。まずは、聴取りをして、もしもMが協力的でない場合は、捜索も検討する。Mの仕事のエリアからすると、○○市およびその隣接自治体の他行の店舗とも取引があるかもしれないので、それらについても一斉に照会をかけること。来月は、「集中臨戸月間」でもあるので、以上の調査をしておいた上で臨戸できるようにしたい。臨戸した際に、聴き取るべき事柄について、聴き漏らしがないよう、今の段階から「聴取事項」の整理をしておくこと。

⑺　報告・連絡・相談（ホーレンソー）

これは、滞納整理ならずともよく言われていることです。毎月の滞納整理状況や、懸案事項などの要約（毎月の「滞納整理状況」については、数字だけでなく、簡単な解説やコメントを付けて上司に供覧しているでしょうか？）を、定期的に上司に報告するとともに、複雑な経緯を持つ事案や、行政の他の分野にも影響を及ぼすことが予測される事案などについては、あらかじめその概要について、上司に説明しておく必要があります。

⑻　課内会議の実施

前記⑵で事務計画の作成について触れましたが、その事務計画に盛り込まれた内容を職員に説明し、そして周知を図ることが、この会議の主たる目的です。そのほかにも、職員の意見を聞く場でもあり、また、その時々のさまざまな情報を共有する場でもあります。課内会議は、毎月、必ず実施します。後記⑾の「職場内研修（ＯＪＴ＝On-the-Job Training）」の場として活用することも考えられます。

⑼　点検体制の確立

滞納整理では「現金」（締後領収や現金差押えの場合）や、手形小切手などの「有価証券」を扱い、また、滞納処分という財産権の制約を伴う行政処分を行うことがありますので、管理・監督者による決裁とは別に、検算を習慣づけたり、点検担当者を置いたりなど、事務処理上のチェック体制[※13]を確立しておく必要があります。なお、慎重な点検と決裁はとても重要なことであり、いささかも怠ることがあってはなりませんが、その場合、事務の効率化にも併せて配慮する必要があります。

⑽　必要な情報の提供

管理・監督者の業務上の会合（所長会・副所長会・課長会・係長会などさまざま）や研修等で伝えられた情報、あるいは、そこで配布された資料について

※13　地方公共団体における内部統制　内部統制とは、「組織の目的が達成されているとの合理的な保証を得るために、業務の中に組み込まれ、組織の全ての者によって遂行されるプロセス」であるとされます。具体的には、「担当者同士の相互チェック」「管理者の決裁承認」「事務分掌」などがあり、リスクの事前統制に着目することにより、組織マネジメントに関するPDCAサイクルを実現することによって運用されるものです。（『内部統制による地方公共団体の組織マネジメント改革』総務省　地方公共団体における内部統制のあり方に関する研究会〈編〉参照）

は、必要な範囲で、上司・同僚・部下に提供し、そして説明する必要があります。実務で必要な情報等が、関係者の間に周知・共有されていないと、「聞いていない」などということになり、滞納整理が円滑に進まないことがあります。

⑾　ＯＪＴ

職場研修の必要性については誰しも認めるところですが、なかなか実行できていないのが現状のようです。日中の勤務時間帯は、窓口や電話での応対があり、なかなか研修のための時間を確保しにくいという状況はありますが、研修も業務の一環ですし、何よりも仕事を円滑に進めるために行うわけですから（地方公務員法第39条）、例えば、来庁者や問い合わせが比較的少なくなる午後の閉庁１時間前の時間帯に行うとか、班ごとに分散して行うなどの工夫をしてぜひ実施してほしいものです。

なお、ＯＪＴのツール（教材）の一つとして、ｅ-ラーニングを使うのもいいと思います。徴税吏員一人ひとりが、整理の状況、事務の繁閑、窓口への来庁者の状況、電話での問い合わせの状況などを勘案して、最も適切な時期に、一人で学習できるというメリットがあります。

⑿　事務の分担替え

滞納整理は、差押えなど強力な行政権限の発動としての側面に加え、現金や、手形小切手などの有価証券を扱うなど、さまざまなリスク要因を抱えた事務でもあるため、長い間同じ担当者に同一地区（または同一事務）を担当させる**事務分担の固定化**は、絶対に避けるべきです。事務分担替えは、おおむね１年から２年を目安に行います。

⒀　徴税担当の管理・監督者としての矜持（きょうじ）と職員の後ろ盾としての役割

差押えなどの滞納処分をされてうれしい滞納者など誰一人いません。烈火のごとく怒る滞納者もいますし、「訴えるぞ」、あるいは「議員に言いつけるぞ」などと言う滞納者もいます。そのような滞納者によるプレッシャーからくるストレスを乗り越えて、職員が積極的に滞納整理を進めていくためには、管理・監督者の温かなサポートと、後ろ盾としての確固たる存在が不可欠です。例えば、そのような滞納者が窓口に来ると、○○課（他の課または本庁等）へ行ってくるなどと言って席を離れてしまうようでは、職員の信頼を得ることはできませんし、「いざというときにうちの上司（管理・監督者）は逃げてしまう」ということになって、職場には閉塞感や無力感が充満し、士気は下がる一方です。

怒鳴るような冷静さを欠いた滞納者を説得したり、論破したりする必要は全くありません。法令に照らして「できること」と「できないこと」とを丁寧に説明し、できないことについては、何と言われようとも、また、どのように怒鳴られようとも「できません」と繰り返すべきです。そして、数回同じことを繰り返しても、依然として大声を出し続けるような滞納者には、お引き取り願わなくてはなりません。それでもやめない滞納者については、「不当な居座り」または、場合によっては「行政対象暴力」ということにもなりますから、庁舎管理者とも相談の上、警察に通報しなければなりません。管理・監督者自身が、このように毅然とした姿勢で滞納者と向き合うことで職員から信頼され、その後の職場の運営上も、税収の確保という観点からも、必ずや好ましい結果に結びつけることができるでしょう。職員は、常に管理・監督者の滞納整理に臨む「姿勢」（つまり、背中）を見ています。

⒁ 事績記録簿の活用

カルテといえば通常、医師が診療の経緯や結果、治療方針などを記録する帳票のことをいいますが、滞納整理においても、これと類似の帳票はあります（本章3⑹「記録の取り方」＝231ページ＝参照）。具体的には事績記録簿ですが、これの作成要領については前述したとおりです。

ここであえて「カルテ」に見立てて、その活用に触れることとしたのは、この事績記録簿をもっと有効に活用して効率的な滞納整理に活かすべきであると考えるからです。前述したとおり、この事績記録簿には、

① 上司への復命としての意味
② 後日の滞納処分等の判断材料としての意味
③ 後日、万一争訟となったときの証拠（疎明資料）としての意味
④ 今後の整理の方向性を見極めるための資料としての意味

という意義があり、管理・監督者が滞納整理をマネジメントしていく上で必要不可欠なツールとなるものです。したがって、この記載方法をルール化し、かつ簡素化することによって、担当者の入力時間と入力の手間の省力化になるとともに、整理方針の的確化と迅速な方針決定が可能となるからです。

【事績記録簿の活用例】

① 「現状」（例えば「財産調査中」「差押中」など）と「整理方針」（例えば「要差押え」「要停止」など）を記号化（例えば「財産調査中」のものを「1」としたり、「要差押え」のものを「A」としたりするなど）して分析に使う。システムで集計すれば、滞納全体の整理の進捗状況や、今後処理すべき事務量積算などに活用することができます。

② 箇条書きのように簡潔明瞭に記録されたものであれば、担当者が交代したときの引継ぎにおいて、継続性・一貫性を保つことができますし、上司がチェックする際には、迅速で的確な判断が可能となります。これは、あたかも医師のセカンドオピニオンを聞くのにも似ています（より一層的確な滞納整理に資するものです）。

③ また、箇条書きのように簡潔明瞭に記録されたものであれば、直接の担当者が休暇等で不在の場合でも、担当者不在につき対応不能ということはなく、他の職員がある程度の適切な対応をすることができます。

④ 高額事案検討会や、ヒアリングを受けるときなどは、検討の基本資料となりますので、これまでの整理経過や今後の方針などが簡潔かつ具体的に見やすく整理されていれば、検討会やヒアリングを効率的に行うことができます。

以上、活用方法を幾つか例示してみましたが、いずれを取っても当然のことばかりで特に目新しいことはないと思います。そうだとしても、なおいま一度読者のみなさんの職場でこの事績記録簿が、ここで掲げたように有効に活用されているかどうか改めて点検してみる価値はあると思いますので、ぜひ見直してみることをお勧めします。

4　現金と証券の取扱い

(1)　当日納付の原則を守る

現金領収をしたものについては、原則として、領収した当日のうちに指定金融機関の窓口へ払い込みますが、金融機関の窓口を締め切った以降に領収したものについては、翌勤務日の午前10時までに指定金融機関の窓口に払い込みます（いわゆる「締後領収」）。

なお、担当の職員が翌勤務日に休暇を取るような場合は、あらかじめ他の職員または係長に処理を依頼しておくなどの手配をします。

※この処理については、各自治体の金銭会計規則の定めるところに従ってください。

(2) 声に出して確認する

納税は納付書によるのが原則ですが、（例外的に）現金を受領するときはもちろん、領収書を渡すときも無言で差し出すのではなく、「○○円お預かりします」とか「ご苦労さまでした」などそれぞれの状況に適した声をかけるように職員を指導します。

単なる応接上の技量として、相手に好感を与えるというためだけではなく、現金領収等においては、事務処理ミスを防止するためにも、声を出すことによって、一つひとつの動作の確認をすることが大切です。

(3) 納付・納入の受託は延滞金を含めた滞納額全額とする

受託時には滞納となっていなくても、支払期日の関係で、新たな滞納が生じることが確実であるような場合は、受託時における滞納額だけでなく、将来発生することが確実な分（支払期日に延滞金が生じる場合は、その金額も加算した金額）についても、できるだけ合わせて受託するようにします。

受託時の滞納金額だけで受託していると、その後、何回となく催告を繰り返さなくてはならず、内部事務を増やすことにもなるので、受託時の滞納額＋将来（支払期日）において発生することが確実な分も合わせて、納税すべき金額全額（延滞金も含む）で受託するように、滞納者を指導します。

(4) 受託証券の組戻し

換価猶予などの納税緩和措置を講じる際に、その担保として証券受託をすることがあります（地方税法第16条の２）。しかし、その場合、中には延滞金も含めて滞納額全額の受託をしていないケースはないでしょうか？

証券受託をするときは、全額の受託をするようにします（(3)の再掲）。また、時折、滞納者から「資金繰りが厳しくなったので、いったん役所に委託した証券を組み戻してほしい」という要請（ジャンプの依頼）を受けることがあります。これについては、当初受託するときに、「途中での組戻しはできません」と伝えておくべきですし、仮に組戻しの要請があっても断るべきです。なお、納付・納入の委託については、「委託者である納税者・特別徴収義務者から一方的に解約することはできないものと解され」ています（『地方税法総則逐条解説』一般財団法人地方財務協会〈刊〉参照）。

この取扱いを厳正・厳格にしておかないと、滞納者から安易感を持たれ、「役所なんてどうにでもなるんだ」という誤ったメッセージを送ることになります。滞納者も必死に「不渡りを出して倒産したらどうしてくれるんだ。お前に責任を取ってもらうぞ」などと、会社の経営責任を徴税吏員に転嫁するような言い方をしてくることもありますが、その勢いに押されて安易に組戻しに応ずるべきではありません。ただ、不渡りを出させることが受託の目的ではありませんから、滞納者が資金繰表を提示して、資金調達の確実性について説明するなど、その信憑（しんぴょう）性・信頼性が高いと認められる場合は、例外的に組戻しを認めても差し支えないでしょう（この取扱いは一度だけ）。そもそも組戻しには応じられない旨の説明は当初からしてあることですし、手形を落とせるかどうかは、自らの経営努力ないしは経営責任なのであって、受託した徴税機関の責任では断じてありません。自己の経営上の失敗や都合を徴税機関や徴税吏員個人に転嫁することなど絶対に認められません。

⑸　現金書留での送金は求めない

納税は、税額に相当する金銭に納付書を添えて金融機関等で行うのが原則（国税通則法第34条および各自治体の金銭会計規則）ですが、時折、滞納者から「遅れている税金を現金書留で送りたいんですが」との申出を受けることがあります。金融機関の店舗数の少ない地方からの問い合わせが多いようです。しかし、現金書留郵便の場合、送金額については本人の申告制となっており、郵便局の窓口では、申告金額と封入金額との照合・確認を行っていないので、この方法はお勧めできません。後日、「○○円送金したはずだ」「いえ、△△円しか入っていませんでした」というような、確認することのできない水掛け論になるリスクがあります。申出のあった滞納者には、再交付納付書による納税を案内します。必要に応じてコンビニでの取扱いやペイジーなどの案内もします。

⑹　「危機管理マニュアル」の策定
〜現金等取扱時の事故防止対策と発生時の対応〜

滞納整理における危機管理の問題は、怒鳴ったりして大騒ぎをする滞納者等への応対ばかりではありません。滞納整理の実務では金銭を取り扱うことがありますので、その取扱いには細心の注意を払うとともに、万が一の事故が発生してしまったときの適切な事後処理に関するマニュアルを備えておく必要があります。言うまでもなく備え置くだけでなく、それを使った訓練も怠りなく行うことがマネジメントのポイントの一つです。

税務行政に対する納税者のみなさんからの信頼は、それが公正・公平かつ適切に行われてこそ得られるものですから、まずもって求められるのは、事故を起こさないという防止対策に万全を期すことです。しかし、神ならぬ人間の行うことに完璧ということがない以上、事故が起きてしまったときの迅速で適切な対処についても備えを怠ることがないようにしておく必要があります。とりわけ金銭を取り扱う機会が少なくない徴税吏員にとってこうした「危機管理マニュアル」は必須のものであると思います。

5 決裁時の着眼点

滞納整理では、差押え等の滞納処分や、証券の受託など重要な決裁が数多くあります。したがって、決裁のときは、慎重かつ的確な審査・点検をすることが大切です。本書でその全てを網羅することはできませんが、おおむね次のポイントに留意して決裁します。

また、決裁のときは、担当者の考えを聞くことが必要な場合もありますから、ただ押印（電子決裁の場合はクリック）するだけでなく、必要に応じて起案者とコミュニケーションをとるようにします。そうすることによって、管理・監督者の考えも部下に伝わりますし、部下にとっても、上司とのコミュニケーションによって、管理・監督者への信頼も深まることでしょう。そうした日々の繰り返しが、相互の理解をさらに深めることにつながるものと思います。

⑴ 必要な書類は添付されているか

決裁をするということは、チェック（点検）をすることのほかに、判断をするということですから、起案にはそのために必要な資料が添付されていなければなりません。しかし、それは判断をするのに必要な範囲と分量のものという意味であって、「多ければ多いほどいい」というものではありません。判断に必要な資料というものは、起案した当該の事案によって異なります。

例えば、差押えの起案であれば、「課税根拠は揺るぎないものか」「課税手続は適法に行われているか」「督促状は送達されているか」「収支や負債など滞納者の財産状況はどうか」「過去の納付履歴はどうか」「他の税務機関での滞納はあるか」「差押財産の選択は適切か」「時効は完成していないか（更新しているか）」等々が一般的かと思いますが、これらの事実を確認できる資料が添付されているかどうかを確認して、不足や不備などがあれば、適切な指示を与えて補正させます。

(2)　金額等に間違いはないか

現在は、かつてと違って、再交付納付書は機械でプリントすることができるので、まず間違いはないと思いますが、特に非電算税目に係るもの（手書きの納付書）などについては、首標金額は当然のこととして、内訳や期（月）、事業年度などに誤りがないかどうか、必ず点検・確認を励行します。例えば、交付要求などにおいて、金額を間違えたりしますと、（本来の金額での）配当を受けられなくなることもありますので、十分に注意します。

(3)　通知の名宛人に間違いはないか

特に滞納処分に関する通知の名宛人を間違えたりすると、大変なことになりますので、念には念を入れて、確実に送達すべき人宛てに送達します。最悪の場合は、国家賠償法により損害賠償を請求されるような事態にもなりかねません。

《チェックが不十分であった例》新聞記事等より抜粋引用

①　○○県○○市は13日、市民税と県民税、国民健康保険税の滞納者の銀行預金差し押さえ手続きで、誤って別人の銀行預金を差し押さえるミスがあったと発表した。

市債権回収課によると、9月29日、県外在住の男性から「○○市から口座が差し押さえられている」と連絡があった。男性は滞納者と同姓同名で生年月日も同じ。住所は県外で不一致だったが、同課職員が見落とし、14日から預金口座内の51万円を差し押さえていたという。さらに、滞納者に対して県外男性の口座番号など個人情報が記載された書類を送付するミスがあったことも発覚した。(2021.10.13　神奈川新聞より引用)

②　○○市○○区役所は19日、国民健康保険料の滞納者の銀行口座を誤って差し押さえたと発表した。まったく同じ氏名と生年月日の別人女性の口座と間違えたという。区役所は差し押さえた女性に謝罪。差し押さえの履歴が残らないようにする手続きをとった。

区によると、市役所本庁舎の職員が差し押さえに向けて口座の調査をした際、○○区に住む滞納者の住所と、口座の登録住所が異なることが判明した。住所は○○区外だったという。ところが、区役所の担当職員は住所が異なっていても、本庁舎の職員が滞納者の転居をすでに確認していると思い込み、10日に差し押さえの手続きをした。(2021.2.20　朝日新聞より引用)

③　○○市は24日、市税滞納者の銀行預金の差し押さえ処分にあたり、同姓同名

の別人の預金を差し押さえるミスがあったと発表した。
市納税・債権管理課によると、滞納者の財産を調査するため、銀行に住所、氏名、生年月日などを照会した際、同姓同名で生年月日が一致。住所が市外で不一致だったが、市職員が見落とし、滞納者本人の口座と判断して別人の預金41万6907円を差し押さえた。
今月中旬、市から通知を受けた滞納者本人から指摘があり、ミスが発覚。誤って預金を差し押さえられた別人には市から経緯を説明し、全額返金した。
(2015.3.25　千葉日報より引用)

⑷ 行うべき処理が漏れていないか

例えば、債権の場合は、二重差押えをすることができるのですが、この場合は、原則として、差押えと併せて交付要求という手続をすることとなっています。したがって、どういった財産を差し押さえるのかによって、処理すべきことは必ずしも同じでないため、個々の起案ごとによく見て、慎重に決裁するようにします。もし、この例のように、同時に行うべき処理が漏れていることを発見したときは、担当者を指導して遺漏のないようにします。

⑸ 対象財産の選択は適切・妥当か

差押えをするときは、「本丸に迫る差押え」[※14]をすべきですから、差押えの決裁をするときは、この「本丸に迫る差押え」の趣旨に沿った差押えになっているかどうかをチェックします。

具体的に言うと、例えば100万円の滞納があるのに、１万円前後の預金の差押えが起案として上がってきたような場合は、原則として、不適切な起案（整理方法）と言わなければなりません。これでは、滞納額に到底及びません。このような場合は、いきなり「これじゃあ滞納額を全然満たしていないじゃないか」と頭ごなしに言うのではなく、まず、滞納額がこれだけあるのに、どうして１万円前後の預金を差し押さえることにしたのか、その理由と今後の整理方針について、担当者から聞く必要があります。その結果、一通り財産を探したが、現時点では当該預金しか発見できず、しかも時効完成が間近に迫っているので、取りあえず時効を更新させる必要があったというような、合理的な理由

※14　**本丸に迫る差押え**　滞納整理を合理的・効率的・効果的に進めるためには、できるだけ少ない労力と短い時間で済む「１回的な解決」が望ましく、そのためには、滞納額に見合う価額の財産を差し押さえるようにします。私は、このことを昔の城攻めになぞらえて「本丸に迫る差押え」と言っています。

が認められる場合は、その起案を通してもいいと思います。そして、その際は、今後の整理方針についても具体的に指示し、必要なアドバイスをします。

そうではなく、差押えの件数を稼ぐためにやったであるとか、預金の差押えが手続的に簡単だからなど、不適切かつよく考えないで形式的・機械的に上げてきたような場合は、事案の内容をよく検討して、短期の解決に直結する「本丸に迫る差押え」をするよう指導するとともに、他の事案についても常に、早期に完結させる整理を心がけるよう、その職員に理解させる必要があります。滞納整理では、できるだけ他の「より効果的な財産（1回の差押えで完納となるような財産）」を差し押さえるよう指導すべきです。

⑹　適法性の審査・点検

税務事務は相対的に裁量の幅が狭いといわれます。例えば、差押えの解除についても、解除できる要件については、国税徴収法第79条で規定されており、担当者の判断で、それ以外の理由によって解除することはできません。滞納者の中には、差押えを受けると、「このヤロー、差押えなんかしやがって、さっさと解除しろ！」などのように激しく反発する人がいます。しかし、解除できるのは、滞納している徴収金を完納したときであって、このように怒鳴ったり脅したりしても、解除することはできないのです（当然のことですが）。もし万一、滞納者のこうした脅しに屈して、差押えを解除したりすれば、「違法な」解除の責任を免れることはできません。決裁時には、適法な処理であるかどうかの審査・点検にも遺漏のないよう、相当の注意を払う必要があります。

⑺　妥当性の審査・点検

前記⑹の適法性の審査・点検は、当然のこととして、管理・監督者は、妥当性についてもチェックする必要があります。その際のチェックポイントは次のとおりです。

【妥当性のチェックポイント　例示】

①　延滞金を本税納付の取引材料に使うようなことはないか。

②　これまで同じ調査（または納税指導）を繰り返していないか。

③　長期・少額分納を認めていないか（これまで、分納と不履行を何回も繰り返していないか）。

④　事績記録簿は箇条書きで整理されているか。だらだらと日記風になっていな

いか。
⑤ 差し押さえた債権は、適切な時期に取り立てることとなっているか（例えば、差し押さえてから取り立てるまで、不相当に長期間を経過していないかなど）。
⑥ 不適切な裁量となっていないか（例えば、取立額を勝手に減額するなど）。

6 こんなときどうする

ここでは滞納整理をマネジメントする上で生起するさまざまな課題について、どのように考え、そして、それらに対してどのように対処したらよいか考えてみることとします。

⑴ 差押えに消極的

「差押えは最後の手段である」とか「滞納者を自主納税に導くのが徴税吏員の力量である」などといった勝手な“信念”を持っている職員がいた場合、その職員とどう向き合い、そして、どのように指導していったらいいでしょうか。

そもそも当該職員が、そのような“信念”（というより「思い込み」というべきでしょう）に凝り固まってしまったのには理由があるはずです。例えば、先輩職員からそのような指導を受けたのかもしれませんし、かつて研修の中で教えられたのかもしれません。あるいは、半ば自己流に形成されてきた（考え方な）のかもしれません。

ですからそのような場合はまず、なぜその職員が滞納処分に消極的なのか、原因を明らかにする必要があると思います。つまり、原因が分からなければ対策の立てようがないからです。また、（なぜ消極的なのか、その）原因を取り違えるなど、実情を正確に把握しないまま、ただやみくもに「指導」しても、的外れな指導になってしまうかもしれないのです。

滞納処分に消極的な理由としては、一般に以下の原因が考えられます。

原　因	対　策（例示）
①　差押えをした後の滞納者の反発が怖い。	①　組織全体で、当該職員を支えてあげることが大切です。また、納税指導や臨戸の際は、当該職員を一人にせず、組織的に対処するように心がけます。
②　滞納処分は、最後の最後の手段であって、できれば滞納者を説得して、平和的・自主的に納税させるようにするのが徴税吏員の力量であると思い込んでいる。	②　この場合は、幾つかの試みが考えられます。 ア　管理・監督者（課長・係長）から滞納処分の必要性と有効性などについて、丁寧に説明し、納得してもらうよう努力します。 イ　国や先進他都市での実情を知らせ、滞納処分の必要性と有効性を実感してもらう（体で感じてもらう）といいでしょう。 ウ「徴収不作為」によって首長や徴税吏員が法的な責任を問われた裁判例を幾つか勉強してもらい、滞納整理というものの必要性や、本来あるべき姿について理解させます。
③　上司に反発している。	③　当該職員が反発している当事者としての上司とは別の管理・監督者から、本人の言い分なり反発の理由なりを聴き取り、誤解やコミュニケーション不足があるのであれば、それらを解消できるような環境づくりをします。そのようにしても、改善しがたい感情的な対立である場合は、本人のやる気や今後のキャリア形成も考え、異動も考慮します。
④　職場の中で孤立していて、やる気を失っている。	④　相談に乗ってあげて、本人の努力や職場内の支えによって解決できるものであれば、それに向けて取り組みます。それでも解決が無理な場合は、本人のやる気や今後のキャリア形成も考え、異動も考慮します。
⑤　滞納処分をして滞納者の反感を買えば、自主納付を期待できなくなるので、将来のことを考えれば、強権を行使して決定的に対立するよりも、平和的な方法で滞納者に働きかけて、滞納者を納税者に変えた方が、むしろ長期的には望ましいと思い込んでいる。つまり、滞納処分をすれば短期的、一時的には税収に結びつくかもしれないが、長期的視野に立って滞納整理をしようとするのであれば、「北風よりも太陽」だと思っている。	⑤　このような考え方の徴税吏員は、ひょっとしたら少なくないかもしれません。しかし、このように考える人には、次の認識が希薄であるように思います。 ア　税務事務が大量・反復事務であること。 イ　滞納整理は期限のある仕事であること。 ウ　税収が自治体財政の基盤的歳入であり、（賦課された）年度内に確保されなければならないこと。 したがって、このような考え方の職員には、本来であれば、租税制度の基礎を学んでほしいのですが、実務ではそのような時間もないことと思いますので、管理・監督者から、「事案の見極め方と見極めるタイミング」について丁寧に説明して、納得してもらう必要があります。それでも解決が無理な場合は、本人のやる気や

	今後のキャリア形成も考え、異動も考慮します。
⑥　人事異動で滞納整理をする職場に配属されたものの、自分の性格や性分に合っていないと思っているため、「心ここにあらず」で、意欲が湧かない。	⑥　これは不本意な人事異動によるものであると本人が思い込んでいるケースです。自分の意に沿わない仕事は嫌だというのは、自分勝手な考え方で、これでは組織人としては失格です。しかし、嫌なものを好きになれといったところで、それは無理な話ですから、次の人事異動までは、少なくとも職場内で平均的な仕事（平均的な実績を挙げること）をするのが、本人の責務であるということを納得してもらい、そのことを行動で示すことを指導する必要があります。それでも解決が無理な場合は、本人のやる気や今後のキャリア形成も考え、異動も考慮します。
⑦　いわゆる「性善説」のような考えがあり、どんな滞納者であっても「話せば分かる」はずだと思い込んでいる。	⑦　主観的な話をしても、結局は「見解の相違だ」ということにもなりかねないので、実績という客観的なデータで説明し、滞納処分をした場合と、しなかった場合とを比較して見せる。自分のところにはそのようなデータがないのであれば、公表されている他都市のデータを借用して説明する。それでも解決が無理な場合は、本人のやる気や今後のキャリア形成も考え、異動も考慮します。
⑧　疾患（例えば、うつ病などの精神疾患など）を抱えていて気持ちが落ち込んでいる。	⑧　カウンセラーによる相談や専門医への通院を勧めます。医学的に疾患が明らかな場合は、業務指導を控えます。
⑨　仕事に自信が持てなくて、積極的に滞納処分を行うことにちゅうちょしている。	⑨　当該職員と面談をして、自信が持てない原因を特定します。その上で、管理・監督者は、その原因に対応した適切な対策について、親身になって一緒に考えてあげることが大切だと思います（寄り添う姿勢）。本人も納得している対策であれば、自ら進んで取り組むことと思います。

(2)　停止に消極的

かつて、ある地方団体に「たとえ1円でも払えるということは、どこかに財産がある可能性があるから停止にすることなどできない」と言って頑として停止の処理をしない担当者がいたそうです。滞納処分の執行停止は、納税義務の消滅にもつながる処分ですから、安易な停止は厳に慎まなければなりませんが、所要の調査を尽くし、その結果、法定の要件（地方税法第15条の7）を満たしているのであれば、速やかに停止の処理をすべきです。そのような事案を

（滞納処分にするでもなく、停止にするでもなく）未処理のまま抱えていることは、いつまで経（た）っても未済額として滞納が累積するばかりであるし、消滅時効の完成による徴収不作為の懸念もあります。

どの程度の財産調査・所在調査を完了したことをもって、法律が規定している停止の要件を満たしているといえるか否かは相対的であって、絶対的な基準があるわけではありません。では何の基準もなく、徴税吏員のさじ加減一つでどのようにもなるかといえば、それも極端な考えであって、法定の要件を満たしているというためには、①合理性、②社会的相当性、③実現可能性――などに照らして判断すべきだと考えます。徴税機関における実情を見てみれば、国においても地方団体においても、それぞれが抱える滞納事案の件数、金額、難易度はさまざまであるし、これらの滞納整理に当たる職員の力量、経験年数、考え方、人員数、システムの整備状況等々の諸条件（環境）は全く異なっており、法定の要件以外に、これら全てに通底する客観的・絶対的な停止の基準（細目）というものを求めるのは、いわば「青い鳥」を追い求めるようなものです。

したがって、実務では、法の規定（地方税法第15条の７）と国税徴収法基本通達第153条関係２・３・４によることを基本としつつ、それぞれの地方団体において必要と考える「実施可能で合理的な調査項目」を設定することが現実的であると思います。地方税の場合は、国税徴収法第153条ではなく、地方税法第15条の７が適用されますが、内容はいずれも同じであるため、実務上、上記基本通達を参考にして差し支えありません。実際のところ、インターネットで検索してみますと、地方団体ごとに（妥当と考える）停止の実施基準を定めているところが少なからず見受けられます。

法定の要件　地方税法第15条の７第１項

①　滞納処分をすることができる財産がないとき。	対象となる財産の全てについて滞納処分をしても、なお滞納が残っている場合のほか、財産はあるが、それを滞納租税に優先する債権に充てると残余がない場合も含みます。
②　滞納処分をすることによつてその生活を著しく窮迫させるおそれがあるとき。	国税徴収法第76条第１項第４号に規定する差押禁止の金額以下（国税徴収法施行令第34条による金額　本人10万円、親族１人当たり４万5000円）、生活の維持という趣旨から法人は非該当。
③　その所在および滞納処分をすることができる財産がともに不明であるとき。	「所在不明」「財産不明」の双方に該当する必要があり、いずれか一方のみに該当するだけではこれに当たりません。

⑶　トラブル対応は管理職の役目？

滞納整理にトラブル（滞納者等とのもめごと）は、つきものです。否、ほとんど不可避であると言っていいでしょう。こうしたトラブルへの対応は、基本的には当該担当者であるとしても、「ストレス耐性」には個人差がありますから、同耐性が強い人は一人で大丈夫だとしても、弱い人にとっては大変な心的ストレスであるに違いありません。だからこそ本書でも再三触れてきましたが、「組織的な対応」と、管理・監督者による「職員の後ろ盾としての役割」が重要なのです。後ろを振り返ったら上司がいなくなっていたというのは、滞納整理では最悪のパターンです。

以前、○○市役所で、市税の滞納者が財産を差し押さえられたことを逆恨みして、火炎瓶を投げつけて市役所に放火した事件が報道されましたが、かなりの火災であったにもかかわらず亡くなられた方や大けがをされた方が出なかったことが不幸中の幸いでした。あのような事件はなかなか防ぐことはできませんが、万一の事態に組織として迅速に対処することが、被害を最小限に食い止めることができるのだと思います。本章４⑹で「『危機管理マニュアル』の策定」＝241ページ＝について触れましたが、当該マニュアルの中には、金銭取扱時の事故防止対策・発生時の対応だけでなく、不当要求や窓口等でのトラブル時の対処方法についても定めておくといいでしょう。また、マニュアルは策定してそれで終わりなのではなく、その実効を期すために、常にそれを使った訓練（トレーニング）に努める必要があります。

⑷　垣根を築いて自分のテリトリーに固執する

垣根には係や課といった組織間のものもありますし、個々の担当者間のものもあります。ここでは後者について触れてみます。

滞納整理の事務分担は、町別（地域別）で担当を割り振っている場合が一般的ではないかと思います。その他の分担方法があるとしても、いずれの場合であっても、その割り振られた役割の中に閉じこもってしまい、担当者間の連絡・連携が円滑にいかなければ、全体として滞納整理を「組織として行っている」ことにはなりません。それはあたかも個々の担当者が「たこつぼ状態」になってしまっていて、マネジメントが行われにくい状況にあります。したがって、そのような状況下では、担当者間の進捗（しんちょく）や実績にばらつきが生じ、計画的な滞納整理が行われにくいことが容易に想像されます。

このようなことを防ぐ一つの方法として、「チーム制」による滞納整理があ

ります。おおむね３人で一組のチームをつくり、そのチームを基本単位として滞納整理に取り組むのです。こうすることで、

① ベストな解決方法を見いだすことができる（「三人寄れば文殊の知恵」）
② 気弱で一人では怖くて応対できなくても３人で応対すれば心強い
③ 休暇や出張で不在の者がいても他の者が応対することができる（代替機能）
④ 相互けん制作用が働き不祥事・事故が起きにくい
⑤ 一人だとマイペースになりがちであるとしても、３人で共同担当することで相互けん制作用が働き、怠けていられないような雰囲気ができる

など多くのメリットが期待できます。

(5) 細部にこだわり全体がおろそかになる

担当者にも得意分野や、好き嫌いというものはあります。誰でも得意分野や好きなことには没頭しがちです。しかし、仕事としての滞納整理では、これらのことを各担当者のそうした思いのままに委ねていたのでは、全体として効率的・効果的な滞納整理というものを実現することはできません。処理のペースや課題への対応能力に個人差があるからです。ある程度の個人差というものは避けられませんが、進め方を工夫することで、この個人差を埋めて、平準化することは可能ですし、その采配を振るう第一義的な責任者は係長級の人でしょう。また、この毎年の事務分担替えというものが係長職にとっては、頭の痛いことでもあるのですが……。

このように細部またはある特定の事案にこだわって、なかなかそこから先に進めない担当者がいる場合は、最も身近な上司である係長が、まずもって相談に乗り、アドバイスすべきです。こうすることで大抵の問題は係内（またはグループ内）で解決することが可能となり、係長の負担も軽減させることができます。結局、そのように細部にこだわる担当者には、全体が見えていないし、効率性よりも目の前の課題に気持ちを奪われてしまっていて、いつまでにどれだけの分量の事務をやらなければならないという全体を俯瞰（ふかん）した観念や責任感が薄れてしまっているのです。その「こだわり」から脱出させるのは、係長であり、またはグループリーダーです。

(6) ケアレスミスが多い

大量・反復事務である滞納整理事務で最も留意しなければならないのは、

「事務処理ミス」です。一般にヒューマンエラーといわれる人為ミスは、神ならぬ人間ゆえに、なかなか根絶することができない悩ましい問題ですが、ミスの根絶に向けて組織的に取り組むことによって、減少させることは十分可能であり、そうした取組みは必ずやらなければなりません。それとは別に、担当者個人の事務処理ミスについては、当該個人の注意力に起因していることもあり、劇的な改善を実現するのはなかなか一朝一夕にはいかないことです。

このような場合の肝心なポイントは、その本人自身が「ケアレスミスが多い」ことを自覚しているかどうかです。もし自覚していないようであれば、具体的な事例を示して説明し、どこがどう間違っているのかを本人に自覚してもらうことが改善の出発点です。なぜなら、ミスの原因が特定できなければ本人の改善に向けた自発的な行動は期待できないからです。その役割は先輩職員または当該職員が信頼している職員でもいいですし、もちろん係長でもいいわけです。

なお、個人情報を扱う滞納整理で事務処理ミスを出してしまうと、対外的な影響が大きいことも考えられ、場合によっては報道対応しなければならないような事態も想定されます。したがって、本章4(6)で触れた「『危機管理マニュアル』の策定」=241ページ=の中で、事務処理ミスの未然防止策とともに、万一事務処理ミスが発生してしまった場合の事後処置についても記載しておくことが大切です。

(7) チャレンジ精神がない

一般に滞納整理事務は定型的で、どちらかというとルーティンワークであるように理解（誤解？）されているのではないでしょうか。ものの見方にもよりますが、確かに租税法律主義の下では個々の徴税吏員の裁量の範囲は、それほど広いとはいえないかもしれません。しかし、裁量の範囲の広狭は、チャレンジ精神の発揮と直接関係はないと思います。

具体例で言いますと、現在では日本全国にほぼ浸透したと思われる「インターネット公売」ですが、これを開発した東京都主税局のチャレンジ精神には本当に感心させられます。今では地方税だけでなく、国税でもインターネット公売を行っています。こうした新分野の開拓に当たってはさまざまな困難があったことと思いますが、過去の延長線上で物事を考えていたら、新しいことなど実現させることはできません。

チャレンジを促すには部下を叱咤（しった）激励するだけではなかなか難しく、一定の環境が整っているという条件があるように思います。

その条件とは、

① アイデアや意見を自由に表明することができる風通しのよい職場環境
② 自由な発想を促し、触発するような上司の働きかけ
③ 課題解決に向けた「議論」をすることが慣行となっている職場環境

などではないかと思います。中でも、上司の影響はとりわけ大きく、その意味で職場環境の整備（モチベーションの向上など）は、管理・監督者の役割の大半を占めるといっても過言ではありません。そもそもチャレンジ精神の発揮は、上司が部下に命じて実現するものではなく、それぞれの職員の自発的・創造的な発想の中から生まれてくるものだからです。管理・監督者は、それを促し、発揮させやすい環境を整えることが責務であるといえるでしょう。

(8) 根拠や裏付けよりも経験を重視する

こうした傾向はベテラン職員（長年滞納整理に携わっている職員という意味）に比較的多く見受けられるようです。経験の持つ重みに鑑みれば、分からなくもありませんが、租税法律主義の下での滞納整理では、何よりも根拠・裏付けが大切ですから、実務では常にどの法律の第何条の第何項（第何号）に根拠があるのかということを意識して進める必要があります。ただ、実務は根拠だけで進めることはできませんから、適切な応対の技量や社会常識などもベースにして行うことが必要であることもまた事実です。

権限や根拠だけで滞納整理を進めることも、一方、経験だけで滞納整理を進めることも両極端であり、管理・監督者は、常に部下の仕事の進め方を観察して、個別のケースに見合った適切な助言と指導を与えるよう心がけることが大切です。（滞納整理事務の）根拠を知っていることは基本であり、不可欠なことですが、その上で経験を重ねることによって、実務に幅と厚みがついてくるのだと思います。幅と厚みとは、具体的には、経験によってつくられた「課題解決のための引き出し」が増えることであり、それによって個々の事案に応じた適切な判断ができるようになり、そのことがその職員の実務能力に幅と厚み（解決のための選択肢）が増すということです。ただ、そのためには「しっかりとした根拠」が前提となっていなければならないのです。「根拠」という前提を欠いた経験だけに基づいた滞納整理は、危険ですらあります。

(9) 気弱、すぐ悩む

滞納整理では、窓口や電話口等で怒鳴られることも珍しくありません。気弱

な職員だと、怒鳴られた途端に「意気消沈」してしまい、以降、窓口や電話に出ることがためらわれることもあるでしょう。滞納整理という仕事への「向き」「不向き」という観点からは、「このように気弱な職員は向いていない」と言えなくもありませんが、それでは全庁的に見て、ほかの部署には「気丈でファイトあふれる職員」ばかりが揃（そろ）っているのかといえば、おしなべてそのようなことはなく、滞納整理の職場も全庁・全職員の縮図なのであって、おそらく平均的な分布であろうと思われます。つまり、滞納整理の職場だけ、とりわけ「ストレス耐性」の強い職員だけ集めるというのは、不可能ではないにしても、全庁的な人事のバランスからすれば、なかなか難しいことと思われます。そうだとしますと、平均的な職員で編成した徴税吏員集団の「組織力」を高めることに力を注ぐのが賢明な対策であるように思います。すなわち、チーム制で滞納整理に当たるとともに、いざというときには管理・監督者が後ろ盾になって共に滞納者に対処し、そして、前に触れた○○市で起きた滞納者による市役所放火事件を見ても明らかなように、庁舎管理者と連携して事の処理に当たれるような体制を整えることが大切なのではないかと考えます。

⑽　all or nothing（全てできなければ全てやらない）はダメ

いずれの地方団体でも限られた人員で滞納整理に臨んでいる実態からすれば、着手に優先順位を付けて取り組むことが合理的なわけですが、かつては「税は公平でなければならないから、滞納額の多寡にかかわらず、同じように応対し、同じように取り組まなければならない」といった画一的な平等・公平を主張する職員も少なくありませんでした。いわく「同じような状況にある滞納者は一人ではないのだから、ある特定の滞納者についてだけ差押えをするようなことは、すべきではない」というのです。しかし、これは明らかに誤りです。

滞納整理に限りませんが（したがって、公務だけでなく民間での業務も含めて）、100％完璧な仕事ができているところというのは実際のところ存在するのでしょうか。100％完璧な仕事というのは、観念論としてはあり得ても、現実を見てみれば、あるべき姿にどれだけ近づけるかという、いわば五十歩百歩といった「程度問題」なのではないかと思います。

先に例示した「同じような状況にある滞納者は一人ではないのだから、ある特定の滞納者についてだけ差押えをするようなことは、すべきではない」と言っている職員にしても、当然、それはできていないわけです。だからといって、その職員の言うとおりにすることは、結局、ほとんど実効性のある滞納整理はできないということになってしまい、催告に終始することとなってしまうのです。つまり、そのような主張をする職員の「本音」は、滞納者等とトラブルになるような滞納整理（滞納処分のこと）はやりたくないということなのです。このように滞納整理の方法を巡って、all or nothing（全てできなければ全てやらない）といったような極端な主張は、表向き「公平」「平等」というあたかも正当性があるかのような装いをまとっていますが、その実、「滞納処分はやりたくない」という本音が潜んでいることが多いのです。

既にこのような考え方に染まってしまっている職員の意識を改めるのは、実際のところ非常に困難なのですが、まずはＯＪＴや上司の適切な指導による働きかけによって「意識の転換」を図ってもらうよう努力することが大切でしょう。そうした努力にもかかわらず「意識の転換」が困難な場合には、「入口からの意識改革」を検討することになります。

滞納整理の実務

第1章・調　査

1　滞納整理の三要素

(1)　滞納整理の段階的な構造

滞納者に対して、その未納の税金について、納税を催促し、あるいは差押えや執行停止（地方税法第15条の７）をすることによって、その解決を図ろうとする事務のことを、滞納整理と言いますが、これと似たような意味合いを持つものに債権回収という言葉があります。租税債権の回収という言い方をすることもないわけではありませんが、一般に用いられることはあまりありません。債権回収という表現は、むしろ、契約上の債権など民事債権の強制的な取立てにおいて使われることが多いようです。回収という言葉には、民事上の債務者について生じた異常事態ないしは緊急事態のために、自主的な弁済がなされなかったものについて、競売などの強制的な手続によって、その債権の実現を図るというニュアンスがあります。

これに対して滞納整理という用語は、公の債務が自主的に履行されなかったときに、行政処分である滞納処分や納税緩和措置によって、その債権の実現等を図ろうとする場合に使われます。この滞納整理という用語は、民事では用いられることがなく、租税または公課など公の債権に係る未納を解決しようとする場合に使われています。そして、徴収や納税という用語は法令の中でも頻繁に使われていますが、この滞納整理という用語が法令の中で使われることがないのは、権利・義務について規定している法令においては、一義的な明確性が要請されるため、調査・納税指導・処分という一連の広範囲な事務を総称する用語はなじまないからかもしれません。

このように滞納整理という用語の意味するところには、かなりの幅があるのですが、その中身をまとめれば、「調査・納税指導・処分」の三つに要約することができます。この「調査・納税指導・処分」を、ここでは滞納整理の三要素と呼ぶこととします。そして、原則的には、処分は調査と納税指導を、納税指導は原則として調査を、それぞれ前提として行われるものであるところから、これら三つの事務は、段階的・重層的な構造を組成しているということが言えるでしょう。

滞納整理の三要素と段階的な構造

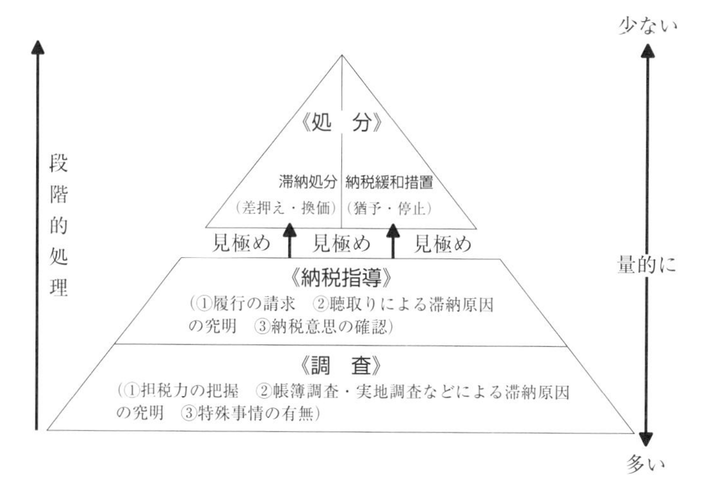

(2)　調査（財産状況の把握）

滞納整理の段階的構造の基底に位置し、最初に着手する事務である調査では、滞納者の担税力の把握（差押可能財産の把握を含む）、帳簿等の資料による滞納原因の究明、そして繰上徴収等に該当するような特殊事情の有無などについて把握し、確認します。

先に、処分は調査と納税指導を、納税指導は原則として調査を、それぞれ前提として行われるものであると述べましたが、これは原則的な処理手順について触れたのであって、滞納となった事案の全てについて、調査が完了しなければ次の事務に進めないのかといえば、必ずしもそうだというわけではありません。地方税は、国税と異なり軽自動車税や自動車税のような１件当たりの税額が比較的僅少で、量的に膨大な税目を抱えていますから、こうした原則を、滞納整理の万般にわたって敷衍（ふえん）しようとすると、効率上の問題など実務での支障が生じかねないからです。

地方団体によって、滞納の多い税目や、滞納金額の分布など滞納の構造は自（おの）ずと異なるのでしょうから、この調査事務にどれだけの労力をかけるのか、また、どの事案に対してどれだけ深度のある調査をするのかについて、一概に論ずることはできません。それに加えて軽自動車税のように、それ単体では数千円から１万数千円程度という税額の税目の滞納について、果たしていちいち調査する必要性があるのかという考え方もあると思います。それこそ、そうしたものについては、投下する労働量と実績との対比（費用対効果）という観点からは、量的な整理と割り切って、通信催告にとどめるべきだとする方が合理的なのかもしれません。もちろん税の公平性という視点からは、税額の多寡にかかわらず、同じ扱いをしなければならないという議論もあると承知していますが、一方では、徴税のための費用が嵩(かさ)めば嵩むほど、公共サービスのための費用として住民に還元できる金額が目減りすることとなりますので、それを徹底すれば、税収の確保という要請と矛盾することとなります。結局は、ぎりぎりのところまで公平性を追求しつつ、できる限りコストの縮減を図って、税収の確保を目指すというバランス論に落ち着くのではないでしょうか。そのバランスの接点を、どのあたりで均衡させるかは、各地方団体の滞納の構造と、考え方によって決せざるを得ないように思います。

(3) 納税指導

滞納整理における納税指導は、自由と平等を基調とする私法の分野における当事者間の交渉とは、目的も内容も異なります。租税法律主義の下における租税債権者と租税債務者という当事者間の関係は、私法上の債権者と債務者の関係と同じではありません。

すなわち、租税債権者と租税債務者の関係は、当事者間の「申込み」と「承諾」という意思表示に基づく契約によってではなく、法律・条例の規定によって規律される公法上の関係であるということです。そのことからくる違いは、私債権の消滅時効が権利を行使することができることを知った時から５年で(民法第166条第１項第１号)、権利を行使することができる時から10年間行使しないとき（同条同項第２号）である一方、租税債権は一律に５年（地方税法第18条）となっていることや、何よりも、租税ではその債権の実現について徴税吏員に「自力執行権」が与えられていることが私債権との最も大きな違いでしょう。

滞納整理における納税指導は、このような租税債権の特質を踏まえて行われるべきですから、その目的は、滞納整理を確実に進捗(しんちょく)させるためであり、内容としては、

① 履行の請求（納税の慫慂(しょうよう)）
② 滞納原因の把握（聴取り＝主観的な情報）
③ 納税意思の有無の確認（自主納税に向けた具体的な行動の内容確認）

の３点を含むものでなければなりません。単に「未納がありますので、至急納

税してください」とか「分納でもいいですから納税してください」などと納税を促すだけでは、履行の請求をしているだけですから、滞納整理の一環として行う納税指導としては、はなはだ不十分です。これだけでは、納税指導の名に値しませんし、滞納者に対して中身のある具体的な聴取りも行っておらず、主観的な情報としての滞納者の実情すら不明なままです。

したがって、これでは後日、改めて滞納者から事情を聴き直さなければならず、非常に効率の悪い事案処理と言わなければなりません。滞納者が常に真実を語ってくれるとは限りませんから、ここでの聴取りは、あくまでも主観的な情報の収集ということになります。この場合、事前にある程度の公簿調査を完了していれば、その調査結果に照らして、（その滞納者が）信頼に足る人物であるかどうかを一定程度推測することができるでしょう。このような意味においても、効率よく、しかも効果的に滞納整理を進めていく上で、調査→必要に応じて納税指導という手順が大切なのです。また、滞納者の情報が何もないままに、いきなり滞納者に対して納税指導をしてみたところで、何の根拠も、また、何の確証もない無益な分納金額の値踏みに堕することとなり、結局、履行される確率の低い納税誓約を承認する羽目になるのが関の山です。このようなことを何度繰り返してみても、履行率の低い分納の履行確認という、むなしい債権管理事務を徒（いたず）らに増やすだけです。

そこで、そのようなことを防ぐ意味においても、滞納者に対して納税指導をするときは、滞納者の収入・支出・資産（積極財産だけでなく、消極財産についても）に関する「聴取シート（チェックリスト）」を使って、必要なことは漏れなく聴き取って、記録しておく必要があります。こうして聴き取った主観的な情報と、先に調査しておいた（あるいは後日に補完調査した）滞納者の客観的な経済状況とを併せて総合的に判断し、事案の処理の方向性を見極めます。

なお、納税意思の有無の確認とは、滞納者から単に口頭で「納めるつもりです」とか「納税しないとは言っていない」などという言葉を引き出すことではなく、具体的な納税計画書の提出や（猶予の申請と）担保の提供など、自主納税に向けた滞納者の具体的な行動を伴うものでなければなりません。その場合、「俺の言うことが信用できないのか」などと言う滞納者が多いのですが、そのような滞納者の開き直りにひるむことなく、毅然（きぜん）として「資金繰りも含めた具体的な納税計画書を提出してください」と明確に求める必要があります。

(4) 処分（滞納処分と納税緩和措置）

財産調査基準※1に基づいた調査と納税指導を進めて、それが一定の段階に達した事案については、できるだけ早く見極めを行い、差し押さえるか、法定の猶予とするか、それとも執行停止とするのかを決定しなければなりません。

ところが、地方税の滞納整理の実情を見てみますと、納税誓約をさせて事実上の分納とする取扱いが圧倒的に多いようです。中には、ろくに調査もせずに、いきなり「いくらなら払えますか」と（徴税吏員の方から）切り出すような根拠のない、滞納者任せの金額の値踏みになってしまっているものさえ見受けられます。少なからぬ地方団体で、このような取扱いが常態化しているのは、地方税では１件当たりの税額が比較的僅少であること、また、法定の猶予をするためには納付能力調査や決議書の作成、担保の徴取など、煩瑣（はんさ）な手続が嫌われていることも、その一因であると思われます。このように、調査や納税指導が不十分なままに、滞納者が「これくらいの分納額なら払える」といった程度の不確実な話だけで納税誓約を承認していることが、長期少額分納の山を築く原因となっており、その結果、分納履行確認という債権管理事務の肥大化を招いているのではないかと推察されます。必要な調査と納税指導を終えた事案については、安易な分納を認めるのではなく、速やかに法的処理の方向性を見極めて、着実に整理を前に進めることが大切です。

2 納税指導のための予備調査（公簿調査）

滞納整理で行われる調査は、滞納処分をするための財産調査だけではありません。倒産事案など緊急に滞納処分を執行しなければならないものを除けば、督促→催告→必要に応じて納税指導→滞納処分（または納税緩和措置）の順に事務を進めていくのが一般的であり、実際のところ、ほとんどの事案が督促や催告によって納付されているのが実態です。したがって、こうした実態に照らしても、全ての滞納事案について調査する必要性は認められません。

とりわけ新規発生滞納や少額滞納については、その必要性は一段と低いと言えます。滞納整理では、滞納税の充足（完納）という目的と最も密接な関係が認められ、かつ実態上も、そしてまた経験的に見てもその必要性がほぼ確実に見込めることを優先して「処理すべき事務」の選択をすべきです。例えば「滞

※1　**財産調査基準**　各地方団体で、滞納金額のランクに応じた一定の調査基準を作っておくべきでしょう。

納となったものについては、その全てが滞納処分に移行する可能性がある」とか「こちらが立てた納税指導の計画を別とすれば、（電話も含めて）滞納者との接触はいつあるか予測できないのだから、常にいつ接触しても大丈夫なように一定の調査をしておく必要がある」というように、予測することが極めて困難な将来の可能性（しかも低い可能性）に基づいて処理すべき事務を選択すべきではありません。なぜなら、限られた人員と限られた時間という厳しい制約条件の中で、最大の効果を挙げるためには、あるかないか不確かな「可能性」よりも、実務の「実態」と過去の「経験則」に依拠して、優先的に処理すべき事務を選択していくことの方がはるかに効率的であり、効果的だからです。加えて滞納整理を取り巻くその時々の環境（景気、企業の倒産状況、個人所得の推移、雇用情勢など）を考慮して調査対象を絞り込むことも考えられます。

以上のことを踏まえた上で、ここでは納税指導に臨むときに必要な調査について説明します。その前に改めてここで納税指導の意義について確認しておきましょう。

①　履行の請求（納税の慫慂）

②　滞納原因の究明（聴取り＝主観的な情報の収集）

③　納税意思の有無の確認（自主納税に向けた具体的な行動）

このように納税指導は、「納税誓約に持ち込むため」でもなければ、「滞納者を説得して納税に対する認識を改めてもらう」ためでもないのです。ただ、納税指導の結果として、分納を開始することになったり、（滞納者が）認識を改めたりすることが皆無であるとまでは言い切れないとしても、納税指導はそうした極めて稀（まれ）な出来事を目的に行うのではなく、滞納税の充足（完納）という最終目的に向けた有力な契機でもあり、（滞納処分とするか、それとも納税緩和措置とするかの）判断材料を収集する端緒として行うものでもあることをしっかりと認識しておく必要があります。つまり、納税指導は、分納を開始させることが目的ではなく、分納は滞納税の充足（完納）に向けた一つの選択肢にすぎず、また滞納者の納税に対する認識がたとえ改まらなくても、必要であれば滞納処分は執行しなければならないのであって、その意味では納税指導の機会を捉えて「説得する」必要はないのです。

しかし、「説得する」必要がないからといって、もちろん横柄で威圧的な態度で納税指導をしていいということにはなりません。言葉遣いは丁寧に、しかし姿勢は毅然として行うことが大切です。この点について誤解を生じないように再度付言すれば、納税指導は丁寧な言葉遣いで行う必要があるものの、最初から滞納者を説得して何とか分納に持ち込もうとするのではなく、聴取りによって把握できる範囲で、「どうして滞納になったのか」を明らかにした上で自主的に納税することができる状況であると判断できるときは、資金的裏付けの分かる資料を添えて「納税計画書」を提出させます。あるいは納税できるだけの資力は認められるにもかかわらず、他の支払いを優先していたり、けんもほろろな態度であったりなど納税の意思が認められない場合は、公簿調査からさらに一歩進めて、滞納処分のための財産調査を開始します。

⑴ 課税根拠

納税指導では滞納者を説得する必要はありませんが、そもそもどうして課税されることとなったのか、その根拠を説明することや、どうしてこのような税額になるのかなどについて理解してもらった上で納税してもらうことは、むしろ望ましいことであり、滞納者からそうした説明を求められたときにこれに応えることは、行政の説明責任を果たすことにもなるでしょう。

納税指導のときに、課税の根拠を聞かれて答えられないのでは、滞納者から「どうして課税したのか『分かりません』とは何だ。よくそれで『納税してください』なんて言えるな。ふざけるのもいいかげんにしろ！」などと言われかねません。これでは納税指導は台無しです。それに加えて納税指導の際に留意すべき点として、納税資金の目当てや資産も含めた納付能力などの根拠・裏付けを欠いた、ただ単にどんぶり勘定的に分納額を決めるためだけの「金額の値踏み」に堕することのないようにしなければなりません。

納税指導を円滑に進め、その目的を達成するためには、事前の準備が必要です。ただし、この段階での（公簿）調査は、滞納処分のために必要な「財産の

課税根拠等に関する主な調査項目の例

<table>
<tr><th>住民税</th><th>固定資産税</th></tr>
<tr><td rowspan="3">1　電話番号
2　職業
3　勤務先（名称、所在地）
4　所得の種類
5　収入額
6　生命保険等の契約先
7　給与・報酬の支払者
8　各種控除の種類
9　譲渡所得・不動産収入の内容</td><td>1　課税物件の所在地
2　課税物件の種類
3　課税物件の広さ
4　課税標準額</td></tr>
<tr><th>その他の税目</th></tr>
<tr><td>1　課税客体の種類・内容
2　事業年度
3　法人税額
4　事務所・事業所の所在地</td></tr>
</table>

特定」のように厳格なものでなくてもよく、申告書や課税台帳などから把握できる程度のもので差し支えありません。この段階で過度に厳密で詳細な調査を求めることは、それにかける労力と時間の配分を考えると合理的ではなく、むしろ納税指導の目的を達成するために必要最小限の範囲での調査に限定し、滞納処分のために必要な財産調査とは別のものであると認識する必要があります。

もちろんこの段階で調べた（公簿）資料は、その後の滞納処分に際しても調査先の特定や決裁時の資料として重要な役割を果たしますので、滞納整理全体として見れば、滞納者に関する基礎的な資料の一つということになります。

⑵　戸籍関係

当該滞納者の居住地や家族構成は、滞納者に関する基本的な情報です。これらを納税指導の中で徴税吏員の側から直接話題にする必要性はありませんし、実際に取り上げられることもほとんどありません。しかし、納税指導は、徴税吏員が主導権をもって進める必要があるので、滞納者から「何だそんなことも調べていないのか」と思われるようなことがあれば、主導権をもって納税指導を進めることはできなくなってしまいます。

前記⑴の課税根拠や戸籍に関する情報は、市町村の場合は自庁内で調査が可能なので、納税指導の前には必ず調査しておく必要があります[※2]。住民税や固定資産税は、原則として、賦課期日現在の納税義務者に対して納税通知書を送付しているので、例えば、相続が関係している事案などでは、納税指導をする際に、戸籍を辿（たど）って誰と誰が相続しているのかを確認の上、その時点で納税義務のある人に対して納税指導をしなければなりません。場合によっては納税義務の承継手続を取らなければならないこともありますし、（親族で）共有している場合の固定資産税のように連帯納税義務者がいるような場合も、それを戸籍関係の書類で確認しておく必要があります。

また、納税するだけの資力がありながら自主納税の意思のないことが納税指導で確認できたときは、滞納処分の手続に進みますが、この場合、滞納者が家族名義で預金しているようなこともないわけではないので、家族名を含めた家族構成について調査しておくことは、納税指導のみならず、その後の処理も含

※2　昨今では税務事務の電算化（システム化）が進み、いずれの地方団体においても、住民基本台帳の情報および課税根拠の情報については、全て一つの端末画面から検索することができるものと思われますので、（納税指導の）事前にこれらの情報を揃（そろ）えておきます。

めた一連の滞納整理事務の中で大いに役立つことになります。

⑶　商業登記簿

滞納しているのが法人の場合、納税指導に当たってその法人の概要について、あらかじめ商業登記簿で調査しておきます。商業登記簿は、いわばその法人の「履歴書」に相当するもので、滞納法人に対して納税指導をするときは、所管する法務局から事前に取り寄せておくようにします。

【商業登記簿から把握できること】

・法人の名称（商号）
・法人の所在地
・支店の所在地
・業種
・組織変更の履歴
・代表取締役の住所、氏名
・その他の役員の氏名

【商業登記簿を見るときのポイント】

・商号や所在地が頻繁に変わっていないかどうか。取込詐欺など犯罪に関わっている可能性あり。
・代表取締役や役員が頻繁に変わっていないかどうか。内紛などトラブルの可能性あり。
・長期間役員の変更がない場合は、休眠会社またはペーパーカンパニーの可能性あり。

前述のとおり商業登記簿は、その法人の「履歴書」に相当するものであり、その法人と取引をしようとするときは必ず確認すべき帳簿の一つです。納税指導では、主導権をもって行うためにも、また滞納法人の申出が事実に基づいたものであるかどうかを判断するためにも、当該法人がどのような目的で設立され、そしてどのような内容の業種なのか、また組織・役員の履歴などについてあらかじめ把握した上で臨む必要があります。

3　調査の目的

当該事案の処理の方向については、納税指導によっておおよその見当がつく場合が多いのですが、それだけでは的確な判断がつきかねることもしばしばで

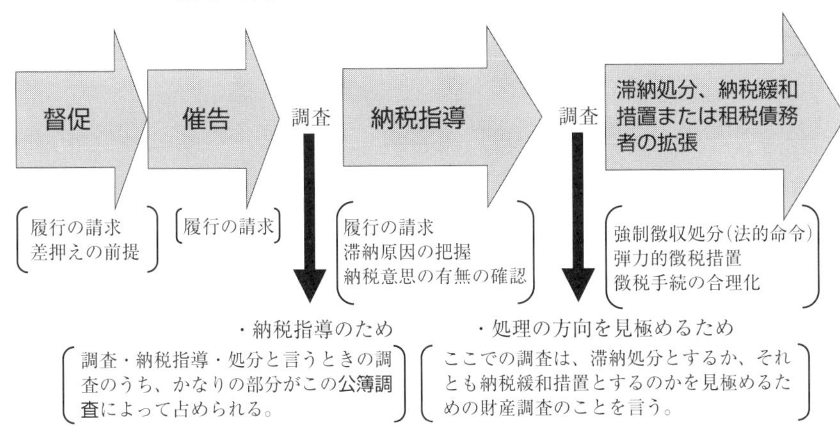

す。滞納整理を進めていく中で、滞納処分とするか、それとも納税緩和措置とするか、あるいは租税債務者の拡張（第二次納税義務や納税義務の承継など）をすべきであるかどうかは、実際のところ、調査をしてみなければ的確な判断を下すことができません。もとより滞納者の申出には耳を傾ける必要がありますが、そうかといって、滞納者が申し出ていることを鵜呑み（うの）にして処理の方向を決めるべきではなく、処理の方向は、あくまでも調査によって明らかになった事実に基づいて決定しなければなりません。このように調査は、自力執行権を発動するか、しないかを決定づける重要な判断要素である「納付能力の有無」を確認するために不可欠な事務であるということができます。

他方、調査には見極めた処理の方向に沿って手続を進めていく上で、これとは別の意味も併せ持っています。すなわち、滞納処分に向けては、差し押さえようとする財産の性質、形態、数量などを特定するために行われ、また納税緩和措置や租税債務者の拡張に向けては、その要件となる事実を特定するために行われるという側面があります。このように納税指導の次にくる調査には、「処理の方向を見極めるため」と「処理を進めるため」に欠かすことのできない重要な事務として二つの目的があります。

4　質問・検査権

督促状の送達や催告（文書・電話）をしただけでは解決しない滞納については、さらにもう一歩踏み込んだ処理をしなければなりません。地方税の滞納整理の実態としては、督促状や催告で履行の請求をしても滞納者から何の反応もないからということで、直ちに滞納処分をしている地方団体は、実際にはほとんどないのではないかと思われます。多くの場合、滞納者と接触して実情を聴き取り、その上で分割納付の取扱いをしているところが多いのではないでしょうか（ただし、私は、こうした滞納整理の方法については税法の趣旨に照らして疑問があり、妥当でないと考えています）。一般に地方税の滞納整理では、どうしてもこの「聴取り」の部分が長くなりがちであるし、また話が行ったり来たりすることも多く、前に進まないことが課題であるように思われます。

滞納整理における質問は、「御用聞き」や「ご機嫌伺い」ではありませんから、たとえ滞納者が（応答への）協力を渋るような内容であっても、滞納整理に必要なことは正確に、かつ細大漏らさず聴き取らなければなりません。質問の例を挙げれば次のとおりです。

滞納整理における質問の例

※ここでは、国税徴収法第141条の質問も含みますが、それよりもやや広い意味のもの（講学上いわゆる「行政調査」と言われているものも含む）を例示しています。

① 滞納の原因
② 収入と支出、資金繰り、負債
③ 資産（不動産、預貯金、株式、その他の金融資産、自動車、保険、貴金属、ゴルフまたはリゾート会員権ほか）
④ 失職、倒産、疾病、災害など特段の事情の有無とその内容
⑤ 納税の意思（具体的な納税計画）

国税徴収法第141条の規定は「滞納処分のため滞納者の財産を調査する必要があるときは、その必要と認められる範囲内において、次に掲げる者に質問し、又はその者の財産に関する帳簿書類を検査することができる」となっていますが、滞納整理の実務では、さらに広い意味での調査を行うことがあります。例えば、滞納者に対して納税指導をする前に、その準備行為として行う滞納者に関する情報の収集や、滞納者の住所地の近隣において（守秘義務に留意して）聞き込みをしたり、滞納者を追跡尾行して取引金融機関や勤務先等を突き止めたりするような場合です。こうした広い意味での調査については、国税徴収法第141条のような法律上の根拠はないものの（ただし、地方税法第20条の11参照）、行政がその目的を遂行する上で行う情報収集活動として、行政法の講学上「行政調査」と言われているものがあります。ただ、「行政調査」と

されるものの全てが全く法律上の根拠がないものばかりなのかといえば必ずしもそうではなく、例えば、警察官職務執行法第２条第１項のように、明文化されているものもあります。

【参考】警察官職務執行法第２条①　警察官は、異常な挙動その他周囲の事情から合理的に判断して何らかの犯罪を犯し、若しくは犯そうとしていると疑うに足りる相当な理由のある者又は既に行われた犯罪について、若しくは犯罪が行われようとしていることについて知つていると認められる者を停止させて質問することができる。

この行政調査については、かつては「即時強制」の一種として説明されていましたが、「質問」自体は、必ずしも行政の実力行使に直結するとは限らないことから、近時は即時強制とは別の分野として位置づけられているようです。しかしながら、前述のように、行政調査とされるものの多くは法律上の根拠がないため、その要件や限界については必ずしも明確ではありません。そこで、判例を手がかりにして滞納整理実務上の指針を試みに示せば次のようになります。

【参考】滞納整理における行政調査の実務指針（試案）

①　**法律上の根拠**　調査に応じるかどうかは、相手方の任意に委ねられており、しかも正当な理由の有無にかかわらず相手方には調査応諾義務はない。したがって、必ずしも法律上の根拠は必要としない。

②　**要件**　法律上の根拠を必ずしも要しないことから、厳格な要件というものはなく、ただ、おおむね次に掲げる諸点に留意する必要があると考えられる。

ア　徴税吏員証の携行と、相手方から求められたときの呈示

イ　滞納整理遂行上調査の必要性があると認められること

ウ　社会通念上妥当な範囲および方法で行われること

③　**事前の告知**　正当な理由の有無に関係なく、相手方には調査応諾義務がないので、必要としない。

④　**調査理由の告知**　（前記②の要件を具備している限り）権限ある徴税吏員の合理的な選択に委ねられており、必要としない。

※　最高裁判所昭和47年11月22日大法廷判決（いわゆる「川崎民商判決」）、最高裁判所昭和48年７月10日小法廷判決（いわゆる「荒川民商判決」）参照。

滞納整理における調査を、その内容と効力の観点から概念図で表すと次のようになります。

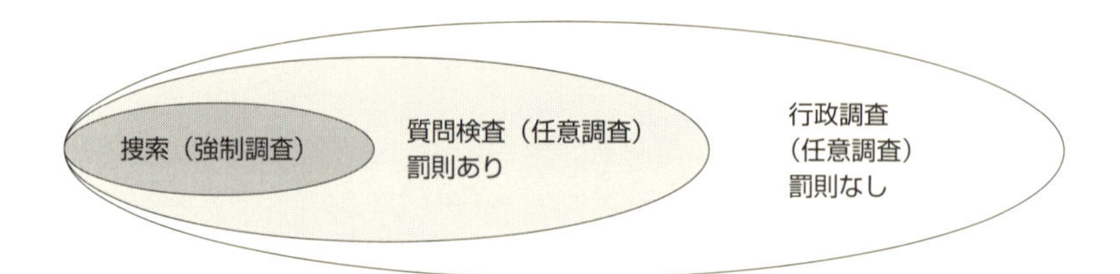

行政調査が口頭で行われ、しかもこれに応じるかどうかは全く相手方の自由であるのに対して、検査は帳簿書類を見ることによって、資金繰りを把握したり、資金の流れや財産の所在を確認したりするものですから、相手方の負担は一層重く、より進んで相手方の協力を必要とするものです。そのようなこともあり、検査については単なる行政調査より一歩進んで、その確実性を担保する意味もあって、法律に根拠があり（国税徴収法第141条）、さらに正当な理由のない（検査に対する）非協力に対しては、罰則による間接強制があります（地方税法第333条ほか）。

(1) 質問の仕方

国税徴収法第141条を見てみると「滞納処分のため…（中略）…必要があるときは」とありますから、同条に基づいて質問をするときは、既に当該事案について滞納処分をする必要があるとの方針が決定されているはずです。そうだとしますと、同条に基づいた質問をすべき対象事案は、催告や納税指導によってかなり絞り込まれているものと考えられます。

それでは実務の中で、同条に基づく質問が、常に必ず納税指導をした後に行われているのかといえば、実は必ずしもそうではなく、納税指導の中で同時に行われることもしばしばです。納税指導は、①履行の請求、②聴取りによる滞納原因の究明、③納税意思の確認――を内容として行いますが、そこでは次に掲げるような具体的な聴取りをします。

【参考】国税徴収法第141条に基づく質問の例（滞納者本人の場合）

① 収入源と収入額。とりわけ直近3カ月程度の収入額。また、どのような方法で受け取っているか（現金、口座振込、現物支給など）。

② 負債の内容。住宅ローン、事業資金、学資ローン、消費者金融など。

③　資産の内訳。不動産、動産（主なもの）、保険、金融資産、自動車、各種会員権、預貯金、貴金属、絵画、その他。
④　失職、倒産、疾病、災害など特段の事情の有無とその内容。

これらの項目は、滞納処分をするために必要だからこそ聴き取るのであり、たとえ滞納者から「何でそんな個人のプライバシーに関わるようなことまで聴くんだ」とか「どれだけ財産を持っているのかとはずいぶん失礼な聴き方じゃないか。これではまるで人の家に土足で踏み込むようなものだ」などと嫌みを言われたり抗議を受けたりすることがあっても、引き下がることなく丁寧に聴き取る必要があります。質問を短時間に効率よく行うためには、あらかじめ質問項目を整理して、チェックリストのようなものを作成しておくのも合理的なやり方でしょう。

なお、一部の地方団体には、このように具体的な内容の質問をしたりすれば、滞納者が怒りだして帰ってしまうのではないかとか、むしろ滞納者の反感を買うこととなって、以後、接触することができなくなってしまうのではないかと心配する声があるようです。

具体的な質問をするのは、「滞納処分のために必要」だからこそ行う（国税徴収法第141条）のにもかかわらず、滞納者の反感を買うから控えるというのでは、同条の質問の意味を十分に理解していないと言わざるを得ません。具体的な質問をすることによって滞納者の反感を買うことを心配し、そうなれば、それ以降納税に協力してもらえなくなるのではないかと恐れるのは、その背景に、従来から自分たちが慣れ親しんできたやり方である「お願いの滞納整理」や、滞納者の自主性を尊重するという建前に隠れた「滞納者任せの滞納整理」ができなくなってしまうのではないかという一種の不安感ないしは、それに近い本音があるからなのでしょう。

国税徴収法第141条による質問・検査は、任意調査であるとはいえ、罰則による間接強制がありますから、質問の相手方には、行政調査よりもさらに一歩進んで質問に対する法的な応答義務が課せられています（したがって、ここでの質問は行政の適正執行のために必要な措置なのです）。しかし、同条による質問に対して滞納者等の協力が得られない場合は、強制調査である捜索をすれば、滞納処分のための調査の目的は実質的に達成することができますから、同条違反による罰則（地方税法第333条第１項ほか）の適用は、国税も含めて実際にはほとんど行われていないようです。もっとも実際に捜索を実施している地方団体は、最近増えつつあるとはいえ、まだ実施していないところも少なくないというのが実情です。

さらに言えば、質問権の行使とはいうものの、実際に相手方の住所地に臨場して質問するのではなく、金融機関や保険会社等への文書による照会がそのほとんどであるというのが実態のようです。すなわち、照会文書の中に「この照会は国税徴収法第141条に基づくものです」といった文言を入れて、滞納者の住所地や勤務先周辺の金融機関等にばらまくように送付するやり方です。大量の滞納事案について効率的に調査するのであるから、多くをそうした方法に頼らざるを得ないのだという言い分もあるのかもしれませんが、いかに滞納処分のための権限の行使であるとはいえ、こうした普遍的・一般的な調査は原則としてすべきではないと考えます（『租税徴収実務講座改訂版』第２巻〈浅田久治郎ほか、ぎょうせい刊〉参照）。

そもそも国税徴収法第141条によれば、質問することができる相手方は、

① 滞納者

② 滞納者の財産を占有する第三者およびこれを占有していると認めるに足りる相当の理由がある第三者

③ 滞納者に対し債権若しくは債務があり、または滞納者から財産を取得したと認めるに足りる相当の理由がある者

④ 滞納者が株主または出資者である法人

となっており、滞納者と取引関係にあるかどうか判然としない金融機関等に対して、照会書をばらまくように送付することは、同条による調査とは認められません。それが決して望ましい方法ではないとしても、あえてそのような照会をしたとすれば、それは同条による調査ではなく、前述した「行政調査」ということになります。

⑵ 質問のポイント

質問権の行使による質問は、滞納処分のためにするものですから、「生活状況はどうですか」とか「どのくらいなら払えますか」などといった抽象的で具体性がなく、相手任せの質問では用をなしません。相手方が答えるか答えないかにかかわらず、次のポイントを押さえて具体的に聴く必要があります。

《質問のポイント》次の点については必ず聴くこと

① 収入源（例えば、給料・不動産収入・株式の配当などの具体的な金額）とそ

の受取方法、受取時期
② 光熱水費などのいわゆる固定経費としてやむを得ないと思われる支出の全て
③ 所有資産（例えば、不動産・主要な動産・貴金属・絵画・各種会員権など）
④ 現に弁済しているかどうかにかかわらず、消極財産の全てとその担保となっている財産の内容
⑤ 取引関係（債権債務の関係）にある者全てとその内容
⑥ 直近３カ月の取引の内容とその相手
⑦ 向こう６カ月ないし１年間の資金繰り
※１　答弁中に矛盾や疑問に感じたことについては、必ず納得できる説明を求めること。
※２　最後に必ず「以上で全てですね」と念押しすることを忘れずに。

相手方が個人であるか法人であるかによっても、質問のポイントは若干異なりますが、基本的なことは改めて述べるまでもなく、収入・支出と資産です。滞納者は例外なくみんな「生活が苦しい」とか「事業が苦しく倒産しそうだ」と申し立てるものです。それを疑ってかかるのではなく、例えば、それではどうやって生活しているのですかとか、どうやって日々食べているのですか、あるいはどうやって機械を動かしているのですかなどと、導入部分はごく素朴で身近な質問から入るのが質問を成功させるための一つの技術であり、コツです。

すなわち、質問のコツは多方面からのアプローチを試してみることです。ある一つの方向からの質問に対して、滞納者が反発したり不快感をあらわにしたりするようであれば、アプローチを変えて滞納者の感情やその場の雰囲気を和らげるような、差し障りのないような話題から入る工夫も必要でしょう。その意味では、質問権の行使といっても、必ずしも単刀直入に具体的な質問をすればいいというものではありません。やや大げさにいえば、常識や法的な知識を総動員するだけでなく、徴税吏員の全人格をさらけ出して（つまり、真摯（しんし）な姿勢を前面に出して）質問に集中することが、質問による調査の成否を左右すると言えるのではないでしょうか。相手に信頼感や安心感を持ってもらうことも、質問による調査を成功させる一つの要素であることは確かです。

(3) 聴取書の作成

通常の質問権の行使の場合は、メモを取るかその要旨を記した記録を残しておきますが、後日、例えば争訟に発展するかもしれないような特に重要な事案であるときは、「聴取書」を作成します。

【聴取書を作成する場合の例】

① 財産の帰属を認定する必要のあるとき。
② 差し押さえるべき債権を特定する必要のあるとき。
③ 詐害行為または虚偽表示が疑われるとき。
④ 第二次納税義務を課する可能性のあるとき。

聴取書については、このような場合に作成するものであるところから、「誰と」「誰が」「誰に対して」「いつ」「どこで」「何を」「どれだけ」「どうした」「現在はどうなっているか」などについて、具体的かつ詳細に聴き取るようにし、簡潔かつ的確に記載するようにします。そして、最後に「以上で、全てですね。あなたの収入・支出および資産に関することで申述していないことは、このほかにはありませんね」と念押しをすることを忘れないようにします。口頭で念押しをするだけでなく、その言葉を聴取書に記載しておきます。これは後日、争訟になったときに、この「聴取書」が疎明資料ないしは証拠として提出されることがあるためです。聴取書には、おおむね次に掲げる項目を載せておきます。

① 申述者（住所、氏名、年齢、職業、電話番号）
② 聴取者（所属、補職名、氏名、印）
③ 聴取日時（令和○○年○月○日午前○時から午前○時まで）
④ 聴取場所
⑤ 聴取方法 「聴取者は、申述者の任意による申述を録取し、申述者はこれに誤りのないことを確認して、署名押印した」旨の記載。
⑥ 申述者の署名押印　滞納者が署名押印を拒否したときは、その旨を記載しておきます。すなわち、このような場合は、前掲⑤の記載が「聴取者は、申述者の任意による申述を録取し、申述者にこれを確認したが、署名押印の協力が得られなかった」のようになります。
⑦ 申述の内容（分量が多いときは別紙とし、数枚にわたるときは割印を押す）

次に聴取書の作成例（ここに示すのは一部です）を示しておきます。

<table>
<tr><th colspan="2">聴　　取　　書</th></tr>
<tr><td>申　　述　　者</td><td>住所　〒○○○－○○○○　都道府県　△△市　○○町一丁目１番地
氏名　日本太郎　生年月日（年齢）昭和○年○月○日（○歳）
職業　会社員（事務職）　電話番号　○○○－○○○－○○○○</td></tr>
<tr><td>聴　　取　　者</td><td>○○市役所税務部収税課　徴収係長（徴税吏員）　○○次郎　㊞</td></tr>
<tr><td>聴　取　日　時</td><td>令和○年○月○日　午前10時00分～午前11時00分</td></tr>
<tr><td>聴　取　場　所</td><td>申述者の自宅玄関</td></tr>
<tr><td>聴　取　方　法</td><td>本聴取書は、申述者が任意に申述したことを録取したものであり、申述者はこれに誤りのないことを確認して、署名押印した。</td></tr>
<tr><td>申述者の署名押印</td><td>日本太郎　㊞</td></tr>
<tr><td colspan="2">申述の内容
質問　お名前と住所、それに職業と生年月日を確認させてください。
答え　日本太郎と申します。住所は、△△市○○町一丁目１番地です。職業は会社員、昭和○年○月○日生まれです。
質問　きょうは、まだ納税していただいていないあなたの令和○○年度の市県民税の件で伺いました。これからこの件に関して幾つかお尋ねしますので、ご協力願います。
答え　ええ、分かることなら協力しますよ。
質問　では□□銀行××支店にあるあなたの奥さん名義の定期預金についてお聞きします。あなたの奥さんは専業主婦で、働いていませんね。それなのにどうして1000万円もの預金ができるのですか。この預金の原資は何ですか。
答え　ちょっと待ってください。きょうは私の税金の件でお尋ねなんじゃないですか。それなのにいきなり妻の預金のことを聞かれても困ります。だいいち妻と私とは別です。先ほど、分かることなら協力しますと言いましたけれども、妻の預金のことまでは、いくら夫婦とはいえ分かりません。それに、どうして私の税金の件で、妻名義の預金なんか調べるんですか。ちょっと越権行為なんじゃないですか。
質問　ご主人、お宅ではあなたが世帯主ですね。したがって、主として生計を維持されているのもご主人あなたということになりますね。
答え　そうですけど。
質問　きょうお伺いしたのは、確かにご主人である太郎さんの市県民税の件についてですけれども、専業主婦で収入がないはずの奥さん名義で預金があるのは不自然ですからお聞きしているのです。
答え　それじゃあ、あなたたちは私を疑っているんですね。
質問　そうではありません。疑問に思ったことをお聞きしているのです。
答え　妻は、私と結婚してからも子どもができるまでは、しばらく働いていましたので、多分そのときの収入の中から貯めたものだと思います。
質問　奥さんはどちらにお勤めでしたか。それと、その時の給与明細とか退職金の支払証または、それらが入金された金額や日付が分かる通帳などはありますか。ございましたら拝見させてください。
答え　○○商事㈱です。随分前のことなので、給与明細などはありませんが、通帳は残っていると思います。
質問　それではそれを拝見させてください。
答え　はい分かりました。これです、どうぞ。</td></tr>
</table>

（途中省略）

質問　ご協力ありがとうございました。最後に確認ですが、これまで太郎さんの収入や資産に関していろいろお聞きしてまいりましたけれども、きょうおっしゃっていただいたことで全てということでよろしいですね。
答え　はい、全てです。言い漏らしたことはありません。

現状では地方税の滞納整理実務で、聴取書を作成することはあまりないのではないかと思われますが、今後、収納率のアップに向けてこれまで以上に積極的に滞納処分をしていこうという地方団体においては、必要に応じて活用していただきたいと思います。

(4)　告発の手続

国税徴収法第141条の質問・検査に対する拒否等には罰則による間接強制（地方税法第333条ほか）がありますが、そのための告発の手続については、おおむね次のようになります。

徴税吏員が、質問・検査に対する拒否等があると認めたときは、任意に収集した証拠等を添えて、検察官または司法警察職員に対し、書面または口頭により告発することとなります（刑事訴訟法第239条第２項、同法第241条第１項）。税法が、質問・検査の拒否等に対してこのように罰則をもって臨むこととしたのは、滞納処分の実効性を確保しようとしてのことですから、単に答弁をはぐらかされたであるとか、居留守を使われたという程度のことでは該当しません。

それではどの程度の状況をもって「拒否等があった」と認められるのかについては、実務担当者にとって悩ましいことではないかと思います。法文では「徴税吏員の質問に対して答弁をせず、又は偽りの陳述をした者」（地方税法第333条第１項第１号ほか）とか「検査を拒み、妨げ、若しくは忌避し、又はその帳簿書類で偽りの記載若しくは記録をしたものを提示した者」（同条同項第２号ほか）とあるだけで、その程度や態様についてまでは詳しく規定していません。結局のところそのへんについては、行政実例や判例の集積を俟（ま）つほかないとの見方もありますが、その前提として合理的な程度と態様が求められているものと考えます。

質問・検査に対する拒否等に、罰則による間接強制が採られたのは、あくまでも滞納処分の実効性を確保するためであって、そこでは決して緊急性や即効性が求められているわけではありません。すなわち、間接強制とは、法律上の一定の義務違反に対して罰則を科す旨通告し、その心理的な圧力によって義務の履行を確保しようとするものですから、緊急性や即効性が求められている事態にはそぐわないものです。そうだとすると、質問・検査に関して１回だけ滞納者の協力が得られなかったというだけでは、同法が想定している程度の「拒否等があった」と認定するのは難しいものと考えられます。質問・検査（国税徴収法第141条）が任意調査であって、しかも緊急性や即効性が求められていないことを考えれば、複数回（目安としては２～３回）のアプローチに対して明確な拒否の態度があれば、「拒否等があった」と認められるものと見ていいでしょう。

また、態様については、質問・検査権が任意調査の範疇（はんちゅう）に位置づけられているところから、強制的と受け取られかねないような強圧的な態度での質問や、命令調で強引な帳簿等の検査が行われた場合の非協力に対して、罰則を適用するのは困難です。いずれにしても、最終的には裁判所が、法の趣旨・目的に照らして義務違反の程度と態様が罰則をもって臨むほどのものであるかどうかを判断することとなりますから、ポイントは公判の維持ができる程度の「具体性」と「程度と態様」が明確であるかどうかということになります。

刑事訴訟法によれば、告発は口頭でもできることとなっていますが、具体性や客観性ということを考えますと、やはり書面で「告発状」を作成し、提出すべきでしょう。告発状については、決まった様式はありませんが、「告発人、被告発人の住所、氏名、職業、年齢、告発の原因たる事実の行為時期と概要、罪名及び該当法令の条項、告発年月日その他必要と認められる事項」（『国税徴収法精解』吉国二郎ほか編、大蔵財務協会）を記載した書面とすべきでしょう。そして、告発状には「被告発人の処罰を求める意思」を明記することが大切です。そこが被害事実の申出にすぎない被害届と異なる点です。ちなみに告発状に記載すべき事項を次に例示しておきます。

告発状（例）

1　告発年月日

2　告発人の住所・職業・氏名

3　管轄警察署長宛て

4　被告発人の住所・氏名・生年月日・職業

5　告発の趣旨　被告発人の以下の行為は、国税徴収法第141条第○号違反にあたると考えるので処罰を求める。

質問・検査拒否等の罪（地方税法第333条第１項第○号）

6　告発の理由　告発の原因となった事実と経緯について、具体的に記載する。

7　立証方法　証拠（人証、書証）

8　その他必要事項

滞納整理の実務では、国税も含めて質問・検査の拒否等による告発はほとんど例が見られないこと、また公判の維持ができる程度の「具体性」と「程度と態様」が明確であるかどうか微妙な場合も少なくないことから、できれば事前に所轄の検察庁に相談した方がいいでしょう。

《質問検査権に関するＱ＆Ａ》

〔Ｑ１〕

質問・検査については、その拒否等に対して罰則があるのに、どうして任意調査なのですか。任意でありながら、それに対する非協力に対して罰則があるのは理解できないのですが。

〔Ａ〕

滞納処分により税収を確保しようとする場合、滞納処分の対象財産を発見するために捜索（国税徴収法第142条）をすることができますが、捜索は滞納者等の住居等に強制的に立ち入って行うものであり、人権への配慮からも処理の手順として真っ先に行うべきものではなく、他に財産を発見する方法がないと認められるときに行います。このように同法は、できるだけ質問・検査によって滞納処分の対象財産を発見することを想定しています。

そうだとすると、結局のところ捜索をすれば財産発見という目的を達成することができるのですから、同法第141条の質問・検査に対する拒否等について、わざわざ罰則による間接強制をする意味があまりないのではないかという疑問が湧いてきます。そもそも間接強制は、直接強制のように有形力の行使を伴って義務違反の状態を是正しようとするものではなく、その心理的な圧力によって義務の履行を確保しようとするものですから、実効性の点では直接強制には到底及びません。いわば確実な答弁や検査を確保するための「しくみ（担保）」として設けられたものです。

たとえ間接的であっても強制は強制なのだから、「任意」調査と言うのはおかしいという見方もあるかもしれませんが、任意調査であるか強制調査であるかを決定づける要素は罰則の有無ではなく、法律上の権限としてどのような

（権限の）行使形態が想定され、また許容されているかによります。質問・検査の場合は「質問し、検査する」ことであり、捜索の場合は「捜索する」ことです。捜索の具体的な方法は、同法第142条第３項によれば、「戸若しくは金庫その他の容器の類を開かせ、又は自らこれらを開くため必要な処分をすること」であり、必要な処分とは、「徴収職員が自ら開扉するための錠の除去等」（国税徴収法基本通達第142条関係８）を言います。このように捜索では、必要があるときは、有形力の行使を伴って捜索の目的を達成することができることとなっており、この点が、罰金という間接的な方法により目的達成を図ろうとしている質問・検査と異なっています。つまり、質問・検査は、有形力の行使を伴ってその強制的実現を図ることができないという意味において、「任意」調査という位置づけになっているのです。

〔Q２〕

本市では、債権の滞納処分に力を入れていこうとの方針に基づいて、確定申告書その他の資料によって確認した「滞納者と取引のある金融機関」に対して「預金等の照会書」を多数送付しています。ところが、金融機関によっては、調査に要した実費料金として請求書を送ってくるところがあります。聞くところによれば、最近いくつかの地方団体で、これに応じるところがあるということですが、どのように考えればいいでしょうか。

〔A〕

地方団体による債権の差押えが増えてくるにつれて、文書による預金照会件数が増加しつつあり、金融機関からのこうした請求が増えてきました。といっても都市銀行からの請求はなく、経営体力・経営基盤が都市銀行に比べて相対的に脆弱（ぜいじゃく）な地方銀行や信用金庫などからのものがほとんどのようです。こうしたこともあって、近年、地方団体の間ではこの件について、話題にのぼることがあるとのことです。この件については、①滞納者と債権債務の関係にある金融機関は、国税徴収法第141条により、調査に対する応答義務がある※3ので、預金照会は（法的）受忍限度の範囲内であるとするもの、②確かに金融機関側には同条による応答義務はあるが、コピー代などの実費相当分については、権限の問題ではなく、民事上の請求であるから、合理的な範囲内での請求であれ

※３　**昭和47年11月22日最高裁判所判決**　真実応答義務という積極的内容を含んだ受忍義務があり、社会通念上やむを得ないと是認されている場合以外は、その行使を拒否できず、故なくしてこれに応じないときは、罰則によりその履行が間接的に強制されている。

金融機関からの依頼文の例

令和○年○月○日

○○市町村　様

株式会社 ×× 銀行

預金等の調査に関する実費料金支払いのお願い

拝啓　時下益々ご清栄のこととおよろこび申し上げます。

平素は格別のご高配を賜り、厚く御礼申し上げます。

さて、弊行ではこれまで業務の改善および合理化を進め、コストの縮減に努めてまいりましたが、昨今の業務量の増加に伴い事務処理に要する費用もそれに伴い増加しており、コスト面で大変厳しい状況が続いております。

こうした厳しい状況を踏まえ、弊行では令和○年○月○日から預金等の調査に関して弊行が作成依頼を受け、提出する資料につきましては、その実費として下記料金を申し受けることといたしましたので、恐縮ですが、別紙請求書記載の金額を振り込んでくださるようお願い申し上げます。

敬具

記

①取引明細書	1通	○○円
②コピー代金	1枚	○○円
③郵送料	実費	

以上

ば、これに応じるべきであるとするもの、③たとえ民事上の請求であっても、徴税機関には予算という財政上の制約があり、民事上の請求であるからこれに応じなければならないとすると、同条による調査権の行使は、予算の範囲内でしか行使することができないこととなってしまう。そのような事態は、行政サービスの経費調達を旨とする徴税のための仕組みとして不都合であるから、かような制約は認められないとするもの――などの考え方があります。

国税徴収法は、税収確保のための権限や方法について規定した手続法ですから、同法から直ちにこのような場合は有料であるか、または無料であるかの結論を導き出すのは困難です。ただ、税収確保という高度な公益性のある税務行政の趣旨に照らせば、合理的な理由もなく、同法が規定する権限の行使に実質的な制約を設けるようなことは許されないものと解されます。

思うにこの場合、次の点が考慮されるべきでしょう。

①　徴税機関の権限の行使は、滞納処分のために真に必要な場合に限られること。

②　徴税機関の権限の行使は、合理的な方法でなされるべきであり、目的達成に支障がない限り、できるだけ金融機関の事務的負担に配慮する必要がある

こと。

③　徴税機関は、金融機関に対して理解と協力を求める努力をすべきであり、かつ金融機関と協定を結ぶなど同条による調査権の行使について、税務行政の円滑な推進と金融機関の業務運営への影響を最小限とすべく（ウィンウィンの）ルールづくりをする必要があること。

地方税の滞納整理で、こうした文書による金融機関に対する預金等の照会が多いのは、（滞納整理の）対象件数が多いことと、（文書照会という方法が）比較的簡便な方法であるという理由からであると思われます。しかし、そうした事情があるとしても、金融機関調査は原則として臨場して行う必要があります。文書照会によるのは、遠隔地の金融機関であるとか、滞納金額が比較的少額であり、したがって、臨場して貸金庫や貸出稟議書（りんぎ）を調査するまでもないような場合に限るべきでしょう。

ただ、都市銀行においては、本店照会に対応しているところもあり、そのような場合は支店ごとに照会する必要がなく、緊急性のある事案を除けば、かえって文書照会による方が合理的である場合もあります。いずれにしても、滞納処分のために真に必要なものに限って金融機関調査を行うこととし、併せて金融機関調査はできるだけ臨場して行うという努力をした上で、質問に答えるとすれば、同条による調査に対して手数料を徴することは法（国税徴収法）の趣旨に照らして許されないと考えます。しかし、手数料ではなくコピー代や郵送料などの実費相当分については、その支払いの請求があれば、これに応じることは差し支えないでしょう。同条は、調査の権限を規定したもの（権限の根拠規定）であって、実費として要した費用（徴税機関が求めたコピー代など）について有料または無料であることを規定したものではありません。

しかし、支払請求に応じる場合があるとしても、それはあくまでも実費相当分という意味であり、調査手数料のような趣旨の費用負担が認められるというものではありません。金融機関は、調査に対する（法的な）応答義務がありますから、調査手数料のように、実質的に調査権限を制約するような費用徴収は法（国税徴収法）の趣旨に照らして認められません。金融機関調査は、臨場して行うのが原則ですから、その場合にはそもそもコピー代や郵送料はかかりません。それを文書照会という形で大量に行おうとするから質問のような問題が出てくるのです。実務上、文書照会をなくすことはできないと思いますが、対象を真に必要なものに限定するとともに、金融機関に臨場して調査することとすれば、減らすことができると思います。

取引明細のハードコピーなどについては、徴税機関が金融機関に対して（それを）求めた場合に限って、その実費相当分について負担するのはやむを得ないことと考えます。ただし、あくまでも徴税機関が（コピーを）求めた場合であって、金融機関の判断でそのような取扱いをした場合にまで請求に応じる必要はありません。要求していないものの代金についてまで支払う必要はないからです。徴税機関が送付した照会書に対応する回答書の該当欄に記入してもらうのであれば、コピー代などの実費が生じないので、それを返信用の切手を貼付（ちょうふ）した封筒に入れて返信してもらうのが一般的な方法です。ですから、その回答書へ記入する時間を省いてコピーで対応した方が合理的だとする金融機関側の判断でコピーを（返信用封筒に）同封してくるのは、徴税機関がそうすることを求めたからではなく、金融機関側の都合でそのようにしているわけですから、そうした金融機関の判断と都合でしたことについてまで、徴税機関側が費用負担をする必要はないわけです。

質問・検査は、滞納処分を行うために必要な権限であり、過度に自制的になるべきではありませんが、他方「徴収職員は、いわゆる普遍的・一般的な調査はすべきでない」（前掲『租税徴収実務講座改訂版』第２巻参照）ことにも留意する必要があります。

なお、近年、民間はもとより国や自治体業務においてもデジタル化の推進が進められており、金融機関への預金等照会業務のデジタル化も進みつつあります。金融機関への預金等の照会では、そこで用いられる調査依頼書の様式が地方団体によって異なっていること、また調査依頼書の郵送料、作業の手間等が、地方団体と金融機関の双方にとって大きな負担になっているという課題の解決を目指して、既に電子データによる預貯金等照会を試行的に始めたところもあります。ただ、予算等の都合によって電子化への体制整備に時間がかかる地方団体もあることから、過渡的な対応として、紙の様式で（金融機関に）郵送された預貯金等照会依頼書をOCRで読み込んで電子化する運用について検討しているところもあるようです。

【参考】平成30年６月22日策定、令和２年３月31日改定の「総務省デジタル・ガバメント　中長期計画」より抜粋引用

２）金融機関に対する預貯金等の照会・回答

a）現状と課題

地方税の税務調査等に伴い地方公共団体から金融機関に対して、預貯金口座の有無や取引状況に係る調査（預貯金等の照会）が行われることがある。この預貯金等の照会件数は、全国で年間約3000万件を超える状況となっているが、現在、地方公共団体からの照会及び金融機関からの回答の多くが書面により実施されており、双方における事務処理に膨大なコストと時間を要している。

b）実現したい状態

預貯金等の照会・回答業務全体をデジタル化することで、地方公共団体、金融機関双方の負担軽減及び地方公共団体の迅速かつ適正な行政事務の遂行につながる。具体的なベネフィットは以下のとおりである。

㈦　利用者が享受する具体的なベネフィット

・地方公共団体において、照会・回答文書受領時の開封・仕分作業に係る事務負担が軽減される。
・地方公共団体において、印刷や郵送等に要するコストが削減される。
・デジタル化した場合は金融機関から速やかに回答が返ってくることが想定されるため、その後の滞納処分を速やかに実行できる等、地方公共団体の迅速かつ適正な行政事務の遂行につながる。

㈧　その他の具体的な付加価値

・金融機関において、預貯金等の照会・回答業務がデジタル化されることで、省力化・迅速化が図られる。

c）具体的な取組

・金融機関×行政機関の情報連携検討会（事務局：内閣官房IT総合戦略室、金融庁。以下「検討会」という。）で取りまとめた「金融機関×行政機関のデジタル化に向けた取組の方向性とりまとめ」を踏まえ、預貯金等の照会・回答業務のデジタル化に向けた今後の課題（照会フォーマットや本人特定方法等）について検討を行うこととしている検討会に引き続き参画する。
・預貯金等の照会業務のデジタル化の実証実験を行う地方公共団体に対して、必要に応じ同業務のデジタル化の情報提供を行う。

〔Q３〕

国税徴収法第147条によれば、質問・検査をするときは、その身分を示す証明書を携帯し、関係者の請求があったときは、これを呈示しなければならないとありますが、うっかりして徴税吏員証を忘れて行ってしまったのですが、職員証（身分証明）ではだめでしょうか。

〔A〕

いわゆる職員証は、当該職員証上の人物がその地方団体の構成員（所属員）であることを任命権者が公証するものであって、当該団体の服務規程等により交付されるものです。これに対して、徴税吏員証は「道府県知事若しくはその委任を受けた道府県職員又は市町村長若しくはその委任を受けた市町村職員」（地方税法第１条第１項第３号）である徴税吏員にのみ交付される特別なものであって、徴税吏員として税法上の正当な権限を有していることを公証するものです。

すなわち、「実際の賦課徴収においては、道府県知事又は市町村長から徴税吏員を命ぜられた者が、その地方団体において徴税吏員のなすべきこととして定めた職務権限を行使することとなる」（『地方税法総則逐条解説』地方税務研究会編、一般財団法人地方財務協会刊）ので、そのような職務権限を持った者であることを相手方に知らせることによって、危惧の念を払拭（ふっしょく）して安んじて質問・検査を受けさせるための証明書が徴税吏員証なのです。

地方税法を見てみると、例えば市町村民税では、「市町村の徴税吏員は、当該市町村税に係る地方団体の徴収金につき、滞納者の財産を差し押えなければならない」（同法第331条第１項）とあり、また「地方団体の徴収金の滞納処分については、国税徴収法に規定する滞納処分の例による」（同法第331条第６項等）とあるので、徴税吏員が質問・検査を行おうとするときはもちろん、差押えをしようとするとき等においても、滞納者等から請求があったときは、呈示するよう取り扱うこととなっています（国税徴収法基本通達第147条関係１参照）。

以上のことから、質問・検査のときに相手から呈示を求められたにもかかわらず、職員証しか携帯しておらず、徴税吏員証を呈示できなかった場合は、相手方は質問・検査を拒む正当な理由があることになります。

〔Q４〕

国税徴収法第141条による質問は、自然人だけでなく法人に対してもできると思いますが、この場合一体誰に対して質問すればいいのでしょうか。

〔A〕

法人とは、自然人（法学の分野では、呼吸し、起居寝食する生物学的な意味での私たち生身の人間のことをこう言います）以外で法によって人格を与えられた存在のことを言い、独立して権利・義務の帰属主体となります。しかし、法人それ自体は法によって認められた存在だとしても、生身の肉体があるわけではありませんから、実際に質問をする相手方としては、法人を代表する権限を持った代表取締役や理事ということになります。また、支店や営業所であれば、支店長や営業所長です（『問答詳解　国税徴収法基本通達』第141条関係の解説参照、ぎょうせい刊）。

これらの地位（役職）にある人たちに質問をするのは、国税徴収法第141条による質問が、単なる履行の請求である催告などと違って、滞納処分のために財産を調査するという目的のために行うものであるところから、そうした人たちがその法人の経理や管財について掌握し、かつ責任を負う立場にあるからです。ただこれは、代表取締役等が法律上も事実上もそのような立場にあるというところからきているのであって、国税徴収法上、同条の質問が、法人の代表取締役等に対して行われなければならない旨規定されているわけではありません。したがって、実務上、経理担当者や支店長代理、○○課長などという肩書きの人に対して質問をしても、滞納処分をするための財産調査という目的が達成できるのであれば、一向に差し支えありません。「滞納者が法人であるときは、原則としてその法人を代表する権限を有する者に対して質問をすべきである」（前掲『国税徴収法精解』）というように、同書が「原則として」と言っているのも、実務におけるこうした事情を勘案してのことと思われます。

なお、法人を代表する権限を有する者以外の、経理担当者や支店長代理、○○課長などに質問をした場合、不誠実な相手であったりすると、「そんな話は聞いていない」とか「そのようなことを言ったことはない」などと、後日とぼけられることもあるので、質問をするときは、必ず相手の役職と氏名を確認し、できれば名刺をもらっておくといいでしょう。

滞納者の中には、この点を捉えて「おかしいじゃないか。だいいち名刺は交換するものだろう。こちらには出させておきながら、自分たちは出せませんというのは失礼じゃないか。役所の人間は、こんな基本的な社会マナーも知らないのか!」などと非難する人がいるかもしれません。確かに通常の社会マナーからすれば、名刺は相互に交換するものですが、これは滞納処分のための財産調査であって、商取引などではありませんから、こちらから名刺を渡す必要はありません。調査の際は、正当な権限を有する徴税吏員であることを証する「徴税吏員証」を持参し、相手方に呈示することとなっているからです（国税徴収法第147条）。そのことをもって「法律上の正当な（調査）権限を有している徴税吏員」であることが相手側としても確認ができるのですから、その上さらに名刺を調査の相手方に渡す必要などないわけです。

5 対象別調査要領

それぞれの財産を発見する端緒や調査すべき帳票等については、おおむね次のとおりです。

(1) 不動産

滞納者が、どこにどのような不動産をどれだけ所有しているかについては、各種の帳票を調べたり、取引先等利害関係者からの聴取調査を行ったりすることで把握することができます。これを具体的に例示すると次のようになります。

ア　**市町村**：土地名寄帳、家屋名寄帳、土地課税台帳、家屋課税台帳

イ　**法務局**：土地登記簿、家屋登記簿、共同担保目録

ウ　**取引先等利害関係者**：聴取調査または会計帳簿の検査

エ　**税務署**：所得税または法人税の確定申告書およびその添付書類

オ　**金融機関**：預金照会により不動産を貸付金の担保としていることが判明することがある。また、貸出稟議（りんぎ）書（附属書類も含む）を検査することによって所有している不動産を把握することができる。

カ　**他都市**：市町村の域外居住者または転出者の実情を照会することによって所有する不動産を把握できることがある。また、現住所の前の居住地に照会したり、親族が居住している市町村に照会したりすることで判明することもある。

(2) 預金

現代社会において私たちは、金融機関との関わりなくして生活することなど考えられないほどに密接不可分な関係を築き上げています。今や金融機関に一つも口座を開設していない人はほとんどいないと言ってもいいくらいです。しかも近年では、キャッシュカードさえ持っていれば、金融機関まで足を運ばなくともコンビニエンスストアや駅の構内にあるATMを使っていつでも入出金が可能です。また、急速に拡大しているインターネットによる通信販売やオークションなどもカード決済により金融機関の口座から所要の金額が引き落とされることとなっているため、金融機関に口座を持っていない人はむしろ少ないのではないかとさえ思われます。光熱水費から給料等の振込みに至るまで日常

生活のあらゆる場面で金融機関の口座が利用されており、この意味では、預金口座を発見する端緒は比較的多いので、滞納者が相当手の込んだ隠蔽（いんぺい）工作をしていない限り、それほどの困難を伴うことなく滞納者の口座を発見することができます。

ア　**電力会社、ガス会社、NHK、水道営業所、NTT、携帯電話会社など**：光熱水費等の引き落とし口座の照会により、それぞれの料金引き落とし口座を把握することができる。

イ　**税務署**：所得税または法人税の確定申告書およびその添付書類

ウ　**勤務先**：給料等の照会により、その振込口座を把握することができる。また、財形貯蓄や社内預金をしている場合は、その預金先が分かる（これは単に給料等の照会をしただけでは回答してもらえないので、「備考欄」か「その他」として、○○について照会しますと明記して依頼する必要がある）。

エ　**金融機関の本店**：金融機関によっては、その金融機関のどこかの店舗に滞納者名義の口座がある場合は、照会に応じて回答してくれるところがある。現状では都市銀行に多い。

オ　**生命保険会社**：生命保険の照会書に、「保険料の引き落とし口座」という欄を設けて照会すると、回答してくれる。

カ　**過去の納税記録**：今は滞納しているが、かつては口座振替納税をしていた場合は、その口座振替依頼書、また以前納税したことのある金融機関の領収スタンプ（納付済通知書）などから把握できることがある。

キ　**滞納者宅**：納税指導などで滞納者宅に臨場したときに見つけた金融機関のカレンダーやティッシュペーパーその他の粗品等から、金融機関を特定できることがある。

(3)　給料等

給与所得者については、継続的給付債権として安定した給与債権を差し押さえることによって、取り立てた金額を滞納税へ確実に充てることができるので、把握しやすく、しかも確実な差押財産として、その支払者に対して給料等の照会をします。

ア　**税務署**：所得税の確定申告書とその添付書類。給与所得者であっても、その他の収入がある場合や医療費控除を受けようとする人については、確定申告をするので、発見の端緒となることがある。

イ　**金融機関**：口座のある金融機関の預金元帳（コム　次ページ参照）を調べ

ると、振込元（その口座に金額を振り込んだ人や法人）や残高、入出金日などが分かる。したがって、そこから給料等の支払者が判明することがある。

【参考】コム（COM：Computer Output Microfilm）「コムフィッシュ」とも呼ばれるマイクロフィルムの一種。薄く小さなフィルム状のシートに微細な文字を焼き付けた内部資料で、通常は専用の機械を利用して閲覧するため肉眼では内容を確認できず、主に銀行や図書館などで利用されています。

ウ　滞納者、親族または近隣等：聴取調査。この場合、滞納者以外の者に対する聴取りは、質問検査権（国税徴収法第141条）によるものではなく、講学上の行政調査となるので任意性と守秘義務に留意する。

⑷　生命保険

生命保険については、生命保険会社への文書照会と差押関係書類の送達によって、比較的簡易な手続で済むことに加えて、給料等に比べて滞納者の反発もそれほど強くない場合が多く、第三債務者からの支払いも確実なことから、かつて地方税の滞納整理で主役であった電話加入権の差押えに代わって、差押財産の主役の一つになってきた感があります。

ア　市町村：市町村民税額の算定において、生命保険料控除があれば、調査時においても生命保険に加入している可能性が高い。ただ、その後解約していることも考えられるから、生命保険会社に照会して確認する必要がある。なお、中には生命保険に加入しているものの、申告していない人もいるので、あくまでも調査の端緒であると認識しておいた方がよい。

イ　税務署：所得税の確定申告書とその添付書類。生命保険料控除の欄。

ウ　金融機関：口座のある金融機関の預金元帳（コム）を調べると、振込元（その口座に金額を振り込んだ人や法人）や残高、入出金日などが分かる。したがって、そこから自動振替による保険料の払込先が判明することがある。

エ　滞納者、親族または近隣等：聴取調査。この場合、滞納者以外の者に対する聴取りは、質問検査権（国税徴収法第141条）によるものではなく、講学上の行政調査となるので任意性と守秘義務に留意する。滞納者自身またはその親族が保険の外交員である場合は、その雇用（契約先）先の生命保険（保険商品）に加入していると見てほぼ間違いない。

オ　滞納者宅：納税指導などで滞納者宅に臨場したときに見かけた生命保険会社のカレンダーやティッシュペーパー、その他の粗品等から、生命保険会社を特定できることがある。

(5)　賃料債権

賃料債権も給料等や診療報酬などとともに継続的債権として、安定していて取立てがほぼ確実な債権であるところから、差押財産として効果的ですが、滞納者の反発や第三債務者の理解と協力を得ることが難しい場合もあることなどから、地方税の滞納整理の実務では、まだそれほど行われていないようです。

ア　税務署：所得税または法人税の確定申告書とその添付書類。不動産収入または賃料収入の欄。

イ　金融機関：口座のある金融機関の預金元帳（コム）を調べると、振込元（その口座に金額を振り込んだ人や法人）や残高、入出金日などが分かる。したがって、そこから賃借人が判明する。なお、不動産業者を介して、まとめて入金されることもあるから、その場合は、当該不動産業者または滞納者に聴取調査を行い、契約書から賃借人や賃借料などを特定する。

ウ　滞納者、親族または近隣等：聴取調査。この場合、滞納者以外の者に対する聴取りは、質問検査権（国税徴収法第141条）によるものではなく、講学上の行政調査となるので任意性と守秘義務に留意する。

(6)　敷金

敷金とは「賃料その他賃貸借契約上の債務を担保する目的であらかじめ賃借人に交付される金銭」（国税徴収法基本通達第62条関係16）のことで、賃借物件を明け渡すときに返還されることになります。敷金にはこのような性質があることから、敷金の差押えは、滞納税債権を取りあえず保全するという意味合いが強く、滞納の迅速な解決には向いていないので、消滅時効の完成が迫っていて、当面、時効を更新させる必要がある場合や、他に換価が容易で滞納税を充足することができるこれといった財産を発見できていないような場合に差し押さえる財産と考えた方がいいでしょう。したがって、敷金については、財産調査をする上での優先順位はそれほど高くはありません。

敷金の法的な性質は通説・判例によれば、停止条件付返還債務を伴う金銭所有権の移転とされており（大審院判決大正15年７月12日[※4]）、賃借人において賃料の延滞やその他債務不履行があれば、その金額を控除して残額を返還しな

※４　**大審院判決大正15年７月12日**　敷金とは、賃借人がその債務を担保する目的で金銭の所有権を賃貸人に移転し、賃貸借終了の際、賃借人に債務不履行がなければ賃貸人はその金額を返還し、もし不履行があればその金額中から当然弁済に充当せられることを約して授受される金銭である。（現代表記に改めてあります。三省堂版『模範六法』）

ければなりません。

なお、事実上の問題として、借家・賃貸マンション・アパートなどに居住している滞納者について敷金の調査をする場合、賃貸人との関係悪化を気にする滞納者からの反発が予測されますが、もしそのことが心配であれば、最初から賃貸人や仲介の不動産業者に照会するのではなく、まず滞納者本人に契約書の提示を求めるか、税務署で確定申告書を閲覧することによって調査します。ただ、調査の段階でそうした配慮をしても、結局、差押えをすれば賃貸人にも差押えの通知をすることとなります（国税徴収法第62条第１項）から、そのような滞納者は、十中八九差押えに反発し、抗議してくるものと思われるので、あらかじめ滞納者の反発や抗議があるという前提で（敷金の）調査に臨む心構えが必要です。

ア　滞納者：契約書、聴取書

イ　税務署：賃貸人の確定申告書およびその添付書類（収支内訳書〈不動産所得用〉）

ウ　仲介不動産業者：契約書の写し

エ　賃貸人：確定申告書（控）およびその添付書類（収支内訳書〈不動産所得用〉）（控）（国税徴収法第141条第３号による）、契約書、聴取書、債務確認書

(7)　診療報酬

わが国の医療事情を見てみると、医師の地域的な偏在という問題はあるにしろ、超高齢社会に移行しつつある状況からすれば、医療需要がないということは考えられませんから、医師がその本業である医療業務を普通に行っている限り、納税することができないほどの経済的な破綻に陥ることは考えにくいところです。その意味では、若干の例外はあるにしろ、税金を滞納している医師のほとんどが、本業以外の経済活動に手を出して失敗したことが税を滞納することの主な原因であったと考えて差し支えないのではないかと思います。

ア　滞納者：所得税の確定申告書（控）、聴取調査、診療報酬請求書

イ　税務署：所得税の確定申告書およびその添付書類

ウ　社会保険診療報酬支払基金・国民健康保険団体連合会・保険者：照会（保険医療機関として指定されているかどうか、未払いの診療報酬の金額、支払日）

⑻　売掛金

得意先に物品やサービスなどの商品を売って、後でその代金を受け取る約束で取引をすることを「掛売り」と言います。さらに平易な言い方をすれば、「つけ」で商品を売ることだと思えば分かりやすいかもしれません。実際の商売では、現金で販売しているのは、店頭販売を除けばほとんどなく、継続的取引の多くがこの「掛売り」です。この掛売りをするときは、得意先ごとに「売掛金元帳」（得意先元帳ともいいます）によって売掛金債権を管理する必要があります。

掛売りによる取引は、当然のことながら、取引をする当事者間に信頼関係がなければ成立しません。したがって、滞納者はこの売掛金債権の調査を非常に嫌がりますし、それに対しては過敏になっていますから、時として過剰とも言えるほどの反応を示すことがあります。具体的には例えば、「会社の信用が丸つぶれだ。役所が取引先に調査をしたせいで、相手から今後一切取引を断ると言われてしまった。倒産したら役所のせいだ。責任を取ってもらう！」といった具合です。つまり、役所が滞納者の取引先に対して売掛金債務（相手方から見れば買掛金）の照会をしたことで、税を滞納していることを知られてしまい信用を失った結果、今後の取引を断られた（仕事を失った、収入を断たれた）ことで、経営上重大な支障が生じたのだから、その責任を取れという理屈です。

督促状や催告書などによる度重なる履行の請求にもかかわらず、納付も弁明もせずに滞納を放置していたことを棚上げにしておいて、自らに強制徴収の動きが迫ってくるや、ようやく重い腰を上げたこと自体が大いに問題ですが、このように滞納者の「本丸に迫る」調査、または滞納処分をしないと反応しない（納税に対する意思を示さない）滞納者も少なからずいるということを覚えておきましょう。このことを裏返して言えば、これまで督促状や催告に対して「うんともすんとも」言ってこなかった滞納者が、徴税吏員が売掛金（買掛金）の調査をしたからこそ、ようやく重い腰を上げた（効果があった）のであり、滞納整理の観点からは適切な措置であったと言わなければなりません。

このように滞納処分をもって臨むことで方針決定をした滞納者については、速やかに財産調査に着手することになりますが、差押財産の選択に当たっては、

①　第三者の権利を害することが少ない財産であること

②　滞納者の生活の維持または事業の継続に与える支障が少ない財産であるこ

売掛金債権担保融資の模式図

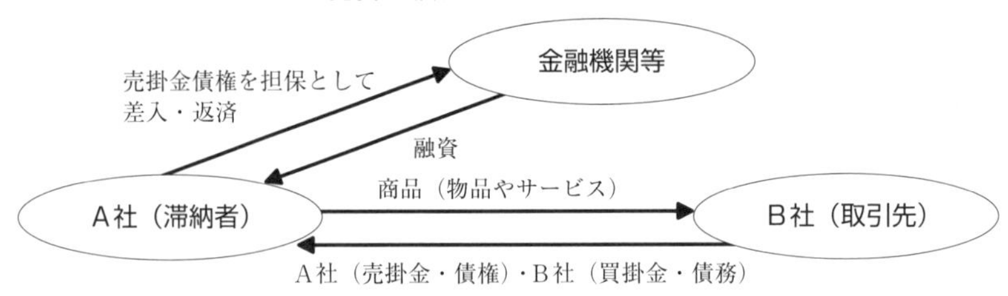

と

③　換価に便利な財産であること

④　保管または引揚げに便利であること

⑤　価額の変動が少ない財産であること

に留意する必要があります（国税徴収法基本通達第47条関係17）。前述したように、掛売取引では、当事者間の信頼関係がその基礎にありますから、売掛金（買掛金）の調査をすることによって、その信頼関係に少なからぬ影響を及ぼすことが推察されるので、他に滞納税を充足することができる財産があるときは、そちらの調査・滞納処分を優先することが望ましいでしょう。ただし、倒産事案（またはそのことが強く疑われる場合）のように繰上徴収をする必要があるときは、とにかく滞納税を確保することが最優先ですから、実際にはそうした時間的な暇（いとま）はないものと思われます。

ア　滞納者：質問・検査権（国税徴収法第141条）に基づいて質問し、契約書（債権債務の内容、金額、履行期日、商品の内容、その他特約）、帳簿（売掛金元帳、売上伝票、納品書控、請求書控、顧客名簿等）を検査します。質問・検査に滞納者の協力が得られないときは、徴税吏員は捜索（同法第142条）を行い、これらの帳簿類を提供させ、万一提供を拒否されたときは、自ら調査のために必要な措置を執ることができます。捜索の際は、滞納者の自宅または事務所内のボードの記載やパソコン内の情報などにも注意し、顧客情報がないかどうか確認します。

なお、売掛金債権を担保として金融機関等から運転資金の融資を受けている場合もあるので、借入金の有無についても留意して調査します。

イ　税務署：法人税・所得税の申告書およびその添付書類（売掛金内訳書、受取手形内訳書、事業概況説明書または収支内訳書）

ウ　取引先：契約書（債権債務の内容、金額、履行期日、商品の内容、その他特約）、必要に応じて債務確認書、聴取書を徴取しておきます。帳簿（買掛

金元帳、仕入帳、納品書、請求書等）

⑼　国税還付金

確定申告をしている者について、一定額以上の医療費支出があった場合などにおいて、還付金が発生することがありますが、そのような場合は、国税当局に対する還付金請求権という債権が発生するので、それを（債権として）差し押さえることが可能です。ただ、同債権の発生は確定申告に伴うものであるところから、年間を通じて税務署が最も繁忙な時期に当たるため、調査のタイミングや方法などについて、あらかじめ所轄税務署の担当者と綿密な調整をしておく必要があります。

税務機関相互の協力を通じて円滑な税務行政を推進しようとする三税（国税、都道府県税、市町村税）の協力はありますが、やはり税務署の最繁忙期にあえて還付金に係る調査への協力を求めることについては、滞納者の財産調査における優先順位は低いと見るべきでしょう。滞納者について一通りの財産調査をしたものの、差押対象財産として、国税還付金のほかにこれといった財産が発見できなかったというのであれば別ですが、あえて税務署の最繁忙期を承知の上でその時期に調査を依頼するのは、「調査のマナー」ないしは「配慮」の問題であるように思われます。もしも仮に、滞納者について他に財産がないなどやむを得ない事情が認められる場合は、課長など責任者から税務署の管理徴収部門の統括官に事情を説明するとともに、早めに依頼しておくことが望ましいでしょう。その場合、対象事案については真に必要なものに限るなど、税務署の事務的な負担を最小限にする配慮が必要です。

なお、この点については全国一律の取扱いがあるわけではなく、それぞれの地域の事情があると思われますので、結局のところそうした各地域での取扱いに委ねられるものと考えます。すなわち、ここでは税務署への調査依頼は必要最小限にとどめるのが望ましく、調査対象としての優先順位は低い旨述べましたが、地域によっては地方団体からの照会に対して全件回答してくれる税務署もあるでしょうし、あるいはできるだけ件数を絞ってほしい旨税務署から要望されているところもあるでしょう。いずれにしろ、日頃から税務署とは業務を通じて信頼関係を築き上げておくことが、滞納整理を円滑に進めるためのポイントであると言っていいと思います。

ア　税務署：確定申告書の「還付される税金の受取場所」欄から、金融機関等の名称、本支店名、預貯金の種類、口座番号（記号番号）

イ　金融機関等：滞納者の取引履歴を１年分調査し、前年に国税から還付金が振り込まれている場合は、その翌年も還付を受ける確率が高いので、振り込まれる時期を絞って預貯金の調査をします。ただ、この方法による場合、調査のタイミングを誤ると滞納者に預貯金を払い戻されてしまう可能性もあるため、確実性という点では難があります。

⑽　株式

株式とは、会社に出資してその経営に参加したり、将来会社が利益を上げたら、出資した金額に応じて利益の配当を受けたりする会社における地位のことで、このような地位を具象化して形に表したものを株券と言いますが、両者（株式と株券）は、必ずしも明確に区分されずに使われることもあります。この株式を発行して多くの株主から出資金を募って設立された会社を株式会社と言います。

発行された株式は、証券市場で売買され、株式会社に投資した多くの人（いわゆる「投資家」と呼ばれる人たち）は、そこでの株価の値上がりによる差益（キャピタルゲイン）を期待するとともに、会社の業績向上に伴う配当金を受け取る（インカムゲイン）こともできるわけです。しかし、逆に事業がうまくいかず倒産してしまった場合、株式会社は、出資した人（株主）に出資金を返還する義務を負いませんし、あるいは倒産しないまでも、業績の悪化により配当されないこともあります。

株式の流通には、（株式の）発行会社、証券会社、証券保管振替機構、株主名簿管理人、証券取引所などが関係しています。これらの関係を表すと左図のようになります。

滞納者が株の取引を行っているかどうかについては、滞納者本人への質問のほか、課税資料の調査、金融機関の調査、証券会社の調査、捜索などを行うことによって判明することがあります。

ア　滞納者本人への質問

滞納処分をもって臨まなければならないような滞納者であれば、真正面から「株をやっていますか」などと質問しても素直に答弁してくれることはほとんど期待できません（当然ですね）。やはり収入と支出とをあらかじめ調べた上で、収入の割に支出が少ないなど両者のバランスが取れていないようなときは、そのことを見逃さずに「収入から支出を差し引いた余剰資金の行方」について具体的に質問し、その結果、答弁が曖昧であったり、辻褄（つじつま）が合わなかった

株式の流通の仕組み（既に発行している株式）

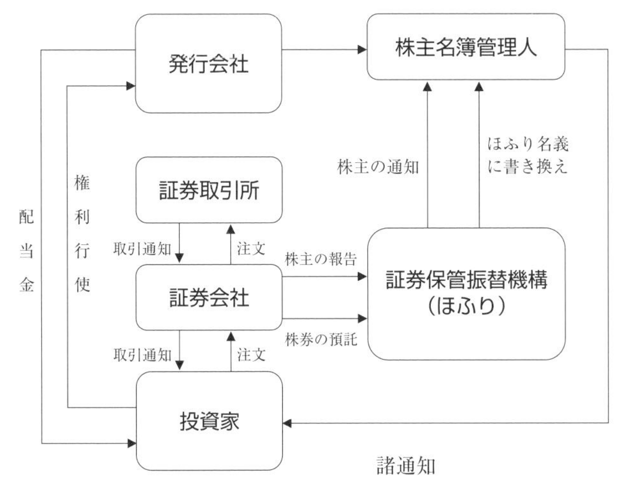

りするようであれば、その裏付けを求めるなど緻密な質問をしていく中で、その端緒を見つけ出すことが求められます。具体的な質問をすると、怒りだしたり、そわそわしたり、とぼけたりするようであれば、何か隠していることが強く疑われます。また、「余った金はギャンブルや飲食など遊興費に使った」とか「友人に貸した」などのように、検証することが困難な言い訳を持ち出す場合も、経験的にいって、その信憑（しんぴょう）性が強く疑われる可能性が高いとみていいでしょう。

イ　課税資料の調査

法人の場合も個人の場合も、税の申告書とその附属書類（明細書・内訳書）を調査します。株式の銘柄が記載されている場合があります。なお、個人住民税については、法定支払調書のリストの支払者・名称欄から株式の銘柄が分かる場合があります。

ウ　金融機関の調査

金融機関に臨場して、預金元帳（コム）を調査し、株主名簿管理人＝信託銀行等から配当金の振込みがないか、また、証券会社から株式売却代金の振込みがないか確認します。

エ　捜索

滞納者の自宅、事務所、貸金庫などを捜索することによって、証券会社や発行会社からの通知や案内等を発見することがあります。

オ　証券会社・信託銀行等

証券会社に対する調査は、金融機関と同様、原則として店舗に臨場して行います。これは、顧客（滞納者）に情報が流出することによる滞納処分への支障を防止するためです。滞納処分による差押えをした場合、証券会社は、後日、顧客（滞納者）から「なぜ（役所の調査が入ったことを）事前に知らせてくれなかったのか。顧客のことを第一に考えないようなところとはもう取引をしない」と言われることをとても警戒しています。したがって、証券会社の店舗に臨場して調査をし、すぐにその場で差押え（注：差押通知書は、証券会社と株式の発行会社宛てに送付します）をしてしまえば、確実に滞納税債権を確保することができる上、証券会社の側にとっても、顧客（滞納者）に知らせる時間もなく（役所の調査と差押えは）やむを得ないことであったという顧客（滞納者）への「理由」が立つのです。臨場の労を惜しんで、文書照会など悠長なことをしていると、せっかくの滞納税の確保の機会を失してしまうこともあるので注意したいものです。信託銀行等の株主名簿管理人は、振込先、口座番号、配当金額などについて照会します。

⑾　ゴルフ会員権

ゴルフといえば、かつては富裕層のスポーツというイメージが強かったのですが、わが国の経済的な繁栄と軌を一にして、次第に大衆化してきました。とはいえ、プレーにはそれなりの費用と余暇（時間）が必要であるところから、まだまだサッカーや野球などのように身近で手軽なスポーツというところにまでは至っていないようです。

ゴルフ会員権は、ゴルフ場を経営する会社とその会員との間で締結された契約上の地位のことをいい、預託金制、社団法人制、株主会員制の３種類がありますが、公益法人と営利法人との中間に位置する非営利団体形式のものもあります。

預託金制

ゴルフ会員権としては最も一般的な形態です。入会のときに「会員資格保証金」などの名目で一定の金額を預託し、一定の期間据え置いた後は、退会する際に預託金を返還請求することができるというものです。かつてバブル経済が崩壊したときは、会員権の相場が暴落し、預託金の金額以下になってしまったため、多くの会員が預託金の返還を請求したことで、償還不能に陥ったゴルフ場経営会社が続出し、多数の会社が倒産したことをご記憶の方もいることと思います。この会員権の形態の場合、ゴルフ場施設の優先利用権、年会費等の納付義務、退会時の預託金返還請求権の三つがワンセットになった契約上の地位のことを「ゴルフ会員権」と言っています。

社団法人制

民法上の公益法人として運営され、会員が入会金を支払って社員となり、プレーするなどのゴルフ場施設の優先利用権だけでなく、法人の一員として経営に参画する権利も持っています。この点がゴルフ場の経営に参画することができない預託金制の会員権との違いです。この形態のゴルフ場は、譲渡や相続を認めていないものがほとんどであり、実態としては、いわゆる名門とされているところが多いようです。譲渡性がない（相続の場合等、例外的に譲渡が認められることがあるにすぎない）ため、この形態の会員権が差押えの対象となることはほとんどありません。

株主会員制

これは、ゴルフ場の建設、経営と会員組織のゴルフクラブとの機能を分けている形態のもので、会員は、ゴルフ場経営会社の株主であると同時にゴルフクラブの会員でもあり、株主としてゴルフ場の経営に参画することができるものです。伝統あるゴルフクラブにこの形態のものが比較的多く、会員権の価額は高額なものが多いようです。

ゴルフ会員権を発見するには、滞納者に対する質問・検査または捜索によります。決算書の勘定科目明細のうち、「出資金科目」と「投資有価証券科目」に計上されているそれぞれの勘定から会員権の名称等を把握します。また、捜索の際に会員権証やゴルフクラブからの案内などを見つけることができれば、それが端緒になることもあります。なお、ゴルフクラブが判明したときは、当該クラブの会則または会員規則などについても取り寄せるなどして、事前にその内容を把握しておくようにします。

⑿　動産

景気が順調で経済が成長しているときは、それなりに税収を確保することができたため、地方税の滞納整理では電話加入権や債権の差押えをするくらいで、不動産の公売や動産の差押えなどにはあまり積極的ではありませんでした。しかし、バブル経済の崩壊によって固定資産税や譲渡に係る住民税において非常に高額な滞納が増え、それにつれて地方団体の財政が厳しくなってくると、不動産の公売に着手するところが増えるとともに、法的に許容されたあらゆる手段を尽くして税収の確保を図るべく、捜索という強制手段に踏み切る地方団体が次第にその数を増してきました。

動産自体の換価価値は、その手続にかける手間に比較してそれほど見るべきものはありませんが、そのための手段として捜索を行うことが滞納者にとって大変大きなインパクトを与え、また税収の確保に向けた地方団体の毅然(きぜん)たる姿勢を示すという意味では、大きな意義があります。なお、国税徴収法上の動産は、民法上の動産のうち、船舶、航空機、自動車、建設機械および小型船舶ならびに無記名債権を除いたものとされています（国税徴収法第54条第１号）。

【捜索実施上のポイント】※ここでは動産以外の財産についても触れています。

換価性の高い動産

差押えをした後の保管や公売のことも考慮して、最少の手間で最大の効果（滞納税への充足効果の高いもの＝１回的な解決の図れるもの）が期待できる動産を探す。

現金、預貯金、有価証券

滞納税をできるだけ早く確保する必要があるので、できればこれらの財産を優先し、換価に手間のかかる財産は後順位とする。

評価・見積りが容易な動産

滞納税をできるだけ早く確保する必要があるので、換価のための見積りの難しい財産は、後順位とする。

専門家の鑑定を要するものはできるだけ避ける

貴金属や美術工芸品など換価に際して真贋(しんがん)が影響するような動産については、後順位とする。

引揚げ、保管が容易な動産

換価するために引揚げ、保管することが容易な動産とする。

《調査に関するＱ＆Ａ》

〔Ｑ１〕

滞納者の収入と資産について一応の調査を完了していましたが、それからだいぶ日時が経過してしまいましたので、再び調査しようと思います。ところが、滞納者に対して納税指導をすると、ほとんどの滞納者が「分納したい」と言うので、せっかく調査しても結局、差押えには至らない場合がほとんどです。だったらいっそのこと、調査をせずに納税指導をするか、または調査をしたら納税指導をせずに滞納処分をした方がいいのではないかとさえ考えます。

このような場合、どうしたらいいでしょうか。

〔A〕

滞納整理を進める上で大切なのは、「同じことを繰り返さない」ことです。いったん一応の調査を完了していながら、その後の整理の方針を確立することができず（または確立せずに）、結果として進展のないままに時間が経過してしまったというのであれば、滞納整理のマネジメントに問題があったと言わざるを得ません。

そのようなことがないように、主任または係長級の人は、滞納を量的整理事案と質的整理事案に区分した上で、滞納整理計画を立てて定期的に全体の進(しん)捗(ちょく)状況を把握する必要があります。滞納整理は段階的に進めていくものであり、量的な整理事案であれば、例えば賦課年度や税額によって区分して、それらが決められたスケジュールどおりに催告されているかどうかを定期的にチェックする必要がありますし、質的な整理事案であれば、庁外調査は完了したかどうかや、必要な事案について行った納税指導の結果はどうであったかなどをチェックする必要があります。

質問では、一応の調査はしたものの、滞納者から「分納したい」と言われて矛先が鈍ってしまい結局、調査が滞納処分に結びつかないことを歯がゆく思われているようです。確かに通常は、滞納者について、一通りの調査を終えた段階で、当該事案について滞納処分とするか、それとも猶予や停止などの納税緩和措置とするかの整理方針を立てているはずです。それなのに「分納したい」という滞納者の申出を受け入れたのは、過去の分納履行実績や（今後の）資金繰りなどから判断して、分納履行が確実であると判断したからだと思われます。にもかかわらず、滞納者が分納を履行せずにずるずると滞納の既成事実が積み重なっていくのだとしたら、資金繰りの調査がずさんだったか、または調査したものの（調査の）詰めが甘かったかのいずれかではなかったかと思われます。調査によって一応の納付能力を判定し、納税指導の中で納税の意思を確認したのであれば、たとえその後滞納者から「分納したい」との申出があったとしても、揺るぎない確固とした整理方針が立てられるはずです。

〔Q2〕

金融機関への調査は、原則として臨場して行うとのことですが、当市では抱えている滞納事案が多く、とても臨場調査ができる状況にありません。そこで、金融機関への調査は文書照会を原則として、例外的に、繰上徴収など緊急の場合にのみ臨場調査を実施しようと考えていますが、これでいいでしょうか。

〔A〕

金融機関へ調査に行く目的は、単に滞納者名義の預金残高を把握するためだけではありません。滞納者と金融機関との取引内容について、貸出稟議（りんぎ）書や預金元帳（コム）等を調べてその全容を詳（つまび）らかにするとともに、滞納者が貸金庫を使っているようであれば、その内容物を調べる必要もあります。そして、差押えが可能な預金等の財産を発見したときは、滞納者に差押えを免れるための時間的余裕を与えないために、その場で直ちに差し押さえなければなりません。つまり、郵便による文書照会では時間的なロスが多く、滞納者に差押えに対する対抗策を講じるための時間的な余裕を与えてしまうリスクがあることに加えて、金融機関の中には、徴税のための調査（照会も含む）があったことを顧客に知らせるところもないわけではありません。とりわけ大口の取引先や長年の顧客であるような場合は、その可能性が一段と高くなります。そうすると、差押えの機会を失することにもなりかねません。

また、貸出稟議書を調査することによって、担保財産や返済資金に充てる収入などから、他の差押可能財産を発見することができる場合があります。これは、文書照会では分からないことであり、臨場して（滞納者への）融資に関するさまざまな書類を調査して初めて把握することができるのです。もちろんそのような財産には金融機関によって優先する担保権が設定されている場合がほとんどですが、これといった差押対象財産を発見できていなかったような場合や、（滞納者との）新たな取引先の発見による売掛金など別の債権を発見する端緒になる場合もあり得るのです。このようなことを考えると、滞納整理では、やはり金融機関調査は臨場が原則で、文書照会は例外だと認識しておくことが大切だと考えます。

ただ、全ての実務が原則通りにいかないのも現実です。限られた人数で、多くの事案を合理的に処理していく工夫が求められていることも確かですから、それぞれの地方団体が抱えている労力・時間・件数・累積滞納額そのほかさまざまな事情を総合的に勘案して、「金融機関調査ガイドライン」を作成するといいでしょう。例えば、少額事案が多く貸出稟議書や貸金庫を調査する必要性が低いような場合は、一定の金額（例えば、10万円未満）のものについては、文書照会とし、それ以上の金額のものについて臨場調査を実施することとして、その際は、高額な事案から順次計画的に着手していくという方法もあるでしょう。ただし、質問にもあるように繰上徴収事案については、その緊急性を考えれば臨場して調査すべきです。

なお、文書照会によるときは、次の点に留意してください。

① 一度に大量の照会書を送るようなことは避ける。

② 金融機関によっては、本店照会に応じてくれるところがあるので、あらかじめ金融機関に確認しておくこと。

③ 預金元帳等をプリントしたものやコピーを要求すると、その実費相当分を請求されることがあるので留意する。

④ 一定の回答期限までに回答がないときは、そのままにせず（確認しないで、再度、照会書を送るようなことはしない）、すぐに金融機関に連絡して、遅れている理由を聞くとともに、○月○日までというように具体的な日付を指定して改めて協力を依頼する。

⑤ できれば金融機関が繁忙な時期は避けて照会する。

〔Q３〕

当市ではかつて女性の担当者一人で滞納者宅の調査・納税指導に赴かせたところ、滞納者がその女性担当者に猛反発し、事実上の軟禁状態にしてしまい、数時間後に応援に駆けつけた係長と同僚職員らによって「救出」されたという苦い経験があります。それ以来、女性の担当者を一人で滞納者宅へ調査・納税指導へは行かせないこととしています。しかし一方で、抱えている滞納事案の多さに比べて担当者不足は否めず、毎回複数で行くというのは、効率的に滞納整理を進めるという観点からは相当なマイナスです。このような場合どうしたらいいでしょうか。

〔A〕

滞納整理は、男性・女性という性別によって異なった役割で行うものではありません。世の中のほとんどの仕事がそうであるように、滞納整理も男女が同等の立場と役割で担っているのであり、女性だからという理由だけで、一人で調査・納税指導には行かせられないということにはなりません。ただ、質問にもあるように、滞納者の中には、乱暴な人もいないわけではありません。そのような人は、自分よりも弱いと見た人に対しては、一層高圧的な姿勢で臨んできますし、稀（まれ）なことですが、時として暴力に及ぶこともあります。したがって、過去にそのような事実があった場合や、そのような兆候が見られる滞納者のところへ行くときは、必ず複数で行くこととし、男性であろうと女性であろうと、決して一人では行かないことです。

このように乱暴に及ぶ危険性・可能性が相当な確実性をもって予測される滞納者については、あらかじめ職場内で十分な対策を検討しておき、必ず複数で行くようにした方がいいでしょう。そして、万一の時は、躊躇することなく警察へ通報をすることも確認しておきましょう。そのようなときに、ずるずると相手に妥協的な態度や不必要に寛容な態度を取ると、相手にはそれが「成功体験」として受け止められ、その後の滞納整理を一層困難なものにする可能性が極めて大きくなります。

乱暴な滞納者に対しては担当者個人ではなく、組織で対処するということが大切です。地方税の滞納整理では、このように乱暴な滞納者や高飛車に出る滞納者を敬遠して、接触を避けたり滞納処分を避けたりする地方団体（または徴税吏員）があるとの報道に接することがありますが、そのような「腰の引けた対応」が、ますますそのような乱暴な滞納者を勢いづかせることになっていることも忘れてはならないでしょう。滞納整理の担当者は、税法などのプロではあっても、暴力に対抗するための訓練を受けているわけではなく、したがって、そうした暴力への対応は、警察というプロ集団の助力・支援をお願いする必要があります。

〔Q４〕

滞納者の自宅に行ったところ不在だったので、「不在差置状」を郵便受けに入れて引き揚げることにしました。そこで郵便受けを見てみると、既に何通かの郵便物が入っており、そのうちの１通が郵便受けからはみ出していたので、何となく後ろめたい気持ちがしたのですが、ひょっとしたら取引先や金融機関からの通知かもしれないと思い、つい取り出して見てしまいました。するとそれは、消費者金融からの催告書でした。ほかの数通についても、郵便受けの隙間から覗いてみると、重なっている部分は見えませんでしたが、それでも一番上の郵便物は何とか見えました。それも別の消費者金融からの催告書のようでした。

郵便受けの中の郵便物等については、それを開封しなければ「信書開封罪」（刑法第133条（信書開封）「正当な理由がないのに、封をしてある信書を開けた者は、１年以下の懲役又は20万円以下の罰金に処する」）にならないので、調査の一環として見ることは可能なのではないかと思いますが、いかがでしょうか。

〔A〕

ここでの問題は二つあります。一つは、せっかく時間と労力を使って滞納者の自宅に臨場したにもかかわらず、不在だからということで、単に「不在差置状」という催告書を置いて引き揚げてきてしまったことです。もう一つは、郵便受けという滞納者の占有支配が及ぶ領域内にある郵便物を無断で取り出して見た行為が法的に許されるかどうかという問題です。

滞納者の自宅に臨場する目的は、第一には滞納者本人に質問することです(国税徴収法第141条)。第二には滞納者の表見上の財産状況や生活実態を把握することです。これらの中には、催告という履行の請求も含まれてはいますが、そのためだけにわざわざ滞納者の自宅に臨場するのではありません。聞くところによると、「訪問催告」と称してわざわざ滞納者の自宅に赴いて、単に納税を促すだけの「催告」（履行の請求）だけのために徴税吏員が１日に何箇所かの滞納者宅を回る地方団体もあるとのことですが、大変な時間と労力を費やして（特に高額滞納者や長期滞納者に対しては）ほとんど効果の期待できない取組みだと思います。

地方団体の面積の広狭や交通機関・道路の整備状況等にもよりますが、１日をフルに活用してもせいぜい10軒程度の滞納者宅を回るのが限度ではないかと思われますが、そこまで時間と労力を費やして、「催告」（履行の請求）だけしかしてこないというのでは、何とももったいない時間の使い方です。わざわざ手間暇をかけて滞納者の自宅に臨場するのは、文書催告や電話催告などと違って、催告に応じない滞納者に対してもう一歩踏み込んだ質問による調査権を行使して、滞納の原因や収入・支出の状況等について確認をするとともに、表見上の財産状況（住居の形態や自動車保有の有無等）や生活実態を聴取りや観察によって把握することで、処分の方向性を決めるための判断材料を収集してくるためなのです。

すなわち、滞納者宅への臨場というのは、催告の次のステップとして（とりわけ質的な整理を要する事案については）段階的に滞納整理を進めていこうとするものにほかなりません。場合によってはその際に、併せて登記所や税務署、県税事務所（市町村役場）などにも立ち寄って、滞納者に関するできるだけ多くの情報を集めてくる必要があります。限られた人数の徴税吏員で効率的に滞納整理を進めていくためには、催告を中心として処理する対象と、滞納処分（または納税緩和措置）で処理する対象とを区別せずに両者を混在させたままで同じように処理すべきではなく、量的整理の対象と質的整理の対象とを分けて、それぞれにふさわしい労力の投入方法を工夫する必要があります。

質問の事案に関して言えば、「不在差置状」（催告書に手紙が付いたようなもの）を郵便受けに入れて引き揚げてくるのではなく、住居の形態（戸建て、マンション、アパート）や、おおよその広さ（面積）、自動車保有の有無等の状況を確認してくることに加えて、滞納者に関して滞納整理の参考になると思われる事柄について、近隣での聞込み（これは国税徴収法第141条に基づく質問ではなく、行政職員が行う行政目的のための一般的な調査＝講学上行政調査）を行ってくるべきであったと考えられます。なお、必要に応じてその経路に登記所や他の税務機関等があれば、そこへも立ち寄って滞納者に関する情報をできるだけ多く収集しておく必要があります。

次に、郵便受けという滞納者の占有支配が及ぶ領域内にある郵便物を無断で取り出して見る行為が法的に許されるかどうかという問題について考えてみます。

滞納者のうち少なからぬ人が、税の滞納以外にも負債を抱えている場合が多いのが実情です。そこで、滞納整理に携わる徴税吏員としては、滞納者と債権債務関係にある者を把握したいという思いから質問にあるような“誘惑”につい かられてしまうのでしょう。この場合、まず、郵便受けが法的にどのように位置づけられるのかを考えてみる必要があります。

郵便受けは、配達された郵便物等を一時的に保管しておく保管庫としての機能を持った有体物であり、通常、個人または法人の敷地内に設置されています。最近では、郵便受けに投函されるのは必ずしも郵便物に限らず、各種の宣伝チラシや町内会の回覧、宅配業者のメール便、化粧品等の試供品等々さまざまな物があります。これら投函される内容物のいかんにかかわらず郵便受けは、個人または法人の敷地内に設置されているところから、当該個人または法人の占有支配が及んでいると考えられます。

ここに占有支配とは、当該個人または法人の排他的な支配が法的に保護された状態を言い、したがって、それが侵害されたときは民事上の責任が生じるとともに、侵害者はその侵害の態様によっては刑事上の責任を問われる可能性もあります。民事上の占有とは、所持および自己のためにする意思によって成立する事実状態を言います（民法第180条）。一方、刑事上の占有とは、人が物を実力的に支配する関係であって、必ずしも物の現実の所持または監視を必要とするものではなく、物が占有者の支配力の及ぶ場所に存在すればそれで足りる（最高裁判所昭和32年11月８日）というものです。民事と刑事とでは占有の定義がやや異なっていますが、これは、それぞれの法が保護しようとする目的（法益）が違うことによるものです。

質問にある郵便受け内にある郵便物を無断で取り出して見る行為を、民事上の占有の定義に照らしてみると、一般的な社会通念からして当該滞納者は、自分宛てにきた郵便受け内の郵便物を自ら所有し、そしてその内容を確認しようとする意思を有していると見るべきであり、事実上も郵便受け内の郵便物は、当該滞納者の支配に属していると認められるので、それを他人が勝手に取り出して見る行為は、本人（当該滞納者、以下同じ）のこうした意思に反しているとともに、郵便受けという本人の支配が及んでいる場所から空間的・物理的な移動を伴うものであり、占有を侵害していると考えられます。

それでは刑事上の占有侵害についてはどうでしょうか。刑事上の占有については、前述の定義によれば、物が占有者（ここでは当該滞納者）の支配力の及ぶ場所に存在すればそれで足りるとありますから、取り出した郵便物を持ち帰るなど、当該滞納者の支配（管理）の及ばない場所へ移動させない限り（不法領得の意思もないので）窃盗罪の構成要件には該当しないものと考えられます。

以上のとおり、郵便受け内の郵便物を勝手に取り出して見る行為は、かろうじて刑法上の犯罪構成要件には該当しないものの、民事上の占有侵害と考えられるので、諸法令を遵守しつつ公務を遂行すべき徴税吏員としては、やってはならないことだと心得ておかなければなりません。

なお、前述のとおり、郵便受けが、通常、個人または法人の敷地内に設置されていることに鑑みれば、中の郵便物を勝手に取り出して見る行為が、住居侵入罪（刑法第130条）に当たるのではないかとの疑問も生じますが、同罪は、住居等の平穏を害することによって成立する犯罪であり、郵便受けから郵便物を取り出しただけでは平穏を害したとは言えないので、同罪の構成要件には該当しないと考えられます。ただし、住居等への立ち入りを許すかどうかの決定権は、当該住居等を管理する権限のある者に属するのであり、同罪は、その管理者の許諾権を保護するものであるとする学説もあるので、こうした学説によると判断は微妙になりますから、（犯罪の成否が）疑われるような行為は、厳に慎むべきでしょう。

最後に信書開封罪（刑法第133条）との関係について考えてみましょう。同罪の構成要件は、正当な理由がないのに、封をしてある信書を開けたというものです。正当な理由というのは、権利者の承諾や法律の特別の定め（例えば監獄法第50条）のことを言い、封をしてある信書とは、特定の人から特定の人に宛てて意思を伝達する文書・図表・絵等の書面のことを言い、必ずしも郵便である必要はないとされています。これらの書面の内容を知り得る状態にすることを、「開封した」といいます。

これを質問の事案に当てはめてみると、無断で取り出して見てしまったことは、確かに権利者（ここでは当該滞納者）の承諾がなく、しかも法律の定めもないので、正当な理由があったとは言えません。しかし、開封したわけではないので、同罪の構成要件には該当しないと考えられます。ちなみに取り出して見てしまった消費者金融からの催告書が葉書であった場合は、そもそも「封をしてある」とは言えないので、封をしてある信書には該当しません。いずれにしても、質問にあるような行為は、調査のためとはいえ徴税吏員としてやってはならないことであり、厳に慎むべきでしょう。

第2章・納税指導

1　催告と納税指導

税の滞納が発生すると、督促状が発せられ、それでも滞納者が完納しない場合は通信催告が行われるのが普通です。しかし、それによってもなお滞納者が完納しない場合は、滞納処分へと移行するのですが、実際に滞納処分にまで移行していく事案は、滞納全体の中でも、一部にすぎないのが実態でしょう。実際のところ、納期をうっかり忘れているような場合や、次回の賞与で納税するつもりでいるというような滞納者の場合は、その多くがこの催告によって、自主納税に結びついており、納税指導は通常、こうした催告によっても納税されないものの一部について行われ、調査とともにその次の段階で行うこととなる滞納整理の一事務と位置づけることができます。

「第１章の１　滞納整理の三要素」＝258ページ＝において、納税指導は、①履行の請求、②滞納原因の把握、③納税意思の有無の確認――の３点セットであるとしましたが、納税指導に関する詳しい説明に入る前に、その内容とも一部が重なる催告の意義と効用について、触れておくこととします。

催告は、納税指導の内容の一部を構成する「履行の請求」と実質は同じで、意思の通知という準法律行為です（民法第150条）。履行の請求としての催告には、次のような特徴があります。

①　一方的な請求行為である。
②　個々の滞納者の実情を顧慮することなく一律に行われる。
③　繰り返し行うと、効果が逓減する。
④　催告をすると、その時から６カ月を経過するまでの間は、時効は完成しない（＝時効完成の猶予〈民法第150条第１項〉）。ただし、この時効完成の猶予は一回だけである（同条第２項）。

このように催告とは、本来、一方的な請求行為であって（ただし、電話催告の場合は、滞納者と会話をする機会がありますので、滞納者〈主観的な情報としての〉の実情について、ある程度聴取することが可能な場合があります）、どちらかというと単純な事務ですから、量的な整理に向いています。

次に、個々の滞納者の実情を顧慮することなく一律に行われるため、（特に文書催告の場合は）滞納の実態に応じた整理には向いていません。すなわち、個々の滞納者の実情にふさわしい整理には不適だということです。さらに、繰り返し行うと、滞納者が慣れてしまい、効果が逓減する手段であるところから、使用対象と使用時期が限定されます。つまり、初期滞納や少額滞納には一定の効果を認めることができますが、それ以外のものには効果がほとんど期待できません。催告のこのような性格を踏まえると、催告の要領は、次の３点に要約できます。

① 対象と時期を限定すること（初期滞納と少額滞納に限定する。例外として、直近の催告から６カ月以上の間隔が空いてしまった事案について、滞納処分をしようとするとき。国税徴収法基本通達第47条関係18参照）。

② 滞納整理の進展に合わせて効果的に行うこととし、むやみに繰り返さないこと（できるだけ早く次の段階の事務に移行する）。

③ 散発的に行うのではなく、手続経済を考えると集中的に行うことが望ましい（一定の時期に集中して行う）。

※ 催告のうち文書催告については、各地方団体で、色紙を使用したり、強調したい文字を色刷りにしたり、あるいは滞納処分の警告書を兼ねたりなどさまざまな工夫を凝らしているようです。このように催告書といっても内容や使い方については、その地方団体の方針によって一様ではなく、穏やかな表現のものから、だんだんと厳しい表現のものに至るまで多様なものを揃（そろ）えているところもあれば、一般的な催告書と、差押えの事前警告書を兼ねたものの２種類だけの地方団体もあるなどさまざまです。しかし、いずれにしても催告については、前記①～③の要領を踏まえて、乱発することなく、滞納整理を確実に前進させるための過程の事務として、効果的に行う必要があります。

2 納税指導の意義

租税法律主義の下における滞納整理では、滞納者が置かれている経済的な状況に照らして、それに見合った処理をするために、（滞納者の財産状況が）税法が定めるどの要件に該当するのか、それとも該当しないのかという該当・非該当の判断が求められます。

例えば、繰上徴収の要件を満たしているかどうかであるとか、停止や猶予の要件を満たしているかどうかなどです。そして、その各種の要件に該当するのか、それとも該当しないのかを判断するためには、滞納者に関する財産状況という判断材料を収集する必要があります。判断材料の収集のために最も重要なのが財産調査です。

いわゆる納税指導については、徴税吏員によるさまざまな質問等によって、その財産調査を補完するものであると同時に、滞納者の要望、主張、抗議等さまざまな申出を受け止める機会でもあります。滞納整理を前に進めるという観点から重要なのは前者で、後者は、滞納者の声に耳を傾けるという意味では、いわば広義の「広聴行政」の一環でもあり、「丁寧な行政」を体現したものでもあるでしょう。しかし、いずれの意味においても、納税指導を時間無制限のエンドレスで行うべきではなく、多少の長短はあるにしても、目安としては1時間を上限としてその範囲内で行うよう心がける必要があると思います。

財産調査が、財産の所在や財産の帰属の関係を明らかにするもので、客観的なものであるのに比べて、納税指導は、聴取りによるものであることから客観性と真実性において財産調査には及びませんから、その意味でも、それのみによって滞納整理の方向性を判断することは妥当でなく、あくまでも財産調査を補完するものであるという位置づけです。このように納税指導は、法令の範囲内で行われる行政指導であって、滞納者の権利義務に影響を及ぼすものではありません。

納税指導として行われる徴税吏員による質問等の内容は次の三つです。

履行の請求

滞納税については、一括納付するよう慫慂（しょうよう）します。一括納付をすることができないやむを得ない事情があると認められるときは、法定の猶予（担保徴取）または短期（目安として3回ないし6回若しくは年度内）分納（納税計画書・納税誓約書徴求）。

滞納原因の把握

聴取りにより滞納原因の把握に努めます。

納税意思の確認

納税計画（納税誓約）の提出など自主納税の意思を確認します。

つまり、この三つの内容を含むものでなければ納税指導とは言えないわけです。このことについて、現状では各地方団体あるいは個々の徴税吏員によってさまざまな理解・認識が混在しているのではないかと思われます。例えば「○○税が未納になっていますので、○○日までにお支払いください」などのように、ただ単に履行を促しているだけであるのに、このことをもって納税指導だと勘違いしていたり、また「○○円（または○○回）の分納をお願いします」といったように、滞納者の納付能力とは無関係に、ただひたすら根拠のない分納のお願いを続けることを納税指導であると思い込んでいたりするような実務が、何の疑問もなく「ごく当たり前に」行われているようなことはないでしょうか。

ここで私が強調したいのは、徴税吏員が滞納事案の整理の方向性を判断するに当たり、財産調査を補完するいわば「従たる資料（判断材料）」として納税指導の結果を参考にすることはあるとしても、整理の方向性を判断するための主たる資料（判断材料）は、あくまでも財産調査によって収集した滞納者の財産状況であるということです。したがって、このような意味から、納税指導は滞納整理の過程において必ずやらなければならないものではなく、徴税吏員が（整理の方向性を判断するに当たり必要性を認めたときに）必要に応じて行う滞納者への能動的な働きかけのことであると言うべきでしょう。

実際に地方団体で扱っている滞納事案の数は、もとより団体によって異なるものの、いずれの地方団体においても、全ての滞納事案について深度のある調査をおしなべて行うだけの余裕があるはずもなく、したがって、効率よく滞納整理を進めるために、滞納処分によって確保しなければならない対象を（同時に停止によって不良債権としての判断をすべき対象についても）絞り込む必要があるのではないかと思われます。現実には喜んで納税する人は決して多いとは言えないと思いますが、たとえ渋々であったとしても、任意に納税するという方向で滞納者に（効果的に）働きかけることによって、（処理の促進という）成果が期待できるのであれば、それに越したことはないわけです。その意味で、納税指導が必要に応じて適切に行われるのであれば、効率的な滞納整理に寄与することができるのではないかと思います。

3 折衝か、交渉か、それとも指導か

整理の方向性を判断するに当たって徴税吏員が滞納者に対して行う働きかけのことを、「折衝」と称するか、それとも「交渉」と称するか、あるいはまた「指導」と称するかについては、地方団体によってまちまちのようです。ただ、どのように称したところで内容が同じであるとすれば、単なる呼称の問題にすぎず、実務に影響を及ぼすものではないため、結局いずれでもよいのではないかとも言えそうです[※5]。

もっとも租税法律主義の下における租税債権者と租税債務者との関係は、民事上の債権者・債務者の関係とは異なり対等ではなく、片務的な関係にあります[※6]。つまり、当事者間に合意がなくても、課税要件を満たしていれば課税庁

※5 「名前に何があると言うの？　バラの花を別の名前で呼んでみても、甘い香りは失せはしない」（『ロミオとジュリエット』シェークスピア）との有名なせりふにもあるように、その呼称にかかわらず、①履行の請求、②滞納原因の把握、③納税意思の確認――という滞納者への働きかけの内容こそが重要なのです。

は一方的に課税することができますし、納税義務者は一方的に徴収されることを受忍しなければなりません。もう少し具体的にいえば、納期限であるとか、(納税が) 納期に遅れた場合のペナルティーなど賦課徴収に関する要件の一切が、法律（や条例）で定められていて、これを当事者間の話し合い（契約）で勝手に変更することはできないということです（合法性の原則）。

先に述べたとおり、滞納者への働きかけである納税指導は、財産調査を補完するものですから、必ずやらなければならないものではありませんし、客観性と真実性の点で難点があるので、原則として、これだけで整理の方向性を決めてしまうこともできないわけです（ただし、少額滞納は除く)。納税指導が「この程度のもの」であるとすると、滞納整理全体の中では、納税指導はそれほど重要視すべきものではなく、しかも、目安であるとはいえ、1時間を上限としてその範囲内で行うべきものであるならば、これまで多くの地方団体で(そして徴税吏員に）信じられてきた「納税指導は滞納整理に不可欠なもの」ではなく、そしてまた「滞納整理の中心的な事務として位置づけるべきもの」でもないと考えます。

なお、このことに関しては「滞納の処理困難化が進行している大きな要因として、『納付折衝中心の事務処理』が定着していることが挙げられ、今後もこのような滞納整理が続くとなると、納税者側に『無理に期限内に納付しなくても分割納付をすればよい。税務署に行けばいつでも分割納付に応じてくれる』といった安易な意識が生じるなど、納税者のモラルハザードを誘因することにつながり、最終的には滞納残高の増加を招くことになるものと思われる」(税務大学校論叢57号「滞納整理に当たっての適正手続の在り方」藤田健治　20～21ページ）とする見解がありますが、おそらくこれも同様の趣旨なのではないかと考えられます。

納税指導というものが以上のようなものだとしますと、「折衝」と言おうが、また「交渉」と言おうが、はたまた「指導」と言おうが、結局はいずれでもいいような気がするかもしれませんが、租税法律主義の下における租税債権者と租税債務者との関係は、民事上の債権者・債務者の関係とは異なり法的に対等ではなく、片務的な関係にあることを考えれば、少なくとも「交渉」とい

※6　租税法律関係においては、債権者である国家が優越性をもち、その限りで租税法律関係は不対等な関係として現われる。(法律学講座双書『租税法』金子宏、弘文堂)

う言い方は妥当ではありません。

交渉とは、例えば、労使交渉とか、外交交渉などのように、法的に対等な関係にある者同士が行う「かけひき・談判」のことを言いますから、徴税吏員による滞納者への働きかけの場合に使う用語としてはふさわしくありません。つまり、滞納整理の中で行われる滞納者への働きかけは、「交渉事」(当事者の話し合い・合意によって納付条件等を決めること)ではないのです。なぜなら「法律の根拠に基づくことなしに、租税の減免や徴収猶予を行うことは許されないし、また納税義務の内容や徴収の時期・方法等について租税行政庁と納税義務者との間で和解なり協定なりをすることは許されない」(法律学講座双書『租税法』金子宏、弘文堂)からです。

その意味で「交渉」とほぼ同義の「折衝」も、正確にいえば滞納整理の中で使うのはふさわしくないでしょう。以上のような次第で私は、滞納整理の中で行う滞納者への働きかけの呼称として最もふさわしいのは、「指導」(納税指導)ではないかと考えています。なぜなら、徴税吏員と滞納者との関係は、租税法律主義の下において法的に片務的であり、一方が他方を法律に基づいて指導する関係にあるからです(行政指導)。

ただ、窓口や電話での応対、あるいはホームページ等の媒体を通じた広報など住民(納税者)のみなさんの目に直接触れる場合において「指導」という言葉を使用すると、何となく「上から目線」または「かつてのような官吏によるお上意識丸出し」であるかのような印象や響きがあり、今の時代感覚にそぐわないということであれば、あくまでも議会での答弁や窓口での応対時等では「折衝」としても、あながち不適切とまでは言えないだろうと思います。

4 適切な応対の技量を身につける

租税は、納税義務者がたとえ納得しなくても納税しなければならないものですから、納税指導で滞納者が納得するまで何度でも、そして、いつまでも際限なく話し合いをするという姿勢を取ることは、滞納整理に対する正しい理解を欠いていると思います(後記5⑶=315ページ=参照)。もちろん、納得した上で納税してもらうことに越したことはありませんが、滞納整理は、コスト意識(地方自治法第2条第14項)も踏まえた上で、期限の観念をもって効率的に行わなければならないものですから、徴税吏員としては、同じことの繰り返しや、エンドレスな納税指導とならないように十分留意する必要があります。

徴税吏員は、税収の確保と租税負担の公平の実現という目的に向かって、目の前の（あるいは電話口の向こうの）滞納者に対して、いかに効果的で適切な働きかけができるか、職場内研修（ＯＪＴ＝On-the-job Training）などを通じて普段から訓練を重ね、準備しておく必要があります。納税指導では、自らの主張にこだわって、（制度や手続を）理解しようとしない（または最初からその気のない）滞納者を説得する必要はなく、むしろ徴税吏員に求められているのは、①履行の請求、②滞納原因の把握、③納税意思の確認――等ができる程度の聴取りを、主導権をもって行えるだけの（滞納整理における）応対の技量を身につけるべく、普段からそのことを心がけることではないかと思います。

5　滞納者等との応対で留意すべき事項

(1)　念書・誓約書・詫び状等は絶対に書かない、交付しない

租税債権者と租税債務者（納税義務者）との関係は、租税法律主義によって規律される特別な債権債務関係※7ですから、表題のような書面（念書・誓約書・詫び状等）によって納税義務がなくなったり、税額が減額されたりすることはありません（そうした法的な効力はありません）。しかし、一部の滞納者等の不当な圧力に屈して、このような書面を交付したりすれば、その後の滞納整理を進めることが、事実上進めにくくなることがあります。

仮に滞納整理の手続に不備があったような場合は、手続をやり直したり、補正したりするなどの適切な処置を速やかに取るとともに、責任者（通常、課長級の職員）が相手方の自宅または事務所へ赴き陳謝するとともに、経緯について丁寧に説明します。

なお、現担当者が着任する（今の担当に就く）前に、前任者が滞納者等の不当な圧力に屈してしまって、万一、このような書面を交付している事実があったとしても、それ自体に法的拘束力があるわけではありませんから、滞納整理の続行に影響を与えるものではありません。

※7　**特別な債権債務関係**　ここでの「特別な」とは、主として契約によって発生する民事上の債権債務の関係とは異なるという意味です。つまり、租税債権債務関係では、民事の「契約自由の原則」や「過失責任の原則」などの適用はなく、当事者は、「租税法律主義」「地方税条例主義」により厳格に規制されることから、その成立や消滅などについては、当事者の意思が介在する余地がないということです。ただし、到達主義の原則など民法の技術的な規定の一部や、法の一般原則である信義則については、準用または類推適用される場合があります。

詫び状の例

令和○年○月○日

○○太郎　様

○○市税務課長
○○二郎　㊞

差押えに関するお詫び

去る令和○年○月○日付○○市税務第○○号で執行した○○銀行○○支店の○○太郎様名義の普通預金の差押えは、当課が○○太郎様のご事情を十分に考慮しないままに行ったものであり、誠に遺憾に存じます。ただちに差押えを解除いたしますとともに、深くお詫び申し上げます。

なお、この間の延滞金につきましては、こうした事情を考慮して、減免させていただきますので併せてお知らせ申し上げます。

今後は二度とこのようなことのないように十分留意し、安易に差押えを行うことのないようにします。

担当：税務課徴収係　担当：○○三郎　☎○○○(○○○)○○○○

⑵ 不用意な発言はしない

毅然(きぜん)とした姿勢で納税指導に臨むとしても、不必要に相手を刺激したり、能弁になりすぎて揚げ足を取られたりするようなことのないように、言葉遣いは慎重にしなければなりません。もっとも、徴税吏員がどのように慎重に、かつ丁寧に話をしたとしてもクレームを言う人はいますから、「広い世の中にはさまざまな考え方の人がいる」という前提で滞納整理に臨めば、心の準備ができるので、それほど不安がることもないでしょう。滞納者の中には、自らの（納税）義務違反を棚に上げて、「納税する気持ちはあるのだが、今は金がない」などとうそぶき、ひたすら行政への不平・不満を言い募ったり、徴税吏員の応接の態度を非難したりする人がいます。そのような滞納者に対して、「延滞金については考慮しましょう」とか「検討してみましょう」などと曖昧で不用意な返事をしたりすれば、すかさずその点を追及され、そして突っ込まれて、事態を一層紛糾させる要因をつくることになります。そのような相手にいったん「これはひょっとしたら何とかなりそうだ……」という（不当な）期待感を抱かせてしまうと、とことん食らいついてきて、ますます納税指導を困難なものにすることは、経験的に見て明らかです。

法令に照らしてできないことについては、怒鳴られようが、カウンターを叩かれようが、毅然（きぜん）として「そのようなご要望に応じることはできません」と明確に断ってください。「これだけお願いしてもだめなのか」などと懇願されても断ってください。相手の勢いに押されて、いったんイレギュラーなことをやってしまうと、単に現職だけの問題にとどまらず、次にその事案を担当することになる後任者が、相手から「前の担当者（課長または係長のこともある）は、延滞金の面倒を見てくれた」とか、「前とやり方が変わったのか」あるいは、「それじゃあ、前の担当者（課長または係長のこともある）は間違っていたとでも言うのか」などと言われてしまい、事実上、その後の滞納整理をやりにくくしてしまうことがあります。

⑶　滞納者の申出・主張を鵜呑（うの）みにしない

「生活は楽だ」または「事業は順調だ」と言う滞納者などいるはずがありません。もしも、生活は楽で資金も潤沢であるのに、税を滞納しているというのであれば、納税義務の不履行という自らの非を認めることになるのですから、これは当然のことと言えるでしょう。

要は、こうした滞納者の申出・主張が事実であるかどうかを確認した上で、整理の方針を立てることが大切なのです。残念ながら滞納者の中には、事実を語ってくれない人も少なからずいます（否、実態からすると、むしろ、そうした人の方が多いくらいです）。しかし、そうであるからといって、最初から滞納者の申出・主張を信用しないという態度で応対したのでは、ことさらに相手の心証を害し、プライドを傷つけ、感情的な反発を誘発して、納税指導を円滑に進めることができません。

滞納者の申出・主張（特に初めての場合）には、よく耳を傾け、具体的な内容の話をするようにします。

【鵜呑みにしてはいけない滞納者の申出・主張の例とそれへの返答例】

①「不景気で生活が苦しい」

⇒景気の影響を受けているのは、○○さんお一人だけではありません。収支と財産の状況について具体的にお聞かせください。

②「近日中に納付する」

⇒近日中とは具体的にいつ（何年、何月、何日）のことでしょうか。

③「住宅ローンがあるので、それが終わったら納付する」

⇒住宅ローンは、あなたのご都合と意思で、あなたご自身がお決めになったことです。それにあなたは、住宅ローンを組むことによって、不動産を購入されたわけですから、資産を得たことになります。したがって、資産がある以上、それは、納税できない理由にはなりません。

④「税金のほかにもいろいろ借金がある」

⇒税金については、民間（私法上）の借金よりも優先してお支払いいただかなければならないものです（租税優先の原則）。

⑤「(不動産業者が）いま扱っている物件が売れたら納税する」

⇒そういうことであれば、売れるまでの間、１年以内であれば、担保を設定して猶予とすることは可能です。(この提案に拒否的な場合は）→担保の設定にご協力いただけないのでしたら、(租税債権を）保全するために差し押さえることになります。

⑥「今年の後半になれば事業が持ち直すめどがついたので、そのときに納税する」

⇒事業が持ち直すという見通しについて、資料でご説明願います。もし、それまで納税猶予をご希望でしたら、担保の提供（証券受託も含む）をお願いします。

⑦「物件の譲渡代金は全部借金の返済に使ってしまったので、無い袖は振れない」

⇒譲渡代金は、どちらの金融機関で決済されたのですか。納税資金の有無については、調査をした上で、私どもで判断させていただきます。

(4) 主導権は常に徴税吏員が握る

納税指導において主導権を握るというのは、常に話題をリードするということではなく、履行の請求をするとともに、滞納者に対して一定の具体的な行動（納税や納税計画の提出、あるいは担保の提供など）を求めるということです。つまり、滞納者の言い分（ほとんどの場合、同じことの繰り返し）ばかり聞いているのではなく、租税債権者として必要な聴取りをして、義務を履行させるという指導をする必要があるということです。滞納者の心証を慮（おもんぱか）るあまり、妙にへりくだったり、おもねるような態度を見せたりすることがないように留意しなければなりません。その場の状況に合った応対というものは確かにありますが、法令の規定に反してまで（不当にも）譲歩したりすることのないように、毅然とした応対をしなければなりません。

誤解のないように再度ここで確認しておきますが、納税指導は、滞納者を口説き落とすことでもなければ、逆に論難したり、論破したりすることでもありません。納税指導とは、徴税吏員が主導することによって、自主納税、または具体的納税計画の提出、あるいは担保の提供といった完納に向けた具体的な行動を実現させるための（滞納者に対する）積極的な働きかけのことを言います。

【主導権を持った納税指導になっていない例＝だめな例】

① いっぺんに納税することが無理でしたら、分納していただけませんか（と担当者から持ちかける)。

② 差押えをすることについて、滞納者から了解をもらった。

③ 金額の入っていない納付書を何枚かお送りしますから、収入の多い月には（分納額を）増額してください（と担当者から依頼する)。

⑸ 法律というルールの土俵で相撲を取る

経験的にいって、滞納者（必ずしも全ての滞納者というわけではありませんが）に共通した特徴として、「同じ話の繰り返し」「行政批判」「住宅ローンなど他の支払いを優先する」「担当者の態度が悪い。口の利き方がなってないなどと納税とは関係のない話をする」「収支や財産などの具体的な話を避けようとする」「『死ねというのか』とか『生きていけない』などの極論を主張する」「有力者に言いつける」「出るところに出る（と開き直る)」などといったように、納税とは直接関係のない事柄に話題を逸（そら）そうとしたり、滞納を強引に正当化したりしようとする傾向があります。

経済的に苦しく、ぎりぎりの生活を送っている、あるいは資金繰りが苦しくて事業がうまくいかないなどといったことで悩んでいる、若しくは途方に暮れているというのであれば、本来、その旨を率直に相談してもらえれば、減免や納税緩和措置など滞納者の実情に沿った適切な対処方法を検討することができるのですが、残念なことに、そのように率直に納税相談を申し出てくれる滞納者は少ないのが実態です。

しかし、もしもその背景に「役所に経済的な窮状を訴えたところで、どうにもならない」などといった誤解や諦観とか、「納税緩和措置などの制度そのものについて不知である」などの事情があるとすれば、徴税吏員から必要に応じて「法テラス」や生活保護の担当課を案内したり[※8]、納税の緩和制度について丁寧に説明したりする必要があるでしょう。そのためには、必要な情報を役所の広報紙やホームページで周知するとともに、ポスターの掲出、窓口や電話での案内など、考えられるあらゆる手段で納税者のみなさんに、(納税に困ったときの相談窓口〈問い合わせ先〉を)周知する努力が求められています。

このように「やむを得ない事情」から納税が困難であると認められる場合は、前記のとおり、それに応じて適切に対処する必要がありますが、そうではなく、自らの納税怠慢や、税以外の支出の優先を正当化しようとしていることが疑われるような一部の滞納者に見られる特徴的な言動の背景には、多くの場合「法律論や手続論など筋論の土俵では役所に抗弁できないので、それ以外の納税とは関係のない土俵で相撲を取ることによって、自己に有利な条件(延滞金減免や長期少額分納)を役所に認めさせよう」との意図が見え隠れします。

滞納者と応対する中で、もしもこのような意図で「納税と関係のない話」に終始するなどの明らかな兆候が認められる場合は、例えば「納税と関係のないお話をすることはできません。納税に関することに絞ってお話しください」のように、徴税吏員が主導して軌道修正を指導する必要があります。もしも仮に、この指導に従わず、延々と「納税と関係のない話」を続けたり、いわれのないクレームを続けたりするようであれば、(納税指導を)打ち切らなければなりません。打ち切らずに「滞納者の言うまま、なすがまま」にしておくと「もう少し同じ話を繰り返せば、ひょっとしたら(担当者は根負けして)自分の(無理な)要求を呑(の)むかもしれない」との誤ったメッセージを送ることにもなりかねません。滞納者への納税指導に際しては、「法律というルールの土俵の中で相撲を取る(納税指導をする)」よう心がけることが大切です。

(6) 決裂することを恐れない

徴税吏員にしてみれば、せっかく接触することができた滞納者と、納税計画や担保の提供などで話がまとまらずに、感情的なしこりを残したまま、半ばけんか別れのように納税指導が決裂してしまうことに対する一抹の不安があるのは、理解できないこともありません。しかし、これまでも繰り返し述べてきましたが、租税法律主義の下では、徴税吏員にはあくまでも法令の規定に従った処理しか許容されていませんから、「話し合い」[※9]で滞納を解消しようとするの

※8 「生活設計や生活再建については、あくまでも自己責任が原則」ですから、このような場合であっても、いきなり保護担当課を案内するのではなく、滞納者からの相談を受ける中で、徴税吏員が適切に判断して、本人もその旨希望するなど必要な場合にのみ紹介し、案内するようにします。本人の意に反してまで案内する必要はありません。

ではなく、納税相談のために訪れた当該滞納者が、「納税緩和措置に該当する要件を満たしているかどうか」の判断をしなければなりません。そして、その判断をするための財産調査の前段階として納税指導をしているのであって、ここのところが民事事件などのように原則として「話し合いで解決する」というのとは異なっています。

したがって、納税計画や担保の提供、あるいは滞納者自身の収支・財産状況について行われる納税指導が、（当該滞納者からの協力が得られずに）まとまらないまま決裂したとしても、徴税吏員としては、法令にのっとり粛々として滞納整理を進めればよく、何ら不都合はないのです。むしろ、話をまとめようとして当該滞納者の無理な要求を安易に受け入れることがないように留意しなければなりません。一般論としては、話をまとめようとする努力が双方に求められることを否定するものではありませんが、そうした際にも徴税吏員に強く求められているのは、常に「法令に照らしてどうか」という視点であるということを忘れてはなりません。

6　納税指導のポイント

仕事でもスポーツでも似たようなことが言えるのではないかと思いますが、例えば、新任の徴税吏員が、できるだけ短期間のうちに納税指導の技量を身につけようとするためには、講義を受講したり、教科書（資料）を読み込んだりするだけではおそらく十分ではないだろうと思います。なぜならそれは、納税指導というものが、知識的なものではないからです。納税指導は、知識のように頭で覚えるものではなく、滞納者とのやりとりを通じて、滞納の原因を明らかにしたり、滞納税の完納（または停止による整理完結）に向けた道筋をつけたりするために徴税吏員から滞納者に対して能動的に働きかけて行うものであって、言ってみれば体得していくものなのです（「習うより慣れろ」です）。そして、納税指導はその性質上、非定型で、しかも多様な形態が想定され、「納税指導とはこういうものである」というように一義的に措定（そてい）すること※10は

※9　ここでは、「話し合う」ことがよくないと言っているのではなく、納付能力に基づかない「いくらなら払えますか」とか「○○円で分納を続けてみてください」などといった確たる根拠のない「どんぶり勘定」的な話し合いでことを決めるべきではないということを注意的に書いたものです。

※10　一義的に措定することが困難とは、納税指導の相手方が滞納者であるところから、一定の傾向はあるにしろ、全く同じ事案というものはなく、各事案は千差万別であり、その意味で、「このようにすれば、どのような場合の納税指導でもうまくいく」というオールマイティーな（納税指導の）方法（滞納整理の王道）などというものはない状況のことを言います。

困難です。

【1　納税指導のコツ】

納税指導は、頭で理解するものではなく、経験の中から獲得していくものであり、いわば、体得するものである。

納税指導は、人（滞納者）を相手にするものですから、必ずしも頭の中で考えたとおりに事態が展開するとは限りません。想定外のことが起きることもしばしばです。その意味で、納税指導技量を身につけるためには、ロールプレーや実地研修が欠かせません。そうして、その中で成功と失敗を繰り返しながら、少しずつ体で覚えていく（体得する）ものだと考えられます。

【2　滞納者のパターンに応じた納税指導】

あらゆる納税指導のシーンに通用する一般的・普遍的な方法というものは存在しない。それぞれのパターンに応じた適切な納税指導というものがあり、個々の滞納者に合わせた、いわばオーダーメードのような納税指導が求められている。

滞納者のパターンとそれに応じた納税指導

①　お願い型	終始平身低頭を貫き、自分が苦境にあることを繰り返す。	同じことの繰り返しになったら、本題へ軌道修正する。
②　演技型	泣いたり、饒舌（じょうぜつ）になったり、馴（な）れ馴れしくしたり、さまざまなパフォーマンスを駆使して、担当者の情に訴える。	雰囲気や情に流されることなく、収支など必要な聴取事項について、漏らさず聴き取る。
③　権威依存型	議員に言いつけるとか、マスコミに公表するなどと言い、権威の力を借りて、無理を通そうとしている。	無理は通らないということを理解させる。
④　威嚇型	怒鳴ったり、脅したりして、無理を通そうとしている。	無理は通らないということを理解させる。言葉遣いは丁寧に、姿勢は毅然として。
⑤　理屈型	独自の理屈を振りかざして、無理を通そうとしている。	一定の時間は耳を傾けるものの、無理は通らないということを理解させる。言葉遣いは丁寧に、姿勢は毅然として。

【3　納税相談と納税指導】

租税法律主義の下における税務事務では、法定要件充足の要請があるので、たとえ滞納者から納税相談をされたとしても、法定の要件を満たさない限り、滞納者からの要望に応じることはできないし、してはならない。

滞納者の思いどおりの処理をしなければ納税相談にならないということになったら、徴税吏員には、滞納者の要望を丸呑（の）みすることしか許されないということになってしまい、あまりに理不尽で、なおかつ税収確保等滞納整理の目的に照らして逸脱した不当な処理です。

【4　中身のある納税指導】

納税指導において、履行の請求は必要であるが、それだけでは催告と何ら変わらないため、（納税指導では）どうして滞納になったのかであるとか、収入・支出・資産などについて、突っ込んで聴き出す必要がある。

納税指導というのは、滞納者との単なる世間話ではなく、滞納者に納税資金の調達を促したり、滞納原因について説明させたりするなど、一定の目的を持った能動的な接触ですから、納税義務を履行してもらうために、積極的に働きかけていくものでなければなりません。必要に応じて「実情照会書（兼回答書）」（93ページ参照）を使うなどして、滞納者の納付能力判定材料の収集に努めます。

【5　租税の性質と納税指導】

大量性・反復性という租税の性質に照らして、地方税法でも、また、国税徴収法でも「一定の時間をかけて話をする（説得する）」というような滞納整理の手法は想定されていないし、そのような規定もない。

いったん成立し、確定した納税義務について、滞納者が納得するまでは履行しなくてもいいという自由が滞納者にあるはずもなく、そのようなことを認めることもできません。そうしたことを許容する法律上の根拠（規定）もありません。

【6　他の税務機関との比較】

滞納者は自分に有利な言い分（主張）だけを申し立てるものである。自分に対して甘い対応をする徴税機関のことを引き合いに出すことはあっても、その逆は決してない。

滞納者は、例えば「○○県税事務所は、私の苦しい事情をよく理解してくれて、差押えをしないで待ってくれている」とは言いますが、「○○県税事務所は、差押えをしたのだから、お前のところ（△△市役所）でも自分の財産を差し押さえるのでなければ公平でない」などとは決して言いません。

このように、他の徴税機関の取扱いを引き合いに出すのは、暗に甘い対応に合わせるよう要求しているからなのです。

【7　不適切な処理は踏襲しない】

仮に前任者が不適切な事務処理をしていたとしても、そのような不適切な事務処理を踏襲する必要などない。

不適切な処理を踏襲する必要などありません。むしろ、踏襲してはならないと言うべきでしょう。不適切な処理を、適切な処理に改めるのですから、何もためらう必要はありませんし、むしろそうすべきですし、褒められてしかるべきでしょう。

【8　会社の経営責任】

会社の存亡は、経営者の経営手腕にかかっており、経営責任は経営者が負うべきであって、それを（「納税のために」または「滞納処分をされたせいで」）「会社が倒産したら責任を取ってもらう」などと、徴税機関に（会社経営上の責任を）責任転嫁するのは、認められない。

第Ｉ部第３章で述べたとおり、企業が社会の中で健全に活動していくための基本的な前提条件として、企業には、納税義務を果たすことが求められており、そもそも税金を滞納して企業活動を行おうとすること自体が許されないことです。ましてや、その責任を徴税機関に転嫁することなど到底許されることではありません。

【9　腰の引けた対応】

納税指導は、お願いではなく、滞納者に対する（履行の）請求であり、滞納者に対する（納税の）指導である。

強面（こわもて）で強引な滞納者への納税指導では、大きな声を出されたくないとか、窓口でごねられて長居をされたら嫌だという思いがあって、妙に相手に迎合したようなものの言い方（例えば、「無理せずに可能な金額での分納を続けていただければ結構です」など）をしてしまうことはないでしょうか。そうした、徴税吏員側の姿勢や態度が、滞納者に「こいつびびっているな。もう一押しすれば無理を押し通せるぞ」と確信させる誤ったサインを送ることになります。

大声で怒鳴るような滞納者にしても、むやみやたらに怒鳴っているのではなく、徴税吏員の反応を見ながらやっているのです。徴税吏員がびくびくしていたり、自信がなさそうな態度を見せたりすれば、それこそ一層厳しく迫ってきます。つまり、そういう人たちというのは、自分が無理なこと、不当なことを言っているという自覚はあるのです。その無理を押し通すためには、「よろしくお願いします」などといった生ぬるいことを（徴税吏員に対して）言っていたのでは通らないのを経験的に知っているのです。だからこそ、「無理を押し通せる担当者」かどうかを見極めながら怒鳴っているのです。

【10　質問攻めに全て答える必要はない】

納税に関係のない話に付き合う必要はないし、納税に関係のない（徴税吏員を困惑させることを目的とした）質問に対しては、いちいち答える必要がない（そのような義務もない）。

窓口や電話で、徴税吏員に対して次から次へと矢継ぎ早に質問をしてくる滞納者がいますが、納税指導では、納税に関係のない話は聞く必要がありません。もちろん常識程度の挨拶や、ごく短時間であれば世間話的なものであっても拒否する必要はありませんが、滞納者が延々と（納税に）関係のない話をし始めたり、（納税に）関係のない話を繰り返したりするようであれば、徴税吏員は、「納税に関するお話に絞ってください」と軌道修正を促し、指導しなければなりません。仮に「話の途中で腰を折るんじゃねえ！」とか「相談に来たのに話を聞かないのか！」などと挑発されたとしても、滞納者の言うがまま、なすがままにしておくと、納税に関する話が進展しないのみならず、財産調査や滞納処分、納税緩和措置など、他の滞納整理（のための重要な事務）に充てる時間にそのしわ寄せがいってしまい、効率的な滞納整理に支障が出ることとなります。

7　納税指導のまとめ

(1)　納税指導の機能

納税指導とは、滞納税の完納に向けて行われる滞納者への能動的な働きかけのことを言いますが、これに対しては、税に関して「滞納者への働きかけ」ということはあり得ないという考え方があります。それによると、そもそも納税義務は、日本国憲法上の国民の義務であり、地方税に関して言えば、地方税法および地方団体の税条例に基づいて賦課徴収されるのであるから、地方税債権者と地方税債務者との話し合いによって、これら憲法上、税法上および税条例上の権利義務の得喪変更（とくそうへんこう）をすることはできないということになります。つまり、納税義務をはじめ、税の賦課徴収に関する要件や手続については、憲法、税法および税条例（これらに付随する規則等や、準用される法令を含む）によって尽くされており、かつこれら以外によるべきではないということです(租税法律主義および地方税条例主義)。したがって、滞納者に対して働きかける余地などないというのです。

確かに税法や税条例上の権利義務を、課税庁と納税義務者という当事者間の話し合いで変更することなどできませんが、納税指導は、そうした法律上の権利義務の変動を意図して行うのではなく、滞納者に対して納税義務の履行を請求し、滞納の原因を聴取し、納税の意思の有無を確認するというものです。これは、法令の範囲内で行われる行政指導であって、権利義務に影響を及ぼすものではありません。

国税徴収法は、滞納税を強制徴収するための手続法ですから、税収を確保するための有力な手段であり、かつ制度的に税の徴収を担保しています。しかしながら、滞納となった税を全て強制徴収するというのは、物理的に無理なことですし、滞納の実態に照らしても現実的ではありません。

そこで、そうした強制徴収によって確保しなくてはならない対象を絞り込むことによって、滞納整理を効率的に進める必要があります。喜んで納税する人は決して多くはないと思いますが、たとえ渋々であったとしても、自主的に納税する方向で滞納者に働きかけることによって、成果が期待できるのであれば、それに越したことはありません。納税指導の役割は、まさにここのところにあるのであって、実際のところ、「滞納整理では、財産調査や滞納処分よりも、催告であるとか、徴税吏員による納税指導によって納税されることの方が、はるかに多い」のです。

このように見てきますと、税に関して「滞納者への働きかけ」ということはあり得ないとする見方は、実務におけるこうした実情を踏まえてのものではなく、観念的に過ぎるように思われます。また、「納税指導」によって、権利義務の得喪変更があるかのような誤解に基づいており、その点でも正鵠(せいこく)を射たものとは言えないでしょう。

⑵　粘り強く説得する必要はない

地方税の滞納整理の現場では、「粘り強く説得する」ということをよく聞きます。納税指導が、説得とは違うということについては、「２　納税指導の意義」の最後のところで既に述べたところですが、改めて別の角度から説明してみます。

抱えている滞納事案の件数が非常に少なくて、しかも滞納整理のための要員が潤沢な地方団体であれば、金額の多寡にかかわらず個々の滞納事案にたっぷりと時間をかけて、滞納者に諄々(じゅんじゅん)と働きかけても一向に差し支えないと思います。しかし、そうした余裕のある地方団体は、実際には、ほとんどないのではないでしょうか。また、たとえそのようにやってみても、滞納者が納得するかどうかは分かりませんし、滞納者が自主的に納税するという確証もありません。このように結果の見えない「出たとこ勝負」の不確実な方法が、地方自治法第２条第14項後段の趣旨に沿った滞納整理であるとは凡(およ)そ考えられません。

もとより、納税指導においても、同条でいうところの「最少の経費で最大の効果を挙げる」べく、効率化を図りつつ行うことが求められていることについては、異論のないところだと思います。地方税法も、そして国税徴収法も、督促状を発してから10日を過ぎて完納しない滞納者については、滞納処分という方法によって税収を確保することを求めているのです。これは、督促状を発してから10日経ったら全てを同時一斉に差し押さえるという意味ではなく、そのときを始期として、できるだけ早く滞納処分によって税収を確保しなければならないという義務を徴税吏員に課しているということです。

納税指導は、催告とともに、納期限を経過したときから消滅時効が完成するまでの間のできるだけ早い時期において、自主納税を促すための、一つの手段として行うものであるという側面があります。できるだけ早い時期に行う必要があり、その点がまさにポイントですから、何度も繰り返し行うものではありませんし、また、消滅時効の完成間際になって行うものでもないことは、これまでの説明からご理解いただけるものと思います。

時間をかけて粘り強く説得するのではなく、聴くべきことをきちんと聴き取り、確認すべきことをしっかり確認して、自主納税を見守るか、納税緩和措置とするか、それとも滞納処分に進むのかを、できるだけ早く見極めることが大切です。

(3) 臨戸による納税指導

地方税の滞納整理では、「担当者だけでなく、管理職も含め総員体制で、滞納者宅を戸別訪問し、説得して回る。あるいは集金して回る」ということがよく行われているようです。この狙いは、その地方団体を挙げて全力で取り組んでいるという姿勢を内外にアピールするとともに、少しでも多く現金領収をして、税収を上げようということだと思います。しかし、客観的に見て、こうした説得や集金に頼った滞納整理では限界があると言わざるを得ません。やはり、地方税法や国税徴収法にのっとった滞納整理を推進すべきですし、必要があって滞納者宅に臨戸したときは、単に履行の請求だけでなく、収入・支出・資産の状況や滞納の原因を聴き取るなど、中身のある納税指導をして次なる処理へとつなげるべきでしょう。

「説得」と「集金」の抱える問題点

① 納得して納税することを否定するものではないが、仮に滞納者が納得しない場合でも、納税義務は履行しなければならない。
② 滞納整理は、期限のある事務であり、いつとも知れない「滞納者の納得」が得られるまで説得を続けていたのでは、滞納が累積する一方である。
③ 租税債務は、取立債務ではなく、持参債務である。
④ 集金は、納付書による自主納税を妨げる要因になるとともに、口座振替納税の推進や、コンビニ納税など納税環境の整備の流れと逆行するものである。
⑤ 集金は、費用対効果の観点から見て、極めて非効率的である。
⑥ 集金は「取りに来てくれるなら、納税のためにわざわざ銀行や役所まで行くことはない」という滞納者の怠慢を助長しかねない。

第3章・処　分

租税債権は、金銭によってその満足を得るものであるところから「金銭債権」であり、したがって滞納者の財産からそれを徴収しようとするときは、換価という手続を経なければなりません。換価とは、滞納者の財産を強制的に金銭に換える行政上の措置のことを言います。そのためには、滞納者の財産を換価するまでの間、勝手に処分されないよう保全しておく必要があります。差押えは、滞納者の財産の法律上・事実上の処分を禁止して、当該財産の交換価値（換価価値）を保全することによって、換価に備えるための滞納処分の第一段階ということになります。

差押えは、このように一連の滞納処分手続のうち最初に行われるものであり、それが処分の禁止という極めて厳しい措置であるところから、滞納者に対するインパクトが非常に強いだけでなく、滞納者と取引関係にある者などに対しても少なからず影響を及ぼすことがあります。

そこで、滞納整理のまさに中核ともいうべき事務である差押えについては、実務でしばしば経験すると思われる例を交えながら、日常の話し言葉を使って、対話形式で解説するのが、（とりわけ初任者にとって）よりよく理解していただく上で最もふさわしいのではないかと考えました。そのようなわけで、以下の１から６までについては、ある市役所の収納課が主催した「徴収実務研修」における講師と受講生（複数）とのやりとりという形で、差押えの意義や、執行上の留意点などについて、考えてみることとします。

1　差押えの意義

司会　きょうは、差押えについていろいろとご議論いただきたいと思います。よろしくお願いします。では最初に差押えの意義について、先生に口火を切っていただきましょうか。

講師　はい。差押えは滞納処分の最初の段階に行われるもので、滞納者の財産について法律上・事実上の処分を禁止するものです。定められた期限（納期限）までに納税者が自主的に納税しないときは、租税債権者は、滞納者の意思にかかわらず、滞納者の収入または資産から強制的に徴収することができます（地方税法で「例による」こととしている国税徴収法第５章参照）。

租税債権者が、第三者機関である裁判所に対して強制執行を申し立てることなく、自らの権限行使として滞納者の財産に滞納処分をして租税債権の満足を図ることを、自力執行権による租税債権の実現と言います。

受講生A　いま先生は「滞納者の財産に滞納処分をする」とおっしゃいましたが、そもそも差押えというのは、滞納者に対してするものなのですか、それとも財産に対してするものなのですか。

講師　先ほども言いましたけれども、差押えは、滞納者の財産について法律上・事実上の処分を禁止するものですから、当然、そうした処分権を持っている人、すなわち滞納者に対して向けられた処分です。滞納者に対して、あなたの財産の処分を禁止しますという命令をするのです。そのときに、処分を禁止するのは具体的にこれこれの財産ですと特定するわけです。ただし、債権の差押えについては、滞納者にその債権の取立てや譲渡等を禁止するだけでは十分ではないので、第三債務者に対して滞納者への債務の履行を禁止する旨および当該債務については、徴税吏員に対して履行すべき旨を命令することとなっています。

受講生B　法律上の処分と事実上の処分について、もう少し詳しく説明してください。

講師　法律上の処分とは、例えば、売買や贈与などで、事実上の処分とは、廃棄や取り壊すことなどです。いずれも差押えをした租税債権者にとって不利益なものに限られますから、例えば、差し押さえた不動産に係る賃貸借契約の解除などについては、差し支えないわけです。つまり、差し押さえたのは不動産なのですから、その交換価値を減ずるような処分は許されませんが、当該不動産を利用することによって生み出される収益については、不動産の交換価値そのものに影響を及ぼすわけではないので、その賃貸借契約の解除は禁止される処分には当たらないというわけです。

受講生B　差押えをした租税債権者にとって不利益な処分が禁止されることは分かりましたが、それを制度的に担保するものはあるのですか。

講師　はい。いくら処分を禁止するといっても、解釈だけでは差押えの効力の実効性を担保することは難しいわけで、実効性を確保するためには、罰則による制度的な裏打ちが必要です。このことについては、国税徴収法基本通達の第47条関係52に詳しいので、紹介しておきましょう。

《国税徴収法基本通達第47条関係》

（効力の保証）

52　差押えによる法律上又は事実上の処分の禁止は、法第187条《罰則》若しくは第190条《罰則》又は刑法第96条《封印等破棄の罪》、第115条《放火の罪》、第120条第２項《出水の罪》、第242条《窃盗及び強盗の罪》、第251条《詐欺及び恐喝の罪》、第252条第２項《横領の罪》若しくは第262条《毀棄の罪》の各規定により間接的に保証されている。

受講生Ａ　差押えの法律的な意義については分かりましたが、実際に滞納者と日々接触している担当者としては、差押えに踏み切るには相当の勇気が必要だと感じています。例えば通常、差押えをする前に「差押事前警告書」を送っているのですが、そうすると滞納者から「納税者を脅しているのか！」とか、またそれとは逆に、警告書の送付と差押えのときまでに若干日数が空いてしまったりすると「予告もなく突然差押えなんかしやがって！」と怒鳴られてしまうことが多く、差押えをすること自体が心理的に相当なプレッシャーになっています。

講師　なるほど。実際はそういうことも多いでしょう。しかし、それは事実上の問題であって、差押えの意義とは直接は関係ありませんね。もっと言えば、収納課としてそのような場合に、どのように組織的に対処することができるか、そしてまた管理・監督的な立場にある課長や係長が、担当者をどうバックアップするかというマネジメントの問題だろうと思います。

受講生Ａ　まあ確かにそのような難しい滞納者にどう対処するかという実務上の問題なのですけれども、滞納者にしてみれば、差し押さえられれば、自分の財産でありながら、それを自分の思いどおりにできなくなるわけですから、不愉快だし怒りますよね。火がついたように怒って役所の窓口に来ている滞納者に「差押えには処分禁止の効力があります」なんて説明をしようものなら、怒りは増幅されるばかりで収拾がつかなくなってしまいます。そうかといって、滞納者を安心させて怒りを静めようとするあまり「大丈夫ですよ、単に保全しただけであって、財産の所有権はまだあなたにありますから安心してください」なんてことは言えるわけもありませんし……。

受講生Ｂ　それはそうだ。でも私は以前、既に退職された先輩が、電話加入権を差し押さえられたことに抗議してきた滞納者に対して、「差押えといっても心配されなくても大丈夫ですよ。単に担保としてお預かりしただけですから、電話はこれまでどおり使えますので安心してください」と言っているのを聞いたことがありますよ。

講師　それはひどいですね。まあ、差押えの意味が分からない滞納者は少ないと思いますけれども、そんなことを言っているようでは徴税吏員として失格ですね。滞納者から求められれば、差し押さえられると、この先どういうことになるか説明してもいいと思いますけれども、怒鳴って抗議してきた滞納者に対して、差押えとはこういうものですといった説明は不要ですね。そもそも怒鳴ってきたということは、差押えの意味を知っているからこそ、そうしているのですから、そのような滞納者には、差押えの意味を説明するのではなく、むしろこのまま滞納処分の手続が進行すれば、取引上の信用や社会的地位などに決していい影響はないということを気づかせ、納税を指導することが大切です。

2　差押え執行上の留意点

司会　お話の内容が、実務上の観点からのものになってきたようですので、このへんで差押えにおける執行上の留意点についてお願いできますでしょうか。
受講生A　そうですね、実務担当者として差押えの執行に関する留意点について、先生にいろいろとお伺いしてみたいと思います。
　まず伺いたいのは、いつ差し押さえるかというタイミングの問題です。法律によりますと、「督促状を発した日から起算して10日を経過した日までに完納しないとき」は、滞納者の財産を差し押えなければならない（国税徴収法第1項第1号）というように規定されていて、督促状を出したら、あまり期間を空けずに差押えをするようにも読めるのですが、いかがでしょうか。
講師　この督促状を出してから10日を経過しても未納であれば差し押さえるというのは、差し押さえることが可能となる時期、すなわち差押えの始期について規定したもので、督促状を出して10日経ったらその時点で全て差し押さえなければならないというものではありません。仮にそのように解したとしても、規模の大きな地方団体ともなれば何万件、何十万件もあるような対象について一気に差し押さえるなどということは、実務上は明らかに不可能なことであり、そのように法律が徴税吏員に対して不可能なことを要求していると解すること自体が誤りです。
受講生A　どうして法律では「差し押えなければならない」というように強い表現で書いてあるのでしょうか。「差し押えることができる」という表現でもいいような気がしますけれども。
受講生B　そうですよね。

講師　もっともな疑問です。それではこの問題を考えるに当たって、「差し押えなければならない」とした場合と、「差し押えることができる」とした場合の違いについて見てみることとしましょう。

そもそも租税の本質が、公共サービスを提供するための資金調達にあることについては、お二人ともご承知のとおりです。租税を確保するために、国家や地方団体に自力執行権が認められている根源的な理由はここにあります。つまり、租税は国家（地方）財政の基盤であり、したがって、制度的にこの確保を確実にしておく必要があるわけで、仮にもこのことをおろそかにするときは、財政の破綻を招き、その行き着く先は公共サービスの提供に支障が出るということです。このようなことがあってはならないわけで、租税事務を掌（つかさど）る公務員に対しては、強い使命感が求められるとともに、ある面では一般の公務員にも増して、より厳しい法令遵守義務が課せられているのです。

守秘義務などもそうですが、この「差し押えなければならない」という規定もその一環だと言えるでしょう。ただ、守秘義務の違反に対しては罰則がありますが、差押えに関しては、それをしなかったからといって罰則があるわけではありません。これは、後者に関する規定が、訓示規定であるとされているからです。それでは訓示規定であれば守らなくてもいいのかといえば、もちろんそのようなことはないわけで、合理的な理由もなくこれらの規定に反するような結果を招来したようなときは、上級庁や上司の監督・指導を受けることもありますし、場合によっては、公務員として「なすべきこと」をしなかったという不作為による公務員法上の義務違反ということで、懲戒処分等を受けることも考えられます。

「差し押えることができる」という規定の仕方ですと、差し押さえるかどうかが徴税吏員の裁量に委ねられることとなり、公共サービス提供のための資金調達という租税の本来的な機能が矮小（わいしょう）化されてしまい、その程度の要請であるならば、何も自力執行権を付与するまでもないということにもなりかねません。このように税法では、租税の強い公共性を根源的な理由として、その確実な確保を図るために「差し押えなければならない」としたわけです。

受講生A　うーん、何となく分かったような気もしますけど、いま一つすっきりしません。その何というか、法律上はそうなのかもしれませんが、実務上はどのように説明されるのでしょうか。

講師　実務は法令の規定にのっとって行われるわけですから、法令解釈と実務とを完全に分けて考えることはできませんけれども、おそらくAさんがおっしゃりたいのは、それでは実務ではどうしたらいいのかということだと思います。

受講生A　そうです。そのとおりです。

講師　Aさんは素直ですね。ところで、先ほど法律の規定は、差し押さえることが可能となる時期、すなわち差押えの始期を定めたものであると言いましたが、それでは終期はいつなのかと言いますと、それは消滅時効が完成したときということになります。消滅時効が完成してしまえば、租税債権は絶対的に消滅してしまいますから、以後は徴収することができなくなってしまいます。つまり、差押えは、督促状を出してから10日を経過した日から消滅時効完成の日までの間にしなければならないということになります。

受講生A　それじゃあ、その間に差し押さえればいいということですね。これまで、督促状を出してから10日経っても未納だったらすぐに差し押さえなければいけないのかとばかり思っていました。つくづく法律って素人には分かりにくいものだなあと思います。

講師　法律の解釈・運用は、単に法律の字面（じづら）を国語的に理解する（文理解釈）だけではだめですね。もちろん法律は日本語で書かれているわけですから文理解釈が基本ですけれども、立法の趣旨だとか、その時々の社会情勢だとか、法体系全体における整合性などにも配慮して解釈する必要があります。

それで、いま申し上げた差押えのできる期間ですけれども、確かに終期は消滅時効完成の日なのですが、だからといってそれまでに調査して判断すればいいということではありません。地方団体の予算は単年度会計が原則ですし、地方税の賦課徴収のサイクルもそれに合わせて規定されています。具体的には、地方税法の賦課期日に関する規定や、納期限に関する規定などを見ていただければお分かりいただけると思います。

つまり、その年度に課税した税金は、その年度のうちに徴収するというのが原則なのです（会計年度独立の原則〈地方自治法第208条第２項〉参照）。ですから、翌年度に繰り越すというのは例外なのです。したがって、実務的な観点からは、例外的に翌年度に繰り越さざるを得ないものについては、担保を徴取した上で猶予とするか、または差押えをして租税債権を保全しておかなければならないということになります。

受講生A　先生、それってちっとも実務的ではありませんよ。何しろ件数が多くて翌年度に繰り越すものは全部、猶予とするかまたは差し押さえなければならないなんて、事務的に不可能です。

受講生B　そうですよ。とても全部なんてできません。

講師　そう言われると思いました。おそらくどこの地方団体でも事情は、今AさんBさんがおっしゃったとおりなんだと思われます。ですから逃げるわけではありませんが、私は「翌年度に繰り越すのは例外」だと言ったはずです。法律もそのへんのところはちゃんと考慮しているからこそ、督促状を出してから10日経っても未納であれば「差し押えなければならない」ものの、それに対する罰則規定を設けずに訓示規定としているのです。そうだからといって、徴税吏員として、訓示規定であることに甘えてはなりません。そもそも訓示規定とは、罰則による強制力を背景として、あることを実現させるまでもないというだけのことであって、決してそれ（＝差押え）を「行わなくてもよい」という意味ではないのですから、可能な限り「実情」を「本来あるべき姿」に近づける努力をすべきだということです。

受講生A・B　そういうことでしたら分かります。でも、課税した年度内に差し押さえられるものについては差し押さえるというのは、かなり難しいことですね。

講師　そうかもしれませんが、多くの地方団体では人手の関係もあるのでしょうか。まだまだ現年度を中心とした対策が取りきれていないように見受けられます。滞納整理の基本は、申し上げるまでもなく現年度課税分の整理に軸足を置くという意味で「現年度中心」です。

3　差押財産

司会　それでは次に、どのような財産について差押えをしたらいいかという観点からお話しください。

受講生B　当市ではこれまで、高額滞納については不動産を、少額滞納については電話加入権を差し押さえてきました。しかし、不動産の公売は経験がなく、差し押さえたままになっており、また、電話加入権については、携帯電話の普及により相場が暴落して、財産的な価値はほとんどなくなってしまいました。そこで、銀行預金や給料などの債権を差し押さえようと思うのですが、そのときの留意事項をご教示願えませんでしょうか。

講師　そうですね。いわゆるバブル経済が崩壊してから10年くらいは不動産価格の暴落もあり、物件が動きませんでしたけれども、その後金融機関の不良債権処理も進展し、不動産価格も安定してきたことを受けて、そこそこ売れるようになってきました。また、このところ地方団体のみなさんの滞納整理の力量も充実著しく、不動産公売を行うところが増えてきました。バブル時に比べれば安くなったとはいえ、不動産自体は依然として高価な財産であることに変わりはありませんから、高額滞納の場合の差押財産として不動産を選択しているのは適切だと思います。電話加入権については、おっしゃるとおりの状況にありますから、これからは差押財産としては考えない方がよろしいと思います。公売の労力に応じた成果が得られないからです。そこで、差押財産として債権が注目されるわけですが、ここではお尋ねの銀行預金と給料について触れてみましょう。

銀行預金の法律的な性質は、消費寄託（民法第666条）と言われるものです。消費寄託とは、財産を預かる側（受寄者）が、その財産（寄託物）を消費し、後日それと同等・同種・同量の財産（物）を返還することを約束するという内容の契約のことです。要するに、銀行にお金を預けると、銀行は預金者から集めたお金を投資（運用）して利益を上げ、預金者から払戻請求があれば、所定の利息を付して払い戻すというものであり、口座を開設するというのが、この消費寄託契約を締結するということになるわけです。そして、差し押さえるのは、預金者である滞納者が有している銀行に対する預金の払戻請求権という債権です。

受講生B　滞納者が、どこの銀行に預金しているか、どうやって調べたらいいでしょうか。

講師　まあそう焦らないでください。それについては、これから順を追って説明しようとしていたのですよ。その前に、いま私は銀行に対する払戻請求権という債権を差し押さえると言いましたけれども、差し押さえることのできる債権とそうでない債権があることに触れておきましょう。債権とは、相手に対して一定の給付を求めることができる権利のことをいい、この給付には、ある行為をすること（またはしないこと）がその内容であるものと、物の引渡しがその内容であるものとがあります。前者を「為(な)す債務」といい、例えば、音楽会で演奏をすることなどがこれに当たります。また、後者を「与える債務」といい、例えば、先ほど来説明しています預金者からの払戻請求に応じる銀行側の支払債務などがその典型です。

受講生B　差し押さえることのできない債権もあるのですか。

講師　はい。国税徴収法でいう債権とは「金銭又は換価に適する財産の給付を目的とする債権」（国税徴収法基本通達第54条関係３および第62条関係１参照）のことを言います。したがって、電話加入権のようにその法的な性質は債権であっても、取り立てることができないものについては、公売によることとなります。

受講生B　ほかにもありますか。

講師　何のために差押えをするのかといえば、差し押さえた財産を金銭に換えて、滞納税に充てるためです。ですから他人に、ある一定の行為を求める債権（為す債務に対応する債権）などは、差押えの対象になりません。そうしたものを差し押さえたとしても、給付の内容が「行為」であって、それ自体は金銭ではありませんし、取り立てることもできませんので、滞納税に充てることができないからです。また、扶養請求権や財産分与請求権などのように、一身専属権であって換価することのできない債権も差し押さえることができません。

受講生B　なるほど。一定の行為（不作為も含む）を求める債権や、お金に換えることができない債権は、差し押さえられないということですね。

講師　そういうことです。

受講生B　それでは先生、話を元に戻して、滞納者がどこの銀行に口座を持っているか、どうやって調べたらいいでしょうか。

講師　はい、把握の方法はいろいろありますが、まずは質問検査権（国税徴収法第141条）の行使によるのが原則ですね。ただ、事務の効率を考えますと、1件ずつ滞納者に会って直接質問していたのでは、処理できる件数に限りがあります。そこで、聴取りによる調査は、一定の金額以上の高額滞納に限るなどの工夫が必要でしょう。

受講生B　でも先生、滞納者に「どこの銀行に預金していますか」なんて質問したって正直に答えてくれるとは思えませんが。

講師　それはそうですね。具体的な質問に入る前に「これからあなたに対して立ち入ったことも含めていろいろとお尋ねしますが、これはあなたの税金について、どうやって納税していただくことがあなたにとってふさわしい方法か、あるいはまた、どのような税法上の措置を執ることが今後のあなたの生活（または事業の継続）に最もふさわしいかを判断するために必要なことですから、率直にお答えください」といった趣旨を伝えておくといいでしょう。国税徴収法第141条の第1号から第4号は、その順番に質問検査しなければならないというものではありませんが、基本は滞納者本人であって、滞納者に対して質問検査しても協力が得られなかったとか、これといった財産が発見できなかったときに、その他の関係者に質問検査すべきでしょうね。

受講生B　理屈を言えば、滞納者本人が先だというのは分かりますが、何回か催告をしてもそれに応じなかった滞納者に質問したところで、協力を得られる可能性は低いんじゃありませんか。

講師　必ずしもそうとは言えませんよ。通信催告はその性質上、一方的ですし、内容はどうしても画一的で形式的にならざるを得ません。しかし、実際に滞納者と対面して話してみると、意外と率直に話してくれる場合もありますし、案外やむを得ない事情が明らかになったりすることもあります。しかし、Ｂさんが心配されるとおり、直接滞納者に対面して質問するというのは、具体的で詳細な質問ができるため滞納原因や納税意思の把握には好都合である半面、非常に効率が悪いので、高額滞納や処理困難事案などに限定した方がいいでしょう。

受講生Ｂ　それで、滞納者に質問しても預金先の金融機関が分からなかったときは、どうしますか。

講師　一般的には、次のとおりです。

① 税の確定申告書を調べて、利子収入や還付金の振込口座などを見ます。
② 不動産登記簿を見て、乙区欄から融資を受けている金融機関を把握します。
③ 勤務先に照会して給料の振込口座を把握します。
④ 電気会社やガス会社等に照会して公共料金の引き落とし口座を把握します。
⑤ 携帯電話の番号が判明していれば、各通信会社に割り当てられた番号（総務省のホームページから検索可能です※）から契約している通信会社を特定して、その会社に通信料金の引き落とし口座を照会します。

※総務省 HP トップページ→組織案内→総合通信基盤局→電気通信政策の推進→電気通信番号制度→電気通信番号指定状況（一覧）4．音声伝送携帯電話番号の順にクリックしてください（2022.9.10時点）。なお、HP の内容・構成については、随時見直されていますので、その都度、総務省の HP で確認してください。

※その後、ナンバーポータビリティが実施され、必ずしも割り当てられた電話番号と通信会社とが一致しない場合が生じましたが、他の方法では口座が把握できないような場合には、試してみる価値はあるでしょう。また、2014年10月１日からは、携帯電話と PHS とのナンバーポータビリティも始まりました。なお、次の Q&A を参考にしてください。

【総務省の HP より Q&A 抜粋】

Q４－１

電話番号から契約している電話会社を調べることはできますか？

A４－１

現在、総務省で「電気通信番号指定状況」を公開していますが、番号ポータビリティ導入により実際に契約している電話会社と異なる場合があります。なお、総務省から最初に番号を指定された電話会社（電気通信番号指定状況の一覧に掲載されている電話会社）がどこに移転したかを管理しています。
⑥　滞納者の住所地近辺の金融機関。
⑦　滞納者が居住している住宅が賃貸であれば、仲介した不動産業者（または大家）に照会し、家賃の引き落とし口座を把握します。
⑧　滞納者が自動車に乗っているのであれば、割賦払いの可能性もあるので、ディーラーが分かれば、そこに照会して割賦金の引き落とし口座を把握します。
⑨　滞納者の子ども（または滞納者本人）が通学している学校（専門学校等も含む）が分かれば、その学校に照会して、学費の納入に使っている金融機関を把握します。
⑩　滞納者の勤務先（または仕事場）近辺の金融機関。

講師　主な把握方法としては以上のとおりですが、これらは国税徴収法第141条によって行うものもありますが、⑥や⑩のようにいわゆる一般的な行政調査によるものもありますから、注意してください。なお、相当な高額滞納の場合や、処理困難事案の場合は、滞納者を追跡尾行して取引先金融機関を把握することもあります。

受講生Ａ　えーっ、そこまでやるんですか。

講師　それはそうです。とりわけ滞納者１人（１件）で、億単位や千万単位あるいは百万単位もの滞納があるような場合は、考えられる手段は尽くす必要があります。そして、それだけの金額ともなれば、仮に滞納処分の執行停止とするような場合でも、かなり深度のある調査をやったにもかかわらず、滞納処分すべき財産がなかったという状態にしておかなければなりません。いわゆる表見財産を調査しただけでは不十分です。

受講生Ａ　追跡尾行なんて、警察や探偵がやるものだとばかり思っていました。

受講生Ｂ　私も同感です。

講師　いや、高額滞納であれば必ず追跡尾行をしなければならないというわけではありませんよ。手を尽くして調査したものの、どうもこれといっためぼしい財産が発見できないけれども、どうも滞納者の生活水準（例えば、高級外車を乗り回しているなど）からすると、これはおかしいのではないかという合理的な疑いが持てるようなときに、そういうことも検討する必要があるということです。

受講生Ａ　本市のような小さな地方団体でもそこまでできるでしょうか。

講師　これまで経験がないのでしたら、いきなりはできないかもしれませんが、事前の研修と入念な打ち合わせをすれば可能ですよ。もちろんあらゆる事態を想定してQ&Aを作ったり、経験のある先進的な地方団体の話を聞いたりして準備をすれば、できないことなどありません。もしも該当する事案があるのでしたら積極的にチャレンジしてほしいですね。

司会　金融機関の把握については、もういいですか。

受講生A・B　はい結構です。

司会　それでは先ほどBさんからお尋ねのあった給料の差押えについて、お話しいただけますか。

受講生B　給料の差押えをするには、滞納者の勤務先に給料の照会をしなければなりませんが、これが結構面倒ですね。給料支払者の理解と協力を得るのが一苦労です。特に中小の事業者ですとなおさらです。照会書を出すと、「なんでこんなものに答えなきゃならないんだ。プライバシーの侵害になるんじゃないのか」とか「こんなものに答えたりしたら、従業員に辞められてしまうから協力できない」といったことはしばしばです。困ったものです。

受講生A　そうですよね。私も同じ経験をしていますから、よく分かります。特に従業員に辞められてしまうから協力できないというのは多いですね。中には、辞められると困るから、会社で立て替えるというところまであります。

受講生B　それはいいんじゃないの。第三者納付（地方税法第20条の6）というのがあるから。

講師　そうですね。辞められると困るというのは、例えば、塗装工だとか左官などのように一定の技術や経験を持っている「職人」と呼ばれる人たちに多いのでしょうね。長年そこの工務店等でずっとやってきた職人であれば、雇い主としては、その人に頼って仕事を請け負ってきたのでしょうし、依頼する方にしても、そうした職人がいるからこそ、その工務店等に発注してきたのでしょうから無理からぬことです。

受講生B　そこでです。先生、給料の照会に非協力的な第三債務者に対して何か有効な手立てはあるでしょうか。

講師　願ったことが何でもかなえられる「打出の小槌（こづち）」のような妙手はありませんよ。ただ、仮にいま話題になったような事情が雇い主側にあるとすれば、いくら法律の趣旨を説明してもなかなか理解してもらえないと思います。そのような場合は、文書で照会したり、電話で協力を要請したりするだけでなく、雇い主のところへ出向いて行って、非協力に対しては罰則があることや、場合によっては雇い主が立て替えること（第三者納付をすること）も（任意であるならば）可能であることも含めて率直に話し合うことが必要でしょう。

受講生B　それでも非協力的なときはどうしたらいいですか。

講師　滞納者の勤務先に対して行う給料の照会は、単なる行政調査ではなく、国税徴収法第141条第３号による調査ですから、給料の支払者（第三債務者）が正当な理由なくこれを拒否するときは、罰せられることがあります（地方税法第333条第１項、同法第374条第１項ほか）。照会の趣旨を丁寧に説明して協力を依頼しても、これをかたくなに拒否したり、一度ならず再度の照会に対する回答も放置して怠ったりするようなことがあれば、確信犯的ですらあり悪質というべきですから、告発することも検討すべきでしょう。ただ、先ほどもＢさんのお話にありましたように、調査に協力すると従業員に辞められてしまうことがあるということなどを考えますと、一般的な傾向として、中小企業よりも大企業の方が、また民間企業よりも官公庁の方が（回答の）確実性が高いと言えるでしょうね。

受講生B　そうですね。そうしますと、滞納者が勤め人であるからという理由で、どんどん給料の照会をするのは考えものだということですか。

講師　実務的には、差し押さえようとする債権を選択する際に「確実性」「手続の簡便さ」「１回的（または短期的）解決」を優先すべきですね。それに沿った具体例をお示しすれば、一般的には次の基準で対象の債権を選択するといいでしょう。

債権の選択基準（例）

※以下はあくまでも一般論で、事情によってはそぐわないこともあります。

①　中小企業に対する債権よりも大企業に対する債権
②　給料や賃借料よりも銀行預金
③　生命保険の場合は、一時払い養老保険のように貯蓄性の高い商品
④　いわゆる生活口座の普通預金よりも定期預金（ただし、弁済期〈満期〉が早く到来するものが望ましい）
⑤　民間企業に対する債権よりも官公庁に対する債権
⑥　いわゆる将来債権（診療報酬や退職手当など）よりも、既に確定している債権
⑦　無担保の債権よりも担保付債権
⑧　なお、「連帯債務者のある債権」と「保証人のある債権」については、確実性は高いものの、第三債務者への差押手続があり、やや手続の簡便さを欠く

（国税徴収法基本通達第62条関係３および４参照）

繰り返しになって恐縮ですが、ここにお示ししたのは、できるだけ早く確実に、しかも比較的簡単な手続で取り立てることができるという趣旨で掲げたものですから、いかなる場合もこの基準で選択するというようには捉えないでください。調査の結果、複数の財産、複数の債権が発見された場合、どのような基準でそれらに優先順位を付けるかというときの参考にしていただきたいと思います。

受講生Ｂ　それぞれについて説明していただけますでしょうか。

講師　まず①の企業に対する債権ですが、履行の確実性という点では、やはり中小企業よりも大企業の方が勝っていることは否めないと思います。というのは、差し押さえた債権の取立てについて、先ほどのＢさんのお話にもありましたように、中小企業の場合ですと、従業員に辞められては困るという会社側の事情もあって、あまり協力的でない場合が見受けられるからです。

しかし、協力的でないといっても、法的には第三債務者として滞納処分の手続に（差押債権者に対して）必要な協力を拒むことはできないわけですけれども、説得したり法的な手続を取ったりすることとなれば、どうしても解決が遅くなりがちです。多くの滞納事案を抱えていて、効率的な滞納整理が求められている各地方団体の実情を考えれば、１回的（または短期的）な解決を図ることができる財産を差し押さえる方が望ましいわけです。それに、資金の調達能力や財務体質の安定性といった観点でも、中小企業は大企業に及ばないのが一般的でしょう。

受講生Ｂ　なるほど。

講師　②についてですが、もしも滞納額に見合うだけの銀行預金があるのであれば、給料や賃借料のような継続的な債権を差し押さえることで複数回の取立てによる完結を目指すよりも、預金債権１回の取立てで完結させた方が手続経済上の合理性があると考えられます。

③の生命保険については、社会保険のように加入が法的に義務付けられているわけではなく、そもそも任意保険なわけですから、憲法上の国民の義務である納税義務を差し置いて、そちらの保険料を先に支払っていること自体、順序が逆だといわなければなりません。そこで、例えば一時払い養老保険のように貯蓄性の高い商品については、（差押えの）優先度の高い財産と言っていいでしょう。もちろん、生命保険については、一時払い養老保険に限らず差し押さ

えることができるわけですけれども、プライオリティーを考えれば、より貯蓄性の高い商品を優先するのが望ましいでしょう。

受講生Ｂ　④の生活口座とはどのようなものですか。

講師　そういう確立した用語があるわけではありませんが、一般の人が日常生活を送る上で必要な光熱水費の引き落としや住宅ローンの返済、あるいは給料の振込みなどに使われている口座を、一般に生活口座と言っています。これは、その口座の過去３カ月程度の入出金の状況を調べれば分かります。もし滞納者が、そうした生活口座のほかに定期預金をしているのであれば、そちらを優先して差し押さえた方がいいということです。当面まとまった資金需要がない金額を預けるのが定期預金ですから、納税せずに定期預金をしていること自体が、納税に対して真摯な態度を欠いていると言わなければなりません。

受講生Ｂ　生活口座の差押えは控えた方がいいということですか。

講師　いいえ。そういうことではありません。生活口座であっても差し押さえて差し支えありません。ただ、生活口座を差し押さえれば、滞納者の日常生活にさまざまな影響が出ることが予想されます。しかしそうはいっても、それだって元々は自分で招いたことだから、やむを得ないという見方もありますが、一定の配慮があった方がいいでしょうね。つまり、滞納整理は滞納者を懲らしめたり、困らせたりすることが目的ではありませんから、納税指導の中で「このまま納税されない場合は滞納処分の手続を進めます」と明確に警告し、そのことを記録に残しておきます。

受講生Ｂ　そうやって警告したって、抗議してきますよ。「生活をめちゃくちゃにされた」とかなんとか。一番心配なのは、住宅ローンの返済が滞ることです。「滞納者は住宅を買ってはいけないのか」とか「ローン返済が滞ったことによって、ここに住めなくなったら役所に責任を取ってもらう」などと言われないでしょうか。

講師　それは滞納者次第ですから、私の口からは何とも言えませんけれども、たとえそんな抗議を受けたとしても、心配には及びませんよ。納税義務の履行にしても住宅ローンの返済にしても、そういった諸々のことは、責任ある社会人としての「自己責任」なのであって、元々は自らの納税怠慢が招いた事態なのですから、それをひとえに役所のせいにするのは、牽強付会と言いますか、逆ギレだと言わなければなりません。

滞納処分は法律にのっとった手続ですし、事実上、事前に警告もしているのですから、道義的な責任すら考えられません。仮に滞納者が激高して「出るところに出る」などと騒いだとしても、誰の共感も得られませんし、法的な争いにもなりません。Bさん安心してください。

なお通常、普通預金ですと「期限の定めのない債務」(民法第412条第３項)ということになりますから、差押調書（差押通知書）の「履行期限」欄には即時と記入し、すぐに取り立てます（国税徴収法基本通達第62条関係９参照)。しかし、延滞金は、取り立てるときまで計算することとなりますから（国税徴収法基本通達第67条関係13参照)、引き延ばすことは好ましくありません。

※注１　国税においては、令和２年１月31日付で「差押禁止債権が振り込まれた預貯金口座に係る預貯金債権の差押えについて（指示)」(国税庁徴収部長）を発して、差押禁止財産が振り込まれた預貯金口座を差し押さえるときには慎重さと注意を払うよう喚起したようです。この通知が国税庁長官の指示ではなく、徴収部長の指示となっているのは、平成10年２月10日の最高裁判所第三小法廷判決では、例外としての「特段の事情」の中身や基準が必ずしも具体的に示されていないので、今後、最高裁においてそれが示されるまでの暫定的な取扱いとしているからではないかと思われます。

※注２　「取立てがなされるまでは延滞金が発生し続ける」

平成29年９月12日東京高等裁判所「差押債権取立請求控訴事件」判決

滞納処分としての債権差押えの場合は、第三債務者から取り立てたときに滞納者から差押えに係る国税を徴収したものとみなされるのであり（徴収法第67条第３項)、また、延滞税は本税を完納する日まで発生するから（国税通則法第60条第２項)、本件各差押えがされただけであり、取立てにより各滞納会社から本件各租税債権を徴収したものとみなされるに至っていない以上、本件各租税債権のうちの延滞税は発生し続けているのであって、これを被控訴人が取り立て得ることは明らかである。控訴人は、本件各報酬等債権の履行期が到来するごとに上記延滞税の額が確定していることを前提として、本件各差押えの終期について主張するが、控訴人が取立てに応じないため、上記延滞税の額は未確定のままなのであるから、控訴人の主張はその前提を欠くものである。

受講生Ｂ　その場合、銀行への対応はどうしますか。

講師　取立時期について銀行は、ほとんど何も言ってこないと思います。ただ、金額が比較的大きいような場合であれば、口座の差押えがあると、銀行から顧客（滞納者）にすぐ連絡がいきますので、速やかに取り立てるべきです。

次は⑤の説明にまいりましょう。これは、履行の確実性という観点からの基準であり、相対的なものです。⑥⑦⑧も、履行の確実性から言えることであり、相対的なものです。つまり「どちらかといえば」というただし書き付きの優先順位ということでご理解ください。

受講生B　はい。分かりました。

司会　債権の差押えでほかに気をつけることはありますか。

講師　債権を差し押さえるときは、対象とする債権を特定する必要があります。債権の差押えでは、この「債権を特定する」という事務を正確かつ確実に行わなければなりません。冒頭に申し上げましたように、差押えには、被差押財産について、法律上・事実上の処分を禁止するという強力な効力がありますから、誰の誰に対する債権で、その給付の具体的な内容（数量や金額や履行期限）は何かということが明確になっていなければなりません。

例えば、滞納者名義の銀行預金を差し押さえようとするときに、滞納者が当該銀行に複数の口座を有していた場合、単にその滞納者が○○銀行××支店に有する預金債権（払戻請求権）としてした差押えでは、一体それらのうちいずれの預金債権（または全ての預金債権）を差し押さえたのかが明確でなく、いずれの預金債権に処分禁止の効力が及ぶこととなるのかがはっきりしないわけです。これでは第三債務者である銀行も、いずれの口座を閉鎖すべきなのか判断することができずに困ることとなりますから、そのように抽象的で、被差押債権の特定が困難な場合は、そもそも差押えの効力が生じないとされるわけです。

受講生A　債権の特定について、もう少し詳しく説明してください。

講師　分かりました。いま銀行預金を例に挙げましたけれども、同じことは民事の強制執行でも言えるのです。つまり「第三債務者である銀行等の金融機関が当該預金の払い渡しを差し止められたことが認識でき、その事後措置ができる程度に特定されれば足りる」（『条解民事執行法』浦野雄幸、商事法務研究会）ということです。そのことを差押調書（債権差押通知書）にどの程度まで詳細に記載すべきかどうかは、差し押さえようとする債権の種類や内容によって異なりますので一概には言えませんが、一般的には今言ったとおりでいいでしょう。

受講生A　銀行預金の場合は、口座番号や預金証書などによって特定しやすいと思いますが、売掛金や賃料などですと、契約書で内容を確認する必要がありますね。

講師　そうですね。契約書で確認するのが基本ですが、「聴取書」や「債務確認書」を徴取する場合もあります。

受講生A　「聴取書」は分かりますが、「債務確認書」とはどのようなものですか。

講師　「債務確認書」は、差し押さえる（滞納者の）債権の内容を特定するために、相手方である第三債務者から徴取するものです。売掛金や賃料などの債権の場合、滞納者と相手方とが通謀して債権譲渡を仮装することもあるので、「債務確認書」によって債務の具体的な内容を把握しておく必要があります。加えて、元帳や仕入台帳、納品書などによってその裏付けを取っておくことも忘れないようにしてください。

「債務確認書」は法定の様式ではありませんので、縦書きでも横書きでもいいのですが、差し押さえた債権について、後日、疑義や紛議が生じたときに有力な証拠となるものですから、少なくとも次の事項が記載されていなければなりません。

- 債権債務の当事者名とその住所（または所在地）
- 契約日
- 債務の内容（金額、利息などの条件、弁済期日、支払方法、その他特約）
- 差押時の債務残高
- 連帯債務者または保証人の有無（住所・氏名・連絡先電話番号）
- 他の債権者からの差押えの有無（差し押さえられている場合は、差押えの日付・時間と差押債権者名、債権額）

受講生A　このような内容のものであれば、パソコンで作成したものでも差し支えありませんか。

講師　もちろん差し支えありません。

受講生A　「聴取書」やこの「債務確認書」は、どのような場合に作成する必要がありますか。先ほどのご説明ですと、契約書で確認が取れれば必要はないようにも思われるのですが……。

講師　債権が発生する典型的な場合は、当事者の合意（申込みと承諾）であり、契約書はその合意を書面にしたものですから、それが手に入る（コピーを取ったり、写真を撮ったりして内容を確認することができること）のであれば、一般的にいって、あえて「聴取書」や「債務確認書」を徴求するまでのことはありません（ただし、滞納者および第三債務者から聴き取った内容を記録しておく必要はあります）。もっとも、当初の契約がその後変更されて、別途、「変更契約書」が存在する可能性も皆無であるとは言い切れませんから、万全を期そうとすれば、差押時の債務の状況を明確に把握しておくために、これらを徴しておくべきでしょうね。

債務確認書の様式（例）

令和○年○月○日

債　務　確　認　書

○○市長　○○○○　様

令和○年○月○日付収納第○○○号により差押えを受けた債権者（滞納者）氏名○○○○、住所○○市○○町○○番地に対する私（または当社）の債務は、下記の通りであることを確認し、回答します。

記

1　**契約日**　令和○年○月○日

2　**債務の内容**（金額、利息などの条件、弁済期日、支払方法、その他特約）

3　**債務残高**（差押通知書送達時の債務残高）

4　**連帯債務者または保証人の有無**（住所・氏名・連絡先電話番号）

5　**他の債権者からの差押えの有無**（差し押さえられている場合は、差押えの日付・時間と差押債権者名、債権額）

6　**その他参考事項**（本市への支払期日や反対債権の有無についてなど）

○○市収納課整理係　担当　徴税吏員○○○○　☎000－1234

受講生Ａ　債権の差押えには慎重さが求められるんですね。

受講生Ｂ　そうだね。

講師　債権の主たる発生原因としての契約には、「契約自由の原則」というものがあって、公の秩序善良の風俗（公序良俗）や信義則などに反しない限り、当事者間で自由にその内容を決められるので、債権の差押えに際しては、契約書によってその内容を確認することが大切ですね。

受講生Ａ・Ｂ　なるほど。ところで、その契約書はどうやって見つけるのですか。捜索をしなければだめでしょうか。

講師　もちろん捜索をすることによって発見することもありますが、確定申告書や不動産登記簿などから契約の存在を知ることもありますし、滞納者や第三債務者に対する質問・検査によって把握することもあります。通常は、庁内調査→庁外（官公署）調査→滞納者に対する質問・検査→反面調査→捜索といった具合に段階的に調査を進めていくことと思いますので、いきなり捜索を行うということはありませんね。

ここでちょっと注意していただきたいのは、強制調査である捜索を除けば、それ以外は任意の調査なのですが、たとえ任意ではあっても聴くべき事柄については、細大漏らさずきちんと聴き出さなければならないということです。滞納者等の反発や非協力を恐れて、奥歯にものが挟まったような曖昧な聴き方をしていてはだめだということです。もちろん居丈高で威圧的なものの言い方は許されませんが、例えば「何でそんな人のプライバシーに関わることまで聴く必要があるんだ」とか「市民の税金で飯を食っている公務員が、そんなえげつないことまで聴くのか」といった滞納者等のリアクションを恐れて、契約の内容を聴き出したり、契約書の提示を求めたりすることをためらっていてはだめだということです。

受講生Ａ　それはそうですが、勇気がいることですね。

講師　Ａさんは心配性ですね。聴くべきことを聴くというのは、一つのステップですから、仮に滞納者等が質問に対して答えなかったり、とぼけたりしたとしても構わないのです。その場合は次のステップへと歩を進めればいいだけのことです。つまり、任意調査に非協力であれば、強制調査を行い、発見した財産を差し押さえるのです。このように着実に次のステップへと事務を進めていくことによって、滞納整理が進展していくのです。以前、納税指導のお話をしたときにも言いましたが、滞納整理では同じ事務を繰り返さないことが肝心だと銘記してください。

受講生Ａ・Ｂ　はい、分かりました。

4　差押禁止財産

司会　債権の特定についてはこのへんでよろしいでしょうか。それでは次に、差押えの禁止財産についてお話しいただけますでしょうか。

受講生Ａ　えっ、差押てはいけない財産があるのですか。

講師　ええ。差押禁止財産といって国税徴収法第75条から第78条に規定されています。でもＡさん、法律の規定を見るまでもなく、素人考えでも例えば衣服だとか食料などは差し押さえられないのではないかと思いませんか。衣服を差し押さえるとなれば、それこそ身ぐるみ剝いでまで税金を取り立てるということにもなりかねません。

受講生Ａ　一定の財産について、法律で「差し押えることができない」としているのはどのような理由からですか。

講師　理由は二つあります。一つは滞納者自身の生活を保護するためです。これは元を辿(たど)れば日本国憲法の第25条の生存権に由来しています。つまり「すべて国民は、健康で文化的な最低限度の生活を営む権利を有する」のであって、国民の義務である納税を怠っているからという理由で、滞納者だけを除外してはいないということです。日本国憲法第25条の生存権は、滞納者も含めた全ての国民が享受することのできる基本的な人権ということですね。

もう一つは、例えば、生活保護などのような社会保障制度や各種の災害補償を受ける権利を保護し、それらを実効あるものとするためです。もっとも、社会保障制度等は、社会的な弱者とされる人々を、さまざまな理由から保護するための仕組みですから、結局は、生活困窮状態にある滞納者の生活を保護するためとも言えるので、広い意味では同じであるといっていいでしょう。

受講生Ａ　なるほど。いくら税金が大切なものであるといっても、滞納者の生活を破綻させてもいいということにはならないということですね。

講師　そういうことです。

受講生Ｂ　でも先生、自己責任ということもあるのではありませんか。確かに生活に困窮している人から税金を徴収するというのは、心苦しいところはありますが、そうした生活困窮の状態になったのは、滞納者自身にも責任があるのではありませんか。よく滞納者から「サラ金から借りてでも払えということか」とか「会社を倒産させる気か」などと怒鳴られたりすると、ちょっと待ってくれよ、そういう状態にしてしまった責任は一体誰にあるんだと言いたくなってしまうのですが。

講師　確かに心情的にはＢさんの言われることも理解できないわけではありませんが、調査の結果、客観的にその滞納者が生活困窮状態にあると認定できるのであれば、猶予や停止といった納税緩和措置にすべきでしょうし、あるいはさらに進んで納税義務を直ちに消滅させて、不納欠損ということも考えられます。そのへんの判断は、主観的なものによるのではなく、あくまでも客観的な調査資料による必要があります。それから、経済的に苦しいといっても、個人の場合と会社の場合とでは事情が異なりますので、注意してください。

受講生Ｂ　それってどういうことですか。

講師　個人の場合は、収入が著しく少なく、これといった資産もないという状態であれば、まさにその人の生存そのものに関わるのですが、会社の場合は、その状態によってそれぞれ清算型と再建型の処理があり、納税については、それらの処理の中で清算すればいいということです。つまり、清算型・再建型のいずれにしろ、破産法や会社更生法などの法律に税の位置づけが規定されているので、それに従って手続を進めるということです。だからといって「のんびり」としていてよいということではありませんよ。会社倒産時の対応は迅速にというのが、滞納整理の鉄則ですから。会社倒産時の対応は、「一日でも早くではなく、一刻でも早く」ということです。

司会　差押禁止財産の内容について、詳しく説明してください。

講師　差押禁止財産は、先ほど説明した理由から、絶対的差押禁止財産と条件付差押禁止財産とに分けられます。絶対的差押禁止財産というのは、たとえ滞納者の承諾があったとしても、それにもかかわらず差し押さえてはならないというもので、滞納者の生活保護という観点から、それを法的に根拠づけた規定です（国税徴収法第75条）。

　これに対して、差押えに当たって、滞納者の承諾（「滞納者の承諾」は、書面により徴するものとする〈国税徴収法基本通達第76条関係14参照〉）により禁止の制限が解除されるものや、滞納者による相当な代替財産の提供により一定の財産の差押えをしないという、実質上、間接的に滞納者の差押財産の選択権を認めたものなどがあり、これらを条件付差押禁止財産と言います（国税徴収法第76条、第78条）。差押禁止財産を一覧にすると表（次ページ）のようになります。

受講生Ａ　差押禁止財産というのはずいぶんたくさんあるんですね。驚きました。

受講生Ｂ　本当ですね。これ（一覧表）以外にもその他の法令によって差押え

絶対的差押禁止財産	条件付差押禁止財産
①　滞納者、滞納者と生計を一にする配偶者（いわゆる「内縁」を含む）、その他の親族の生活に欠くことのできない衣服、寝具、家具、台所用具、畳、建具。 ②　滞納者、滞納者と生計を一にする親族の生活に必要な３カ月間の食料と燃料。 ③　主として自己の労力により農業を営む者の農業に欠くことができない器具、肥料、労役の用に供する家畜、その飼料、次の収穫まで農業を続行するために欠くことができない種子その他これに類する農産物。 ④　主として自己の労力により漁業を営む者の水産物の採捕、養殖に欠くことができない漁網その他の漁具、えさ、稚魚その他これに類する水産物。 ⑤　技術者、職人、労務者その他の主として自己の知的または肉体的な労働により職業または営業に従事する者のその業務に欠くことができない器具その他の物。 ⑥　実印その他の印で職業または生活に欠くことができないもの。 ⑦　仏像、位牌その他礼拝または祭祀に直接供するため欠くことができない物。 ⑧　滞納者に必要な系譜、日記その他これに類する書類。 ⑨　滞納者またはその親族が受けた勲章その他名誉の章票。 ⑩　滞納者または滞納者と生計を一にする親族の学習に必要な書籍、器具。 ⑪　発明または著作に係るもので、まだ公表していないもの。 ⑫　滞納者または滞納者と生計を一にする親族に必要な義手、義足その他身体の補足に供する物。 ⑬　建物その他の工作物について、災害の防止または保安のため法令の規定により設備しなければならない消防用の機械または器具、避難器具その他の備品（以上、同法第75条第１項各号）。 〔その他法令によって差押えが禁止される財産（例）〕 ①　生活保護法に基づいて受けた金品またはこれを受ける権利。 ②　国民健康保険法に基づく保険給付を受ける権利。	〔滞納者の承諾を条件として制限が解除されるもの〕 ①　給料、賃金、俸給、歳費、退職年金、これらの性質を有する給与に係る債権については、一定の金額を差し押さえることができない（同法第76条第１項）。 ②　給料等に基づき支払いを受けた金銭についても、前掲①の債権同様、その一定の金額を差し押さえることができない（同法第76条第２項）。 ③　退職手当およびその性質を有する給与に係る債権については、一定の金額を差し押さえることができない（同法第76条第４項）。 ④　社会保険制度に基づき支給される退職年金、老齢年金、普通恩給、休業手当金およびこれらの性質を有する給付に係る債権は給料等とみなされ、退職一時金、一時恩給およびこれらの性質を有する給付に係る債権は退職手当等とみなされ、一定の金額を差し押さえることができない（同法第77条第１項）。 ※「滞納者の承諾」については、同法第76条第５項、第77条第１項を参照。 〔代替財産の提供を条件として制限が解除されるもの〕 ①　農業に必要な機械、器具、家畜類、飼料、種子その他の農産物、肥料、農地および採草放牧地（同法第78条第１号）。 ②　漁業に必要な漁網その他の漁具、えさ、稚魚その他の水産物および漁船（同法第78条第２号）。 ③　職業または事業の継続に必要な機械、器具その他の備品および原材料その他棚卸しをすべき資産（同法第78条第３号）。

③　労働基準法に基づいて補償を受ける権利。 ④　刑事補償法に基づく刑事補償請求権。	

が禁止されている財産があるとのことですから、差押えをするときは、該当するさまざまな法律を渉猟しないといけないですね。こりゃあ大変だ。

講師　まあそういうことですけれども、外見上明白に差押禁止財産であるものを差し押さえたときは、その差押えは無効ということになりますが、差押財産の選択は徴税吏員の合理的な裁量に委ねられていますので、それぞれの財産が禁止財産に該当するかどうか徴税吏員の認定を必要とするような場合は、仮にその差押えが違法なものであったとしても、無効ではなく、取消しの対象となり得るにすぎません。つまり、認定を誤ったところに違法性が認められるのであって、初めから差押えとしての効力が生じていなかったとまでは言えないわけです。

司会　差押禁止財産についてほかにございますか。

受講生A　今のお話ですと、給料を差し押さえるときに、滞納者の承諾があれば全部差し押さえて取り立てることができるとのことですが、それはどのような理由からなのですか。

講師　給料の差押禁止は、そもそも滞納者の最低生活費を保障するとともに、地位または体面を維持するためのものですから、滞納者自身が、その必要はないとして承諾を与えた場合にまで、法律で差押えを禁止するのは、本来の趣旨を超えて差押えを過度に制限することになるからです。つまり、そうした滞納者の承諾は、滞納者が自らの判断と責任において、納税の意思を表明したということであり、それは、給料をもって自主納税に充てることと同様の意味を持っているのです。ただし、その場合でも、国税徴収法第76条第１項第１号から第３号と、同条第４項第１号、第２号の金額は除きます。それらは、公租公課に係る金額であり、その他の部分とは性格が異なるからです（国税徴収法基本通達第76条関係16〈差押えのできる範囲〉参照）。

受講生A　はあ、そういうことだったんですか。そう言われれば分かりますけれど、そうだとしたら差押えなんて面倒な手続をしないで、任意で払ってくればいいのにと思ってしまいますよね。わざわざ役所の手を煩わせるなんて、やっかいな滞納者じゃないですか。

講師　Ａさん、それは本音かもしれませんが、だからといって納税指導を重ねて、分納させようなんて思わないでくださいね。役所に対してそうした承諾を与えるという決心を滞納者にさせたのは、給料の差押えをしたからなのであって、滞納者にしてみれば、差押えをされる前からそのつもりだったということではありませんので、ここのところはしっかりとそのように認識しておいてください。滞納者としては、給料を差し押さえられて、もう逃れられないと覚悟し、いわば観念したということなのです。この期に及んでごねたところで、徴税から逃れられないのであるならば、いっそのこと一括して払ってしまって、延滞金の負担を軽減しようとするのは誰しも考えることなのではありませんか。

受講生A　それはそうですね。

講師　このように滞納処分をしないと納税に向けて重い腰を上げない困った滞納者もいるのです。これまでも繰り返し述べてきましたが、いつまでも催告や訪問徴収（集金）などをしているのではなく、調査と納税指導によって、滞納処分をもって臨まなければならない滞納者なのか、それとも猶予や停止をしなければならない滞納者なのかを、できるだけ早く見極めることが大切ですね。

5　差押えの制限

司会　それでは次に、差押禁止財産以外の差押えの制限についてお話しいただけますか。

講師　それについては、納税緩和措置が取られている場合の制限、超過差押えの禁止、無益な差押えの禁止、その他特別法による制限などがあります。差押えの目的が、租税を確実に確保するためであることに鑑みれば、それに対する制限は、租税の確保に優先する目的が認められるか、またはそれぞれの制度目的に照らして、租税の滞納処分として差押えをすることが、法体系の中で自家撞着（じかどうちゃく）となってしまうような場合に限られることになります。

まず納税緩和措置が取られている場合ですが、徴収猶予と停止については、それぞれの処分期間内は新たな差押えをすることができません（地方税法第15条の2第1項、同法第15条の7第3項）。

ここでちょっと注意をしていただきたいのは、停止の場合です。条文を読んでみると「地方団体の長は、第1項第2号の規定により滞納処分の執行を停止した場合において、その停止に係る地方団体の徴収金について差し押えた財産があるときは、その差押を解除しなければならない」としており、第1項第2号（滞納者の生活を著しく窮迫させるおそれのある場合）に限定しているようにも受け取れますね。

しかし、そもそも停止という処分は、滞納者について一定の理由（停止の要件）が存在するので、強制的な徴収はしないという趣旨で設けられた制度ですから、差押えをすることはできないわけです。強制徴収をしないという制度趣旨と矛盾するからですね。つまり、その意味では「新たな差押え」をすることはできませんが、既に執行している差押えについては、常に解除しなければならないわけではなく、同法第15条の７第３項で指定している同法第15条の７第１項第２号の場合（滞納者の生活を著しく窮迫させるおそれのある場合）は、解除しなければならないとしているのです。これは、差押禁止財産のところでお話しした滞納者自身の生活を保護するということと同じ考えです。

話を整理してみましょう。滞納処分の停止は、一定の理由から、滞納処分による強制的な徴収をしないこととする制度ですから、新たな差押えをすることは、そうした制度目的と矛盾するのでできません。しかし、滞納者自身の生活を保護するために、滞納処分そのものが滞納者の生活を著しく窮迫させるおそれがある場合に限って、新たな差押えができないだけでなく、既に執行している差押えがある場合は、その差押えを解除しなければならないということになります。

次に換価猶予についてですが、これは滞納者に納税の意思が認められ、かつ徴収上有利である場合に、原則として１年以内に限って換価を猶予するというもので、職権で、若しくは申請に基づいて執行します。換価の猶予をすると、状況に応じて差押えを猶予したり、差押えを解除したりすることができるものの、その趣旨は、直ちに換価手続に着手せずに、当面現状を維持することによって、滞納者の事業の継続や生活の維持に配慮しつつ、いつでも滞納処分手続を進めることができる態勢を取っておくところにあります。

このような趣旨から、滞納者について状況の変化があったときには、速やかに滞納処分手続を進められるようにしておく必要があり、条文では「差押を猶予し、又は解除することができる」と規定されていますが、実務では、既に執行している差押えを解除することはほとんどありません。また、租税債権の確保または保全という観点から、新たな差押えをすることも少なくありません。

受講生Ｂ　差押えの制限という観点からは、納税緩和措置をひとくくりにしてしまうことはできないわけですね。それぞれの制度の趣旨に照らして条文を解釈する必要があるということが分かりました。

講師　次に超過差押えの禁止と無益な差押えの禁止について説明しましょう。条文上の根拠は、国税徴収法第48条ですね。「国税を徴収するために必要な財産以外の財産は、差し押えることができない」（同条第１項）という部分が超過差押えの禁止であり、「差し押えることができる財産の価額がその差押に係る滞納処分費及び徴収すべき国税に先だつ他の国税、地方税その他の債権の金額の合計額をこえる見込がないときは、その財産は、差し押えることができない」（同条第２項）という部分が無益な差押えの禁止ということになります。

租税の強制徴収手段である滞納処分は、滞納となった租税債権を充足させるために行うものですから、その目的を達成するために必要な範囲で権限を行使すれば足りるはずです。ですからその意味では、必要な範囲を超えて差押えをすること（超過差押え）や、実質的に見て差押えをすることに実益のない場合に、形式的な差押え（無益な差押え）をすることは権限の濫用であり、これらを禁止するのは当然のことを確認したにすぎないとも言えます。

しかし、差押財産の選択が徴税吏員の合理的な裁量に委ねられていることと、滞納処分という強力な権限が徴税吏員に属しているということとを考え合わせますと、一方で徴税事務を迅速・合理的に推進しなければならないという要請があり、他方、権限の適正な行使を通じてその濫用を防止するという要請があるので、双方の均衡を図る必要があると考えられます。そうした必要性があって、これらの規定は設けられているのです。

通常、差押えをしようとするときは、対象財産の見積価額（処分予定価額）から滞納地方税に優先する国税・地方税その他の債権額を差し引いた金額と、徴収すべき徴収金とを比較して判断することになります。この場合、優先債権の金額を差し引いた後の金額が、徴収しようとする徴収金の金額を著しく超えるものを、法律では、徴収すべき必要性を超える差押えであるとして、禁止しているのです。

しかし、滞納者が所有している財産で、他に滞納処分をして滞納税に充てる適当な財産がない場合は、それをもって徴収するしかほかに手段がないわけですから、そのようなときにまで差し押さえることができないとすることは適切でないので、一定の条件の下に差押えをすることができることとなっています。

一定の条件とは、①物の性状から分割することができないもの、②分割することはできるが、分割することにより物の経済的価値を著しく害するもの、③法律上分割して売却することができないもの（国税徴収法基本通達第48条関係３参照）――を言い、これらに該当する場合は、仮に超過して差押えをしても、その差押えは違法であるとは言えません。すなわち、超過差押えの禁止については、複数の財産を差し押さえるときに問題とされるので、差押財産を選択するときは、他に適当な財産がないかどうかということと同時に、１個の財産かそれとも複数の財産かという点についても留意する必要があります。

受講生Ａ　超過差押えの禁止について、裁判例ではどのようになっているのでしょうか。

講師　下級審のものですが、裁判例では「超過差押えに当たるか否かは実際に公売にならなければ判然としない」（名古屋高等裁判所判決平成13年10月３日）としたものがあります。また、裁判例ではありませんが、国税不服審判所の裁決に「差押財産の処分予定価額が滞納国税の額を超過した場合に、直ちに当該差押えが超過差押えとして違法となるものではなく、他に滞納国税を満足できる換価に見合う財産があるにも拘わらず、滞納国税の額に比較して差押財産の処分予定価額が合理的な裁量の範囲を超え著しく高額であると認められるような財産を差し押さえたというような特段の事情がある場合に、初めて当該差押えが違法となるものと解される」とか「差押えに係る財産が法律上分割できない場合、あるいは分割することはできるが、分割することにより物の経済的価値を著しく害する場合には、たとえその財産の価額の合計額が滞納国税の額を超過したとしても違法とはならないと解される」（平成15年４月７日）というものがあります。

受講生Ａ　先ほど先生がおっしゃったことと同じですね。

講師　ええ、まあそういうことですね。このほか超過差押えの禁止に関しては、国税徴収法第63条との関係について注意してください。同条は、差し押さえる債権の範囲について規定したものですが「徴収職員は、債権を差し押さえるときは、その全額を差し押えなければならない」としており、債権の差押えについては、いわば超過差押えの例外として位置づけています。

受講生Ａ　それはどうしてですか。

講師「その趣旨は、債権については、第三債務者の支払能力や対抗を受ける抗弁権の存否、他の債権者の有無等により債権の実質的な価値が定まるから、徴収職員が予め債権の実質的な価値を把握することが困難であり、そのため、どの程度の債権を差し押さえれば現実に徴収が可能となるかを知ることができないために、全額差押えを原則としたものである」（札幌高等裁判所判決平成13年６月14日）ということです。

受講生Ａ　対抗を受ける抗弁権って何のことですか。

講師　それは相殺のことです。例えば、銀行預金を差し押さえた場合、滞納者にその銀行から住宅ローン等の借入金があると、銀行は貸付約款に基づいて、まず「預金（債務）」と「貸付金（債権）」の相殺を主張します。そうしますと、銀行による相殺の予約完結権の行使によって、取り立てるだけの金額がなくなってしまうことがあります。したがって、債権を差し押さえようとするときは、事前に債務確認書等を使って、その債権債務の内容を十分調べておかなければなりません。このことについては、以前、説明したとおりです。なお、差押えと相殺の関係については、昭和45年６月24日の最高裁判所判決と、国税徴収法基本通達第62条関係31が基本となりますから、よく読んでおいてください。

受講生Ｂ　はい、分かりました。ところで先ほど、実質的に見て差押えをすることに実益のない場合に、形式的な差押えをすることを、無益な差押えであると言われましたが、無益な差押えであるかどうかは誰がいつの時点で判断するのですか。

講師　その点については、法律の条文では「差し押えることができる財産の価額がその差押に係る滞納処分費及び徴収すべき国税に先だつ他の国税、地方税その他の債権の金額の合計額をこえる見込がないときは、その財産は、差し押えることができない」（国税徴収法第48条第２項）となっており、徴税吏員が差押えをしようとするときに判断するように読めます。

また、国税徴収法基本通達第48条関係５も「差押えをしようとする時における差押えの対象となる財産の処分予定価額を」「差し押さえようとする財産に係る滞納処分費の見込額を」「差押えをしようとする時において…中略…その時における債権額を」などとしており、差押時に判断する旨を明らかにしています。

ただし、国税徴収法の第79条第１項第２号が「差押財産の価額がその差押に係る滞納処分費及び差押に係る国税に先だつ他の国税、地方税その他の債権の合計額をこえる見込がなくなつたとき」には差押えを解除しなければならないとして、差押えのときには無益な差押えではなかったものの、その後差押財産の価額が下落するなどして、換価する実益がなくなった状態に至ったときは、結果的に無益な差押えになるとしていることを考え合わせますと、その判断は、必ずしも差押時でなければならない必然性はないように思われます。要は、実効性のない無意味な差押えはしてはならないし、維持することもできないということなのです。

受講生Ｂ　それはどういうことですか。

講師　不動産の差押えを例にして説明してみましょう。ご承知のように不動産の価額については、専門家である不動産鑑定士が見積もってもその結果は十人十色で、揺るぎない絶対的な評価などあり得ないというのが実情です。滞納処分による差押えは、税務事務の特性からしてかなりの処分件数が見込まれ、規模の大きな地方団体ともなりますと年間で万単位の件数の差押えを執行しています。もちろん、件数が多いからずさんな見積りでもやむを得ないということにはなりませんが、中には倒産事案など繰上徴収による場合もあるなど、緊急性が求められることも少なくありません。

そのようなときに、精緻（せいち）な見積りを要求したりすれば、差押えの時機を失することとなり、税収の確保に支障をきたすことにもなりかねません。ですから、実務では公示地価や固定資産税の評価額や路線価などを参考に概算で見積もることとなります。また、実務では、差し押さえた不動産を直ちに公売することはまずなく、公売までの間に実地調査を含めさらに綿密な調査を行ったり、滞納者と接触したりもしますから、その結果、差押換えをすることもあれば、換価猶予とすることだってあり得ます。もちろん、そのまま公売に向けて準備を進める場合が多いとは思いますけれども……。

受講生Ｂ　そうしますと、不動産の差押えに関していえば「無益な差押え」なのではないかということに、あまり神経質にならなくてもいいということですか。

講師　現実に法律の規定があるわけですから、当然それへの配慮は必要です。ただ、不動産の場合は、バブル経済崩壊以降の状況を見てもお分かりのように、価額の変動が大きいことに加えて、それだけでなく返済による被担保債権額の減少という要素もありますから、単純に差押時の価額と債権額との比較だけでは判断できないということです。

つまり、変動要素を無視することができないということですね。それに最近では、担保不動産の収益執行という制度ができたこともあり、収益性の高い不動産の場合、競売をせずに、（保全したまま）その不動産の収益からそれぞれの債権の満足を図る道も開けました（民事執行法第180条第２号、第188条、第２章第２節第１款第３目参照）。

受講生Ｂ　うーん複雑ですねえ。結局どうしたらいいのですか。

講師　まあ、そう結論を急がないでください。この点について最近の裁判例ではどのようになっているか見ておきましょう。いずれも下級審のものですが、平成16年２月26日の宇都宮地方裁判所の判決（平成13（行ウ）第15差押処分取消請求事件）によれば「当該差押が無益な差押にあたるかどうかは、法第48条第２項の文言により、差し押さえるべき財産の価額と、その差押に係る租税に優先する債権の金額の合計額とを比較して判断するのが相当であるが、差押処分時に差押の対象となる財産の処分予定価額を正確に評価し、優先債権の金額を正確に把握することは困難であり、厳密な評価を要求すると租税の滞納処分の円滑な遂行が期待できなくなるほか、優先債権の額は弁済等によって将来減少する可能性もあるから、滞納処分時において差押の対象となる財産の処分予定価額がその差押に係る滞納処分費及び徴収すべき租税に優先する債権の金額の合計額を超える見込みのないことが一見して明らかでない限り、当該差押が法第48条第２項に違反するとして違法となるものではないと解するのが相当である」としています。

これは、平成11年７月19日の高松高等裁判所の見解に倣ったものです。また、平成16年２月26日の名古屋地方裁判所の判決（平成15（行ウ）第55差押無効確認等請求事件）によれば「不動産に対する執行において、無益なものであるか否かは、最終的に配当が行われる時点で確定するものであり、それまでは、弁済等によって優先する被担保債権が減額ないし消滅する可能性があるから、法第48条第２項にいう『…財産の価額が…滞納処分費及び徴収すべき国税に先だつ…債権の金額の合計額を越える見込がないとき』とは、差押えをするに当たり、上記のような流動的な要素を考慮しても、およそ当該租税債権を徴収する可能性がないことが明白である場合を指すと解すべきところ、…中略…固定資産評価額ないし路線価に基づく価額は、当該不動産の価額を推測する資料となり得るものの、実勢価額と一致するものではなく、最終的な価額は、売却が実施されて確定すること、最低売却価額もこれ以下の価額では売却が許可されないという基準を示すものにすぎず、競争の結果、これを相当額上回る価額で売却されることはまれではないこと、…中略…直ちに本件差押えが違法な行為であったとは断定できない」と言っています。

これらの判決は、いずれも租税徴収の実務に照らして妥当なものであると考えられますが、担保不動産の任意売却を推進しようとしている金融機関等にしてみれば、承服しがたい内容かもしれませんね。

受講生Ｂ　不動産の差押えでは、誰の目にも一見して明らかに無益であると認められない限りは、「違法」な差押えとまでは言えないわけですね。

講師　そうですね。徴税機関には自力執行権が与えられているわけですから、その行使が「違法」とされるのは、それが濫用に当たると認定された場合に限定されるということです。AさんBさん、ちょっと想像してみてください。つまり、ひょっとしたら違法な差押えになるかもしれないという不安定な状態に置かれたとしたら、徴税吏員として怖くて差押えなんてなかなかできないでしょう？　ですから、万一「超過差押え」や「無益な差押え」であったとしても、それを無効な処分ではなく取消し得(う)べき処分としているのです（最高裁判所判決昭和46年６月25日など参照）。また、場合によっては、差押えをいったん取り消して再度やり直すのではなく、そのまま維持して瑕疵(かし)の治癒が認められることもあるのです。例えば、差押時に無益な差押えであったとしても、その後、滞納者が優先債権を弁済したため、配当が見込めるようになれば、その差押えは、もはや無益ではなくなるわけですから、瑕疵が治癒されてそのまま差押えを維持することができるわけです。

受講生Ｂ　なるほど。しかし、近年では、サービサー（債権回収会社）による不良債権の処理が進められている関係で、不動産の差押えに関して、地方団体とサービサー等との緊迫したやりとりが交わされていることもあり、しっかりとした理論的裏付けとともに、裁判例の動向にも注意を払う必要がありますね。

講師　おっしゃるとおりです。

司会　差押えの際に注意すべき事項として「超過差押えの禁止」と「無益な差押えの禁止」について詳しくお話しいただきましたが、このほかにも何かございますか。

講師　そうですね、「第三者の権利の尊重」について触れておきたいと思います。それから、差押えの制限というわけではありませんが、督促状を出してから相当時間が経ってしまったものを差し押さえるときに注意すべき点についてもお話ししておきたいと思います。

受講生Ａ　滞納者の財産を差し押さえるのに、どうして第三者の権利を尊重する必要があるのですか。

講師　差押財産の選択が徴税吏員の合理的な裁量に委ねられていることについては、これまでにも何度かお二人に説明してきましたが、例えば、ＡさんとＢさん、滞納者名義の不動産を差し押さえようとして登記簿を取ったところ、抵当権が設定されていたなんてことはありませんでしたか。

受講生Ａ・Ｂ　それはしょっちゅうです。というより、ほとんどの場合抵当権などが付いていました。付いていない物件なんて稀(まれ)ですね（と口を揃(そろ)える）。

講師　そうでしょう。税を滞納するくらいですから、資金繰りがいいとは言えないでしょうし、納税よりもそうして借りたお金の返済を優先している場合が多いのですね。

受講生A　このように滞納者の財産に抵当権等を設定している債権者を、なぜ保護しなければならないのですか。租税優先の原則があるのですから、民事債権者は、納税のことも考慮した上で融資すべきだと思うのですが、どうなんでしょうか。まずは社会的な責任である納税の義務を果たした上で、個人的な借金の返済をすべきなのではありませんか。それなのに、融資をしている会社（または個人）の多くは、自分がお金を貸した相手が税金を払おうが払うまいがまるで関係ないかのように、自分のところへの返済のことしか考えていないのは、あまりに自分本位だと思います。融資した側の社会的な責任はどうなっているんでしょうか。情けない!!

講師　まあAさん、そう怒らなくてもいいじゃないですか。Aさんが言われるように、租税債権と民事債権とは、将来万一、強制徴収（執行）をしなければならないような事態になったときは、競合する場合も考えられるわけですから、本来でしたら、返済計画の中には納税のことも考慮されていてしかるべきなんですね。つまり、きちんと納税をした上で返済していけるというのが健全な返済計画でしょう。ところが背に腹は代えられないとでもいうんでしょうか「納税は待ってください。借金返済を優先します」という滞納者が多いですね。

受講生A　納税のモラルはどこへいってしまったんでしょう。情けないことです。

講師　滞納処分は、滞納者の財産から滞納税の満足を得ようとするものですから、滞納者の支配下にある財産（滞納者名義であるか滞納者が処分することができるもの）でなければなりません。ところが、滞納者名義の財産であっても抵当権等の制限物権等が設定されていると、それを設定した債権者が滞納者に対して優先弁済権を有しているため、滞納者がその財産を自由に処分することができません。この滞納者の財産上に設定された優先弁済権は、当事者の契約によって成立したものであり、常に租税債権をこれに優先させることとなれば「契約自由の原則」と「私有財産制」を基礎とした経済活動の上に成り立っている私法秩序に重大な制約を加えることとなります。わが国の租税制度は、経済活動や私有財産制度を基礎として構築されていますから、租税債権が民事債権と競合する場合は、私法秩序との調整が必要になります。

ところで、一般に租税債権が民事債権に優先するといっても、それは強制徴収をする段階での話であって、民事債務が租税債務よりも先に弁済されたとしても、それが任意のものである限り、租税に劣後することはありません。つまり、優劣が問題となるのは、租税債権と担保付債権とが競合した場合ということになります。

受講生A 何やら難しい話になってきましたね。すみませんが、私のような初心者でも分かるように、もう少しかみ砕いて説明していただけますか。

講師 これはどうも失礼しました。制度の話になりますと、どうも理屈っぽくなってしまうようです。申し訳ありません。要は、滞納者の財産上に権利を有している第三者をなぜ保護する必要があるのかということでしたね。

租税は、言うまでもなく国や地方団体の主要な財源ですから、現行の税法はこれに特別の地位（優先権）を与えて制度的にその確保を確実なものとしているわけですが、それは、先ほど言いましたように、私法秩序を尊重した上でのことなんですね。ですから、差押えのような強い効力を持った処分を行うときは、その影響をできるだけ第三者に波及させないように配慮することが望ましいわけです。滞納者の財産上に権利を有しているからといって、第三者は、別段、税を滞納しているわけでもありませんし、滞納者と通謀しているわけでもありませんから。つまり「第三者の権利の尊重」（国税徴収法第49条）は、私法秩序の尊重の具体的な表れだと言えるのです。

受講生A 抵当権が、第三者の権利だということは分かりましたが、ほかにはどのようなものがあるのですか。

講師 抵当権のほかに質権、先取特権、留置権、賃借権、使用貸借権、地上権、永小作権、地役権、租鉱権、入漁権、買戻権、出版権、特許権についての専用実施権、実用新案権についての専用実施権、意匠権についての専用実施権、商標権についての専用使用権等の権利があります（国税徴収法基本通達第49条関係３）。

受講生A・B あまり馴染（なじ）みのない権利も多いですね。

講師 まあ実務で多いのは、抵当権や賃借権、地上権、買戻権といったところでしょうか。

受講生A 超過差押えの禁止や無益な差押えの禁止のところでは、差押えの時機を失することのないようにとの配慮から、必ずしも精緻な見積りまでは要求されていないとのことでしたが、この第三者の権利の尊重に関してはどうなんでしょうか。つまり、差押えをしようとするときに、どの程度の調査をすればいいのでしょうか。

講師 Ａさん、いいところに気がつきましたね。実務担当者らしい質問です。

滞納者の財産をどこまで詳しく調べるかは、滞納金額や滞納履歴、滞納者の資産状況などによって決まってきますから、一概には言えませんが、換価や停止（または納税義務の即時消滅）をするときほどの「深度のある調査」は要求されていません。なぜなら差押えは、処分を禁止することによって、租税債権を保全するものであり、仮に何かあったときでも修正することが可能であることと、Ａさんがおっしゃったようにタイミングの問題があるからです。滞納者の全財産を調査してからでないと、差押えに踏み切れないとすると、繰上徴収の場合のように、速やかに差し押さえなければならない事案の処理に支障が出てしまいます[※11]。

受講生Ａ そうですよね。ところで、そうして注意していても、やむを得ず第三者の権利の目的となっている財産を差し押さえることだってあると思うんですが、そのようなときはどうなるんですか。

講師 そのような場合は、抵当権者等は、差押換えの請求をすることができます（国税徴収法第50条第１項）。これは、直前の第49条で言っている「第三者の権利の尊重」を保障した規定です。第49条は、徴税吏員に努力義務を課すものですが、同条は訓示規定であるとされており、法的な強制力（違反に対して罰則をもって臨むこと）がありません。そこで、第50条は、第三者に差押換えの請求の道を開くことによって、「第三者の権利の尊重」を、単なる訓示に終わらせることなく、実質的に救済の手段を確保したものです。

※11 **国税徴収法基本通達第49条関係４（権利の保護）** 法第49条の「害さないように努めなければならない」とは、徴収職員が差押えをするに当たって通常の調査によって知った第三者の権利を害さないように努めることを言うのであって、第三者の権利を害さないための特別の調査までも行わなければならないことを言うものではない。

滞納者の財産上に権利を有する第三者

差押換えの請求の要件　国税徴収法第50条第１項

1　滞納者が他に換価の容易な財産を有していること。
2　その財産が他の第三者の権利の目的となっていないものであること。
3　その財産により滞納者の国税（地方税）の全額を徴収することができること。
4　当該差押財産の公売公告の日までに請求しなければならない。

差押換えの請求に対する措置　国税徴収法第50条第２項

1　第三者からの差押換えの請求を相当と認めるときは、差押換えをしなければならない。
2　第三者からの差押換えの請求を相当と認めないときは、その旨を通知しなければならない。

差押換えの請求が認められなかった第三者の換価の申立て　国税徴収法第50条第３項

差押換えの請求が認められない場合、第三者は、その旨の通知を受けた日から起算して７日を経過した日までに、書面（国税徴収法施行令第19条第２項）をもって差押換えの請求に係る財産の換価を申し立てることができる。

（注）　国税徴収法施行令第19条第２項　法第50条第３項の換価の申立は、次の事項を記載した書面でしなければならない。
一　換価を申し立てる財産の名称、数量、性質、所在及び価額
二　差押換を相当と認めない旨の法第50条第２項の規定による通知を受けた年月日

換価の申立てに対する措置　国税徴収法第50条第３項、第４項

「換価することが著しく困難」であるか「他の第三者の権利の目的」となっているときを除いて、これを差し押さえて換価しなければならず、そうした後でなければ、既に差し押さえている滞納者の財産を換価することができない。

なお、換価の申立があった日から２月以内に市町村長が（第三者の申出に係る財産を）差し押さえて換価しないときは、既に差し押さえている滞納者の財産の差押を解除しなければならない。

司会　それでは次に、督促状を出してから相当時間が経ってしまったものを差し押さえるときに注意すべき点についてお話ししていただけますか。

講師　はい分かりました。ＡさんもＢさんもおそらく経験があると思いますが、滞納者から「払わなければ差押えをしますなんて、納税者を脅しているのか！」とか「何の予告もなく突然差押えなんかしやがって、だまし討ちみたいなことをするな！」といった罵声を浴びせられたことはありませんか。

受講生Ａ・Ｂ　（異口同音に）もちろんあります！

講師　やはりそうですか。納期限をずいぶん過ぎてしまってから差押えをするときに、履行の請求と警告を兼ねて催告書を出せば「脅しているのか」と言ってくるし、それを出さずに差し押さえれば「だまし討ち」だと言ってくるのですから、全くどうやったところで文句を言ってくる人というのは避けられないと覚悟しておかなければなりませんね。こうした人たちに共通しているのは、税の滞納という法律上の義務違反をしている自分のことを完全に棚上げにしているという点です。

受講生Ｂ　本当にひどいものです。ところで、催告書は督促状のように法律上出さなければならない文書ではないにしても、いま先生が言われたような滞納者がいることを考えると、やはり出した方がいいでしょうか。

講師　もう差し押さえるしかほかに手段がないと思われるような滞納者であれば、催告を含め既に何回かのアプローチをしているはずですから、履行の請求としての催告はほとんど実益がないと考えられますが、事前の警告をすることによって、自主納税のための最後の機会を与えるとともに、強制徴収するという徴税側の断固たる意思を伝える必要があると思います。ですから、このような趣旨であれば名称は「差押警告書」でも「差押事前通知書」でもいいのです。

　国税ではこのような場合、半年を目安としているようですが、地方団体の場合、これを参考にするのはいいとしても、必ずしもこれと同じ扱いにする必要はないと思います。なぜなら、これは法律上の取扱いではなく、行政的な措置として行うものですから、それぞれの地域の実情に応じて決めるべき事柄だからです[※12]。

※12　**国税徴収法基本通達第47条関係18（着手前の催告）**　督促状若しくは納付催告書又は譲渡担保権者に対する告知書を発した後６月以上を経て差押えをする場合には、あらかじめ、催告をするものとする。

6 差押えの解除

司会 さて、これまでかなり長い時間にわたって先生から差押えについて、いろいろと伺ってまいりましたが、このへんでそろそろ今回のグループ討議を終えたいと思います。それでは先生、最後にお話ししておきたいことがございましたらお願いします。

講師 そうですね、本当に長い時間お付き合いいただきまして、みなさんどうもありがとうございました。それでは最後に、差押えの解除についてお話ししてみたいと思います。

受講生B 差押えの解除でしたら、国税徴収法第79条ですね。

講師 いやーBさん、すかさず条文が出てくるとはよく勉強していますね。

受講生B いやお恥ずかしい。先生に褒められるなんて照れちゃいます。別に条文を丸暗記しようなんて思っていませんが、せめて基本的な条文ですとか、よく使う条文については、すぐに出てくるようにしようと心がけているつもりです。

講師 いやいや素晴らしい心がけですよ。条文の文言を一字一句暗記する必要はありませんが、差押えの解除ならそれが何条で、そこにどのような趣旨のこ

解除しなければならない場合 （法定解除または強制解除）	解除することができる場合 （裁量解除または任意解除）
① 差押えに係る徴収金の納付義務が消滅したとき ア 全額が納付されたとき→第三者納付を含む イ 全額について充当があったとき ウ 全額について賦課が取り消されたとき エ 差し押さえた金銭または交付要求によって交付を受けた金銭を差押えに係る徴収金の全額に充てたとき オ 免除または法律の規定の変更によって差押えに係る徴収金の全額が消滅したとき ② 差押財産を換価しても、滞納処分費と差押えに係る徴収金に優先する国税・地方税債権、その他の債権の合計額を徴収する見込みがなくなったとき （以上、国税徴収法第79条第１項各号） ③ 滞納処分の停止をしたとき（地方税法第15条の７第３項）	① 差押えに係る徴収金の一部の納付、充当、更正の一部の取消し、差押財産の値上がり、その他の理由によって、その価額が差押えに係る徴収金とそれらに優先する国税や他の地方団体の徴収金その他の債権の合計額を著しく超過するとき ② 滞納者が他に差し押さえることができる適当な財産を提供した場合に、その財産を差し押さえたとき （以上、国税徴収法第79条第２項各号） ③ 徴収猶予をした場合で、猶予を受けた者の申請があったとき（地方税法第15条の２第２項） ④ 換価猶予をした場合で、必要があると認めたとき（地方税法第15条の５第２項）

とが書いてあるかという程度でいいんです。これは二つの意味で重要です。一つは、どこにどのようなことが書いてあるかを知っていると、法律の体系、つまり全体像がよく分かります。

そしてもう一つは、滞納者に対して納税指導をするときに根拠条文を知っていると、確固とした自信が持てますから、納税指導の主導権を握ることができるのです。もちろん条文を多少知っているからといってそれを「ひけらかす」のは慎むべきですが、自分で「質問検査権」を行使しているにもかかわらず、相手からその根拠について聞かれて、それがどこにあるのかさえ答えられないというのではあまりにも情けないことです。徴税吏員として必要最小限の条文くらいは覚えておきましょう。納税指導の際必ず役に立ちますよ。

受講生A　そうですね、私は法律というものに苦手意識があるので自信がありませんが、先生のおっしゃることはこれまでの経験から身に染みてよく分かりますし、自分のためだと思って頑張ります。

講師　頑張ってください。ところで、いま司会の方からそろそろというお話でしたので、最後に差押えの解除について、みなさんに説明しておきたいと思います。

講師　差押えの解除というのは、既に執行した差押えの「処分禁止」の効力等を、将来に向かって失わせるもので、行政法でいう「撤回」に当たります。将来に向かって効力を失わせるものですから、時効の更新など差押えをしたことによって既に生じている効果には影響がありません。

受講生A　ふーん。それじゃあ効力が過去に遡る「取消し」とは違うんですね。

講師　そうですね。解除には取消しのように遡及効果はありません。

受講生A　どうして「取消し」ではなくて「撤回」なのですか。

講師　Aさん、差押えの解除理由を見てください。

受講生A　国税徴収法第79条ですね。全額納付されて完納となった場合とか、差押換えをしたような場合ですね。

講師　そうです。第79条にはほかにもいろいろと解除理由が書いてありますが、それらは、差押えそのものがいけなかったから解除するというのではなくて、差押えをした後に、その差押えを維持することができないような何らかの事情が発生して、それで解除するというようになっているからなんです。

受講生A　そういうことだったんですか。第１項では解除しなければならないとなっていて、第２項では解除することができるとなっています。

講師　そうです。このように差押えの解除には、差押えを解除しなければならない場合と、裁量によって差押えを解除することができる場合があります。前者は法定解除とか強制解除と言われていますし、後者は裁量解除または任意解除と言われています。解除理由には第79条のほかに、地方税法の規定によるものもあります。納税緩和措置の猶予と停止の場合です。条文で言うと、同法の第15条の２第２項（徴収猶予）、第15条の５第２項（換価猶予）、第15条の７第３項（停止）です（このほか保全差押えや繰上保全差押えをした場合などがありますが、あまり使うことがないと思われますので、ここではあえて触れませんでした）。

受講生Ｂ　先生、解除の手続はどうやるんでしょうか。滞納者に通知することは分かりますが、財産によって手続に違いがありますか。

講師　手続自体はそう難しいことはありません。差押えをしたときと反対のことをすればいいのですから。まず、今Ｂさんが言われた滞納者への通知は必要ですね（国税徴収法第80条第１項。ただし、債権と第三債務者等のある無体財産権等の解除については、第三債務者等に通知します）。それと利害関係者への通知も必要です（同法第81条。いわゆる55条通知を出した相手方と交付要求をしている者に通知します）。

受講生Ｂ　通知のほかには何をする必要がありますか。

講師　差し押さえた財産によって異なります。不動産については、差押登記の抹消を法務局（登記所）に嘱託します。電話加入権であれば、NTTの加入権照会センターに登録の抹消を嘱託します。動産で、引き揚げた物については、滞納者等に引き渡さなければなりませんし、封印や公示書のあるものについては、それらを除去しなければなりません（同法第80条第２項、第３項、第４項）。

司会　先生ありがとうございました。ではみなさんこのへんでよろしいでしょうか。

講師　はい。長い間私の拙い説明にお付き合いくださいましてありがとうございました。

7　差押調書の書き方と留意点

　差押えには滞納者の財産について、法律上・事実上の処分を禁止するという強い効力があるところから、その手続は法令で厳格に定められています。国税徴収法は、差し押さえることのできる財産を、①動産・有価証券、②債権、③

不動産等、④無体財産権――等に分けて、それぞれの財産ごとに差押手続を定めています。そして、これらの財産の差押手続で共通している事項は次のとおりです。

⑴　差押調書の作成

徴税吏員は、滞納者の財産を差し押さえたときは、差押調書を作成しなければなりません（国税徴収法第54条）。差押調書は、差押えの持つ重大性に鑑み、それを執行したことを記録として残しておき、後日、万一そのことについて関係者の間で紛議が生じたときに処分の内容を証明するというものです。つまり、差押調書はこのように処分事績を記録し、証明するものであり、処分庁の内部書類であって、それ自体に差押えの法律的な効力を発生させる機能はありません（差押えの効力要件ではない）。

差押調書に記載すべき事項　国税徴収法施行令第21条第１項

差押調書には、徴税吏員が次の事項を記載して、署名押印（記名押印を含む）をしなければならない。

1　滞納者の氏名及び住所又は居所
2　差押に係る地方税の年度、税目、納期限及び金額
3　差押財産の名称、数量、性質及び所在
4　作成年月日

※１　ここでは、「国税」を「地方税」に、「徴収職員」を「徴税吏員」に置き換えて表記しています。
※２　署名：筆記用具を用いて自署すること。
　　記名：ゴム印やワープロの活字による表記で、自署によらないもの（なお、国税徴収法基本通達第54条関係の６参照）。

⑵　差押調書謄本の交付

差し押さえた財産が、動産・有価証券、債権または電話加入権等の無体財産権等であるときは、差押調書を作成し、その謄本を滞納者に交付しなければなりません（同法第54条）。ここでは不動産が除かれていますが、不動産については差押調書の謄本ではなく、「差押書」を滞納者に送達することになります（同法第68条第１項）。差押調書の謄本を滞納者に交付するのは、差押えを執行したことと差し押さえた財産の内容を、それによって知らせるためです。しかし、不動産の差押えについては、同法第68条第１項によって「差押書」の送達

により行うこととなっているので、滞納者はそれによって差押えが執行されたことと、差し押さえられた財産が何であるかを知ることができますから、重ねて差押調書の謄本を交付する必要はありません。

(3) 質権者等に対する差押えの通知

差押えがされた滞納者の財産に何らかの権利を持っている者に対しては、利害関係者として必要な事項を記載した書面によって通知をしなければなりません（同法第55条、同法施行令第22条）。

ア　質権、抵当権、先取特権、留置権、賃借権その他第三者の権利の目的となっている財産を差し押さえたとき：これらの権利を有する者

イ　仮登記のある財産を差し押さえたとき：仮登記の権利者

ウ　仮差押えまたは仮処分がされている財産：仮差押えまたは仮処分をした保全執行裁判所または執行官

差押調書の書式については、縦長のものであったり、あるいは横長のものであったりと地方団体によって若干異なっているものと思われますが、内容において異なるところはありませんので、ここでは国税の書式（国税徴収法施行規則第３条）に準じて説明します。

差　押　調　書

①　年　月　日

○○市役所　徴税吏員　②□□□□　㊞

下記の滞納市税等および滞納処分費を徴収するため、下記の財産を差し押さえましたので、国税徴収法第54条の規定により、この調書を作ります。

滞納者	住所	③					氏名または名称	④	
滞納市税等	年度	税目	期(月)	納期限	本税	加算金	延滞金	滞納処分費	備考
	⑤	⑥	⑦	⑧	⑨　円	円	⑩ 法律による金額　円	法律による金額　円	
							〃	〃	
							〃	〃	
							〃	〃	
差押財産	（名称、数量、性質および所在）⑪								

問い合わせ先　担当：収税課徴収係☎（内線○○○○）

〔調理要領〕※債権用の書式では、これに第三債務者の欄が付加されます。

①　差押調書を作成した年月日を記入します。なお、差押財産が不動産のときは、「差押書」（同法第68条第１項）の送達によって差し押さえることとなりますから、差押書を郵送により送達したときは、差押調書の年月日欄には、差押書の発送年月日を記入します。

②　差押財産が動産または有価証券のときは、徴税吏員の名称とし、債権、不動産または電話加入権等のときは、地方団体の長の名称とします（国税徴収法第56条、第62条、第68条、第73条等参照)。

③　滞納者の住所または居所を記入します。住所とは「生活の本拠」（民法第22条）のことを言い、客観的で継続的な生活の実態があると認められる場所のことです。居所とは住所と認定するほどの継続性のある生活実態は認められないものの、その場所で一定程度、起居寝食している事実があると認められる場所のことで、住所との比較において相対的な概念であるとされています。法人の場合は、主たる事務所の所在地（会社法第４条参照）とします。

④　滞納者の氏名または名称について、差押財産の登記または登録に通称名や屋号が使われているときは、通称名または屋号と本名または正式名称を「○

○○○（通称名または屋号）こと□□□□（本名または正式名称）」のように併記します。

⑤　滞納税の課税年度を記入します。滞納税が複数の年度にわたるような場合は「別紙滞納明細書のとおり」と記入して、滞納明細書を別添としても差し支えありません。

⑥　滞納税の税目を記入します。滞納税目が複数にわたり書ききれない場合は「別紙滞納明細書のとおり」と記入して、滞納明細書を別添としても差し支えありません。

⑦　滞納税の期（月）を記入します。定期課税に係るものについては「期」を、随時課税に係るものについては「月」を記入します。なお、過年度課税のものについては「○年度相当分」と附記しておくのが望ましいでしょう。

⑧　滞納税の納期限を記入します。近年は、コンピュータ内のデータをプリンタで出力しているところがほとんどであると思われますが、手書きによるときは、月末の納期限と休日が重なっていて、納期限が翌日となるような場合の表記に注意します。

※例　固定資産税の第４期分　２月28日→３月１日というような場合

⑨　滞納税の本税部分の金額を記入します。なお、分納や充当により一部が納付済みであるものについては「残○○円」と記入します。

⑩　延滞金については、その延滞金の計算の基礎となる本税が完納されていて、延滞金額が確定している場合は、確定金額を記入します。本税が未納で、延滞金の金額が未確定の場合は「法律による金額」または「要す」と記入します。滞納税が複数の年度または複数の期（月）にわたるような場合は、２行目以降の延滞金の欄の全てに「法律による金額」または「要す」と記入せずに、単に「〃」として上記と同様である旨の省略記号を用いても差し支えありません。

⑪　差押えには財産の処分を禁止する効力がありますから、どの財産について処分を禁止するのかを明確にするために、財産を特定する必要があります。また、差押えは将来の換価を視野に入れた処分でもあるところから、換価のときには物件を引き揚げることもあるでしょうし、公売することになれば評価額を見積もらなければならず、このような意味においても財産を特定しておく必要があります。特定というのは、その財産の名称、数量、性質および所在等を明瞭に表記することによって、誰が見ても（仮に将来、差押えを巡って訴訟が提起されて争われることになったとしても）差押財産欄の表記

を見れば、滞納者が所有している（すなわち、処分することができる権限を持っている＝支配権を持っている）財産であることが明確に分かるようにしておくことです。

動産の場合は、ⓐメーカー名、ⓑ型式、ⓒ性状・形状、ⓓ製造番号、ⓔ他の物件と区別することができる特徴などについて、差押えをした徴税吏員以外の第三者が見ても財産の特定に疑義が生じない程度に表記しておく必要があります。不動産については、差押えの登記を登記所（法務局）に嘱託しますから、登記簿と表示が一致していなければなりません。債権の場合は、差し押さえる債権（請求権）の種類、範囲、履行期限などを明記して、他の債権（請求権）と明確に区別することができるようにしておく必要があります。

このほか動産を差し押さえたときに、その動産を搬出する場合は、差押調書の余白に差押財産を搬出した旨を付記して「差押財産搬出調書」の作成に代えることができます（国税徴収法施行令第26条の２第２項）。また、差し押さえた動産を滞納者自身に保管させる場合は、その旨（「保管命令」）を差押調書の保管命令欄（特にこのような欄を設けていない場合は、余白でも差し支えありません）に付記します。滞納者の同意を得て第三者に保管させる場合も同様です（国税徴収法第61条、国税徴収法基本通達第61条関係の４および６参照）。

8 財産別差押調書の作成と留意点等

徴税吏員は、滞納者の財産を差し押さえたときは、差押調書を作成しなければなりません（国税徴収法第54条）が、この場合、国税徴収法施行令第21条第１項第３号により、差押財産の名称、数量、性質および所在について記入することとなっています。ここからは、差し押さえる財産別にその主なものについて、具体的な記載の仕方を例示するとともに、留意点等に触れていくこととします。

(1) 動産

差押財産	40インチ液晶カラーテレビ（○○株式会社製）１台　2021年３月製造 型式　LC-40E2-S　製造番号　1006682 附属品（乾電池式リモートコントロールスイッチ１台　GA073WJSA）
	令和○年○月○日 上記差押調書謄本記載の差押財産を搬出します。 ○○市収税課　徴税吏員　○○○○　㊞

※このほか「差押財産を引き揚げます」または「差押財産を搬出のうえ保管します」などとしてもよい（以下同じ）

〔留意点等〕

① 差押財産を特定する必要がありますから、例えば、テレビの場合は「ブラウン管」「液晶」「プラズマ」「有機 EL」いずれの方式によるカラーテレビなのかを明示します。また、テレビについては、複数台所有している者も少なくないので、メーカー、型式、製造番号を記入して他の物と区別できるようにしておきます。

② 差押財産を搬出するときは「所在」を記入する必要はありません。滞納者または第三者に保管させる場合は、例えば「○○県○○市○○町１丁目１番地の滞納者居宅１階の居間に設置」のように表示します。

③ 差押財産を滞納者または第三者に保管させた場合は、それが差し押さえられた財産であることを明示するために「封印」または「公示書」により表示した旨と、その表示箇所を記入します。なお、第三者に保管させるときは「上記財産を善良なる管理者の注意をもって、無償で保管することに同意します」旨の記載とともに、その者に署名押印させます。

④ 差し押さえた動産を搬出するときは、後日の紛議に備えて、搬出する前にその物が持つ本来の機能を備えているか、あるいは機能の一部に不具合がないか等について、立会人の面前で確認して、そのことを記録しておきます。例えば、外見上一部にキズや欠損がないかどうか、また電源を入れて画像の状態や音声の調子などについて確認します。差し押さえた動産の保管に関しては、善良なる管理者の注意義務（いわゆる「善管注意義務」〈民法第400条参照〉）がありますから、物件の扱いには慎重を期します。

⑤ 差押財産が多く、調書の差押財産欄に書ききれない場合は、「別紙　差押財産目録のとおり」として、別途、差押財産目録を作成しても差し支えあり

ません。この場合は、差押調書と差押財産目録とを契印します。

⑥　差し押さえた動産を搬出するときは、搬出調書を作成する必要があります（国税徴収法施行令第26条の２第１項）が、差押えをしてすぐに搬出するときは、上記の例のように差押調書の所定の欄（または余白）に差押財産を搬出した旨を記入することによって、搬出調書の作成に代えることができます（同施行令第26条の２第２項）。

⑵　有価証券

差押財産	①約束手形１枚　②券面金額　500,000円　③記号番号　ACC6733458
	④支払期日　令和○年○月○日　⑤支払地　東京都○区
	⑥振出日　令和○年○月○日 ⑦支払場所　株式会社○○銀行○○支店
	⑧振出人　東京都○区○町１丁目１番地　株式会社○○建設 代表取締役○○一郎
	令和○年○月○日 上記差押調書謄本記載の差押財産を搬出します。 ○○市収税課　徴税吏員　○○○○　㊞

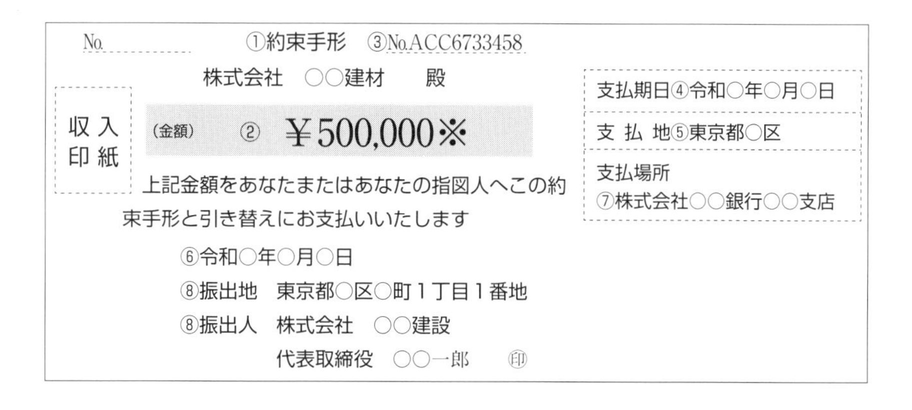

No.　①約束手形　③No.ACC6733458

株式会社　○○建材　殿

収入印紙

（金額）　②　￥500,000※

上記金額をあなたまたはあなたの指図人へこの約束手形と引き替えにお支払いいたします

支払期日④令和○年○月○日

支 払 地⑤東京都○区

支払場所
⑦株式会社○○銀行○○支店

⑥令和○年○月○日

⑧振出地　東京都○区○町１丁目１番地

⑧振出人　株式会社　○○建設

代表取締役　○○一郎　㊞

〔留意点等〕

①　差し押さえる有価証券の名称（種類）と数量（枚数）を記入します。ここでは「約束手形」の場合を例示しています。

②　差押財産の性質に相当するものとして「券面金額」

③　「記号番号」（振出人の管理番号）

④　「支払期日」

⑤　「支払地」

⑥ 「振出日」
⑦ 「支払場所」
⑧ 「振出人」の住所（所在地）と氏名（名称）
を記入します。

なお、差し押さえた約束手形を搬出するときは、「所在」（国税徴収法施行令第21条第１項第３号）を記入する必要はありません。差押財産の特定という観点からは、券面に記載されている上記①～⑧までが必要な事項であって、徴税吏員が当該有価証券を搬出し、占有したときは、その有価証券の所在（あった場所）を表示する意味がないからです。有価証券は、換価が容易な財産ですから、滞納者や第三者に保管させる意味はほとんどありませんので、差し押さえたときは、引き揚げてきます。

差し押さえた有価証券については、その有価証券に係る金銭債権の履行期日が既に到来しているもの、または近い将来において履行期日が到来するものであって、換価をするよりもその債権の取立てをする方が徴収上有利であると認められる場合は、その金銭債権を取り立てます（国税徴収法第57条および国税徴収法基本通達第57条関係の３参照）。取立てのための具体的な手続については、地方税法第16条の２（納付または納入の委託）の例によって行います。この場合、取立ては滞納者の名義で行うのではなく、徴税吏員（通常、現金出納員である収税課長）の名において行うことになりますので注意してください（国税徴収法基本通達第57条関係の４参照）。約束手形の裏面に「国税徴収法第56条に基づき差し押さえ、同法第57条に基づき滞納者に代位して取り立てる」旨を記入の上、徴税吏員（現金出納員）名の表示と押印をして金融機関に取立てを委託します。

(3)　債権

普通預金

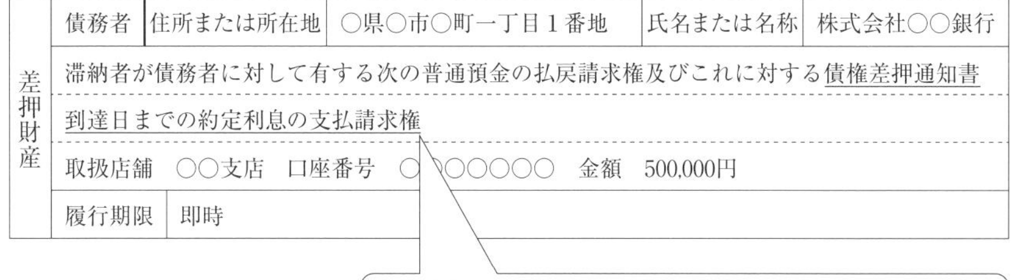

差押財産	債務者	住所または所在地	○県○市○町一丁目１番地	氏名または名称	株式会社○○銀行
	滞納者が債務者に対して有する次の普通預金の払戻請求権及びこれに対する債権差押通知書到達日までの約定利息の支払請求権				
	取扱店舗　○○支店　口座番号　○○○○○○○　金額　500,000円				
	履行期限	即時			

差押時までの利息債権についても差し押さえる旨表示します
（国税徴収法第52条第２項）④参照

〔留意点等〕

①　預金の差押えは、「債権差押通知書」を第三債務者（金融機関）に対して送達して行います（国税徴収法第62条第１項）。

②　債権の差押えは通常、その全額を差し押さえることとなっています（同法第63条）が、金融機関のように債務者の資力および支払いが確実である場合は、債権の全額ではなく、その一部を差し押さえることができます（同条ただし書き）[※13]。

③　預金差押えの効力は、「債権差押通知書」が第三債務者である金融機関に送達されたときに生じます（同法第62条第３項）。

④　預金差押えの効力は、差押え後の利息債権には及びますが、差押時までの利息債権には及びませんので、差押財産欄に差押時までの利息債権を差し押さえる旨記入します（同法第52条第２項ただし書き）[※14]。

⑤　債務者欄には、滞納者と取引のある金融機関の本店の所在地と名称を記入します。名称については「㈱○○銀行」のように略して書かずに「株式会社○○銀行」と正式名称で表示します。

⑥　債務者欄には、滞納者と取引のある金融機関の本店の所在地と名称を記入しますが、「債権差押通知書」は、滞納者の口座を管理している店舗（本店

※13　債権の差押えが原則として全額である理由については、「債権については、第三債務者の支払能力や対抗を受ける抗弁権の存否、他の債権者の有無等により債権の実質的な価値が定まるから、徴収職員が予め債権の実質的な価値を把握することが困難であり、そのため、どの程度の債権を差し押さえれば現実に徴収が可能となるかを知ることができないために、全額差し押さえを原則としたものである」とされています。（札幌高等裁判所判決、平成13年６月14日）（再掲）

※14　国税徴収法第52条第２項　差押の効力は、差押財産から生ずる法定果実には及ばない。ただし、債権を差し押えた場合における差押後の利息については、この限りでない。

または支店）宛てに送達します。前述のとおり、債権の差押えは、「債権差押通知書」の送達によって効力が生じますから、差押え後に金融機関が口座の閉鎖や取扱いの停止などの処理をする必要があることから、滞納者の口座を管理している店舗へ送達するのが合理的だからです。

⑦　履行期限欄には、「即時」と記入します。普通預金は、預け入れた金額について、いつでもその払戻しを受けることができるところから「期限の定めのない債務」（民法第412条第３項）であるとされます。したがって、差押え後はいつでも取り立てることができるので、このように記入します。

⑧　前掲③のとおり、債権差押えの効力は「債権差押通知書」の第三債務者への送達によって生じます（効力要件）から、郵送による送達のときは一般書留郵便とし配達証明扱いとします。なお、交付送達とするときは「送達記録書」を第三債務者である金融機関に持参し、受取人の署名と押印を徴します。この場合、受取人は当該金融機関の店舗で口座の管理について責任のある者であればよく、必ずしもその店舗の長でなくても差し支えありません。なお、債権差押通知書の受領欄が書式の中に設けられている場合は、別途「送達記録書」を作成する必要はありません。

定期預金

<table>
<tr><td rowspan="5">差押財産</td><td>債務者</td><td>住所または所在地</td><td>○県○市○町一丁目１番地</td><td>氏名または名称</td><td>株式会社○○銀行</td></tr>
<tr><td colspan="5">滞納者が債務者に対して有する次の定期預金の払戻請求権及びこれに対する債権差押通知書</td></tr>
<tr><td colspan="5">到達日までの約定利息の支払請求権</td></tr>
<tr><td colspan="5">取扱店舗　○○支店　証書番号　○○○○○○○　金額　1,000,000円</td></tr>
<tr><td>履行期限</td><td colspan="4">令和○年○月○日（満期日）</td></tr>
</table>

〔留意点等〕

①　債務者欄には、滞納者と取引のある金融機関の本店の所在地と名称を記入します。名称については、「㈱○○銀行」のように略して書かずに「株式会社○○銀行」と正式名称で表示します。

②　債務者欄には、滞納者と取引のある金融機関の本店の所在地と名称を記入しますが、「債権差押通知書」は、滞納者の口座を管理している店舗（本店または支店）宛てに送達します。

③　履行期限欄には、満期日を記入します。

④　債権差押えの効力は、「債権差押通知書」の第三債務者への送達によって

生じます（効力要件）から、郵送による送達のときは一般書留郵便とし配達証明扱いとします。なお、交付送達とするときは、「送達記録書」を第三債務者である金融機関に持参し、受取人の署名と押印を徴します。この場合、受取人は当該金融機関の店舗で口座の管理について責任のある者であればよく、必ずしもその店舗の長でなくても差し支えありません。なお、債権差押通知書の受領欄が書式の中に設けられている場合は、別途「送達記録書」を作成する必要はありません。

当座預金

差押財産	債務者	住所または所在地	○県○市○町一丁目１番地	氏名または名称	株式会社○○銀行
	滞納者が債務者に対して有する次の当座預金の払戻請求権				
	取扱店舗　○○支店　口座番号　○○○○○○○　金額　5,000,000円				
	履行期限	即時			

〔留意点等〕

① 債務者欄には、滞納者と取引のある金融機関の本店の所在地と名称を記入します。名称については「㈱○○銀行」のように略して書かずに、「株式会社○○銀行」と正式名称で表示します。

② 債務者欄には、滞納者と取引のある金融機関の本店の所在地と名称を記入しますが、「債権差押通知書」は、滞納者の口座を管理している店舗（本店または支店）宛てに送達します。

③ 履行期限欄には、即時と記入します。当座預金は、手形や小切手の支払いを決済するための口座で、無利息と定められています（決済用預金）。したがって、普通預金や定期預金のように利息の支払請求権は生じません。

④ 債権差押えの効力は、「債権差押通知書」の第三債務者への送達によって生じます（効力要件）から、郵送による送達のときは一般書留郵便とし配達証明扱いとします。なお、交付送達とするときは「送達記録書」を第三債務者である金融機関に持参し、受取人の署名と押印を徴します。この場合、受取人は当該金融機関の店舗で口座の管理について責任のある者であればよく、必ずしもその店舗の長でなくても差し支えありません。なお、債権差押通知書の受領欄が書式の中に設けられている場合は、別途「送達記録書」を作成する必要はありません。

売掛金

<table>
<tr><td rowspan="5">差押財産</td><td>債務者</td><td>住所または所在地</td><td>○県○市○町四丁目６番地</td><td>氏名または名称</td><td>株式会社○○工業</td></tr>
<tr><td colspan="5">滞納者が債務者に対して有する次の売掛金の支払請求権</td></tr>
<tr><td colspan="5">株式会社○○製作所製の工作機械５台分の売却代金　3,500,000円（消費税相当額を含む）</td></tr>
<tr><td colspan="5">売却日　令和○年○月○日</td></tr>
<tr><td>履行期限</td><td colspan="4">令和×年×月×日（支払期限が既に到来している場合は「即時」とする）</td></tr>
</table>

〔留意点等〕

① 売掛金についても預金などと同様に、全額を差し押さえます（国税徴収法第63条）。

② 債務者欄には、滞納者が物の売却代金の支払請求権などの売掛金債権を有している取引先を記入します。この事例では、滞納者が令和○年○月○日に売却した工作機械５台分の相手である株式会社○○工業となっています。

③ 差押財産欄には、売掛金に係る「契約の内容（何々を売却したなど）」「売却日」「売却金額」を記入して差し押さえる債権を特定します。

④ 履行期限欄には、その売却代金の支払期限が既に到来している場合は「即時」と記入し、滞納者と株式会社○○工業との間で定めがあればその日を記入します。

⑤ 債権差押えの効力は「債権差押通知書」の第三債務者への送達によって生じます（効力要件）から、郵送による送達のときは一般書留郵便とし配達証明扱いとします。なお、交付送達とするときは「送達記録書」を第三債務者に持参し、受取人の署名と押印を徴します。この場合、受取人は当該第三債務者において経理に責任のある者であればよく、必ずしもその代表者でなくても差し支えありません。なお、債権差押通知書の受領欄が書式の中に設けられている場合は、別途「送達記録書」を作成する必要はありません。

⑥ 売掛金を差し押さえるときは、納品書の控えや売上伝票、契約書などによって滞納者と債務者（取引の相手方）の取引の内容を把握しておく必要があります。また、後日の紛議を回避するためにも「債務確認書」を徴しておくか、または「聴取書」を作成しておくと確実です。

⑦ 売掛金については、それがまた別の支払いに回されるなど流動性の高い資金として、その会社の事業の継続に大きな影響を与えることもありますし、その差押えは取引先からの信用に大きなダメージを与えることになりますから、調査によって他のストック性の高い資金やその他の換価容易な財産があ

ることが判明したときは、そちらを差し押さえる配慮をします。なぜなら、滞納処分は、滞納者の事業や生活にダメージを与えるのが目的ではなく、滞納税の満足を得ることが目的だからです。

敷金

<table>
<tr><td rowspan="8">差押財産</td><td>債務者</td><td>住所または所在地</td><td>東京都○区○町二丁目３番地</td><td>氏名または名称</td><td>株式会社○○不動産</td></tr>
<tr><td colspan="5">下記不動産の賃貸借契約に基づいて滞納者が債務者に対して有する敷金の返還請求権</td></tr>
<tr><td colspan="5">賃貸借契約日　令和○年○月○日</td></tr>
<tr><td colspan="5">敷金の金額　500,000円</td></tr>
<tr><td colspan="5">不動産の表示（所　在）　東京都○○区○○町○丁目○番○号</td></tr>
<tr><td colspan="5">（構造・種類）　木造モルタル瓦ぶき２階建て</td></tr>
<tr><td colspan="5">（床面積）　200.42平方メートル</td></tr>
<tr><td>履行期限</td><td colspan="4">賃貸借終了後、賃借物件明け渡しのとき</td></tr>
</table>

〔留意点等〕

①　敷金とは「物の賃貸借において、賃料その他賃貸借契約上の債務を担保する目的であらかじめ賃借人から賃貸人に交付される金銭のことであり、その法的性質は、停止条件付返還債務を伴う金銭所有権の移転であると解され」ています（前掲『問答詳解　国税徴収法基本通達』第62条関係15の解説）。

②　債務者欄には、当該賃貸借物件の賃貸人の住所（または所在地）と氏名（または名称）を記入します。

③　差押財産欄には「滞納者が債務者に対して有する敷金の返還請求権」という債権である旨と、賃貸借契約日、敷金の金額、賃貸借不動産の表示を記入します。つまり、ここではどの不動産の賃貸借に伴う敷金であるかを明確に特定する必要があります。

④　履行期限欄には「賃貸借終了後、賃借物件明け渡しのとき」と記入します。敷金の場合はこのように賃借物件明け渡しのときまで取り立てることができませんので、むしろ保全的な意味合いが強く、滞納の短期的な解決には向いていません。したがって、他に換価が容易で早期解決が期待できる適当な財産がないような場合に差し押さえるのが妥当です。

生命保険

<table>
<tr><td rowspan="3">差押財産</td><td>債務者</td><td>住所または所在地</td><td>○県○市○町一丁目１番地</td><td>氏名または名称</td><td>○○生命保険相互会社</td></tr>
<tr><td colspan="5">滞納者（債権者）が債務者に対して有する下記の生命保険契約に基づく保険金支払い請求権（満期保険金を含む）、解約返戻金の支払請求権および利益配当金支払請求権
保険の種類　普通養老保険　契約年月日　平成（または令和）○年○月○日
保険証券番号　26759388114　保険期間　20年
保険契約者　滞納者の氏名　被保険者　滞納者の氏名
保険金受取人　滞納者の氏名（③参照）　保険金額　満期日500万円　死亡時500万円</td></tr>
<tr><td>履行期限</td><td colspan="4">解約返戻金の支払請求後、約款で定める支払条件成就の日</td></tr>
</table>

〔留意点等〕

① 生命保険に係る給付金または中途解約返戻金の差押えについては、かつて議論がありましたが、最高裁判所昭和45年２月27日判決、同平成12年９月９日判決および大阪高等裁判所平成13年６月22日判決などによって、滞納処分による差押えの対象となることに加えて、取立権に基づいて（差し押さえた保険契約を中途）解約することができることとされ、今日では実務上もこれらの考え方にのっとって差押えが行われています[※15]。

② 保険金支払請求権については（それに基づく保険金が）被保険者の死亡という保険事故の発生を条件として支払われるものであるところから、そのときの遺族の心情を考えれば、実務では、率直なところ何の躊躇（ちゅうちょ）もなく差し押さえることはできないかもしれません。しかし、万一の事態に備えるという意味では、保険に限らず貯蓄についても同じことが言えるわけですし、何よりも国民の義務である納税の義務を果たさないまま、任意保険の保険料を優先して支払っている滞納者を保護する合理的な理由を見つけることはできません。

また、保険の生活保障的な側面を過度に強調するあまり、保険金の滞納処分に消極的になって、そのような滞納者を看過することとなれば、納期内に納税している納税者との公平を欠くこととなり妥当ではありません。生命保

※15　**最高裁判所昭和45年２月27日判決（抜粋）**　保険金請求権は、通常の金銭債権として、国税又は地方税に関する滞納処分による差押の対象となりうるものと解するのが相当である。
最高裁判所平成12年９月９日判決（抜粋）　解約権は、一身専属性を有せず、差押債権者は取立権に基づいて解約することができる。
大阪高等裁判所平成13年６月22日判決（抜粋）　生命保険契約上の解約権は、一身専属的権利とはいえない。

険は、国民年金保険や国民健康保険のように法的な強制力のある「社会保険」ではなく、それ（保険）に加入するかどうかの決定権は、滞納者自身の自由な意思に委ねられており、あくまでも「任意保険」であるということを忘れてはなりません。貯蓄（預貯金）については差し押さえるけれども、保険については差し押さえないというのでは、論理的な一貫性がなく、公平であるべき税に対する国民（納税者）の信頼を損ねることになります。

最高裁判所平成11年９月９日判決（抜粋）　生命保険契約の解約権は、身分法上の権利と性質を異にし、その行使を保険契約者のみの意思に委ねるべき事情はないから、一身専属的権利ではない。（中略）生命保険契約は債務者の生活保障手段としての機能を有しており、その解約により債務者が高度障害保険金請求権または入院給付金請求権等を失うなどの不利益を被ることがあるとしても、そのゆえに民事執行法第153条により差押命令が取り消され、あるいは解約権の行使が権利の濫用となる場合は格別、差押禁止財産として法定されていない生命保険契約の解約返戻金請求権につき預貯金債権等と異なる取扱いをして取立ての対象から除外すべき理由は認められないから、解約権の行使が取立ての目的の範囲を超えるということはできない。

③　生命保険の滞納処分では、ほとんどの場合「解約返戻金の支払請求権」の差押えとその取立てになりますが、いつ起こるともしれない保険事故の発生を予測することは誰であろうとまず不可能ですから、実務では解約返戻金支払請求権の差押えと同時に、保険金の支払請求権についても差し押さえます。なお、約款または保険会社への照会により、利益配当金の支払いが受けられることが判明した場合は、利益配当金の支払請求権も併せて差し押さえます。なお、死亡時の保険金受取人が滞納者以外となっている場合は、保険金受取人として指定された者に保険金支払請求権が帰属することとなりますから、滞納者の財産（債権）として差し押さえることはできません。

解約返戻金と自動振替貸付制度　保険契約を解約したときに返戻される金額を解約返戻金と言い、「解約返戻金＝支払済保険料－（経費＋保険サービス料）＋配当金」となります。何らかの理由から保険料が支払われていない保険を差し押さえることもありますし、また、差し押さえたことにより、滞納者が保険料を支払わなくなる場合もあります。この場合「保険料自動振替貸付制度」によって、滞納者（保険契約者）に代わって保険会社が解約返戻金の範囲内で保険料相当額を自動的に立て替えることができます。これは、保険契約時に自動振替貸付制度の適用を申し込んでおく必要がありますので、保険約款を取り寄せて確認しておきます（または保険会社への照会により確認しておきます）。
利益配当金　配当金は、契約日から１年を超える保険契約に対して決算日に支払われます。ただし、全ての保険に配当金があるわけではなく、「有配当保険」と「無配当保険」がありますので、当該保険が、いずれであるかについては、約款または保険会社で確認してください。配当金には「利差配当＝運用利率が予想運用利率より大きい場合は剰余金が生じ、配当されます」「特別配当＝10年以上継続している保険契約に対して配当されます」「死差配当＝実際の死亡率が予想死亡率より低い場合は剰余金が生じ、配当されます」「費差配当＝実際に要した経費が予算より少ない場合は剰余金が生じ、配当されます」などの種類があります。

④　差押財産として生命保険契約を特定する必要がありますから、保険会社への照会により判明した「保険の種類」「契約年月日」「保険証券番号」「保険期間」「保険契約者」「被保険者」「保険金受取人」「保険金額」を記入します。

⑤　履行期限については、満期または保険事故の発生以外の事由によって中途解約するときは、解約返戻金の支払請求時とし、その他については、保険約款で定める支払条件成就の日とします。既に支払条件が成就しているものについては、即時に取り立てます。

⑥　生命保険の差押えに当たっては次の点に留意します。

ⓐ　前述のとおり生命保険には生活保障としての側面もありますから、金融商品などほかに投資的な要素の強い財産がある場合は、そちらの差押えを優先することが望ましいでしょう。

ⓑ　複数の生命保険があるような場合は、より貯蓄性の高い商品（例えば、一時払い養老保険など）を優先することが望ましいでしょう。

ⓒ　平成20年５月に「保険法」（平成20年法律第56号）が成立し、同法は、平成22年４月から施行されました。これにより新たに「介入権」（保険金受取人が所定の金額を債権者等に支払うことで、保険契約を存続させることができる制度）という概念が導入され、生命保険の滞納処分手続に若干の変更が生じることとなりました。

生命保険を差し押さえて取り立てる（解約する）ときは、生命保険の生活保障としての側面を考慮して、事前に催告を兼ねた「解約予告通知」をすることが望ましい。それでもなお完納とならない場合は、解約請求をする。保険法の施行に伴う介入権の導入により、この解約請求から1カ月間は解約の効力が生じないこととなった（保険法第60条第1項、第89条第1項）。

保険法第60条（契約当事者以外の者による解除の効力等）　差押債権者、破産管財人その他の死亡保険契約（第63条に規定する保険料積立金があるものに限る。次項及び次条第1項において同じ。）の当事者以外の者で当該死亡保険契約の解除をすることができるもの（次項及び第62条において「解除権者」という。）がする当該解除は、保険者がその通知を受けた時から一箇月を経過した日に、その効力を生ずる。

2　省略

3　省略

保険法第89条（契約当事者以外の者による解除の効力等）　差押債権者、破産管財人その他の傷害疾病定額保険契約（第92条に規定する保険料積立金があるものに限る。以下この条から第91条までにおいて同じ。）の当事者以外の者で当該傷害疾病定額保険契約の解除をすることができるもの（次項及び同条において「解除権者」という。）がする当該解除は、保険者がその通知を受けた時から一箇月を経過した日に、その効力を生ずる。

2　省略

3　省略

※　この「介入権」の導入に伴い、解約の効力発生が制限される1カ月の間は、延滞金が加算されることとなる上、自動振替貸付制度を利用している場合は、保険会社により相殺されるため、取立可能額が目減りしてしまうこともあり得る。

ⓓ　生命保険の差押え、取立てを行うと、滞納者から「税金のためなら人の生活がどうなってもいいと思っているのか」とか「人の将来を不安に陥れるようなひどいことをした」などといわれなき非難を受けることがありますが、国民の義務である納税を後回しにして（または納税義務を怠って）おきながら、加入が義務付けられているわけでもない任意保険の保険料を優先して払っていることの方が社会的な非難を免れません。国税・地方税ともに（法律上）優先の原則があり、他のいかなる債務よりもまず納税が優先されなければならないというのがわが国の法制度です。

ⓔ　生命保険会社に対する調査は、金融機関での預金調査とは違い、店舗に臨場して行う場合よりも、照会書による場合が多いと思われますが、効率的に行うために、ある程度の数をまとめて照会するのが望ましいでしょう。ただし、一時に膨大な量を照会するなど保険会社側に過度の事務的な負担をかけないよう配慮する必要があります。そして、保険会社の回答書から差押えが可能であると判断されるときは（通常の実務ではこの段階では既に数度の催告を行っているはずであるから重ねて）差押予告書のような催告をすること

なく、直ちに差し押さえます。

ⓕ 生命保険を差し押さえるときは、できればその保険の「約款」を保険会社から取り寄せて、契約条件（内容）を十分に把握します。時間的な余裕のないときは、電話やファクス、e-mailなどで確認します。

保険約款 保険は商品として多くの人を対象として迅速に契約を結ぶ必要があります。したがって、契約者一人ひとりと十分に時間をかけて条件を決めるなどの交渉をすることはできないので、保険会社があらかじめ保険契約の内容を定型的に決めておき、契約者がその内容を承諾することによって保険契約が成立するようにしています。この定型的な内容の文書を「約款」といい、法律的には附合契約とか附従契約などと言われています。保険約款には、おおむね次の内容が含まれます。

「（当該保険の）保障責任開始期日」「保険金の支払いに関すること」「保険契約の解除や無効に関すること」「保険料の支払いに関すること」「解約返戻金に関すること」「利益の配当に関すること」「契約内容の変更に関すること」「保険契約者への貸付に関すること」

貯蓄的な性質のある保険の例 保険には生活保障的な側面もあることについては否定できませんが、次に例示する保険については、むしろ貯蓄としての性質が強く、「個人年金保険」や「医療・介護保険」などに比べて差押えの対象として、より優先順位が高いと言えます。

「生存給付金付定期保険」「終身保険」「普通養老保険」「定期付養老保険」「一時払養老保険」「貯蓄保険」「変額保険」など。

ⓖ 保険料の自動振替貸付制度の適用がある保険を差し押さえたときは、保険料が支払われているかどうかを確認しておきます。このような保険を差し押さえたまま漫然と催告を繰り返していると、取り立てることができる解約返戻金が、目減りしてしまうこともあるので注意する必要があります。

保険料の支払いが滞った場合の措置 何らかの理由から保険料の支払いが滞った場合の措置としては、自動振替貸付制度のほかに一般に次のようなものがあります。

「中途減額」：保険金額を引き下げて、支払う保険料を減額します。
「延長保険」：保険料の支払いを中止して、保険期間を短縮します。
「払済保険」：保険料の支払いを中止して、保険を継続します。
「保険契約の復活」：保険契約は失効しても、保険会社が定める一定の期間内であれば、保険会社の承諾を条件として、元の契約に戻すことができます。ただし、解約返戻金を受け取っている場合は復活させることはできません。また、復活させるには、延滞保険料を支払う必要があります。

賃料

<table>
<tr><td rowspan="3">差押財産</td><td>債務者</td><td>住所または所在地</td><td>○県○市○町一丁目１番地</td><td>氏名または名称</td><td>株式会社○○興業</td></tr>
<tr><td colspan="5">下記不動産の賃貸借契約に基づいて滞納者（債権者）が債務者に対して有する令和○年○月分以降の家賃150,000円/月（共益費を含む）の支払請求権。ただし、滞納金額に満つるまで。
賃貸借契約日　令和○年○月○日
不動産の表示(所在)○○県○○市○○町七丁目５番地
（構造・種類）木造スレートぶき平屋建て　家屋番号　３番
（床面積）85.06平方メートル</td></tr>
<tr><td>履行期限</td><td colspan="4">賃貸借契約で定める家賃の支払日</td></tr>
</table>

〔留意点等〕

①　不動産を使用収益して、その対価として支払うのが賃料であり、目的物が家屋の場合は「家賃」と言い、目的物が土地の場合は「地代」と言います。賃料債権は、年金や給料などと同じく継続的な収入であり、これを差し押さえたときは、差押え後に支払われる金額の全てに差押えの効力が及びますから（国税徴収法第66条）、支払期ごとに毎回差し押さえる必要はありません。

②　賃料債権を差し押さえるときは、滞納者または第三債務者（上記の例では「株式会社○○興業」）から契約書の写しを徴求しておきます。写しが徴求できない場合は、第三債務者から「債務確認書」を徴求します。これは、差押財産である賃料債権の根拠である「契約書」、または契約の当事者である第三債務者から徴求した「債務確認書」によってその（契約）内容を確認し、それらをもとにして差押財産を特定する必要があるからです。

③　賃料債権の差押えでは、差押えをする側（徴税機関）と、される側（滞納者）のほかに、第三債務者という第三者が介在します。そして、滞納者と賃貸借関係にある第三債務者には「面倒なことには関わりたくない」とか「滞納者（債権者）との信頼関係を損ねたくない」という心理が働くので、中には調査に協力的でない第三債務者もいます。第三債務者の協力が得られなければ差押えに係る手続を円滑に進めることができません。そこで、差押えの趣旨や手続の詳細について第三債務者に丁寧に説明して、理解と協力が得られるように努める必要があります。

債務確認書の例（賃料債権の場合）

<table><tr><td>
令和○年○月○日

（第三債務者）
住所または所在地
氏名または名称　　　　　　　　㊞

確　認　書

債権者（滞納者）○○○○に対する賃料債権（家賃）の差押えについて、次のとおり回答します。
1　債権差押通知書到達時（令和○年○月○日）の債権者（滞納者）○○○○に対する債務金額　金　　　　　円（契約書記載の金額）ただし、（月払・半年払・年払・その他（　　　　））
2　債務額の△△△市に対する支払いの見込みおよび期日
3　保証人の有無とその住所（または所在地）氏名（または名称）
4　賃料債権（家賃）が既に他の債権者（税務機関を含む）に差し押さえられていることの有無およびその内容
5　その他参考事項
</td></tr></table>

④　共益費は、賃貸借物件を維持管理するために必要な費用であり、契約の中で賃料中に含まれるとするものと、賃料とは別扱いとするものとがあります。いずれにしても賃料本体が賃貸借物件を使用収益することの対価であるのに対して、共益費はこれに付随するものであり、債権としては別個のものです。したがって、賃料債権の差押えの効力は、当然には共益費には及びませんので、別途、差し押さえる必要があります。実務上は、記入例のように（共益費を含む）と付記します。

⑤　履行期限については、賃貸借契約で定めている賃料の支払日とします。賃料の支払日について契約で定めていない場合は、毎月末が支払日となります（民法第614条）。

⑥　差し押さえようとする賃料債権に係る物件に、既に滞納税の法定納期限等に優先する抵当権が設定されている場合は、抵当権の物上代位によって当該抵当権で担保されている民事債権が滞納税に優先して配当を受けることになるので、そのような場合は、賃料債権の差押えをしても無駄であるとの考え方があります。

ところで、バブル経済崩壊後の固定資産税の徴収ではこのようなケースがかなり見受けられました。バブル経済が崩壊してから既に30年以上も経過した今日においても、なおその影響を引きずっている処理困難事案が地方団体（とりわけバブル期に地価上昇の著しかった都市部）の徴収現場を悩ませています。しかもこれらのケースではほとんどの場合、滞納税の法定納期限等に優先する抵当権が設定されており、不動産公売が困難であるばかりか、民事債権者等からの無益な差押えであることを理由とした差押解除の要求にさらされて、差押えの維持すら瀬戸際に立たされています。

しかし、このような困難な状況があるにしても、次の理由から賃料債権の差押えは徴収上実効性が期待できるので、積極的に取り組むべきであると考えます。

理由１　優先する抵当権によって担保されている債権を有する者（民事債権者）が抵当権による物上代位として賃料債権の差押えをしてくるまでには、通常、手続的に数カ月かかるので、それまでの間の取立てが可能であること。

理由２　滞納処分による賃料債権の差押えがあると、優先する抵当権によって担保されている債権を有する者（民事債権者）は、競売にかけるか物上代位により賃料債権を差し押さえるか、あるいは担保不動産収益執行とするかの判断を迫られることとなり、いずれにしても長い間事実上の「塩漬け」状態になっていた処理困難事案がこれを契機に進展することになる。

理由３　当該物件の収益性が高く、また当該物件の差押えに係る滞納税の金額が比較的少額である場合（これは絶対的なものではなく、当該物件の収益性や当該物件によって担保されている債権の規模等によって相対的に判断されることになる）は、優先する抵当権によって担保されている債権を有する者（民事債権者）が、滞納処分による滞納税の充足を黙認する場合もあり得ます（ただし、過大な期待は禁物です）。

⑦　前記③でも触れましたが、賃料の差押えでは第三債務者の理解と協力が大変重要であり、差押えの趣旨や手続の詳細について第三債務者に丁寧に説明するためにも、「債権差押通知書」の交付についてはできるだけ交付送達の取扱いとします。その際は、例えば説明文の例（注意事項を含む）を使って第三債務者に理解と協力を求めます。

説明文の例

令和○年○月○日

不動産賃料債権（家賃支払請求権）の差押えに関する協力のお願い

このたび滞納となっている市税を徴収するために、国税徴収法に基づいて○○○○さん（滞納者）があなたに対して有している賃料債権（家賃の支払請求権）を差し押さえました。これは、○○○○さんの財産（賃料債権）を差し押さえたのであり、あなたの財産を差し押さえたのではありません。

この差押えによって、あなたが○○○○さんに支払うべき家賃（賃料債務）については、当市にお支払いいただくこととなります。当市にお支払いいただくことで、あなたには○○○○さんに家賃を支払ったのと同じ効果が生じます（=家賃の支払義務を果たしたことになります）。

なお、○○○○さんに対しては、別途、差押調書（謄本）をお送りして、あなたから家賃を取り立てることを禁止していますので、今後、○○○○さんへ家賃をお支払いにならないようにしてください。万一、○○○○さんに家賃をお支払いになっても、あなたの当市への支払義務はなくなりません（民法第481条）ので、ご注意ください。

また、○○○○さんとの間で賃料債権と他の債権とを相殺する特約をしている場合を除いて、○○○○さんの賃料債権とあなたが有する他の債権とを相殺することはできませんので十分ご注意ください。

この件に関してご不明な点がございましたら、下記担当までご連絡ください。お手数ではございますが、ご理解ならびにご協力くださいますようお願いいたします。

△△△市収税課徴収係
電話（□□□）□□□□内線□□□
担当　徴税吏員　日本太郎

給料等

差押財産	債務者	住所または所在地	○県○市○町三丁目５番地	氏名または名称	○○商事　株式会社
	債務者が滞納者（債権者）に支払うべき令和○年○月分以降の毎月の給料等のうち、国税徴収法第76条第１項各号に掲げる金額を控除した金額の支払請求権。ただし、滞納金額に満つるまで。				
	履行期限	毎月の給料等支払日			

〔留意点等〕

① 給料等とは「給料、賃金、俸給、歳費、退職年金及びこれらの性質を有する給与に係る債権」（国税徴収法第76条第１項）のことを言います。なお、給与とは給料よりも広く、給料、賃金、賞与等その名目のいかんにかかわらず、雇用関係またはこれに準ずる関係に基づいて提供される労務の対価として支払われるものを言います。法律上も「給与所得とは、俸給、給料、賃金、歳費及び賞与並びにこれらの性質を有する給与に係る所得をいう」（所得税法第28条）として給料を包含した概念として給与を定義しています。

② 債務者欄には、支払者である第三債務者（上記の例では「○○商事　株式会社」）の所在地と名称を記入します。

③ 差押財産欄には、いつの分からどれだけの金額について差し押さえるのかが特定できるような文言を記入します。具体的には「いつの分から」については、直近に到来する支払月分以降とし、「どれだけの金額」については、支払われる給料等の金額から国税徴収法第76条（国税徴収法施行令第34条も含む）による差押禁止額を控除した金額で、滞納金額（延滞金も含む）に満つるまでの金額とします。賃料や給料等のような（賃貸借契約または雇用契約に基づく）継続的な収入に係る債権の場合は、いったん差押えをすると、支払われるたびに差し押さえる必要はなく、滞納金額に満つるまでと表記することによって、差押え後の給与支払いにまで差押えの効力が及びます（国税徴収法第66条）。

ここでは具体的な金額は記入しません。それは、給料等や控除される金額が、必ずしも毎月一定の金額でない場合（昇給・減給または生計を一にする親族数の変更など）があり得るからです。具体的な金額は、その都度給与支払者（第三債務者）が、「給料等差押可能金額算出表」（別表１参照）によって計算した金額によります。

別表１　給料等差押可能金額算出表

<table>
<tr><th colspan="5" rowspan="2">給料等差押可能金額算出表</th><th>計算例</th><th rowspan="2">滞納者〇〇〇〇さんの給料等を基に計算してください</th></tr>
<tr><th>※同一生計の親族数を３人と仮定</th></tr>
<tr><td>イ</td><td colspan="4">給　料　等　の　月　額</td><td>円
500,000</td><td>円</td></tr>
<tr><td rowspan="6">ロ</td><td rowspan="6">国税徴収法第76条第１項各号</td><td colspan="3">給料等の月額から控除する金額（①＋②＋③＋④＋⑤）</td><td>円
368,000</td><td>円</td></tr>
<tr><td>①</td><td>第１号の金額</td><td>所得税法の規定により源泉徴収される所得税額</td><td>円
25,000</td><td>円</td></tr>
<tr><td>②</td><td>第２号の金額</td><td>地方税法の規定により特別徴収される地方税額</td><td>円
40,000</td><td>円</td></tr>
<tr><td>③</td><td>第３号の金額</td><td>健康保険法その他の法律等の規定により給料等から控除される社会保険料額</td><td>円
35,000</td><td>円</td></tr>
<tr><td>④</td><td>第４号の金額</td><td>国税徴収法施行令第34条の金額
滞納者　100,000円
生計を一にする親族　45,000円×人数</td><td>円
235,000</td><td>円</td></tr>
<tr><td>⑤</td><td>第５号の金額</td><td>｛イ－（①＋②＋③＋④）｝× $\frac{20}{100}$
ただし、④の金額の２倍を限度とする。</td><td>円
33,000</td><td>円</td></tr>
<tr><td>ハ</td><td colspan="4">差押可能金額（イ－ロ）</td><td>円
132,000</td><td>円</td></tr>
</table>

注１　計算例の金額は、便宜上任意のもので実際のものではありません。
注２　ハの欄の金額を、滞納金額に満つるまで毎月、当市にお支払いください。
注３　④のうち滞納者と生計を一にする親族の中には、婚姻の届出をしていないが、事実上婚姻関係と同様の事情にある者を含みます（※１）
注４　イの給料等の月額の中には、役員報酬、超過勤務手当、扶養家族手当、宿日直手当、通勤手当等を含みます（※３）
注５　給料等のほかに賞与が合わせて支給されるときは、給料等とみなして合算したうえでロの金額を計算してください（※２）
注６　イの欄の金額に1,000円未満の端数があるときは、切り捨ててください（※４）
注７　ロの欄の金額に1,000円未満の端数があるときは、切り上げてください（※４）

※１　国税徴収法施行令第34条後段　滞納者と生計を一にする配偶者（婚姻の届出をしていないが、事実上婚姻関係と同様の事情にある者を含む。）

※２　国税徴収法第76条第３項前段　賞与及びその性質を有する給与に係る債権については、その支払を受けるべき時における給料等とみなして、第１項の規定を適用する。

※３　国税徴収法基本通達第76条関係１（これらの性質を有する給与）　法第76条第１項の「これらの性質を有する給与」とは、役員報酬、超過勤務手当、扶養家族手当、宿日直手当、通勤手当等をいう。

※４　国税徴収法基本通達第76条関係３（差押可能金額）　法第76条第１項の規

定に基づき差押えができる金額の計算に当たっては、その計算の基礎となる期間が1月未満のときは、百円未満の端数を、1月以上のときは千円未満の端数を、それぞれ次のように取り扱うものとする。
(1)　給料等の金額については、切り捨てる。
(2)　法第76条第1項各号に掲げる金額については、切り上げる。

④　履行期限は、毎月の給料等の支払日とします。

⑤　なお、給料等の差押えについては、一定の控除額（差押禁止額）があることについては、前掲③のとおりですが、このうち国税徴収法第76条第1項、第2項、第4項については、滞納者の承諾があるときは適用されません（同法第76条第5項）。この場合は、滞納者から「給料等の差押えに関する承諾書」（別表2参照）を徴取しておきます。

別表2　給料等の差押えに関する承諾書

令和○年○月○日

△△△市長　様

給料等差押承諾書

住所＿＿＿＿＿＿＿＿＿＿＿＿
氏名＿＿＿＿＿＿＿＿＿＿＿印

私が次の給与支払者から受ける毎月の給料等のうち、金○○○○円について、滞納金額に満つるまでの金額の差押えを受けることを承諾します。

給与支払者（名称）　凸凹商事　株式会社
　同　（所在地）　○○県○○市○○町三丁目5番地
　同　（担当者）　総務課経理係　凸山凹郎　☎○○○（○○○）○○○○内線○○

国税徴収法基本通達第76条関係15（承諾）　法第76条第5項の「滞納者の承諾」とは、徴収職員が同条第1項、第2項及び第4項の規定を適用しないで給料等又は給料等に基づき支払を受けた金銭の差押えをすることに、滞納者が同意することをいう。この滞納者の承諾は、書面により徴するものとする。

この承諾書の住所・氏名欄には、滞納者に住所と氏名を記入させます（押印も)。また、滞納者から同書により承諾を受けたときは、その旨を「承諾を受けた金額」とともに債権差押通知書に付記して、第三債務者（支払者）に知らせます。なお、この承諾書に印紙税は課税されません（国税徴収法基本通達第76条関係15の（注）および印紙税法第２条参照)。

⑥　給料等の差押えについては、滞納者と支払者との関係において、情緒的なものも含めてさまざまな形で微妙な影響を及ぼすことがあります。しかし、それは自主納税に応じない滞納者に責任があるのですから無用な心配であり、いわば自業自得でもあるのですが、調査、そして差押えから取立てまでの一連の手続は円滑に行う必要があります。そこで、給料等の差押えでは、第三債務者に対して、差押えに関する一連の書類を単に送付するだけでなく、あらかじめ電話または臨場するなどして理解と協力を得ておく努力が求められます。そうしたことの一環として、債権差押通知書には、次のような文書を同封するといいでしょう。

令和○年○月○日

給料等の差押えに関する協力のお願い

△△△市長

このたび滞納となっている市税を徴収するために、御社が雇用している○○○○さん（滞納者）の給料等を差し押さえました。つきましては、○年○月以降の給料等の支払日に、同封の給料等差押可能金額算出表により計算していただき、算出された金額（ハの金額）を、同封の用紙にて本市宛て納入してください。なお、ご不明の点がございましたら、下記担当者までお問い合わせください。

△△△市収税課徴収係　徴税吏員　日本太郎
☎○○○（○○○）○○○○内線□□□

郵便貯金

<table>
<tr><td rowspan="3">差押財産</td><td>債務者</td><td>住所または所在地</td><td>○県○市○町五丁目5番地</td><td>氏名または名称</td><td>○○貯金事務センター所長</td></tr>
<tr><td colspan="5">滞納者（債権者）が債務者に対して有する次の通常郵便貯金の払戻請求権および債権差押通知書到達日までの確定利息の支払い請求権。
通常郵便貯金　通帳記号番号　○○○○○－○－○○○○○○○○○
貯金額　金　1,000,000円</td></tr>
<tr><td>履行期限</td><td colspan="4">即時</td></tr>
</table>

〔**留意点等**〕

① 郵便貯金の場合、貯金の「照会書」を出してから、その回答がくるまでの期間が長い場合があるので、そのようなときは、漫然と回答を待ち続けるのではなく、発送後一定の期間が経過したら、必ず確認の電話をするようにします。

② 債務者欄には、地域を統括している貯金事務センターの所在地とその所長を名宛人として記入します。

③ 債権の特定については、記入例のように貯金の種類（上記の例では「通常郵便貯金」）、通帳の記号番号、そして貯金額を記入します。

④ 郵便貯金の差押えの効力は、差押後の利息債権には及びますが、差押時までの利息債権には及びませんので、差押財産欄に差押時までの利息債権を差し押さえる旨記入します（国税徴収法第52条第2項）。

⑤ 履行期限については、それぞれ郵便貯金の種類に応じて記入します。上記の例では通常郵便貯金ですから、「即時」となります。

⑥ 郵便貯金の差押えの効力は、他の債権と同じく「債権差押通知書」が第三債務者に送達されたときに生じます（国税徴収法第62条第3項）。

⑦ 郵便貯金の場合、差し押さえた金額については、後日、貯金事務センターから「郵便貯金払戻証書」が送られてきます（おおむね2～4週間以内）ので、それを近くの郵便局へ持参し、払戻しを受けることになります。

○企申第○○○号
令和○年○月○日

○○市長　様

○○貯金事務センター所長
日本太郎　　㊞

郵便貯金払戻証書の送付について

このたび債権差押通知書により、郵便貯金払戻証書を発行しましたので、下記のとおり送付いたします。

記

郵便貯金払戻証書	1枚
払戻証書金額	1,000,000　円

担当　業務企画課監査係　○○○○　電話　○○○－○○○○

【参考】日本郵政のホームページより引用

2007年（平成19年）10月１日、郵政民営化関連法により、日本郵政株式会社と４つの事業会社に分かれ、民営化されました。その後、約４年半が経過した2012年（平成24年）４月27日、第180回国会で郵政民営化法等の一部を改正する等の法律案が可決・成立し、2012年（平成24年）５月８日に公布されました。

これにより、2012年（平成24年）10月１日から郵便事業株式会社と郵便局株式会社が統合され、日本郵政グループは現行の５社体制から４社体制へと再編されます。

また、ユニバーサルサービスの範囲が拡充され、今までの郵便のサービスのみならず、貯金、保険の基本的なサービスを郵便局で一体的に利用できる仕組みが確保されるようになります。

株式会社ゆうちょ銀行と株式会社かんぽ生命保険の株式は、その全部を処分することを目指し、両社の経営状況、ユニバーサルサービス確保の責務の履行への影響を勘案しつつ、できる限り早期に処分することとされています。

なお、日本郵政株式会社の株式については、2011年（平成23年）11月30日、第179回国会において可決・成立した「東日本大震災からの復興のための施策を実施するために必要な財源の確保に関する特別措置法」により、政府は、復興債の償還費用の財源を確保するため、日本郵政株式会社の経営状況、収益の見通しその他の事情を勘案しつつ処分の在り方を検討し、その結果に基づいて、できる限り早期に処分することとされています。

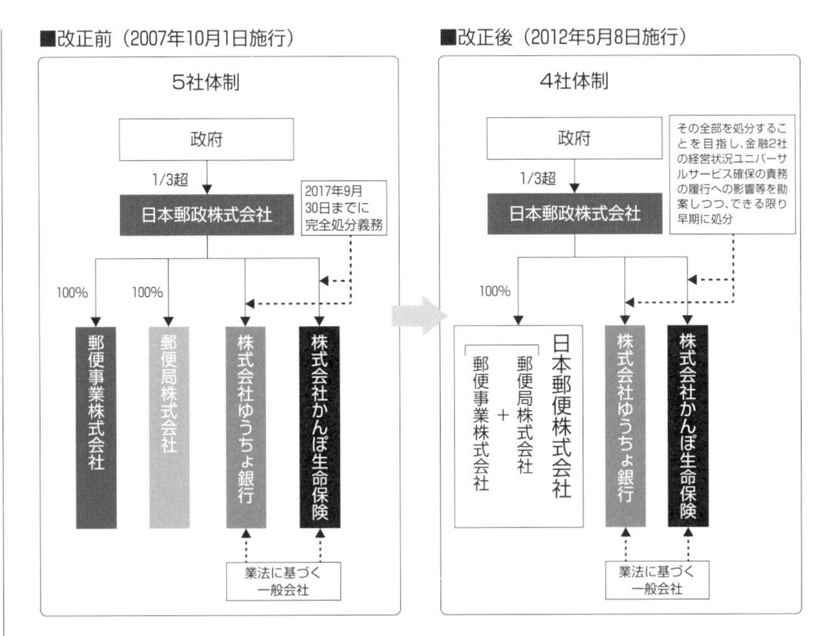

※郵便貯金をはじめとして日本郵政関連事業については、今後も変更になる可能性がありますので、制度改正には留意してください。

診療報酬

差押財産	債務者	住所または所在地	○県○市○町七丁目７番地	氏名または名称	社会保険診療報酬支払基金
	滞納者（債権者）が債務者に対して有する令和○年○月請求に係る診療報酬○○○○円の支払請求権および滞納者（債権者）が債務者から支払いを受けるべき令和○年○月から令和○年○月までの診療に対する診療報酬債権の支払請求権。 ただし、滞納金額に満つるまで。				
	履行期限	各月の支払日			

〔留意点等〕

① 診療報酬は、診療担当者（医師）が保険診療をしたときに発生する債権（請求権）で、診療担当者（医師）が、保険者から支払いの委託を受けている社会保険診療報酬支払基金または国民健康保険団体連合会に対して請求する権利とされています。そこで、債務者欄には、社会保険診療報酬支払基金または国民健康保険団体連合会と記入します。

② 診療報酬は、診療担当者（医師）が社会保険に基づく診療を続ける限り、

将来にわたって継続的に発生するものであり、その発生はほぼ確実に予測することができます。このようなことから、給料等のように、継続的な収入として差し押さえることも考えられますが、滞納整理では、おおむね1年以内に限りその始期と終期を定めて差し押さえることとされています（国税徴収法基本通達第62条関係25）。これは、昭和54年9月19日の東京高等裁判所の決定に倣ったものです。

確かに診療報酬債権と給料等の債権は、いずれも事実上は継続収入として捉えることも可能ですが、法的に見てみると、前者は診療担当者（医師）の診療行為があって初めて確定的・個別的に発生する債権であるのに対して、後者は、給料等の支払者と債権者である被雇用者との「雇用契約」（公務員の場合は「任用」）に基づいて発生する債権であるという違いがあります。しかし、裁判例および滞納整理では、診療担当者（医師）が社会保険に基づく診療を続ける限り、将来にわたって継続的に発生するものであり、かつその発生はほぼ確実に予測することができるという診療報酬の実態に鑑み、それほど遠い将来のものでない限り、債権の範囲を特定して差し押さえることができるものとしました。

③　差押財産の特定表示は、記入例のように「滞納者（債権者）が債務者に対して有する令和○年○月請求に係る診療報酬○○○○円の支払請求権および滞納者（債権者）が債務者から支払いを受けるべき令和○年○月から令和○年○月までの診療に対する診療報酬債権の支払請求権」とします。既に確定している診療報酬支払請求権の差押えだけで滞納税額を充足する場合は、記入例の「および」以下の文言は不要です。それだけでは滞納税額に達しないため、将来発生する診療報酬の支払請求権まで差し押さえる必要があるときに「および滞納者（債権者）が債務者から支払いを受けるべき令和○年○月から令和○年○月までの診療に対する診療報酬債権の支払請求権。ただし、滞納金額に満つるまで」の文言を加えます。

④　履行期限は、各月の支払日とします。

⑤　診療報酬の差押えの効力は、他の債権と同じく「債権差押通知書」が第三債務者に送達されたときに生じます（国税徴収法第62条第3項）。

⑥　「債権差押通知書」は、診療担当者（医師）の住所地の都道府県基金事務所宛て送付します。

⑦　その他の留意事項については、次のとおりです。

ⓐ　診療報酬債権の差押えについては、それが保険医療制度の根幹をなすもの

であるとともに、診療担当者（医師）の生活に与える影響も大きいので、他の財産によって滞納税額を充足できるときは、そちらを優先することが望ましいと言えます。

ⓑ　かつてのバブル経済期に、その資力を活用して不動産や株式に過剰な投資をした一部の医師・歯科医師が、バブルの崩壊とともに経済的に破綻して、税金を滞納することも稀（まれ）ではありませんでした。診療報酬の差押えでは、おおむね１年以内という制約はあるものの、将来支払いを受けるべき分についても差し押さえることがあるので、差し押さえるときは、繰上徴収に該当する場合を除き、このような「特段の事情」の有無についてあらかじめ調査しておく必要があります（最高裁判所昭和53年12月15日判決参照）。なぜなら、このような事情があるときは、診療報酬債権が将来にわたって継続的に発生することが危ぶまれるとともに、かつその発生が必ずしも確実に予測することができるとは限らないからです。

⑷　不動産

土地や建物などの不動産は、一般にその売却価額が高額であるところから、高額滞納事案に係る滞納処分に適しています。また、債権と違って換価手続が複雑で時間もかかるので、これまで地方税の滞納整理では差押えまではするものの、公売まで手続を進めるものがそれほど多くはありませんでした。しかし近年、地方税の徴税吏員の技量向上には目を見張るものがあり、公売も含めた不動産の滞納処分は、従来にも増して積極的に行われています。

《土地の場合》例

差押財産	所在　○○県○○市○○町三丁目 地番　５番 地目　宅地 地積　120.07平方メートル

《家屋の場合》例

差押財産	所在　○○県○○市○○町三丁目５番地 家屋番号　５番 種類　居宅 構造　木造瓦ぶき２階建て 床面積　100.98平方メートル

〔留意点等〕

① 不動産の差押えは、滞納者に対する「差押書」の送達によって行います(国税徴収法第68条第１項)。

② 不動産の場合、売買などによる物権変動の対抗要件（所有権が移転したことなどを法律上正当なものとして主張すること）は「登記」とされているので、差押えをしたことを登記所の登記官に嘱託します（国税徴収法第68条第３項)。

③ 不動産の差押えの効力は、「差押書」が滞納者に送達されたときに生じます（国税徴収法第68条第２項)。ただし、差押えの登記が「差押書」の送達の前にされたときは、その登記がされたときに差押えの効力が生じます（同条第４項)。これは、対抗要件としての登記がされているにもかかわらず、差押えの効力が生じていないという不都合を解消するための例外的な措置ですから、差押えの登記がされていれば「差押書」の送達はしなくてもいいということではありません。後に「差押書」の送達がされることを条件としてこのような例外が認められているのです。

④ 差押財産欄には差し押さえる不動産について、登記簿上の表示と一致させて記入します。なお、共同担保目録（不動産登記法第83条第２項）などから複数の不動産を発見して、これらについて一括して差し押さえるような場合、差押財産欄に表示しきれない場合がありますが、そのようなときは、別紙に差し押さえる不動産を表示して、差押財産欄には「別紙のとおり」と記入します。そして、「差押書」と「別紙」とをずらして重ね、両方にまたがって契印を押します。

⑤ 「差押書」の送達時期については、特に法律上の定めはありませんが、国税徴収法第68条第４項の「前項の差押の登記が差押書の送達前にされた場合には、第２項の規定にかかわらず、その差押の登記がされた時に差押の効力が生ずる」という規定からすると、まず「差押書」の送達があって、次に登記されるのが原則で、例外的に登記が先になされた場合、その登記のときをもって差押えの効力が生じるというようにも読めます。しかし、同条は「差押書」の送達と登記手続の先後を規定したものではなく、差押えの効力発生時期を規定したものですから、具体的な手続については、実務上の合理的な要請に従って決定して差し支えありません。そこで、実際には登記嘱託をした登記所から「補正」の指示があったり、差押えの登記の直前に所有権移転をされたりする場合があることを考慮すると、差押えの登記が完了したこと

を確認してから「差押書」を送達することとしても差し支えありません。このことについて、国税の例ですが次のような裁決事例がありますので、参考にしてください。

【参考】平成17年11月４日裁決　裁決事例集No.70　413頁より抜粋

通常、滞納者への「差押書」の発送は、法務局への差押登記嘱託書の発送とほぼ同時に行われるところ、本件においては、平成16年５月○日にＨ地方法務局及び同法務局Ｊ支局に対して差押登記嘱託書が発送され、その17日後の同月○日に請求人らに対して本件「差押書」が発送されており、その間、請求人らは本件差押処分について了知できない状態であったことが認められる。

しかしながら、国税徴収法第68条第１項は、不動産の差押えは、滞納者に対する「差押書」の送達により行う旨規定しているが、「差押書」の発送期限についての規定はない。また、当審判所の調査によれば、請求人らに対する本件「差押書」の発送が遅れたのは、原処分担当職員が本件差押処分に係る差押手続きを確実に行うために、通常と異なる発送手続きではあるものの、差押えの登記を確認した上で請求人らへ本件「差押書」を発送したものであり、本件「差押書」は請求人らに送達されていることから、本件「差押書」の送達まで19日間経過していたとしても、直ちに本件差押処分を取り消さなければならないほどの違法または不当な事由とまでは認められない。

したがって、この点に関する請求人らの主張は、理由がない。

⑥　差押えの登記嘱託の際は、「差押調書（謄本）」をもって登記原因を証する書面として登記嘱託書に添付します。本来であれば登記申請は、その真正さの担保と虚偽内容の登記を防止する観点から、登記権利者と登記義務者の共同申請によるのが原則なのですが、官公署による登記については、それが当事者の意思によるものではなく、法律の規定に従ってなされるため信用性・信頼性が高いので、その根拠を「差押調書（謄本）」によって明示することで、単独で登記申請をすることが認められています（不動産登記法第16条第１項、第115条、第116条）。

⑦　差押えの登記は、「登記嘱託書」によって行います。平成16年法律第123号によって不動産登記法が改正され、平成17年３月７日から施行されました。それに伴い登記嘱託書については、「オンライン庁用」を用いることとなりました。記載事項については、ほぼ従前のものと変わりませんが、次のような若干の変更点があります。

平成20年7月14日をもって、全ての法務局（本局・支局・出張所）がオンライン庁となりました。

ⓐ 「縦書き」から「横書き」になった。

ⓑ 嘱託書の記載事項等に補正すべき点があるような場合に、登記所の担当者から連絡するための連絡先電話番号を記載することとなった。

ⓒ オンライン庁において、不動産番号があるときは、これを記載すれば、土地の所在、地番、地目および地積（建物の所在、家屋番号、種類、構造および床面積）の記載を省略することができるようになった。

オンライン庁の例（土地の場合）

登　記　嘱　託　書

登記の目的　差押え

原　　因　令和○年○月○日　○○市　差押え

権 利 者　○○市

義 務 者　○○県○○市○○町三丁目5番地5号

　　　○○○○

添付書類　差押調書（謄本）

令和○年○月○日嘱託　○○法務局　○○支局（出張所）　御中

嘱 託 者　○○市長　○○○○　㊞

　　　連絡先電話番号　○○○－○○○－○○○○

登録免許税　登録免許税法第5条第11号

不動産の表示

　不動産番号　○○○○○○○○○○○○○

　所在　○○県○○市○○町三丁目

　地番　5番

　地目　宅地

　地積　120.07平方メートル

※ 法務省のホームページでも、登記嘱託書の様式のサンプルと説明が紹介されています。

9　滞納処分の執行停止

(1)　納税の緩和措置

言うまでもなく、国税であれ地方税であれ、納税は国民の義務です（日本国憲法第30条）。しかし、滞納者の中には「事情があって全額を一括して納めることはできないが、納税するために努力していることを評価してくれ」と言う人がいます。特に分納中の滞納者で、履行と不履行を繰り返している滞納者にこうした傾向があるようです。つまり、その言わんとするところは、納税の義務があることは承知しているが、やむにやまれぬ事情があって、直ちに完納することはできないが、途切れながらも分納していることを多としてほしいというのです。

分納の長期化を招く原因の一つに、財産調査と、それに基づく納付能力の判定を十分に行わないまま、滞納者によるこの種のお願いを安易に受け入れて、再び分納を続けるよう指導するといった実務取扱いがあるのではないかと推察されます。納税の義務があるといっても、滞納者について真にやむを得ない事情があって、一括して納税することが困難な場合は、法律も納税の緩和措置を用意しているのであって、要件の充足を条件に一定期間納税を猶予したり、場合によっては、納税義務そのものを消滅させたりすることもできます。租税法律主義の下では、租税を課すときは、法律に基づいた要件による必要がありますから（課税要件法定主義）、いったん課税したものについて、その後納税者について生じた一定の事由により、それを解除するときも法律に基づく必要があります。したがって、徴税吏員による単なる聴取りによって、裁量で納税義務を消滅させることなどは当然できません。

この納税緩和措置には、期限の延長、徴収猶予、換価猶予、滞納処分の執行停止などがあります。ここでは、滞納処分の執行停止について説明します。

(2)　滞納処分の執行停止

この滞納処分の執行停止という制度は、滞納税の強制徴収手続である滞納処分を止めるだけでなく、一定の期間を経過すると納税義務そのものが消滅するというものであり、究極の納税緩和措置とも言うべきものです。期限の延長、徴収猶予、換価猶予など他の納税緩和措置が、少なくとも本税部分については完納させることが前提となっているのに比べて、滞納処分の執行停止は、滞納処分すべき財産がないか、または滞納者自身が行方不明で財産もないなど、滞納処分をすることが事実上不可能な場合の措置であるところから、滞納者を巡る状況の変化（資力の回復）による任意の納税は妨げられませんが、完納させることが前提となっているわけではありません。

滞納処分の執行停止は、換価猶予（申請による換価猶予を除く）とともに地方団体の長が職権で行うものです。これは、徴収猶予が納税者（特別徴収義務者を含む）に納税資金調達のための時間的余裕を与えるために、一定期間は履行の請求をしないというものであるのに対して、滞納処分の執行停止や換価猶予は、滞納者が置かれた客観的状況に照らして手続を続行することに実益がなく（ないしは少なく）、したがって、一定の要件の下に滞納税の強制徴収手続を止めるか、または徴収上の有利さを考慮して一定期間は換価の手続に着手しないというものであるところから、それぞれ「処理の促進」や「納税の効果」を考えて地方団体の長にその権限が委ねられたのだと考えられます。

⑶　要件

滞納処分の執行停止の要件は、地方税法第15条の７によれば次の三つです。

①　「滞納処分をすることができる財産がないとき」（第１項第１号）

滞納者に帰属する財産を全て差し押さえて、換価してもなお滞納税が残る場合については、残余の額について停止します。また既に差し押さえた財産についてそれを換価しても租税に優先して配当しなければならない債権があり、換価の実益がない場合についても停止とします。

なお、財産がないことの判断については、理論上は第二次納税義務の賦課や詐害行為取消権・債権者代位権の行使の可能性についても検討した後に行うこととなっていますが、地方団体における滞納整理の実情に鑑みれば、全ての対象事案についてこれらの徴収手段の検討や捜索まで行ってからでなければ滞納処分の執行停止とすることができないとすることは、相当な事務的負担を強いることになると思われます。

そこで比較的滞納税額が僅少であるものについては、一般論として言えば、帳簿調査（確定申告書等課税資料、登記簿など）、実地調査、金融機関等取引先調査、勤務先調査（給与照会）などを行っても財産が発見できなければ、滞納処分の執行停止とすることもやむを得ないものと考えます。ただし、滞納税額が高額で税収への影響が大きい場合など公平の観点から見て深度のある調査が必要であると認められる事案については、滞納処分の執行停止とするかどうかの判断をする際に、考えられる（そして、実務上可能な）あらゆる徴収手段の選択肢について検討したものの、滞納処分をする財産を発見することができなかったという状態にしておく必要があるでしょう。

②「滞納処分をすることによつてその生活を著しく窮迫させるおそれがあるとき」（第１項第２号）

この要件は、事柄の性質上、法人である滞納者には適用がなく、自然人の滞納者について当てはまるものです。これは、滞納処分をすることによって生活保護法の適用を受けなければ生活の維持ができなくなる程度の生活状態に陥るような場合のことを言い、具体的には、国税徴収法施行令第34条に規定する金額を指標とします。

③「その所在及び滞納処分をすることができる財産がともに不明であるとき」（第１項第３号）

この要件は、滞納者の所在が不明であるとともに、滞納処分をすることができる財産も不明であることが必要であって、いずれか一方だけである場合は該当しません。例えば、滞納者の所在が不明であっても滞納処分をすることができる財産があれば、その財産について滞納処分をすることは可能です（民法第25条～第28条、会社法第476条参照）から、滞納処分の執行停止とすることはできません。

⑷　効果

滞納処分の執行停止の効果は、地方税法第15条の７第３項、第４項、同法第15条の９第１項によれば次の三つです。

①　生活の窮迫を理由とした滞納処分の執行停止をしたときは、既に差し押さえた財産があれば、その差押えを解除しなければなりません（同法第15条の７第３項）。なお、滞納処分の執行停止とした滞納税については、新たに差押えその他の滞納処分をすることができません。なぜなら滞納処分の執行停止は、滞納処分すべき財産がないなど「滞納処分を続行することができない客観的な状況が存在する」ことを前提として強制的な徴収手続を止めるというものですから、そのような場合に新たな強制徴収手続を取るというのは矛盾しているからです。

また、既に差押えをしているものの、当該財産を換価した場合、他の優先債権への配当を考慮すると、滞納税への配当・充当が見込めないため、滞納処分の執行停止とした場合も、差押えを維持する実益がないので解除することとなります（国税徴収法第79条第１項第２号）。

② 滞納処分の執行停止をしたときは、その停止した期間が３年間継続すると、納税義務が消滅します（地方税法第15条の７第４項）。この３年間は、時効の更新や完成猶予ということがない除斥（じょせき）期間です。これは消滅時効とは別の絶対的な期間ですから、これとは別に消滅時効は進行しています。したがって、この滞納処分の執行停止期間中に消滅時効が完成すれば、執行停止期間満了の前に納税義務が消滅することがあります。

ところで滞納処分の執行停止は、滞納処分すべき財産がないなど「滞納処分を続行することができない客観的な状況が存在する」ことを前提として強制的な徴収手続を止めるというものですから、このような状態を長期にわたって継続させることは、法的安定性や業務処理の効率性、また手続経済上の観点からも意義を見いだしがたいので、このように一定期間滞納処分の執行停止状態が継続したときは、納税義務が消滅することとしているのです。なお、徴収権の消滅時効が５年とされ（同法第18条）、滞納処分の執行停止期間３年が経過したときに納税義務が消滅することとされたのは、いずれも税務事務の大量性・反復性に配慮するとともに、いつまでも処理未了の状態に置くという法的に不安定な状態を継続させないためといった法的安定性の観点から制度設計されたからであると考えられます。

③ 滞納処分の執行停止期間中については、延滞金が免除されます（同法第15条の９第１項）。既に触れたように、滞納処分の執行停止は徴税機関による強制的な徴収手続を止めるというものであって、滞納者による自主納税を妨げるものではありません。滞納処分することができる財産がないなどの理由から滞納処分の執行停止としたのに、自主的に納税することができるというのは釈然としないように思われるかもしれませんが、前述のとおり滞納処分の執行停止は、地方団体の長の職権で行われるものであるところから、ある一定の時点で行った調査に基づいてなされるものです。したがって、その後の３年間に定期的な追跡調査・補完調査を行うこととなってはいるものの、その間の滞納者を巡る状況の変化によって納税資力が回復することも考えられます。滞納処分の

執行停止は、平易な表現で言うならば、滞納者に対する強制徴収をいわば「棚上げにする」ことですから、その間における自主的な納税を妨げるものではありませんし、３年間の除斥期間が満了するまでは納税義務は残っているのです。

しかし、そうはいっても滞納者側のやむを得ない事情から滞納処分の執行停止としたわけですから、そうした事情が継続している停止期間中の延滞金については、その納付について免除することとされています。

(5)　納税義務の即時消滅

前述のとおり、滞納処分の執行停止は、滞納者について認められる一定の事由を要件として、滞納税の強制徴収をいわば「棚上げにする」ことですから、その事由が客観的に見て動かしがたいものである場合は、納税義務を残したままでそのような状態を継続させることに、もはや実益はないこととなります。そこで地方税法第15条の７第５項は、「その地方団体の徴収金が限定承認に係るものであるときその他その地方団体の徴収金を徴収することができないことが明らかであるときは、地方団体の長は、前項の規定にかかわらず、その地方団体の徴収金を納付し、又は納入する義務を直ちに消滅させることができる」ものとしています。

限定承認というのは、相続した財産が負債超過になるかもしれない場合に、その清算を行った結果、負債が残ってもその責任は負わずに、積極財産が残っていればその部分を相続するというものです（民法第922条～第937条)。したがって、滞納税が「限定承認に係るものであるとき」は、明らかに徴収することができないわけですから、そのような状態を３年間継続させることに実益はないこととなります。そこで、そのような場合には、納税義務を直ちに消滅させることによって、不良債権の処理を促進しようというわけです。このように即時に納税義務を消滅させることができるのは、「滞納処分をすることができる財産がないとき」（地方税法第15条の７第１項第１号）に限定承認等があった場合に限ります（同条第５項)。

その他徴収することができないことが明らかであるときとは、例えば解散や廃業した法人で、現地に臨場しても事務所・事業所・工場などはなく、滞納処分することができるような財産も一切ないような場合や、出国したまま行方が知れず、しかも将来帰国の見通しがなく、加えて国内にも連絡先がないような場合を言います。

納税義務を直ちに消滅させるための具体的な事務手続としては、当該事案について、納税義務を直ちに消滅させるために必要な資料を添付して納税義務消滅に係る発議・決裁をし、滞納者に対して納税義務消滅通知を送付します（国税徴収法基本通達第153条関係17参照）。なお、同通知は、法令の規定に基づくものではありませんが、そのような状況にある滞納者を、いつ請求を受けまた滞納処分を受けることになるか分からないという不安定な状態のままに置くことは望ましくないので、それによって納税義務の消滅を了知させるためのものであって、効力要件ではありません。また、納税義務の消滅に伴い、不納欠損の処理を行うことになりますが、これは地方団体内部の会計上の手続であって、滞納者に対して別段の効果を及ぼすものではありません。納税義務の消滅という税法上の手続と、調定額からの減額という会計上の手続とを混同しないように注意する必要があります。

(6) 取消し

いったん滞納処分の執行停止としたのは、当該滞納者について、強制徴収をいわば「棚上げ」にしたということであって、納税義務を確定的に消滅させたわけではありません。したがって、停止期間中に納税資力が回復したことなどが認められれば、停止を取り消して滞納税の履行を請求し、必要であれば滞納処分をしなければなりません。そこで、地方税法では「停止に係る滞納者につき同項各号に該当する事実がないと認めるときは、その執行の停止を取り消さなければならない」（同法第15条の８第１項）としています。この場合、単に当初の停止の決議において、停止の事由とされた事実がないと認められるに至っただけでなく、取消しをしようとする時点で、他の事由（同法第15条の７第１項各号）にも該当しなくなったと認められなければ取り消すことができないことに注意する必要があります。なぜなら、滞納処分の執行停止というのは、当該滞納者について認められる固有の事情・状況に着目して行うものですから、その者について、それらの事情等が存在しなくなったことが確認できて、初めて取り消すことができるからです。

この停止の取消しは、停止期間中に行った追加調査・補完調査によって停止事由の消滅を確認した後に、「棚上げ」にしていた滞納税の強制徴収を復活させるというものですから、その確認が不十分・不正確であったために「取り消すべき理由がない場合の取消しは、違法な取消しとして、不服申立ての対象となる」（『国税徴収法精解』吉国二郎ほか共編、一般財団法人大蔵財務協会）ものです。取消しの効果は、既に経過した取消しまでの期間には及ばないことから、遡及効のない「撤回」（将来に向かって効力を失わせること）であるとされています。

【滞納処分の執行停止に関するＱ＆Ａ】

〔Ｑ〕

滞納処分の執行停止とする金額について、滞納額の全額としなければならないでしょうか。一部徴収可能な金額を徴収した後に（あるいは確実に徴収することが見込まれる金額を控除した）残税額を停止とすることはできますか。

〔Ａ〕

滞納処分の執行停止は、滞納処分する財産がないとか、滞納処分をすることによって滞納者の生活を著しく窮迫させるおそれがあるなど、滞納者について固有の事情が認められる場合に行うものであり、こうした制度の趣旨に照らせば、滞納税額の一部について停止とすることには疑問があります。つまり、滞納者その人がどのような状況にあるかということに着目しているのですから、本来ならば、オール・オア・ナッシングということになるはずです。

しかし、例えば既に差押えをしている定期預金を、満期日に取り立てて滞納税に配当・充当したとしても、なお滞納税が残り、しかも他にこれといった財産がないような場合に、その残存税額についてそのままにしておくことは実益がなく、処理促進の観点からも、その部分について停止とすることが望ましいと考えられます。そこで、実務上、このように滞納税額のうち、近い将来確実に徴収することができると認められる金額を控除した残りの部分について、停止とすることは差し支えないものと考えられます。

ところで、このような実務取扱いにしたとしても、例えば、不動産のように公売して滞納税を一括して整理するほどの財産はないものの、給料等（賞与も含む）から毎月少しずつ分納を続ければ何年か後には完結する見込みがあるような事案については、なかなか悩ましい判断を迫られるものと思われます。停止期間が３年間だから、その期間内に分納により完結すればいいのか、それとも消滅時効期間が５年間であるから、それ以内に分納により完結すればいいのか、それとも法定の猶予が延長を認めたとしても最長で２年間なのだから、これを超える分納は認められないとするのか、という問題です。

納税緩和措置のうち、徴収猶予は納税者等が「一時に」納税することができないと認められる場合であり、換価猶予は滞納者が「誠実な意思」を有すると認められる場合に執られる措置であって、いずれも一時的な事由から一定期間徴収や換価を猶予すれば完納することが前提となっています。これに対して滞納処分の執行停止は、猶予に比べれば徴収の可能性が一段と低く、したがって強制徴収の執行を停止せざるを得ない上に、一定期間経過後は納税義務が消滅するというものですから、その要件は一段と厳しく、認定は厳格に行わなければならないものです。

10 換価

(1) 換価の意義

換価とは、滞納者の財産を強制的に金銭に換える行政上の措置のことを言います。租税債権が金銭債権であることについては、既に差押えに関する説明のところで触れました。租税債権は金銭債権なので、それを消滅させるには、税額に相当する金銭に納付書を添えて当該租税債権者の収納窓口、金融機関または郵便局等※16で納付する必要があります。

納付という納税義務者の自主的な行為によって租税債権を消滅させることができない場合は、滞納者の意思にかかわらず滞納者の財産から滞納税を強制的に徴収する必要があり、そのための手続として国税徴収法は、滞納処分に関する規定を設けています（同法第５章)。換価は、その中の第３節第89条から第127条までとなっています。このように換価は、配当とともに滞納処分の最終的な段階として位置づけられており、後戻りすることができないという意味では、実質的には滞納整理の「最後で最終の手段」と言えるでしょう。

国税徴収法により狭義の換価をしなければならないとされている財産は、差し押さえた財産のうち、次に掲げるものを除いた財産のことを言います（国税徴収法第89条第１項、同法基本通達第89条関係１)。

① 金銭および債権

② 国税徴収法第57条第１項（有価証券に係る債権の取立て）の規定により取り立てる場合の有価証券

③ 国税徴収法第73条第５項（差し押さえた債権の取立て等の準用）において準用する第67条第１項（差し押さえた債権の取立て）の規定により取り立てる場合の無体財産権等

※16 最近では、コンビニエンスストアでの納税やクレジットカードでの納税、あるいは、モバイルレジ、ペイジーなどの方法による納税など、納税方法の多様化が進んでいます。

国税徴収法が規定する換価を分類すると、表のようになります。

<table>
<tr><td rowspan="6">広義の換価</td><td></td><td colspan="2">取立て（法第67条、第57条第１項、第73条第５項）①債権、②金銭給付を目的とする債権を表象する有価証券、③無体財産権等のうち、取立てをするもの</td></tr>
<tr><td rowspan="5">狭義の換価</td><td rowspan="2">公売（法第２款）</td><td>入札</td></tr>
<tr><td>競り売り</td></tr>
<tr><td>随意契約（法第109条）</td><td>① 法令の規定により、公売財産を買い受けることができる者が１人であるとき。
② その財産の最高価額が定められている場合において、その価額により売却するとき。
③ その他公売に付することが公益上適当でないと認められるとき。
④ 取引所の相場がある財産をその日の相場で売却するとき。
※上場有価証券の換価は、原則として証券会社に委託して証券取引所において売却する（換価事務提要93「上場有価証券の委託売却の手続き」）
⑤ 公売に付しても入札または競り売りに係る買受けの申込みがないとき。
⑥ 入札等の価額が見積価額に達しないとき。
⑦ 買受人が買受代金を期限までに納付しないため、売却決定が取り消されたとき。</td></tr>
<tr><td>国による買い入れ（法第110条）</td><td>① 公売に付しても入札または競り売りに係る買受けの申込みがないとき。
② 入札等の価額が見積価額に達しないとき。
③ 買受人が買受代金を期限までに納付しないため、売却決定が取り消されたとき。</td></tr>
</table>

※ 法→国税徴収法

(2) 取立て

取り立てるという用語は、いかにも「厳しい言い方」であるかのような響きがあります。租税債権者が滞納税を確保するために差し押さえた滞納者の債権は、本来であれば、滞納者自身が自らその債権を行使することによって自主的に金銭に換え、その金銭によって任意に納税すべきものです。しかし、督促や催告により履行の請求をしても、滞納者がこれに応じることなく自主的に納税しない場合、租税債権者は、滞納税を確保するために、滞納者の財産を差し押さえて、その事実上・法律上の処分を禁止することになります。そのときに差し押さえた滞納者の財産が債権である場合は、差押えをした当該租税債権者は、差押債権を実現する（＝金銭化する）ために、第三債務者に対して「取立て」という行政上の措置を執ることによって、債権を金銭という（納税することができる）現物に換えます。

すなわち、差押えによって滞納者に対しては、その債権に基づく第三債務者への請求を禁止し、第三債務者に対して債権者である滞納者への支払いを禁止するだけでは滞納税の確保までに至らず保全行為にとどまるので、差押えをした租税債権者としては、それに続く行為として「取立て」という行政上の措置を執る必要があるのです。このように「取立て」という用語には、（第三）債務者に直接働きかけて債権を金銭という現物に換えるという意味があります。

取立権については、徴税吏員に固有の権利であるとする考え方と、滞納者に代わって権利を行使するという考え方がありますが、近時は、裁判例においても前者の考え方が主流になっています。両者の考え方について、裁判例を見てみましょう。

①　平成11年９月９日最高裁判所第一小法廷判決

金銭債権を差し押さえた債権者は、民事執行法第155条第１項により、その債権を取り立てることができるとされているところ、その取立権の内容として、差押債権者は、自己の名で被差押債権の取立てに必要な範囲で債務者の一身専属的権利に属するものを除く一切の権利を行使することができるものと解される。生命保険契約の解約権は、身分法上の権利と性質を異にし、その行使を保険契約者のみの意思に委ねるべき事情はないから、一身専属的権利ではない。また、生命保険契約の解約返戻金請求権は、保険契約者が解約権を行使することを条件として効力を生ずる権利であって、解約権を行使することは、差し押さえた解約返戻金請求権を現実化させるために必要不可欠な行為である。したがって、差押命令を得た債権者が、解約権を行使することができないとすれば、解約返戻金請求権の差押えを認めた実質的意味が失われる結果となるから、解約権の行使は、解約返戻金請求権の取立てを目的とする行為というべきである。

②　平成14年11月15日東京地方裁判所判決

国税徴収法第47条、第62条に基づいて生命保険契約の解約返戻金請求権を差し押さえた国が当該生命保険契約を解約する行為は、解約返戻金請求権を同法第67条に基づいて取り立てるために、滞納者が当該生命保険契約の約款に基づく権利として有する解約権を、滞納者に代わって、保険会社に対して行使する行為に過ぎない。国税徴収法に基づく差押えは、公権力の行使として行われる行政処分であるから、同法に基づいて差押え処分を行った国の地位と、民事執行法に基づいて差押命令を得たに過ぎない私人の地位が、差押え処分後においても異なっていることは当然であり、そのことから直ちに取立行為自体が公権力の行使として行われるものと解することはできず、（以下略）

なお、取立権に関する国税での取扱いは「徴収職員は、債権差押えにより、その債権の取立権を取得するから、徴収職員が自己の名で被差押債権の取立てに必要な裁判上及び裁判外の行為をすることができる（以下略）」（国税徴収法基本通達第67条関係３）というものです。ところで、同通達第67条関係６では、前記裁判例①における反対意見を斟酌（しんしゃく）して、次のような配慮事項を置いています。

【参考】国税徴収法基本通達第67条関係３

生命保険契約の解約返戻金請求権を差し押さえた場合には、差押債権者は、その取立権に基づき滞納者（契約者）の有する解約権を行使することができる（平成11.9.9最高判参照）。ただし、その解約権の行使に当たっては、解約返戻金によって満足を得ようとする差押債権者の利益と保険契約者及び保険金受取人の不利益（保険金請求権や特約に基づく入院給付金請求権等の喪失）とを比較衡量する必要があり、例えば、次のような場合には、解約権の行使により著しい不均衡を生じさせることにならないか、慎重に判断するものとする。

⑴　近々保険事故の発生により多額の保険金請求権が発生することが予測される場合
⑵　被保険者が現実に特約に基づく入院給付金の給付を受けており、当該金員が療養生活費に充てられている場合
⑶　老齢又は既病歴を有する等の理由により、他の生命保険契約に新規に加入することが困難である場合
⑷　差押えに係る滞納税額と比較して解約返戻金の額が著しく少額である場合

※差押債権者による死亡保険契約等の解除は、保険者（保険給付の義務を負う者）が解除の通知を受けた時から１カ月を経過した日に、その効力が生じる（保険法第60条第１項、第89条第１項）。ただし、介入権者（保険契約者以外の保険金受取人であって、保険契約者もしくは被保険者の親族または被保険者である者）が、保険契約者の同意を得て、当該期間が経過するまでの間に、解約返戻金に相当する金額を差押債権者に支払うとともに、保険者に対しその旨の通知をしたときは、解除の効力は生じない（同法第60条第２項、第89条第２項）。

取立ては、徴税吏員の権能であると同時に、責任を伴うものでもあります（取立責任）。租税債権者は、滞納税を確保するために滞納者が有する債権を差し押さえて、その処分を禁止することになりますから、債権を差し押さえられた滞納者は、それ以降その債権を譲渡したり、相殺したりして処分することができないだけでなく、自ら取り立てることもできなくなります。

つまり、滞納者にしてみれば、自分の債権（財産）でありながら自分の思い

どおりにならず、当該債権は、差し押さえられた時点からは、いわば差押えをした租税債権者の管理下に置かれることになるわけです。したがって、例えば、滞納者が有する債権を差押えはしたものの、それについて適時に取り立てることを怠ったために、その（差し押さえた）債権が時効になってしまったような場合は、差押えをした租税債権者として国家賠償法に基づく賠償責任を問われることもありますので、差し押さえた債権の管理は、特に慎重に行う必要があります。

【参考】国税徴収法基本通達第67条関係７

（取立ての責任） 徴収職員が被差押債権の取り立てに当たって故意又は過失により違法に滞納者に損害を与えたときは、国は、国家賠償法第１条第１項《公権力の行使に基づく損害の賠償責任》の規定により、滞納者に対してその損害を賠償しなければならない場合がある。

差し押さえた債権を、いつの時点で取り立てるかについて規定した法律はないところから、「適時に取り立てる」とは一体いつのことを言うのか議論のあるところです。このことについて国税での裁決事例で考えてみましょう。

この裁決事例は、債権を差し押さえてから10年６カ月も経ってから取り立てたというものではあるものの「差し押さえた債権の取立てをしなければならない期間について規定した法律はない」のであるから、個々の事例の事実を踏まえて各別に判断すべきであり、本件についていえば次のような本件固有の事情があったので、違法、不当ではないと結論づけています。すなわち、この事例においては、滞納者の還付申告等によっては滞納国税が減少する可能性があり、また、ほかに取立てが容易な財産を差し押さえていたため、当該生命保険契約に基づく解約返戻金請求権を取り立てる必要性が低かったという固有の事情があったというのです。

むろんこの事例でのこうした固有の事情の妥当性をここでにわかに判断することはできませんが、被差押債権の取立てについて、滞納整理の実務では一般に、滞納者の事情を考慮するにしても、実に10年以上も取立権の行使を留保するのは、滞納者を長い間不安定な状態に置くことになるとともに、滞納者に（「役所は、どうせ取立てはしないという」）安易感を抱かせることにも通ずるので、決して好ましいことではありません。また、長期間差し押さえたままの状態に置くことで、管理しなければならない債権を増やすことにもなり、整理すべき対象の累積・滞留を招きかねません。

また、租税債権の消滅時効が5年であることや、滞納処分の執行停止（期間）が3年であることを考えると、10年という期間は尋常ではありません。

差し押さえた債権を、いつの時点で取り立てるかについて規定した法律がないとはいうものの、差押えという滞納税の強制的な徴収のための手続に着手した以上、当該被差押債権の性質に従って、合理的な期間内に取り立てる必要があります。

合理的な期間については、個々の事案の固有の事情を一切捨象してこれを画一的に決めることはできませんが、処分禁止という差押えの強力な効力と、納税資金を調達するために一定の時間を確保するという趣旨からすれば、できるだけ短くすべきことは明らかです。

【参考】国税徴収法基本通達第67条関係13の逐条解説（一般財団法人　大蔵財務協会刊）より抜粋

差し押さえた債権の取立てとして金銭を取り立てた場合、本来、その取り立てた金銭が滞納国税に充てられるまでの間は滞納国税は消滅せず、その期間に対応する延滞税が発生することになるが、滞納者の責めに帰さない事由によって滞納者に延滞税を負担させることは相当でない。そこで、金銭を取り立てたときは、その金額の限度で、取り立てた時に納税義務が消滅したものとみなすこととしたのである。

次に取り立てる債権の範囲について考えてみます。債権を差し押さえるときは、その全額を差し押さえなければなりません（国税徴収法第63条）が、その理由は「債権については、第三債務者の支払い能力や対抗を受ける抗弁権の存否、他の債権者の有無等により債権の実質的な価値が定まるから、徴収職員が予め債権の実質的な価値を把握することが困難であり、そのため、どの程度の債権を差し押さえれば現実に徴収が可能となるかを知ることができないために、全額差押えを原則とした」（平成13年6月14日札幌高等裁判所判決）というものでした。つまり、これは「債権の実質的な価値は、名目上の額によって定まるのではなく、第三債務者の弁済能力によって定まるもの」（前掲『国税徴収法精解』）なので、その一部を差し押さえるだけでは確実性に欠けることがあるため、全額を差し押さえることによって滞納税の確保を十全ならしめようとする趣旨にほかならないのです。

このような債権の性質に鑑みて、全額差押えが原則とされたわけですから、差押えに続く取立ての段階でも全額の取立てが認められなければ、結局は、滞納処分として画竜点睛を欠くことになります。全額を取り立てることの意味は、第三債務者にとっては、全額を弁済することによって、履行遅滞を免れることになるとともに、差押債権者にとっては、取立責任を全うすることにもなります。

取立ての方法は、第三債務者に対して履行の請求をすることによって行います。なお万一、第三債務者が履行の請求に応じないときは、給付の訴えまたは支払督促を申し立てることになります。なぜなら、第三債務者は、差押えをしている当該地方団体に対して納税義務を負っているわけではないので、当該地方団体が債権の差押えによって徴収しようとしている徴収金を滞納しているとは言えませんから、取立てに応じないからといって、自力執行権によって、第三債務者に対して滞納処分を行い強制的に徴収することはできないからです。このように取立権を取得した当該地方団体が行使する被差押債権は、元々、滞納者が第三債務者に対して有していた私法上の債権なので、これの強制的な実現を図ろうとする場合は、給付の訴えまたは支払督促の申立てなど被差押債権の取立訴訟という民事執行の形式を取ることになります。

ところで、地方自治法によれば、当該地方団体が原告として被差押債権の取立訴訟を提起するときは、議会において議決することを要します（同法第96条第１項第12号）から、その場合は、適法に課税された地方税債権であることや、当該地方税債権を滞納処分によって差し押さえたことを請求の原因として給付の訴えを提起することなど、裁判において主張・立証しようとする内容も含め議案として議会に提出し、その議決を得る必要があります。

徴税吏員が被差押債権を取り立てたときは「その限度において、滞納者から差押に係る国税を徴収したものとみなす」（国税徴収法第67条第３項）という規定がありますが、これは「擬制」と言って、本質の異なるものを、実務上の不都合を解消するために、その法律的な取扱いにおいて同一のものとする立法上の措置です（ほかに同法第57条第２項、第73条第５項参照）。すなわち、取り立てた被差押債権は、租税債権ではなく、私法上の債権であるため、本来であればそれを取り立てて金銭に換えてから滞納税に充当しなければ（租税債権は）消滅しないのですが、取立ての場合については、充当の前であるにもかかわらず、徴収したものと「みなす」取扱いにしたのです。つまり、実際に充当の手続をする時期にかかわらず、実務の取扱いでは、取り立てた段階で滞納に係る租税債権については、徴収したものと「みなす」こととしたため、延滞金加算の終期としては、取り立てたそのときがこれに該当することになります。

【参考】「取立てがなされるまでは延滞金が発生し続ける」（再掲）

平成29年９月12日東京高等裁判所「差押債権取立請求控訴事件」判決

滞納処分としての債権差押えの場合は、第三債務者から取り立てたときに滞納者から差押えに係る国税を徴収したものとみなされるのであり（徴収法第67条第３項）、また、延滞税は本税を完納する日まで発生するから（国税通則法第60条第２項）、本件各差押えがされただけであり、取立てにより各滞納会社から本件各租税債権を徴収したものとみなされるに至っていない以上、本件各租税債権のうちの延滞税は発生し続けているのであって、これを被控訴人が取り立て得ることは明らかである。控訴人は、本件各報酬等債権の履行期が到来するごとに上記延滞税の額が確定していることを前提として、本件各差押えの終期について主張するが、控訴人が取立てに応じないため、上記延滞税の額は未確定のままなのであるから、控訴人の主張はその前提を欠くものである。

取り立てた金銭は、そもそも滞納者と同一の立場で取得した私法上の債権に基づくものなので、そのまま租税収入として受け入れることはできません。いったん歳入歳出外現金として受け入れて、一時保管して振替処理をした後に、滞納税への充当手続をすることによって税収となります。

⑶　公売（狭義の換価）

公売とは公の競売のことで、入札または競り売りの方法によって広く差押財産の買受希望者を募り、差押財産をできるだけ高価に売却することで税収の確保を図るとともに、買受人間の自由競争により、滞納者にとって有利な価格決定を目指そうとするものです。公売は、差し押さえた滞納者の財産を強制的に売却し、その売却代金を滞納税に充てるものであるところから、滞納者はもとより、差し押さえられた滞納者の財産上に権利を有している者に対しても事実上および法律上極めて重大な影響を及ぼすことになります。そのため公売に当たっては、次の点について注意を払うことが求められています（換価事務提要第１章１参照）。

	制限の対象および項目	制限の内容と説明
1	滞納者	公売による財産の取得は、時効で取得したり遺失物を取得したりした場合（原始取得）と異なり、他人の権利をそのまま取得することですから、承継取得（移転的承継取得）ということになります。滞納者が差し押さえられている自らの財産を、もし公売によって取得するようなことを許せば、公売の適正さという観点から大いに問題だと言わなければなりません。そこで、滞納者については買受人となることができないこととされたのです（国税徴収法第92条）。
2	税務職員（徴税吏員）	公売は、滞納税を確保するための強制執行手続ですから、少なくとも課税事務に携わる職員も含め、地方税に関する事務に従事する職員については、それぞれ公売（換価）との関係性に濃淡はあるものの、手続の公正を保持するために、買受人となることができないこととされたのです（国税徴収法第92条）。 ※参照　国税徴収法基本通達第92条関係３
3	資格および許可	差押禁止財産でなければ公売することができるわけですから、公売の対象となる財産はかなり広範なものとなります。したがって、中には統制品や危険物などのように、その譲渡に法令による制限が加えられているものもあります。それらの財産を公売する場合において、買受けのために一定の資格が必要である場合や、主務官庁の許可や特定の者の承認を必要とする場合があります。 ※参照　国税徴収法基本通達第89条関係14～25

※　上記の制限に反した場合の公売の効力に関して規定した法令はありませんが、これらが公売手続の公正を保持するためのものであることを考えると消極に解釈すべきものと考えられます。とりわけ３の資格および許可に反して行われた公売については、それぞれの法令による規制の趣旨を考慮すると、効力を肯定すべきではありません。ただし、１の滞納者と２の税務職員（徴税吏員）に関しては、公売後これらの者が買受人であったことが判明したとしても、売却処分の効力には影響がないとする説（訓示規定説）もあることを紹介しておきます。

①　画一的、無差別的に実施しないこと

②　差押財産を高価有利に売却すること

③　換価手続の公正を図ること

また、公売に当たっては、その手続の公正を保持するために、買受人に関する一定の制限があります（上の表参照）。

次に国税徴収法は、公売手続の適正化のために幾つかの措置を規定しています。これは、滞納処分に対して反発を抱いている滞納者だけでなく、公売物件に利害関係を持つ者や悪質なブローカー等による公売妨害を排除し、またはそうした妨害を予防するための措置であり、これらの行為を行う者のうち少なからぬ者が、同時に刑事罰を受けることも多いものと想定されます（国税徴収法基本通達第108条関係15参照）。

公売実施の適正化のための措置

	次のいずれかに該当すると認められる事実がある者については、その事実があってから２年間公売の場所に入ることを制限し、公売の場所から退場させ、入札等をさせないことができます（国税徴収法第108条第１項）。
1	入札等をしようとする者の公売への参加若しくは入札等、最高価申込者等の決定または買受人の買受代金の納付を妨げた者
2	公売に際して不当に価額を引き下げる目的をもって連合した者
3	偽りの名義で買受申込みをした者
4	正当な理由がなく、買受代金の納付の期限までにその代金を納付しない買受人
5	故意に公売財産を損傷し、その価額を減少させた者
6	前各号に掲げる者のほか、公売または随意契約による売却の実施を妨げる行為をした者

上の表「公売実施の適正化のための措置」に掲げる者がした入札等またはその者を最高価申込者とする決定は、その入札等がなかったものとし、またはその決定を取り消すことができます（同条第２項）。そして、これらの者が公売保証金を納付しているときは、その公売保証金は地方団体に帰属することとなっています（同条第３項）。

公売手続の流れは、おおむね次のとおりです。

公売対象事案の選定

（差し押さえた事案のうち、高額または累積したもので、数度にわたる催告に応じないなど、納税する意思のない事案を、公売対象事案として選定し、抽出する）

公売の予告（催告）

（公売は、滞納者はもとより、差し押さえられた滞納者の財産上に権利を有している者に対しても事実上および法律上極めて重大な影響を及ぼすことになるので、事前に予告〈催告〉しておくことが望ましい）

公売実施決議

（公売の予告〈催告〉に対して無反応であるか、または完納に向けた誠意のない者について、公売を実施する旨の内部意思決定をする）

公売公告

（国税徴収法第95条　公売の日の少なくとも10日前までに公告しなければならない）

公売通知および債権届出の催告

（国税徴収法第96条　滞納者および知れている者に対して通知しなければならない。また、配当を受けることができる者のうち知れている者に対し、債権現在額申立書を売却決定の前日までに提出するよう催告しなければならない）

見積価額の決定

（国税徴収法第98条　売却価額が著しく低廉とならないよう最低売却価額としての見積価額を決定しなければならない）

見積価額の公告

（国税徴収法第99条　広く差押財産の買受希望者を募り、差押財産をできるだけ高価に売却するために、見積価額を公告することとしたものである。このことにより換価が促進されることが期待されている）

公売保証金の納付

（国税徴収法第100条　買受希望者が最高価申込者として売買契約を締結することとなった場合、その義務履行を担保するため、一定の金額を公売の保証金として現金で納付しなければならない）

公　　売

（国税徴収法第101条　入札をしようとする者は、入札書に封をして徴収職員に差し出さなければならない。入札書は入札者の面前で開札しなければならない）

最高価申込者の決定

（国税徴収法第104条　見積価額以上の入札者のうち、最高価で入札した者を最高価申込者として決定する。最高価による入札者が２人以上いるときは、さらに入札をさせて最高価申込者を決定する。それでもなお価額が同じときは、くじによって最高価申込者を決定する）

公売終了の告知

（国税徴収法第106条　徴収職員は、最高価申込者を決定したときは、直ちにその氏名と価額を呼び上げた後、入札または競り売りの終了を告知しなければならない）

売却決定

（国税徴収法第111条～第114条　最高価申込者に対して売却決定を行う。動産等の場合→公売をする日。不動産等→公売期日から起算して７日を経過した日）

買受代金の納付

（国税徴収法第115条　公売した財産の買受代金の納付期限は、売却決定の日である。ただし、買受代金が非常に高額で、直ちに用意することが困難であるなど一定のやむを得ない理由があると認めるときは、30日を超えない範囲で延長することができる）

売却決定通知

（国税徴収法第118条　有価証券を除く公売財産の買受人が、買受代金を納付したときは、売却決定通知書を買受人に交付しなければならない。ただし、動産については交付しないことができる）

権利移転

（国税徴収法第119条～第127条　税務署長は、買受人が買受代金を納付したときは、当該公売財産の権利を買受人に移転させなければならない）

権利移転の方法

財　産	権利移転の方法	根拠条文
動産、有価証券、自動車、建設機械・小型船舶で徴収職員が占有したもの、債権証書等	現実の引渡し	国税徴収法第119条第１項、同法第122条第２項
動産、有価証券、自動車、建設機械・小型船舶で滞納者または第三者に保管させているもの	指図による引渡し	国税徴収法第119条第２項
権利の移転につき滞納者に裏書き、名義変更または流通回復の手続をさせる必要がある有価証券	裏書き等	国税徴収法第120条
権利の移転につき登記・登録を要する財産	登記または登録	国税徴収法第121条
債権等	売却決定通知書の交付	国税徴収法第122条第１項

ア　対象事案の選定

公売は滞納整理の実質的な最終段階であるとともに、その手続には準備も含めて、それなりの労力を必要としますので、対象を選定する際は、こうしたことも念頭に置いて、費用対効果を十分考慮して行う必要があります。地方団体によって、公売に臨むスタンスに違いがあるかもしれませんが、一般的には次の要素を考慮して公売対象事案を選定します。

① **高額事案**

公売にかけようとする物件にもよりますが、手続に要する労力と公売によって得られる成果（滞納税にどれだけ充当することができるか）とを比較衡量すると、一般的に言って少額滞納の場合は、不動産公売は適さないと言えます。

具体的にどの程度の金額をもって少額滞納と位置づけるかについては、各団体における実情が必ずしも一様でないことに鑑みれば、それぞれの地方団体の実情に即して決めるのが妥当と考えます。その場合、法定の猶予（徴収猶予・換価猶予）に伴う担保徴取が必要とされる金額が一つの目安となるのではないかと思います。

【参照条文】地方税法

（担保の徴取）

第16条　地方団体の長は、徴収の猶予、職権による換価の猶予又は申請による換価の猶予をする場合には、その猶予に係る金額に相当する担保で次に掲げるものを徴さなければならない。ただし、その猶予に係る金額、期間その他の事情を勘案して担保を徴する必要がない場合として当該地方団体の条例で定める場合は、この限りでない。

（以下、略）

なお、最近は動産の差押えをして、それをインターネットのオークションサイトを通じて公売することも盛んに行われていますが、捜索→差押え→搬出→保管→公売という一連の手続を考えれば、公売は、やはり件数の多い少額滞納の整理には不向きな手段であると言わざるをえません。効率性や実質的な効果とは別に、（心理的な効果としての）一罰百戒的な効果や、公表することによるアナウンス効果などを期待してのことであれば、公売の実施にも一定の意味（こうした効果は、繰り返すことによって逓減していくことでしょう）があるかもしれませんが、量的な処理が必要な少額滞納の整理には、公売という方法は一般的に言って不向きです。

② **累積事案**

単に累積している滞納件数が多いというだけでなく、公売をするには滞納額についてもそれなりの金額が必要です。長い間完納に至らず滞納が累積しているのは、その事案に固有の原因があるからだと考えられます。例えば、滞納者が、収入がほとんどないにもかかわらず、相当の資産を保有している場合とか、1件当たりの滞納額はそれほどの金額ではないものの、件数が累積することによって、かなりの高額になっている場合などが考えられます。滞納を長期間累積したままにしておくことは、滞納者に安易感を抱かせるだけでなく、債権管理事務を増やすことにもなります。したがって、滞納額に見合った財産があり、それを差し押さえているのであれば、いつまでも行きつ戻りつの納税指導を続けるのではなく、公売によって整理を前に進めていく必要があります。

③　納税の意思のないことが明らかな滞納者

口約束ばかりで行動（納税）が伴わない滞納者や、催告に対して無反応である滞納者、あるいは明確に納税を拒否する旨表明している滞納者などについては、催告を繰り返すこと自体無益ですから、差押えに続き、さらに公売へと手続を進めるべきです。無反応を放置したり、反発を警戒したりするあまり、公売を先延ばしにするようなことがないようにしなければなりません。

④　約束を守らない（または守れない）滞納者

納税誓約はするものの、それを守らない（または守れない）滞納者というのは決して稀（まれ）ではないのですが、そのような滞納者と「今度こそ確実に守って履行してください」などとして何度も納税誓約を繰り返している（仕切り直しをしている）ようなことはないでしょうか。本書では、滞納整理においては見極めが大切である旨繰り返し述べてきたところですが、約束を守らない（または守れない）滞納者であって、しかも財産の差押えにまで至っている滞納者とは、改めて分納の約束はすべきでなく、公売へと手続を進めなければなりません。納税よりも他の支払いを優先している滞納者や、保有する資産を自主的に処分することによって納税資金を調達することを怠っている滞納者については、毅然（きぜん）として自力執行権を発動して税収の確保を図らなければなりません。

⑤　公売に適した物件を差し押さえている

権利関係が非常に複雑な物件や、土地の境界について争いのある物件、あるいはほかにもっと換価が容易な財産を所有していると思われるような場合は、できるだけ公売以外の方法による整理を選択します。このような場合は、あえて煩雑な公売を選択するよりも、例えば、債権の差押えと取立てなど他の整理方法による方が、より早い解決が期待できるからです。なお、例えば不動産と電話加入権とを差し押さえているような場合で、納税の意思がない滞納者に警告を発する意味で、売却金額も小さく影響力の少ない電話加入権を先に公売して、滞納者の反応や出方を見ようとするようなやり方はすべきではありません。むしろ、滞納の１回的・短期的な解決や、合理的な整理事務の推進の観点から、公売をする場合は、その公売によって滞納税を一括して確保することができるという見通しが持てる場合に行うべきです（「最少の経費で最大の効果を挙げる」地方自治法第２条第14項）。

イ　公売の予告（催告）

この通知は、滞納者の意思にかかわらずその財産を強制的に売却して、売却に係る収入を滞納税に充てるという公売処分の強い権力性とその影響力の大きさを踏まえて、滞納者に対して最終的な警告を発し、自主納税のための最後の機会を与えるために送付するものです。この通知は、特に法令の定めがあってそれに基づいて行うものではありませんので、名称は公売予告通知書としても、あるいは公売事前通知書などとしてもよく、要は、それぞれの地方団体でふさわしいと考えるもので差し支えありません。

この予告（催告）で留意すべき点は次のとおりです。

① 公売公告および公売通知をする日や、この予告（催告）を受けて来庁する滞納者からの相談などの日程を考慮して、公売公告のおおむね２週間以前（目安）に発送する。

② 公売が差押財産の強制的売却という（滞納者にとって）重大な処分であるところから、この予告（催告）を受け取った滞納者が来庁することが十分予測されるので、その場合の相談事務への対応を考慮し、一般の催告書のように一度に大量の文書を発送しないこと（来庁者が一時に集中して対応不可能となるおそれがある）。

③ この予告（催告）は、いわば最後通牒（つうちょう）のような性格のものであるから、乱発すべきではなく、送付は１回限りとすべきであること。

④ 差押えをした滞納者に対して、一律・画一的に送付すべきではなく、納税の意思のないことが明確で、なおかつ滞納額が高額であるだけでなく、（滞納額が）増加しつつある滞納者を優先するなど、優先順位を見極めた上で送付すること。

ウ　実施決議

公売も含めた換価は、後戻りができないという意味で実質的に滞納整理の

「最後で最終の手段」であるところから、滞納者本人だけでなく、滞納者の財産上に権利を有する利害関係人にも大きな影響があります。それだけに、一般論として言えば、公売に踏み切るには（保全措置としての差押えに比べて）謙抑的であることが求められるものと思います。このように公売に当たっては、その適否について慎重な検討をする必要があります。実務上は、公売手続に入る前に、対象物件ごとに「公売処分適否検討票」によって、その妥当性を吟味検討します。

この検討票中の検討事項は、いずれも重要なことばかりですが、実地調査や配当シミュレーション、および滞納者の納税意思の確認は、法的要求事項ではなく、公売の妥当性を判断する上で、事実上必要とされる確認項目であり、仮にこれらをせずに実施された公売であっても、そのことのみをもって直ちに公売が無効となるものではなく、また違法な公売となるものでもありません。ただし、配当シミュレーションの結果、自庁に配当のないことが明白である場合は、無剰余公売となる可能性が高いため公売を中止します。

ここで行う配当シミュレーションは、公売実施の妥当性を判断するためのものであり、実際に公売するときの見積価額ではありませんから、対象物件について鑑定士等の精通者による評価をするなどの厳密な評価を行う必要はありません。したがって、例えば不動産であれば、最近の近隣における売買実例価格、路線価、公示地価、固定資産税の評価額などを参考にして算出した見込額でシミュレーションを行うことになります。

この「公売処分適否検討票」には、必要に応じて登記簿の全部事項証明書、物件明細、滞納金額内訳書、実地調査報告書（写真や図面も含む）、権利関係一覧表などを添付して決裁を得ます。

なお、通常、ここに至るまでに滞納者と接触を図っているはずですから、この段階での滞納者の「納税の意思」については、滞納者に対して納税を慫慂（しょうよう）し、滞納者から単に「納税します」という言葉を引き出すだけではだめで、納税するという意思の表明とともに、具体的な納税計画と納税のための確実な資金的裏付けが得られないのであれば、公売を実施しなければなりません。差押前の段階と、公売前の段階とでは、納税意思の確認などにも自（おの）ずと程度の違いがあるからです。

エ　公売公告

公売公告とは、公売しようとする財産を特定し、その現況を買受申込人に知らせて、より多くの人に公売に参加してもらおうとするもので、いわゆる「申込みの誘引」[※17]に当たるものです。したがって、できるだけ多くの公売参加者を募るために自庁の掲示場に掲示すること（国税徴収法第95条第２項）はもとより、広報紙や日刊紙、業界紙、インターネット（ホームページ）などへの掲載を併せて行っても差し支えありません（同法基本通達第95条関係21）。

公売処分適否検討票

	検討事項	判定
課税	課税内容は適正か	適・否
	納税通知書は納税義務者に送達されているか	済・未
差押え	督促状は滞納者に送達されているか	済・未
	差押調書の記載事項は正確かつ適切か	適・否
	差押調書（謄本）、差押書、差押通知書などは滞納者等に送達されているか	済・未
	差押財産上に質権や抵当権等を有している第三者に対して、差押えの通知をしているか	済・未
	差押財産について、封印、公示書、占有、登記、登録などは的確になされているか	済・未
	差押財産に係る権利関係の確認はされているか	済・未
	超過差押え、無益な差押えとなっていないか※	適・否
	差押禁止財産に該当していないか	有・無
その他	換価の制限はあるか	済・未
	実地調査（差押財産の現状、滞納者宅）を行ったか	済・未
	概算見積価額（見込額）を基にして配当シミュレーションを行ったか	済・未
	直近において滞納者の納税意思の有無を確認したか	済・未

※超過差押え→複数の財産を差し押さえている場合。無益な差押え→無配当が一見して明らかであるかどうかに留意して判断する。

【公売実施が妥当である旨判断した理由】

（　　　　　　　　　　）

※17　**申込みの誘引**　誰かを誘って申込みをする気にさせること、またその手段のことを言います。商品の広告などがその例です。「申込み」が相手方の承諾と相俟って契約が成立するのとは違い、相手方の申込みに対して誘引者には、承諾するか否かを判断する自由があります。申込みの誘引の法律的な性質は、「意思の通知」であるとされています。

【参考】国税徴収法基本通達第95条関係

(その他の方法)

21 第95条第2項の「その他の方法」とは、公売財産につき買受希望者となることが見込まれる者に知らせるのに適する新聞等(日刊新聞紙、業界新聞紙、地方公共団体の広報紙等)に掲載すること、インターネットを利用すること等買受希望者を募るのに適した方法をいう。この場合においては、その紙面等に公売公告の概要を掲げ、「その他の公告事項は税務署等の掲示場に掲示してある」旨の案内を付記することとして差し支えない。

なお、民事執行においても公売の場合とほぼ同様に、裁判所の掲示場などに掲示するだけでなく、裁判所書記官または執行官が相当と認めるときは、日刊新聞紙への掲載またはインターネットを利用して公示することができるとされています(民事執行規則第4条第3項)。

国税徴収法によれば、この公売公告は、公売の日の少なくとも10日前までに行わなければならないこととされています(同法第95条第1項)。

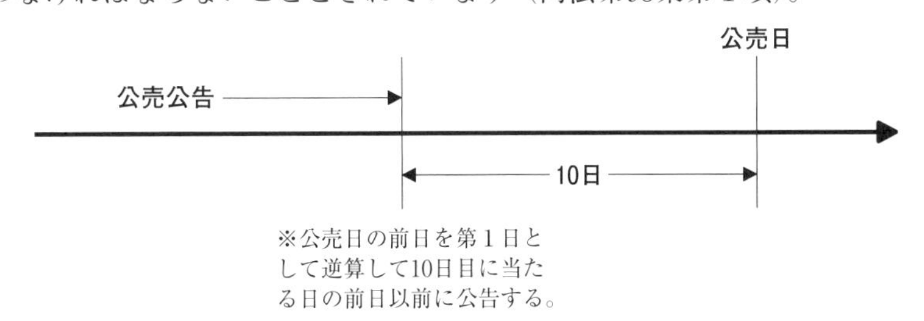
公売日
公売公告
10日
※公売日の前日を第1日として逆算して10日目に当たる日の前日以前に公告する。

※ 上記の「10日目に当たる日の前日」が休日等に当たるときは、さらにこれらの日の前日に公告する(国税徴収法基本通達第95条関係2)

公売公告に掲載すべき事項は次のとおりです(同法第95条第1項)。

(ア) 公売財産の名称、数量、性質および所在

買受希望者が、公売に係る財産を特定することができる程度に具体的に表記する必要があります。また、当該財産の現況が登記簿などの表示と異なることもありますので、そのような場合は、登記簿の表示だけでなく、現況がどうなっているのか買受希望者が把握できる程度の具体的な記載とします。

(イ) 公売の方法

公売の方法とは、入札(期日入札、期間入札)または競り売り(期日競り売り、期間競り売り)のことを言います(同法第94条第2項、同法基本通達第95条関係8)。

㈦　公売の日時および場所

公売の日時とは、入札については入札期間を、期日競り売りについては買受申込みをすることができる始期を、期間競り売りについては、競り売り期間のことを言います（同法基本通達第95条関係９）。また、公売の場所とは、入札については、入札書を提出する場所を、競り売りについては、競り売りを行う場所（インターネットを利用する方法による場合は、インターネット上のサイト）を言います（同法基本通達第95条関係10）。

㈱　売却決定の日時および場所

売却決定の日時とは、売却決定をすることができる始期のことを言い、この売却決定には、次順位買受申込者に対する売却決定（同法第113条第２項）が含まれます（同法基本通達第95条関係11）。なお、売却決定の場所については、原則として、公売の場所を記載します。

㈴　公売保証金を納付させるときは、その金額

同法第100条により公売保証金を納付させるときは、その金額を記載します。

㈲　買受代金の納付の期限

この期限は、同法第115条の規定により税務署長が定めた期限です。この場合の期限については、その日の何時何分までと時刻を指定しても差し支えありません（同法基本通達第95条関係12）。

㈵　公売財産の買受人について一定の資格その他の要件を必要とするときは、その旨

一定の資格その他の要件とは、公売財産を買い受けるために、法令により資格が必要とされる場合は、その資格を有していなければならず、また監督官庁等の許可や承認を得なければならない場合は、それらを得ていることが必要であることを言います（同法基本通達第95条関係13および14）。

㈹　公売財産上に質権、抵当権、先取特権、留置権その他の財産の売却代金から配当を受けることができる権利を有する者は、売却決定の日の前日までにその内容を申し出るべき旨

公売財産上に抵当権等一定の優先弁済権を有している者、交付要求をした者等は、売却決定の前日までに債権の元本、利息、弁済期限など「債権現在額申立書」に記載すべき事項を申し出るよう記載します（同法基本通達第95条関係15及び16）。

㈲　前記㈠から㈦までに掲げた事項のほか、公売に関して重要と認められる事項

公売は滞納処分という強制執行手続のいわば最終段階に相当するものであり、それに対して滞納者は、差押えのときに示した拒否反応以上の抵抗を示すことも少なからずあります（逆に、もうどうしようもないということで、観念してしまうこともあります）。それだけに公売は法令によって厳格な手続が定められているのですが、公売手続の初期段階に当たる公売公告においても、滞納者、買受人、利害関係者の間でトラブルが生じないように、どのような財産を公売するのか、あらかじめできるだけ詳細に明らかにしておくことが求められます。そのために公売公告には必要に応じて、前記①から⑧までのほかにも、次に掲げる事項を記載する必要があります（同法基本通達第95条関係17、なお、そのほか換価事務提要35参照）。

a　公売財産の状況を示すために税務署長が必要と認める図面、地図、写真等の情報

b　前記ａに掲げる情報の全部または一部を別に閲覧に供する場合は、その旨および閲覧場所

c　買受人が公売財産の所有権を取得する時期が、同法第116条に規定するものと異なる場合は、その事項

d　公売財産の所有権の移転につき農地法その他法令の規定により関係官庁または特定の者の許可、承認等を必要とする場合は、農業委員会から交付を受けた買受適格証明書等の提出または提示が必要である旨

e　買受人に対抗することができる公売財産上の負担がある場合は、その負担

f　公売財産の権利の移転について登記を要するものについては、買受代金を納付するほか、一定の期間内に登録免許税額に相当する印紙若しくは現金の領収証書を提出すべき旨、また、自ら権利移転の手続を行う必要がある場合は、その旨

g　土地または建物等の公売によって、その土地または建物等につき法定地上権または法定賃借権が成立する場合は、その旨

h　一括換価の方法により公売する場合は、その旨

i　公売保証金の提供について方法を定めて行う場合は、その提供方法

j　入札の方法により公売する場合は、入札に先立って公売保証金の提供について期限を定めて行うこととするときにおける提供の期限、入札書の提出方法並びに開札の日時及び場所

k　期間入札の方法により公売する場合は、次の事項

(a)　最高価申込者の決定の日時および場所

(b)　開札の結果、最高価申込者となるべき者が２人以上ある場合にこれらの者にさらに入札をさせるときにおける追加入札の方法、入札期間および場所、開札の日時および場所、最高価申込者の決定の日時および場所、売却決定の日時および場所ならびに買受代金の納付の期限

l　入札の方法により不動産等を公売する場合における次順位による買受けの申込みは、開札の場所において、最高価申込者の決定後直ちに行う旨

m　複数落札入札制により公売する場合であって、同一人が２枚以上の入札書を提出することができる方法により入札を行わせる場合は、次の事項

(a)　同一人が２枚以上の入札書を提出しても差し支えない旨

(b)　同一人に対して複数の売却決定をした場合において、買受代金の一部をその納付の期限までに納付しないときは、納付されていない買受代金に係る売却決定を取り消す旨

n　競り売りの方法により公売する場合は、競り売りに先立って、公売保証金の提供について期限を定めて行うこととするときにおける提供の期限および競り売りへの参加申込みの受付を行うこととするときにおける受付期間

o　期間競り売りの方法により公売する場合は、最高価申込者の決定の日時および場所

p　公売財産の売却決定は最高価申込者に係る入札価額または買受申込価額をもって行う旨

q　以上ａからｐまでに掲げる事項のほか、公売に関して重要と認められる事項

オ　公売通知および債権届出の催告

公売の公告をしたときは、公告をした内容とほぼ同じ事項について滞納者に対して自主納付するための最後の機会を与えて納付を促すとともに、併せて一定の範囲の者[※18]に対して権利行使の機会を付与することを目的として、公売通知をすることとされています（国税徴収法第96条）。

通知すべき一定の範囲の者については、国税徴収法第96条第１項に掲げられ

※18　**一定の範囲の者**　公売財産について交付要求をした者、公売財産上に質権、抵当権、先取特権、留置権、地上権、賃借権、地役権、担保のための仮登記等の権利を有する者（国税徴収法基本通達第96条関係４）。

ている者のうち「知れている者」でよいとされていますので、これらの者を探し出すために特別の調査をする必要はありません。通知をする段階で、徴税吏員が把握している範囲で通知すれば足ります。なお、権利行使のための機会を与えるという公売通知の趣旨に照らせば、公売財産上に抵当権や所有権を有する者であっても、それ（権利の設定や取得）が差押えの後になされたものである場合は、そもそもこれらの者たちは、差押債権者に対抗する（権利を主張する）ことができませんから、公売通知をする必要はありません。しかし、これらの者たちも当該公売財産の買受人となることは可能であるところから（同法第92条)、実務ではこれらの者に対して、公売通知の写し等による買受勧奨をしても差し支えありません。そのほか通知すべき主な相手方としては、仮差押えおよび仮処分に係る申立債権者、滞納処分と強制執行等との手続の調整に関する法律の規定による二重差押えに係る差押債権者、動産の共有に係る持分を公売する場合の他の共有者などがあります（国税徴収法基本通達第96条関係５)。

公売通知は、前述のとおり滞納者に対して、任意に納付するための最後の機会を与え、納付を促すという意味もありますが、滞納処分を予告し、または警告することによって納付を促すだけの催告書とは違い、督促状と同様に法定された文書であって、公売公告をしたときは必ず送達しなければならないこととされています（同法第96条)。この公売通知は、通知の相手方の権利義務その他法律上の地位に影響を及ぼさないことから、抗告訴訟の対象となる「行政庁の処分」ではないとされています。

公売通知をするときは、当該公売財産の売却代金から配当を受けることができる者で、かつ「知れている者」に対しては、必要な事項を記載した「債権現在額申立書」を、売却決定の日の前日までに提出すべき旨の催告も併せてしなければなりません（同法第96条第２項)。

公売通知を郵便によって送達する場合は、一般書留郵便として配達証明扱いとします。郵便ではなく交付送達による場合は、どのような書類を、いつ、どこの誰に送達したのかという事実を記録しておくために、「送達記録書」を作成し、送達を受けるべき者の署名および受領印を徴します。なお、このとき、相手方の協力が得られない場合は、その旨を送達記録書に記録しておき、万一の紛議に備えます。また、公売通知と併せて「債権現在額申立書」の催告をする者に対しては、その者が売却決定の日の前日までに同申立書を提出できるように、郵送にかかる日数を考慮して送るようにします。

前述のとおり、公売通知が法定文書であり、しかも公売処分が実質的に滞納処分の最終段階として極めて重大な意味と影響力のある処分であることに鑑み、仮にこの通知書が送達されなかったことが確認できたときは、公売を中止します。

カ　見積価額の決定

見積価額は、公売財産を換価するときの最低価額としての意味があり、仮に最高価で買受けを申し込んだ者であっても、その金額が見積価額に達しないときは、最高価申込者となることはできません（国税徴収法第104条第１項）。

見積価額にこのような意味を持たせた理由は、公売も含めた差押財産の換価という一連の手続が、いわば滞納者に帰属する財産を強制的に買受希望者に帰属させるという極めて強力な行政処分であるところから、換価に当たっては、あたかも自己の財産を売却する場合と同様に、できるだけ高価に、そして滞納者にとって有利に売却しなければならないところにあります。

滞納している者の財産であるとはいえ、時価よりも著しく低廉で強制的に売却してしまうのは、場合によっては憲法で保障されている財産権の侵害にもなりかねないところから、公売に当たっては、適正な時価を基準とした価額を設定し、そしてその金額を最低公売価額として保証するところに見積価額の意味があるのです。このことは、公売財産換価事務提要（国税庁）においても「差押財産の公売は、滞納処分の最終段階における強制的な換価手続であり、その換価代金を国税に充当して納税者の租税債務を消滅させるという国の立場から見ても、また、納税者その他の利害関係人の立場からしても、できるだけこれを高価有利に換価すべきであることはいうまでもない」（第１章第１節）として、基本的な考え方として示されています。

見積価額は、公売財産の客観的時価を基準として、公売の特殊性を考慮して決定することとされています（国税徴収法基本通達第98条関係１）。客観的時価は、公売しようとする財産と同種類、同等または類似の財産の最近における売買実例（取引事例比較法）、その財産の再調達原価（原価法）、収益還元価額（収益還元法）に基づいて算定します。

㈠　取引事例比較法

これは公売財産と同種・同等・類似の財産について、近隣または近時における多数の取引事例を収集して、類似または近似条件下にあるなどの適切な事例を選択し、これらの取引価格に必要に応じて事情による補正および時点修正を行うとともに、個々の財産が置かれた自然的な条件や行政上の規制など、その地域に係る特殊要因の比較および形状や地積などの個別的要因の比較を行って求められた価格を比較衡量して対象財産の試算価格（比準価格）を求める手法です。土地、借地権、有価証券、動産、自動車などの評価に適しているとされます。

(イ)　原価法

これは公売の時点において対象財産を新たに再調達するとした場合の原価を求め、この再調達原価について、その財産の耐用年数による減価修正または破損・汚損・旧式化その他経済的要因等による減価修正を行って試算価格（積算価格）を求める手法です。建物、船舶、機械設備、造成地などの評価に適しているとされます。

(ウ)　収益還元法

これは対象財産が将来生み出すであろうと期待される純収益（総収益－総費用）の現在価値の総和を求めることにより対象財産の試算価格（収益価格）を求める手法です。賃貸用不動産、特許権、実用新案権等のような無体財産権などの評価に適しているとされます。

公売の特殊性というのは、公売という手続が、通常の任意売買と異なる幾つかの特別な要因を持ち合わせていることを言い、それゆえにこのことを考慮して一定の金額を見積価額から控除することとされています。その主なものを掲記すれば次のとおりです。

a　公売は、滞納者の意思にかかわらず強制的に売却してしまう行政処分であるところから、その財産はいわば「因縁付き」の財産で、そのことが買受希望者からすれば、「滞納者の恨みを買うのではないか」などの心理的な負担や、わだかまりを感じるであろうこと。

b　買受財産の品質や機能について、買受後の保証がないこと。

c　買受代金は、即納を原則としていること。したがって、分割払いはできない（換価事務提要54(1)注）。

d　入札から買受代金の納入までの手続が煩雑であること。

e　公売の日時、場所、種類、形態、品質、数量などが一方的に決められており、買受希望者が「欲しい物」を「欲しいとき」に「欲しいだけ」買うことが困難であること。

公売ではこうしたマイナスの要因があるため、時価のおおむね30％の範囲内で見積価額を調整する（減額する）ことができる取扱いがされています（公売財産評価事務提要第３章第１節２(2)）。

キ　見積価額の公告

公告というのは、ある事柄を文書によって広く世の中の人々に知らせることを言いますが、この見積価額の公告は、これによって示された価額を目安にして一般の人でも容易に公売に参加して、当該物件を買い受けることができるようになるものであるところから、公売の促進につながる機能を果たすものであるとされます。国税徴収法によれば、公売に当たって見積価額を公告しなければならないのは、次の場合とされています（同法第99条第１項各号）。

①　不動産、船舶および航空機を公売するとき。

②　競り売りまたは複数落札入札制により公売するとき。

③　その他の財産で税務署長が必要と認めたとき。

現行法ではこのように見積価額を公告することが原則とされていますが、例外的に「見積価額を公告しない財産を公売するときは、その見積価額を記載した書面を封筒に入れ、封をして、公売をする場所に置かなければならない」（同法第99条第２項）とする取扱いをすることがあります。これは、見積価額をはるかに上回る価額での買受申込みが期待されるような財産については、公告をして見積価額を明らかにしてしまうことで、それが期待できなくなってしまうため、例外としてそのような場合は、見積価額を公告して広く知らしめることはしないものの、同法第98条による「見積価額の決定」という原則は維持していることを表した規定であると考えられます。

見積価額の公告の方法は、公売公告の場合と同じです。ただし、公売財産が動産であるときは、その財産に見積価額を記載した用紙を貼り付ける方法によることもできます（同法第99条第３項ただし書き）。実務では、公売公告とこの見積価額の公告を同時に行うことが多いものと思われます（国税徴収法基本通達第99条関係５参照）。

なお、見積価額の公告をすべき時期を、公売公告よりも遅い時期に設定したのは、実際には公売公告や公売通知をすることによって、滞納税が自主的に納付されることが多く、そのような実務での実情を考えると、あらゆる場合において、公売公告等の段階で財産価額の評価という煩雑な事務を要求することは、徒労に終わることも多く、現実的かつ合理的でないからであるとされています。

ところで、立法の趣旨がこのようなものであるとしても、実務上、公売にまで至る滞納事案については、文書や電話による催告をはじめ、滞納者宅への臨場による調査や納税指導を経ているものばかりであるはずですから、ほとんどの場合、公売を実施することになるものと思われます。事ここに至るまでの経緯を考えれば、安易に公売を中止すべきではなく、この期に及んで仮に滞納者から「待ってほしい」との申出があったとしても、原則として、公売を中止すべきではありません。このような事情もあり、多くの地方団体では公売公告と見積価額の公告とを同時に行っているものと考えられます。

ク　公売保証金の納付

公売保証金というのは、公売に参加する者（入札をしようとする者）が、売買契約を締結した場合の「買受代金の納付の保証」を求めるために納付させるものです。これに加えて公売に参加する者が最高価申込者となった場合に、その者が買受人として「売買契約を締結することの保証」のためでもあるとする見方がありますが、公売における売買契約は、売却決定（国税徴収法第111条、第113条）によって当然に成立しますから、公売保証金の納付によって契約の締結を保証させる意味があるとは思われません。すなわち、契約は「申込み」と「承諾」によって成立しますから、入札をした者のうち、最高価で入札（申込み）をした者に対して行う売却決定は、その価額で契約することを受け入れるとの意思表示である「承諾」の意味があるので、公売保証金で契約の締結を保証させるまでもなく、その時点で当然に売買契約が成立することとなるからです。

公売保証金の金額は、公売しようとする財産の見積価額の100分の10以上の金額とされており（同法第100条第１項）、これを現金または小切手（銀行の振出しに係るものおよびその支払保証のあるもの）で納付しなければなりません。しかし、いわゆる先日付小切手は、ここに言う小切手には含まれないので注意してください。

なお、法文上は100分の10以上の金額とのみ規定されているだけですが、かといって、この金額をあまり高額に設定すれば、入札の段階でそれだけの資金を用意することが困難な場合が生じる可能性もありますし、何よりも金額があまりに高額であるときは、入札への参加意欲をそぐことにもなりかねませんので、実務上の目安としては、100分の10から100分の20の間で設定するのが望ましいものと思われます。ちなみに、民事執行の場合の保証金の金額は10分の２

とされています（民事執行法第66条、民事執行規則第39条第１項）。

《公売保証金の返還》

入札者が納付した公売保証金は、その者が買受人とならないことが確定したときは、遅滞なく、納付した者に返還しなければなりません（国税徴収法第100条第６項各号）。

1	最高価申込者および次順位買受申込者を定めた場合において、他の入札者等の提供した公売保証金があるとき（第１号）。
2	入札等の価額の全部が見積価額に達しないことその他の理由により最高価申込者を定めることができなかった場合において、入札者等の提供した公売保証金があるとき（第２号）。
3	滞納処分の続行の停止（同法第114条）により、最高価申込者等または買受人がその入札等または買受けを取り消した場合において、その者の提供した公売保証金があるとき（第３号）。
4	最高価申込者が買受代金を納付した場合において、最高価申込者が提供した公売保証金で第３項本文の規定により買受代金に充てたもの以外のものまたは次順位買受申込者が提供した公売保証金があるとき（第４号）。
5	滞納税が完納となったため売却決定が取り消された場合において、買受人の提供した公売保証金があるとき（第５号）。

なお、公売の適正な執行を妨げるような行為をした者が入札をした場合は、その入札をなかったもの（無効）とし、その者を最高価申込者とする決定があったときは、その決定を取り消して、その公売保証金は返還せずに、公売を実施する国庫に帰属させます（同法第108条第２項、第３項）。こうした措置は、公売の適正さを確保するために刑事罰とは別に、公売執行者に一定の権限を与えることによって、迅速な手続を行うことができるようにしたことと、そのような不正をした者に対して一定のペナルティーを科してけん制することで、公売の適正さを担保しようとするものであると考えられます。実務上は、入札を無効とする旨の理由と根拠規定を「売却決定取消通知書」に付記して公売保証金を納付した者に対して通知します。

ケ　公売（入札・開札）

入札をしようとする者は、公売保証金を納付した上で、その住所または居所、氏名または名称、公売財産の名称、入札価額その他必要な事項を記載した入札書に封をして、これを指定された時間内に公売担当者（徴税吏員）に提出しなければなりません。その際、施錠してある入札箱に入札書を投入する場合は、入札書の封緘（ふうかん）を省略しても差し支えありません。入札者は、その提出した入札書の引換え、変更または取消しをすることはできません（国税徴収法第101条第２項）。また、同じ売却区分の公売財産に対して同じ人が２枚以上の入札書を提出した場合は、いずれの入札書も無効となります。数人が共同して入札するときは、その旨を入札書に明記するとともに、各々（おのおの）の氏名と持分を付記させます。そして、そのうちの誰が代表者であるかを明記させ、買受人に支障がない場合は、買受代金の領収書については、その者を宛名として交付します。

入札書は、公告の際に示した開札の場所および日時に入札者（入札者の全員である必要はありません。通常、１人または２人）の面前で開札しなければなりませんが、入札者が開札に立ち会わないときは、他の職員を開札に立ち会わせなければなりません。開札に当たって入札者に立会いを求めるのは、手続の公正を期するためですが、入札者に立会いの義務があるわけではないので、万一入札者がその場にいないとか、立会いを拒んだような場合は、公売の事務を担当している徴税吏員以外の職員を立ち会わせた上で開札しなければなりません（同法第101条第３項）。

入札しようとする者が法人の社員であってその者が法人名で入札する場合は、代理権限を証する委任状を提出させます。

入札書の提出を締め切る時間については、無用なトラブルを生じないようにするため、入札を開始する前に注意事項として告げておくとともに、公売会場に注意事項として掲示しておきます。例えば、「入札開始および入札書提出締め切りの時間については、会場内の時計によります」とか「入札開始および入札書提出締切りの時間については、時報によります」などとして、後者による場合は、会場内の時計には「使用できません」などの表示をしておき、混乱することのないよう措置しておきます。この場合、担当者から所定の時間が到来した旨を公売会場内にいる人に明確に伝えることも大切です。

コ　最高価申込者の決定

見積価額以上で入札した者のうち、最高価で入札した者を最高価申込者として決定します。具体的には、公売財産の売却区分ごとに高額な入札書から順に並べ、公売管理者がこれを確認して、最も高額なものに最高価申込者として決定した旨の印を押してそのことを明確に表示します。こうして決定したときは、直ちにその場でその者の氏名または名称および価額を口頭で呼び上げて入札の終了を告知します（国税徴収法第106条第１項）。

開札をしたところ、最高価で入札した者が複数いたときは、同じ価額で入札した者に「追加入札」をさせて最高価申込者を決定します。この追加入札をしても再び入札価額が同じであったときは、「くじ」によって最高価申込者を決定します（同法第104条第２項）。この場合の追加入札は、１回とする取扱いがされています（換価事務提要64⑶なお書き）。この追加入札の価額は、追加入札をすることとなった元の入札価額以上の価額としなければならないこととされています（同提要64⑶イ（イ））。

不動産等（不動産、船舶、航空機、自動車、建設機械、小型船舶、債権、電話加入権以外の無体財産権等）の公売をした場合に、最高入札価額に次ぐ高い価額で入札した者から次順位による買受けの申込みがあるときは、その者を次順位買受申込者として定めなければなりません（同法第104条の２）。ここに最高入札価額に次ぐ高い価額とは、見積価額以上で、かつ最高入札価額から公売保証金の額を控除した金額以上であるものに限られます。この次順位買受申込者の制度は、何らかの理由で、再度、公売をやり直さなければならない必要が生じた場合に、もう一度公売公告から売却決定に至るまでの一連の公売手続を行わなければならないとすることは、徴税吏員にとって大変な事務負担になる上、手続経済上不合理であることから、最高価で申込みをした者に次ぐ金額で入札した者に、いわば補欠としての地位を与えて、手続の合理化を図ったものです。

この次順位買受申込者制度が適用されるためには、次に掲げる要件の全てが満たされなければなりません（同法第104条の２）。

㋐　入札の方法による公売であること（したがって、競り売りの方法により公売する場合は、適用がない）。

㋑　不動産等（不動産、船舶、航空機、自動車、建設機械、小型船舶、債権、電話加入権以外の無体財産権等）の公売であること。

㋒　公売保証金の納付を要することとして行う公売であること。

次順位買受申込者の決定は、次に掲げる全ての条件に該当する場合のみに行うことができます。

㋐　入札価額が最高価申込者の入札価額に次ぐ高い価額で、なおかつ最高入札価額から公売保証金の額を控除した金額以上であること。

⑴　所定の公売保証金を納付していること。
⑵　同法第92条（買受人の制限）および同法第108条（公売実施の適正化のための措置）等法令の規定により買受人等としてはならない者でないこと。
⑶　同法第95条第１項第７号（公売公告の記載事項）の一定の資格その他の要件を必要とする場合は、これらの資格等を有すること。

なお、最高価入札価額に次ぐ高い価額による入札者が２人以上いるときは、くじで次順位買受申込者を定めることになります（同法第104条の２第３項）。

サ　公売終了の告知等

最高価申込者および次順位買受申込者を決定したときは、徴税吏員は、直ちにその者の氏名および入札等の価額を呼び上げるとともに、それに続けて入札等の終了を告知しなければなりません（国税徴収法第106条第１項）。告知の方法については、口頭、掲示またはインターネットなどにより行います。

入札や競り売りの手続は、何よりも公正であることが求められますから、どの時点をもって手続が終了したのか判然としないまま終了するのではなく、このように告知することによって、入札等に参加している者に手続の終了を明確に周知させることとしたのです。

公売した財産が不動産等である場合は、入札等の終了を告知したら、遅滞なく最高価申込者等の氏名、その価額、ならびに売却決定をする日時および場所を、滞納者および次の者に通知するとともに、これらの事項を公告しなければなりません（同法第106条第２項）。この場合の公告の期間は、売却決定期日までです。

⑴　公売財産につき交付要求をした者。
⑵　公売財産上に質権、抵当権、先取特権、留置権、地上権、賃借権その他の権利を有する者のうち知れている者。

このように最高価申込者等の氏名等を通知し、公告することとしたのは、公売手続の瑕疵（かし）を理由に異議申立てをする者があれば、その者に売却決定に係る手続の内容をあらかじめ知らせることによって、不服申立てをする機会を与えて、努めて売却決定後にこれを取り消すことがないように配慮したからです。

シ　売却決定

売却決定とは、入札等による最高価申込者または次順位買受申込者に対して、公売財産を売却する旨を確定的に決定することであり、これにより買受人と滞納者との間に売買が成立し、買受人は公売に係る代金を納付する義務を負うこととなります。売却決定は、動産、有価証券または電話加入権の場合は、公売をする日に行います。また、不動産等の場合は、公売期日等から起算して７日を経過した日に行います（国税徴収法第111条、第113条第１項）。なお、売却決定の方法については特に定められた方式があるわけではないので、最高価申込者の面前で口頭により行って差し支えありません。

次順位買受申込者に対する売却決定は、次により行います（同法第113条第２項）。

㈠　税務署長が、最高価申込者に係る決定の取消しをしたとき→売却決定期日。

㈡　最高価申込者が、入札の取消しをしたとき→売却決定期日。

㈢　最高価申込者である買受人が、買受けの取消しをしたとき→取消しをした日。

㈣　税務署長が、最高価申込者である買受人に係る売却決定の取消しをしたとき→取消しをした日。

なお、次に掲げる場合は、売却決定を取り消すことになります。

㈠　公売に係る徴収金が完納となった場合。

㈡　買受人が公売に係る代金を納付期限までに納付しない場合。

㈢　売却決定後に同法第108条に規定する公売実施の適正化の措置により、最高価申込者の決定が取り消された場合。

売却決定模式図

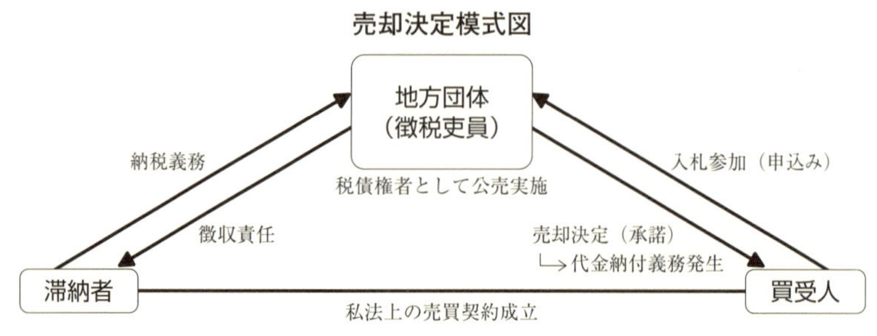

※　買受人は、買受代金を納付したときに滞納者から公売に係る財産を「承継取得」する。

(エ)　同法第114条の規定により滞納処分の続行の停止があったときに、買受人から買受申込みを取り消したい旨の申出があった場合。
(オ)　不服申立てに対する決定、裁決、または判決による取消しがある場合。

ス　買受代金の納付

買受人は、公売に係る財産の買受代金を納付の期限までに納付しなければなりません。納付の期限は、売却決定の日で、公売に係る財産が動産、有価証券または電話加入権のときは、公売期日等、また不動産等のときは、売却決定期日（公売期日等から起算して７日を経過した日）となります。ただし、買受人が次順位買受申込者のときは、売却決定期日から起算して７日を経過した日になります（国税徴収法第115条第１項）。なお、代金納付の期限については、高価な財産のため資金調達に時間を要すると認められるような場合は、例外的に30日を超えない範囲で延長することができます（同法第115条第２項）。納付期限を延長する場合は、その旨を公売公告に記載しておきます。実務上、納付の手続は開庁時間内に行う必要がありますから、「○月○日の午前または午後○時○分」というように時間をもって指定する取扱いとします。

買受代金は、現金で納付しなければなりません（同法第115条第３項）。ここでいう現金とは、同法第100条第１項の現金と同じ意味で、通貨および「証券ヲ以テスル歳入納付ニ関スル法律」に基づいて歳入納付に使用することができる証券のうち、銀行振出しに係る小切手（預金小切手→実務では略して単に「預手」とも言います）またはその支払保証のあるもののことを言います。

買受代金が納付されると公売に係る財産の所有権は買受人に移転します（同法第116条第１項）。公売に係る財産の権利移転につき、当該財産に生じた滅失や毀損（きそん）などの危険は誰が負担すべきかという問題があります。このことを「危険負担」の問題と言います。国税徴収法や地方税法などの税法を見ても、この点に関する規定は見当たりません。そこで、一般法としての民法の規定を見てみますと、特定物に関する双務契約について債権者主義を採っていた旧民法の規定については、公平の観念や取引慣行に照らしてそぐわないとして、学説上多くの批判があったことを受けて、改正民法では、旧民法でのこうした問題点を踏まえて、債権者主義を定めた旧民法第534条、旧民法第535条を削除し、債務者主義に統一されました（改正民法第536条）。すなわち、特定物か不特定物かを問わずに、滅失等のリスクは債務者（売主）が負担しなければならないということになっています。

しかしこの問題は、契約が成立した時期とその履行期が離れている場合において、その間に生じた事故による履行不能の責任を、債権者、債務者のいずれが負うべきかという形で典型的に表れるのですが、公売では前述のとおり売却決定のときに売買契約が成立し、同時にそのときが買受代金の納付期限で、代金納付によって公売に係る物件の所有権が移転しますから（つまり、契約成立時と履行期が離れていない）、実際にはそのときをもって危険負担も買受人に移転することとして差し支えないわけです。

そのため国税徴収法基本通達ではこの点について、「買受人が買受代金の全額を納付した場合は、その時に換価財産の権利が移転するから、換価財産の換価に伴う危険負担もその時に買受人に移転する」（同基本通達第116条関係３）として、実質的には「事変による損害は所有者が負担する」との原則に基づく所有者主義とも言えるような定めをしています。

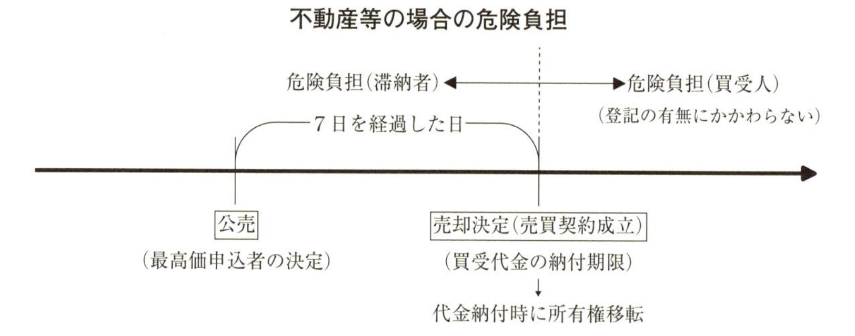

【参考】国税徴収法基本通達第116条関係

（危険負担の移転の時期）

３　買受人が買受代金の全額を納付した場合は、その時に換価財産の権利が移転するから、換価財産の換価に伴う危険負担もその時に買受人に移転する。したがって、換価財産の買受人から買受代金の納付を受ける前において、その財産上に生じた危険（例えば、焼失、盗難等）は、滞納者が負担する。また、換価財産の買受人から買受代金の納付があった後において、その財産上に生じた危険は、その財産の登記の手続の既未済又は現実の引渡しの有無にかかわらず、買受人が負担する。

なお、２の⑴から⑻までに掲げる一定の要件を満たさなければ権利移転の効力が生じない財産については、当該要件が満たされ、その権利が移転した時に、換価財産の換価に伴う危険負担が買受人に移転する。

セ　売却決定通知

買受人が買受代金を納付したときは、買受人に対して売却決定通知書を交付しなければなりません。売却決定通知書には次の事項を記載します（国税徴収法施行令第44条）。

㈠　買受人の氏名、住所（または居所）。

㈡　滞納者の氏名、住所（または居所）。

㈢　売却した財産の名称、数量、性質、所在。

㈣　売却代金の額、売却代金の納付年月日。

この売却決定通知書は、滞納処分による換価の事実を証するものであり、公売に係る財産が不動産の場合は、後に権利移転手続の際に、嘱託登記の原因証書（謄本を使います）として使用することになります。なお、売却決定通知書は売却決定のときに交付するのではなく、買受人が買受代金を納付したことを確認した後に交付することに注意します。

公売に係る財産が動産または有価証券であるときは、引渡しが行われ（同法第119条）、また裏書き等が行われる（同法第120条）ため、不動産等のように滞納処分による換価の事実を証する実質的な意味があるわけではないので、交付しなくてもよいとされています（同法第118条）。ただし、譲渡制限のある株式を換価した場合は、売却決定通知書を交付する取扱いとなっています。

ソ　権利移転

税務署長は、買受人から買受代金の納付があったときは、公売に係る財産の権利を買受人に移転させなければなりません（国税徴収法第119条～第123条）。

㈠　**現実の引渡し**＝公売に係る財産が動産等の場合で、徴税吏員が占有しているもの。

㈡　**指図による引渡し**＝動産等の場合で、滞納者または第三者に保管させているもの。

㈢　**裏書き等**＝公売に係る有価証券につき滞納者に裏書き、名義変更等をさせる。滞納者が指定の期限内に裏書き等を行わないときは、税務署長は自らこれを行う。

㈣　**登記または登録**＝買受人の請求により登記等を関係機関に嘱託しなければならない。

【換価に関するＱ＆Ａ】

〔Ｑ１〕

当市は、人口も人の異動も少ない地方都市であるため、地域の実情を考えれば、税金の徴収においては、国税や規模の大きな自治体のように、積極的に滞納処分を行っていくことは困難な状況にあります。しかしながら、最近は景気の後退や滞納の増加による市民の不公平感も後押しとなって、滞納者との接触の機会を確保するために少しずつではありますが、差押えに着手しつつあるところです。

差押えに当たっては超過差押禁止のことも考え、滞納額に見合う財産とするように努めているのですが、そうするとどうしても不動産では高額すぎるため、預金・給料・生命保険などの債権ということになってしまいます。しかし、前述のとおり当市では、そもそも差押財産を換価して滞納税に充てようという趣旨で差押えをしているのではなく、滞納者との接触の機会を確保しようとしてやっておりますから、よほどのことがなければ債権の取立てまでは考えていません。現に差押えをするようになってからは、納税相談のために慌てて窓口に来る滞納者が増えてきました。このように、取り立てることを視野に入れない差押えであっても一定の成果を挙げていることを考えれば、これはこれで滞納処分の一つのあり方（運用）だと考えますが、いかがでしょうか。

〔Ａ〕

ご質問の趣旨は、強制徴収手続としての滞納処分は理解できるが、何も全ての滞納事案について、最終段階の換価（取立て、公売）まで進む必要はないのではないか、一連の滞納処分手続の一部（差押え）を行うことによって、その段階で効果があれば、無理にそれ以降の手続に進む必要はないのではないか、というところにあると思われます。

確かに滞納処分に移行する前の督促や催告の段階で滞納税が完納されれば、それで滞納に係る租税債権は充足され、消滅しますから、それ以降の手続は必要がないため行うことはありません。しかし、それはその段階で完納となった場合であって、単なる納税誓約をしただけでは、その後の手続が留保されたというにすぎません。その後、納税誓約に係る分納が履行されなければ、次なる処分へと手続を進めることになります。

差押えをすることが、結果として滞納者と接触の機会を確保するための一つのきっかけとなる場合があることは否定しませんが、それはあくまでも結果としてそうなる場合があるというだけであって、全ての場合がそのことによって滞納税が完納に至るわけではないので、滞納者との接触の機会を確保するためだけに差押えをするというのは、「滞納処分の一環としての差押え」に対する正確な理解ではありませんし、強制徴収処分という滞納処分の制度目的に沿った運用でもないと言わざるを得ません。

つまり、滞納者と接触しただけでは、確実に完納する保証を得たことにはならないので、滞納者との接触の機会を確保することは、確実に完納させるための強制徴収手段である滞納処分の「目的」とはなり得ませんし、必ずしも確実な完納に結びつかないけれどもそれを目指すというのであれば、それをもって滞納処分とは到底言えず、換価（取立て、公売）を視野に入れないような差押えはすべきではないということになります。差押えを事実上一つの「間接的な圧力」として滞納者をして接触の場に引きずり出そうするのは、滞納処分本来の運用とは別物であり、決して「滞納処分の一つのあり方（運用）」などと言えるものではありません。

そもそも負担能力がありながら納税しない者に対して行う強制徴収処分が滞納処分であることからすれば、負担能力はもとより納税の意思すら明確でない滞納者と接触するために滞納処分を行うということ自体が（強制徴収処分としての滞納処分の制度趣旨と）矛盾しています。

〔Q２〕

不動産を公売にかけて最高価申込者を決定したところ、売却決定の直前になって滞納者が滞納税を完納しました。この場合、換価の原因となるべき事由が消滅したことになりますから、公売を中止すべきであると考えますが、根拠規定は、国税徴収法第117条（完納による売却決定の取消し）でよろしいでしょうか。それとも同法第79条（差押の解除）によるのでしょうか。

〔A〕

滞納処分は、納期限を徒過し、督促状が発付されてから10日を経過した日までに完納されない地方税があるときに行われるもの（同法第47条）ですから、その行使の基礎となる事実が消滅した場合は、それを維持することはできません。ご質問の場合は、売却決定の前に完納になったとのことですから、そのような場合は、売却決定をすべきではありません。したがって、同法第117条によるのではなく、同法第79条第１項第１号により差押えを解除することになります。ただし、最高価申込者を決定していることもあり、手続としては、まず最高価申込者等の決定を取り消した後に、差押えを解除します。

【参考】国税徴収法基本通達第104条関係６（国税の完納による最高価申込者の決定の取消し）　最高価申込者の決定後、売却決定までの間に、公売財産に係る国税の完納の事実を確認したときは、その最高価申込者の決定を取り消すものとする。

【参考】換価事務提要68（最高価申込者等の決定の取消し）　不動産等の最高価申込者等の決定後、売却決定前に公売の基因となった国税の完納等による消滅の事実を確認したときは、徴収法第117条の規定に準じ、最高価申込者等の決定の取消しを行うこと。この場合においては、最高価申込者、滞納者及び利害関係人に対し、その最高価申込者の決定を取り消した旨を「最高価申込者決定取消通知書」により通知し、また、併せて次順位買受申込者の決定を取り消したときは、これに準じて通知することに留意する。

【参考】換価事務提要96（参加制限に伴う処理）⑸最高価申込者等の決定の取消し等　最高価申込者等の決定を取り消す場合には、その旨の決裁を了した上、最高価申込者等、滞納者及び利害関係人に対し、その最高価申込者等の決定を取り消した旨を「不動産等の最高価申込者の決定取消通知書」により通知すること。次順位買受申込者の決定を取り消したときは、「不動産等の次順位買受申込者の決定取消通知書」により通知すること。

〔Ｑ３〕

国税徴収法第92条によれば、「国税に関する事務に従事する職員」は、換価の目的となった財産の買受人となることができない旨規定されていますが、地方税の場合はどうなるのでしょうか。

〔Ａ〕

この規定の趣旨は、換価事務の公正さを確保するためであるとされています。つまり、この規制の背後には、直接換価事務に従事している税務職員はもとより、地方税の賦課徴収に従事している者であるがゆえに、一般の納税者では容易に知ることのできない換価対象物件に関する情報を知り得るということもありますし、何よりも換価の趣旨が、広く買受人を募ることによって、より高価に売却し、それにより滞納者にとって有利な売却となるようにすることにあるにもかかわらず、税務職員といういわば身内だけで手続を進め、しかも税務職員自らがこれを買い受けることは、こうした趣旨にそぐわないし、公正でないという判断があるのです。

換価事務のこのような性質に照らせば、税務事務に従事する職員には、納税課や徴収課といった直接換価事務に携わる職員が所属する徴収の所管課だけでなく、税の管理や企画なども含めて税務事務全体にわたり広い範囲の職員が含まれると解するのが妥当です。

〔Q４〕

換価財産の買受人から「代金を一括で納付するつもりでいたが、期日までにはどうしても○万円用意することができないので、２回の分割で払いたい。ついては、残金の○万円については、納付誓約書を提出するだけでなく、しっかりとした資金的な裏付けのある保証人（人的担保）をたててもよい」との申出がありましたが、この申出を受けてもいいでしょうか。

〔A〕

買受代金の納付については、国税徴収法第115条第３項によれば「買受人は、買受代金を第１項の期限までに現金で納付しなければならない」と規定しています。仮に分割納付を認めるとすると、その場合の利息や担保の扱いをどうするかという問題が生じますが、同法および地方税法には、それらに関する規定はありません。地方税法中の延滞金に関する規定は、本税について規定したものですし、担保に関する地方税法第16条は、徴収金の猶予に伴うものとして規定されたものです。また、分割納付を認めれば、その場合の確実な履行を確保するために、買受人に対する納付能力調査などの事務が生じることとなり、換価事務を一層複雑で煩瑣（はんさ）なものとするおそれがあります。したがって、現行の国税徴収法の下では、買受代金の分割納付は認められていないと解するのが妥当です。

【参考】換価事務提要56（買受代金の納付）⑴（注１）　上記の買受代金の納付については、分割納付を認めないことに留意する。

【参考】問答詳解　換価事務提要56（買受代金の納付）解説⑵　買受代金を分割で納付することはできない。この点については立法論的にはともかく、徴収法第115条の「期限までに納付しなければならない」という文言、及び分割納付の際に当然問題となるべき、利息、担保及び所有権の帰属等について何ら規定が置かれていないことから、現行徴収法は一括納付のみ予定しているというべきである。

第4章・その他

1 書類の送達

書類の送達とは、法律の定める方式によって、納税者（滞納者）およびその他の利害関係人に対して、地方税の賦課徴収と還付に関する書類を送付し（または交付し）、了知させるために行われる伝達行為およびその手段のことを言います。

了知というのは、送達の名宛人に対して、その書類の内容を知らしめて了解させることを言いますが、相手がその内容につき、納得することまでが要求されているわけではありません。したがって、送達の名宛人が仮に「俺はこんな課税には納得できない」とか「一方的な差押えなど拒否する」などのように言ったとしても、それは通用しませんし、そのような場合であっても、法的には送達されたことになります。そのことを「書類が相手方の支配下に入り、相手が了知することができる状態に置かれたときに、送達があったものと認められる」と言っています。

また、こうしていったん送達の効力が生じた書類については、たとえ相手が受取りを拒否するか、または返戻されたとしても、送達という法的な効力には影響がありません。つまり、例えば郵便により書類が滞納者の自宅に届けられ、滞納者がその書類について、見ようと思えば容易に見ることができる状態にある（自宅のポストという自己の支配の及ぶところに置かれた）にもかかわらず、それをしないのは、送達する側にではなく、送達を受ける側に、為（な）し得ることを為さなかったという（不作為の）問題があるということです。

しかし、法的にはそうであるとしても、滞納処分に関する書類のように重要な内容に関するものについては、自力執行権を持っている者の責務として、極力、滞納者本人に対して処分の内容を知らせる努力をすべきですから、開封されずに返戻された場合は、（法律がそうすることを要求しているわけではありませんが）再度、普通郵便で送達するか、または直接、滞納者の住所に差し置くなどの実務取扱いとすることが望ましいでしょう。しかし、そのようにしてもなお返戻されるようなことがあれば、それを再々度送る必要まではなく、そのような場合は、その間の経緯を、時系列に簡潔に整理して記録しておき、返戻された書類については、その記録とともに保管しておきます。

原則として、書類の到達によって、差押えなどの法律行為が効力を生じることとなっています（到達主義の原則。民法第97条参照）。滞納整理では法律の規定に基づいて、督促状や差押通知書などのさまざまな書類が作成され、そして、それらを滞納者等に送らなければなりません。しかし、地方税の滞納整理という一連の事務の中には、法律行為だけでなく準法律行為や事実行為も含まれており、地方税法第20条の適用がある「賦課徴収に関する書類」とは、督促状や差押通知書などのように法律に根拠があって、かつその到達によって法的な効力を生じる書類のことを言い、意思の通知（準法律行為）である催告書は、この中に含まれません。

催告書の中には「納税催告書」のように催告という文言の入った、そのものずばりの名称のものだけに限らず、「差押事前通知書」や「差押警告書」といったものも含まれ、そして、それらの名称のいかんを問わず、租税債権者の意思として、滞納者に自主納税を促す内容の文書一切を含みます。税務事務の特性である大量性・反復性のゆえに、それらのうちの多くは郵便による送付という形で行われています。しかし、後述するように、郵便によるものだけが、地方税事務における「書類の送達」というわけではありません。

(1) 誰に送るのか

滞納整理事務の中で作成される書類にはさまざまなものがありますが、先にも述べたように、送達とは、徴収金の徴収に関するそれらの書類を滞納者等に了知させる目的でなされるものですから、まず、それを理解することのできる者宛てに送る（または交付する）必要があります。書類を受け取っても、それが何を意味するのか理解できないような者では、送達の目的を達することができないからです。次に、滞納処分に関する書類は、個人のプライバシーに関わる内容を含むものですから、送達の相手方については、その必要性のある者に厳格に限定されなければなりません。なお、法人の場合は、原則として、代表権を有する事務所・事業所の長宛てに送達します。書類の送達の相手方について整理すると次のとおりです。

このようなときは	送達の相手方
通常	滞納者本人、事務所・事業所の長
納税管理人がいるとき	納税管理人（ただし、滞納処分に関する書類は、滞納者本人または法定代理人）

未成年者等の制限行為能力者	法定代理人がいるときは、その代理人（民事訴訟法第102条第１項参照）。いないときは、本人
相続代表者がいるとき	相続代表者（なお、地方税法第９条の２第４項参照）
法人が解散または事実上破綻しており所在が不明であるとき	その法人の代表者または清算人（清算手続が完了するまでは、その法人は存続しているものとみなされます）
在監者	監獄の長（在監中であっても、その者の住所地に送達してよいとする判例もあるようですが、本人にその内容を了知させるのが送達の趣旨ですから、監獄の長とすることが妥当です）民事訴訟法第102条第３項参照

⑵　どこに送るのか

既に述べたとおり、滞納整理における書類の送達が、徴収金の徴収に関する書類を滞納者等に了知させる目的でなされるものであるところから、送達先は、送達を受けるべき者がいる場所でなければなりません。通常、それは個人でいえば住所であり、法人でいえば機関たる代表者のいる事務所・事業所（通常は本店〈会社法第４条〉）ということになります。

住所とは、「生活の本拠」（民法第22条）のことです。何をもって生活の本拠と判断するかについては、かつては、居住の実態という客観的な事実に加えて、その場所に定住するという本人の意思（という主観的な要件）が必要であるとする説が有力でしたが、書類の送達において、どこをその者の住所とすることが適切なのかという視点で考えてみますと、滞納者等に送達すべき書類の内容を了知させるという送達の目的に照らして、客観的で継続的な生活実態があると認められる場所を住所とする方が妥当です。

このように法律は、住所の概念について、本籍地や住民登録地といった形式よりも、客観的で継続的な生活実態という実質主義を採用していると見ることができます。ただし、税務事務の特性である大量性・反復性を踏まえますと、それぞれの納税義務者ごとに逐一住所の認定をすることは、実際上不可能なことですから、実務では、住民登録のある場所（法人の場合は通常、本店登記のある場所）を住所として事務が進められています。地方税事務において個々の住所の認定が問題になるのは、住民税の課税権を巡る問題と、書類の送達の有効性を巡る問題に関するものがほとんどです。

住所と紛らわしい概念に、居所というものがあります。この居所というのは、相対的な概念で、住所と認定するまでには至らないものの、その場所で一定程度、起居寝食している事実（つまり、ある程度の生活の実態）があると認められる場所であるとされています。住所が知れない場合は、居所が住所とみなされること（民法第23条）、また、地方税の書類の送達においては、送達すべき者に、確実に書類が届くことが重要であることを考え合わせますと、そこが住所なのか居所なのかといった、概念上の区分にこだわることは、いずれにせよ実務上はあまり意味のないことのように思われます。

(3) 送達の種類

地方税法によれば、書類の送達には、交付送達、郵便による送達そして公示送達の３種類があるとされています。これらのうち、公示送達を除いたいずれが原則的な（送達の）方法であるかは、条文上は必ずしも明らかではありませんが、税務事務の大量性・反復性という特性に鑑みれば、郵便による送達が原則であるとするのが合理的であり、無理のない自然な考え方なのではないでしょうか。郵便による送達の場合、普通郵便のほか、書留などの特殊取扱郵便がありますが、どの書類をどの（取扱区分の）郵便で送達するかについては、法律による規制はありませんから、書類の重要度や分量、あるいは発送する頻度などに応じて「書類の送達区分」として内規で決めておくべきでしょう。

交付送達とは、徴税吏員が、書類の送達を受けるべき者の住所等において、その者に交付して行う方法のことで、文字どおり、直接、相手に手交する（手渡しする）ことを言います。この場合、「送達記録書」を作成し、送達を受けるべき者から受領印を徴します。なお、受領印を徴することにつき、相手方の協力が得られないときは、その旨を送達記録書に記録しておき、「渡したはずだ」とか「いや受け取っていない」というような後日の紛議に備えます。

この送達記録書は、売掛金などの債権を差し押さえる場合や、金融機関での臨場調査の場で預金を差し押さえる場合などで使います。また、いわゆるバブル経済の崩壊以降は、金融機関等が不良債権処理の一環として差押中の不動産の任意売却による、滞納税その他の債務の清算をする場面などで使われることも多いでしょう。債権の差押えについては、二重差押えをすることができますので、差押えの先後が問題となることがあるため、送達記録書に、第三債務者が書類（差押通知書）を受領した日時を記録しておくことが重要です。

交付送達には、その形態の違いによって「出会送達」「補充送達」「差置送達」といったいわば亜種があります。出会送達というのは、例えば、書類を届ける途中で、相手と出会った場合、相手に異議がないときは、そこで交付することを言い、たとえそこが住所や居所以外の場所であっても差し支えありません。補充送達というのは、住所や居所など本来、書類を送達すべき場所において、送達すべき者に出会わないときに、その使用人その他の従業者または同居の者で、書類の受領について相当のわきまえのある者に交付することを言います。差置送達とは、書類を送達すべき場所に、送達を受けるべき者または補充送達を受ける者がいない場合、またはこれらの者が正当な理由なく書類の受領を拒んだときは、送達すべき場所に書類を差し置くことができるというものです。

滞納者等の住所に書類を届ける道すがら、偶然に相手と出会うということは、ほとんど考えられないことですから、出会送達の例は、実際にはほとんどないものと思われます。ただ、それらの者に事前に連絡をしておき、場所を指定して会うということも考えられないことはありませんが、通常、滞納処分に係る重要な書類を、滞納者等の住所以外の場所で交付する必要性があるとも思われませんし、安全性や確実性の観点からしても、あまり現実的ではないように思われます。

もっとも、先に触れたとおり、バブル経済崩壊の事後処理の意味もあって、平成の10年代以降、金融機関やサービサー（債権回収会社）主導で、差押中の不動産を任意売却することによって、滞納税その他の債務を清算しようとする動きが出てきています。これは、多額の不良債権を抱える金融機関による不良債権処理の加速とも無縁ではないように思われます。こうした事案の場合、売主（滞納者）、買主、仲介業者、債権者、司法書士、弁護士などの関係者が、金融機関の店舗に一堂に会して、決済をすることがありますので、そのようなときには、「送達記録書」および送達すべき書類（差押えの解除通知など）を当該店舗へ持参して、交付することがあると思われます。

最後に公示送達について触れておきます。公示送達とは、これまで説明してきた郵便による送達や交付送達をすることができないような特別な事情がある場合に、それらに代わって地方団体の掲示場に、送達すべき書類の内容を公示（公に掲示）することによって、送達の効果を擬制するというものです。

擬制というのは、法律学辞典によれば、「本質の異なるものを一定の法律的取扱いにおいて同一のものとみなして同一の効果を与えること」（『新法律学辞典』有斐閣より）と説明されています。すなわち、条文にも「その送達に代えて」（地方税法第20条の２）とあるように、公示送達は、郵便による送達や交付送達とは異なり、送達すべき書類の場所的な移動を伴うものではなく、地方団体の掲示場に一定期間掲示することによって、送達と同様の効果を認めようというものです。このように本質の異なる両者を、法律的に同じものとして取り扱うためには、送達を受けるべき者について、特別な事情がなければならないのですが、その特別な事情とは「送達を受けるべき者の住所、居所、事務所及び事業所が明らかでない場合又は外国においてすべき送達につき困難な事情があると認められる場合」（地方税法第20条の２第１項）のことを言います。

このように公示送達は、事務処理としては、地方団体の掲示場に掲示するだけであるため、手続それ自体はとても簡便なのですが、郵便による送達や交付送達と同等の法律的な効果を持つものですから、公示送達とするためには、単に住民登録などの公簿調査だけでは不十分ですし、また、郵便が宛所に尋ね当たらないということで返戻されただけでも、公示送達とすることはできません。やはり実地調査をしてもなお、送達すべき場所が不明であるという場合に、初めて公示送達とすることができると解すべきでしょう。

これは、法律が、住所の概念について、客観的で継続的な生活実態という実質主義を採用していること、および（たとえ税務事務の大量性・反復性という特性を踏まえたとしても）地方税の賦課徴収や還付に関する重要な書類については、決して安易な処理に流れるべきではなく、確実かつ慎重に処理すべきであるとの考え方に立脚しているからだと考えられます。「みなす」という法的な擬制の持つ意味を重く受け止めるべきでしょう。

【書類の送達に関するＱ＆Ａ】

〔Ｑ１〕

ある滞納者について、不動産の差押えをしたところ、直ちに反応があり、「突然、一方的に人の財産を差し押さえるとはけしからん。役所がそんなことをしてもいいのか。だいいち、事前に何の連絡や警告もなく、まるでだまし討ちのように、急に差し押さえるのはおかしい。取り消せ！」と、えらい剣幕です。差し押さえる直前に「差押警告書」を送ったのですが「そんなもの届いていないし、見てもいない」と言っています。どう対処したらいいでしょうか。

〔Ａ〕

滞納処分は、滞納者の同意を必要とする行政行為ではありませんから「一方的に差し押さえたのは、けしからん」という非難は当たりません。徴税吏員には、督促状を発してから10日経っても納税されない徴収金がある場合は、その時を始期として、時効完成（終期）までに差押えをして、税収の確保を図らなければならない義務があります（国税徴収法第47条）から、今回の措置は、この要件を満たしている限り、全く正当な業務行為です。また、督促状を除き、差押えの前に予告や警告をしなければならないという法律の規定もありませんから、「だまし討ち」だという非難も的外れです。

ところで、事前に滞納者宛てに送ったとされる「差押警告書」については、督促状のように、地方税法で送達しなければならないとされている文書ではなく、指定期限までに自主的な納税がなければ、差押えをするという警告ないしは予告を兼ねた催告書であって、任意の文書ですから、地方税法第20条および同法第20条の２の適用はありません。したがって、送達の推定（同法第20条第４項）は働きませんから、この場合は「返戻されていない以上、あなたのところへ届いたものと考えています。もし、届いていないとおっしゃるのであれば、あなたの方で、届いていないことを証明していただくことになります」と言うことはできません。

しかし、督促状が送達されていれば、差押えは可能ですし、地方税法も国税徴収法も、それ以外の要件（加重要件）を要求しているわけではありませんから「これまでにもたびたび納税していただくよう催促してまいりましたが、残念ながら納税されませんでしたので、法律にのっとってあなたの財産を差し押さえました」と堂々と（しかし丁寧に）言うべきです。滞納者は、自分に都合の悪いものは、全て「届いていない」し、「見ていない」として否定するのです。

なお、この場合、滞納者が「届いていない」と言っているからといって「それでは調べてみます」などとは決して言わないように注意すべきです。そもそも催告書は、任意の文書ですから、そうした任意の文書について、それを確かに送っているはずだとか、いや見ていないというような不毛な水掛け論をしても何の解決にもなりません。滞納整理は、法令にのっとって行うべきものですから、督促状の送達を踏まえた、適法な差押えであることを堂々と主張してください。これまで、催告書という文書だけでは反応がなかった滞納者が、差押えをしたからこそ、こうして反応があったわけですから、この機会を捉えて完納を指導すべきでしょう。追い詰められ（滞納処分が目前にまで迫ら）なければ、重い腰を上げない滞納者がいるということを心して、滞納整理に当たってください。

〔Q２〕

滞納者Aは、固定資産税を約1000万円滞納したまま亡くなってしまいました。そこで、相続人について調べたところ、被相続人である滞納者Aは、天涯孤独な人で、相続人はいないことが明らかになりました。残った財産を滞納処分して徴収しようと思いますが、一体誰宛てに書類を送達して、滞納整理を進めていったらいいでしょうか。

〔A〕

相続人がいないときは、その相続財産は法人となります（民法第951条）。法人は、それ自体では活動することができませんから、それを管理する自然人が必要となります。この相続財産を管理する人のことを、相続財産管理人と言い、利害関係人または検察官の請求によって、家庭裁判所が選任します（民法第952条）。

この利害関係人というのは、相続財産の管理・清算につき法律上の利害関係を持っている人のことを言いますから、地方税債権者もこれに含まれます。相続財産管理人は、このように相続人不存在の相続財産について、管理・清算目的のために一時的に存在する相続財産法人の機関として同法人を代表します。したがって、法人の代表者として、滞納処分に関する書類の送達を受け得る地位にありますから、書類の名宛人は「亡　○○（滞納者の氏名）　相続財産管理人○○宛」のように表示します。この場合、書類の送達先は、亡くなった滞納者Aの住所ではなく、相続財産管理人が指定する所（例えば、弁護士事務所など）へ送達して差し支えありません。なお、誰（被相続人）の相続財産の管理人なのかを明確にしておく必要がありますから、送達する書類には、被相続人の元の住所も記載しておく事務取扱いとすることが望ましいでしょう。

2　弁済の充当

滞納者が複数の税目の地方税（例えば、市民税と固定資産税など）を滞納している場合、または単独の税目で納付すべきものが複数ある場合（例えば、固定資産税のように納期を分けて納税することとなっているものなど）において、滞納者が納付した税額が、全ての滞納額を満たすには至らないときに、いずれの年度、税目あるいは期（月）の滞納税に充てるべきかを決めておく必要があります。このように、税の滞納が複数あるときに、その一部について納付があった場合、それをどの滞納に充てるかという問題のことを「弁済の充当」

と言います。

地方税法に、この弁済の充当に関する一般的な規定はありません。同法第17条の２では充当という用語が使われていますが、同条での充当は、還付すべき金額と、納税すべき金額とを、一定の要件（充当適状と言います）の下で、双方の対当額を消滅させるという相殺類似の処分のことを言いますから、弁済の充当と言うときの「充当」とは意味が異なります。

このように地方税法には弁済の充当に関する一般的な規定がありませんので、滞納者は、複数の滞納がある場合において、納税しようとする地方税の年度・税目・期・月を選択して弁済の充当をすることができます（指定による弁済の充当）。もっとも実際の業務では、複数の地方税を滞納している者の場合、通常であれば、年度の古いもの、あるいは金額の大きいものから充てていくものと思われます。

しかし、中にはそういうことに無頓着な人もいて、役所から交付された納付書の中身をよく見もしないで、途中を飛ばして（例えば、納税誓約に伴う納付の第１回分を納付した後に、第２回分を飛ばして、第３回分を先に）納付してしまうこともあります。納付書には、年度・税目・期（月）・税額などがあらかじめ印刷されていますから、それが地方団体の公金として収納されれば、納付書に印刷されたとおりのところに充当されることとなるでしょう。

このように年度や期（月）がバラバラのままに充当されて、納付済みのところと未納のところとが、あたかも「虫食い」状態のようになってしまうこともあります。法律上も、また事実上もそのような弁済の充当は可能ですが、常識的に考えれば、滞納者があえて意図してそのような充当を希望したというよりも、ついうっかり勘違いをした結果、そのようになってしまったと見るのが自然でしょう。

このように、たとえ年度または期（月）の納付状況が虫食い状態になってしまうようなことがあっても、弁済の充当の第一次的な指定権は滞納者にある（民法第488条第１項）ことを考えれば、（このような状態は、滞納整理の進捗（しんちょく）管理上好ましいものではないとしても）原則として、それについては、あえてその都度充当先を変更する必要はありません。弁済の充当において、弁済をする者（滞納者）に充当すべき債務の第一次的な指定権を与えたのは「弁済をする者は、最も利害を感ずるものであるから、これに権利を与えた」（民法講義Ⅳ『新訂債権総論』我妻栄、岩波書店）とされているからです。

ただ、前述のとおり、常識的に考えて、そのような変則的な弁済の充当は、滞納者の勘違いに基づくものである可能性が高く、滞納者があえて意図してそのような（順序を間違えた）納付書を使ったとは思われません。しかも納税誓約をしているのであれば、「合意による弁済の充当」（民法第490条）が成立していると考えることもできますから、滞納者がその合意に反する弁済の充当をしようとするときは、滞納者がその指定権を行使しなかった場合に準じて、徴税吏員が第二次的な指定権を行使して弁済の充当をすることができます（民法第488条第２項）。

なお、その際は、滞納者がそれ以降同様の勘違いを繰り返すことがないように、その旨を滞納者に連絡をするとともに、必要であれば、別途、納付書を再交付しておくべきでしょう。

ところで、前述したように、地方税法には弁済の充当に関する一般的な規定はありませんが、地方税のいわゆる本税部分と、その他延滞金および過少申告加算金・不申告加算金・重加算金などの加算金（これらのことを附帯金または附帯債権と言います）については、これらの間の優先順位について規定を置いています。地方税法第14条の５（地方団体の徴収金のうちの優先順位）と同法第20条の９の４（一部納付または納入があった場合の延滞金の額の計算等）です。

これらの規定は、従来、延滞金先取りが原則であったものを、昭和57年に国税に合わせて、本税先取りに改めたことに伴い整備されたもので、前者は地方税を滞納処分によって徴収する場合の規定であり、後者は地方税を任意に納付する場合の規定です。そして、この両規定は、民法第491条（数個の給付をすべき場合の充当）のような任意規定ではないので、これらの規定に反する順序で充当することはできません。そもそも「租税法は強行法（規）であるから、課税要件が充足されている限り、租税行政庁には租税の減免の自由はなく、また租税を徴収しない自由もなく、法律で定められたとおりの税額を徴収しなければならない。これを合法性の原則と呼」（法律学講座双書『租税法』金子宏、弘文堂）んでおり、当事者の意思によって、地方税法上のこれらの規定と違った順序で充当することはできません。

この弁済の充当に関しては、ある滞納者について、複数の未納の本税（複数の税目にわたる場合を含む。以下同じ）と確定した延滞金がある場合、任意に一部納付された滞納税を、どこから充てていくかという問題があります。滞納者が納付した金額が本税額の一部で、まだ延滞金の金額が確定していない場合であれば、地方税法第20条の９の４第２項の規定によりその分は本税に充てられるので、その限りにおいて問題はありません。

この問題は、滞納者から納税誓約をとって、その誓約に従って納付されている場合に顕著です。滞納者にしてみれば、できれば延滞金の負担は少ないに越したことはありませんし、できることなら負担しないで済ませたいという気持ちがあるでしょう。また、徴税吏員にしても、延滞金も含めて滞納となっている徴収金の完納を目指すという目標はあるものの、収納率のことなどを考えると、附帯金である延滞金よりも本税を完納させることを優先したいという気持ちがあるのではないでしょうか。

徴税吏員としては、万が一にも「本税さえ納まれば御の字だ」などという認識を持って滞納整理に臨むべきではありません。実務では、（当事者が明確に意識しているかどうかにかかわらず）双方のこのような思惑を背景として、「金額の確定した延滞金」だけを残して、どんどん先に本税へ充てていることが多いのではないでしょうか。その結果、延滞金だけが累積して残ってしまうこととなります。そうした場合、経験的にいって、本税の納付が全て終わった段階で、滞納者から「本税については何とか努力して払ってきたのだから、延滞金については減免してほしい」との申出を受けることが多いのも事実です。

地方税に関しては、前述のとおり地方税法第14条の５（地方団体の徴収金のうちの優先順位）と同法第20条の９の４（一部納付または納入があった場合の延滞金の額の計算等）の両規定に反した弁済の充当をすることはできません。既に納付すべき金額が確定している延滞金と本税について、任意に納付された

弁済の充当の順序

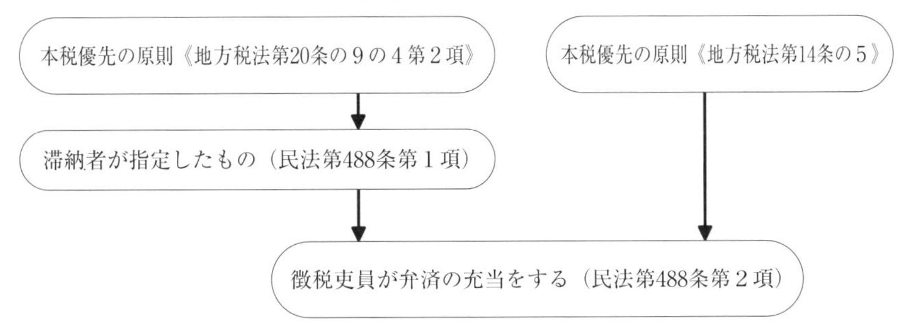

1　納期が到来しているもの（民法第488条第４項第１号）
2　滞納者の利益が大きいもの。充当によって完結するもの（同項第２号）
3　最初に納付すべきこととなったもの（同項第３号）

徴収金を、これらにどのような順序で充てていくかについては、地方税法上明らかでないところから、このような問題が生じてきます。

延滞金の納付について地方税法を見てみますと、「この法律の規定により納税者又は特別徴収義務者が延滞金をその額の計算の基礎となる地方税（本税）に加算して納付し、又は納入すべき場合において、……」（同法第20条の９の４第２項）とか「……の割合を乗じて計算した金額に相当する延滞金額を加算して納付し、又は納入しなければならない」（同法第326条第１項）などと規定しています。「加算して」というのは、附帯金である延滞金を、本税と合わせて納付するということですが、これらの規定は、本税と同時にとは言っていません。加えて、例えば納期限後督促前に納付された本税に係る延滞金について滞納処分を行おうとするときは、当該未納の延滞金について督促状を発付しなければならないことなどを考えますと、延滞金については、これを一個の債権として見ることができ、もとより本税と同時に納付されることが望ましく、かつ、そうすることが期待されるとしても、本税と別の時期に納付することが、地方税法上許されないとまでは言えません。

なお、弁済の充当につき滞納者の指定があれば格別、そうでないときは徴税吏員が弁済の充当をすることになります（民法第488条第２項）。そして、この場合の充当の順序は、地方税法に一般的な規定が存在しない以上、民法の法定充当（民法第488条第４項各号）の順位を類推して適用するのが合理的であると考えます。

【参考】法定充当（民法第488条第４項）

1　債務の中に弁済期にあるものと弁済期にないものとがあるときは、弁済期にあるものに先に充当する。
2　全ての債務が弁済期にあるとき、又は弁済期にないときは、債務者のために弁済の利益が多いものに先に充当する。
3　債務者のために弁済の利益が相等しいときは、弁済期が先に到来したもの又は先に到来すべきものに先に充当する。
4　前２号に掲げる事項が相等しい債務の弁済は、各債務の額に応じて充当する。

3　繰上徴収

(1)　繰上徴収とは

納税者等に何らかの緊急事態が発生して、納期限が到来するまで待っていたのでは、地方税を全額徴収することができないと認められる場合は、納期限の到来を待たないで、督促を要せずに徴収のための手続を進めることができます（地方税法第329条第１項ただし書き、同法第371条第１項ただし書き等）。この手続のことを「繰上徴収」（地方税法第13条の２）と言います。

納期限とは、納期の最終日のことで、その日までに納税すれば延滞金も付かないし、督促や滞納処分を受けることもないという附款（ふかん）のことです。そして、納期限は、租税債務者である納税者等の利益のためにあるものと推定されています（民法第136条第１項参照）。ここでの納税者等の利益とは、「期限の利益」のことを言い、具体的には、期限が到来するまでは履行の請求を受けないことや、利息が付かないことなどを言います。納期限という用語が使われている具体的な例としては、地方税法第13条の２第１項、第３項のほか、同法第１条第１項第６号や同法第326条などを挙げることができます。

(2)　繰上徴収の要件

納税者等が有する「期限の利益」を奪ってまでも地方税を強制徴収するほどの緊急事態とは一体どのような場合を言うのでしょうか。この点について地方税法は、納税者等に生じた緊急事態として次のような場合を列挙しています（同法第13条の２第１項）。

納税者等に生じた緊急事態（繰上徴収の客観的な要件）
(ア)　納税者等の財産について、強制換価手続が開始されたとき。（第１号）
(イ)　納税者等の相続人が限定承認をしたとき。（第２号）
(ウ)　法人である納税者等が解散したとき。（第３号）
(エ)　納税者等が納税管理人を定めないで、その区域内に住所・居所・事務所・事業所を有しないこととなるとき。（第４号）
(オ)　納税者等が不正に地方団体の徴収金の賦課徴収を免れ、もしくは免れようとし、または還付を受け、もしくは受けようとしたとき。（第５号）

ア　強制換価手続が開始されたとき（第１号）

「納税者等の財産について、強制換価手続が開始されたとき」と言う場合の強制換価手続とは、滞納処分・強制執行・担保権の実行としての競売・企業担保権の実行手続・破産手続のことを言います。ここでの滞納処分とは、国税徴収法第５章第１節に規定されている差押えのことです。そして、滞納処分が開始されたときとは、差押えの効力が生じたときのことで、これを財産別に示せば次のとおりです。

動産・有価証券：徴税吏員がその財産を占有したとき（国税徴収法第56条第２項）。

債権：債権差押通知書が第三債務者に送達されたとき（国税徴収法第62条第３項）。

不動産：差押書が滞納者等に送達されたとき。ただし、差押えの登記がその送達の前にされたときは、その登記のとき（国税徴収法第68条第２項、第４項）。

無体財産権等：差押書が滞納者等に送達されたとき（国税徴収法第72条第２項）。

次に強制執行・担保権の実行としての競売とは、民事執行法に基づく換価手続で、前者は、国家が持っている執行権によって、債務名義という文書に表された私法上の請求権を強制的に実現する手続で、後者は、担保権者が持っている換価権に基づいて、債務名義を必要とせずに担保権の実現を強制的に図る手続のことです。そして、強制執行が開始されたときとは、差押えの効力が生じたときのことで、これを財産ごとに示すと次のとおりです。

動産：執行官がその動産を占有したとき（民事執行法第123条第１項）。

債権：差押命令が第三債務者に送達されたとき（民事執行法第145条第４項）。

不動産：強制競売の開始決定が債務者に送達されたとき（民事執行法第46条第１項）。

その他の財産権：特別の定めがあるもののほか、債権執行の例による。

つまり、債権の場合と同じく同法第145条第４項によります（民事執行法第167条第１項）。

なお、担保権の実行としての競売については、強制執行のように「債務名義」を必要とするものではありませんが、その申立てのときに、一定の文書を（執行裁判所に）提出することが求められ、それが実質上債務名義に準ずる文書となっています（民事執行法第181条等）。担保権の実行としての競売については、強制執行に関する規定が準用されています。

動産：民事執行法第192条

債権：民事執行法第193条第２項
不動産：民事執行法第188条
その他の財産権：民事執行法第193条第２項

また、企業担保権の実行とは、企業担保法に基づく株式会社の社債を担保するために設定された物権のことで、その実行手続が開始されたときとは、会社の総財産を差し押さえたとき、すなわち、実行手続の開始決定が会社に送達されたときのことです（企業担保法第20条第２項）。

最後に破産手続が開始されたときとは、破産手続開始決定があったときのことを言います（破産法第30条）。

これらはいずれもそれぞれの法律に基づいて、滞納者等の財産を強制的に換価すること（金銭以外の財産を処分して金銭に換えること）により、各債権者が所期の目的を達成しようとするものですから、地方税債権者としては、ある場合にはそうした手続に参加し、そしてまたある場合には自ら（狭義の）滞納処分に踏み切ることによって、税収を確保する必要があります。

イ　相続人が限定承認したとき（第２号）

限定承認というのは、相続で消極財産が積極財産を上回るおそれがある場合に、相続人の申出によって、清算後に積極財産の範囲で、相続財産を取得できるというものです（民法第922条）。限定承認したときというのは、民法の規定によれば「相続人は限定承認をしようとするときは、…中略…相続財産の目録を作成して家庭裁判所に提出し、限定承認をする旨を申述しなければならない」（民法第924条）とされているところから、この申述が家庭裁判所に受理されたときのことを言います。

限定承認が、繰上徴収の客観的な要件の一つとされたのは、限定承認が、このように「相続財産が負債超過のおそれがある」場合になされるものであるところから、これをそのまま放置しておけば、相続財産（のうちの積極財産）から地方税を徴収することができなくなる蓋然性（がいぜんせい）が高いからにほかなりません。

相続人が限定承認をしたときに繰上徴収をすることができるのは、相続人が被相続人から承継した地方税に限られます。これは、繰上徴収の開始原因が、相続財産についてなされた「限定承認」である以上、当然のことです。

ウ　法人が解散したとき（第３号）

法人の解散とは、法人がその活動をやめて、保有する財産を清算することによって、法人格が消滅することを言います。法人は、法律によってその存立が認められた社会的な実体として存在するものですから、さまざまな理由からその活動をやめたときは、社会的な実体としての意義を失うこととなり、残余財産（積極財産と消極財産）の整理をして清算しなければなりません。このことは、解散する法人の債権者にとって、その債権を回収することができるか否かの緊急事態ということになります。そこで、地方税法では法人の解散を、繰上徴収の要件の一つとしたのです。

エ　信託財産責任負担債務である地方団体の徴収金に係る信託が終了したとき（第４号）

信託が終了すると、清算による信託財産の散逸の可能性もあるので、信託財産責任負担債務である地方団体の徴収金の不履行が懸念されるため、繰上事由とされたものです。

オ　納税管理人を定めずに転出したとき（第５号）

納税管理人とは、納税義務者が、地方税を課税された地方団体内に住所（または居所）や事務所（または事業所）を有しないこととなるときに、納税に関する一切の事項を処理させるために選任する税法に特有の代理人です（地方税法第300条、同法第355条等）。

ここに納税に関する一切の事項とは、例えば、地方税に関する書類の受領や納税、あるいは還付金の請求・受領などのことを言います。そもそもこの納税管理人の制度は、地方税の賦課と徴収を確実なものとするためのものでしたが、実務では、当該地方団体外へ転出した納税義務者についても納税通知書や滞納処分に関する書類は送達していますし、当該地方団体外への出張調査（または徴収）といったことも行われていますので、本号を理由とした繰上徴収は、実際にはほとんど行われていないものと思われます。このような実務での実態を踏まえて、平成10年に地方税法が改正され、地方税の徴収の確保に支障がないと地方団体の長が認めるときは、納税管理人を定めなくてもいいことになりました（地方税法第300条第２項、同法第355条第２項等）。このような法改正が行われた結果、本号を理由とした繰上徴収が行われる可能性は、従来にも増して一段と低くなりました。ただ、国外へ転出したような場合には、なお意義を失っていないものと考えられます。

カ　徴収金を不正に免れようとしたとき（第６号）

納税義務者が脱税をしたり、不正に還付を受けるようなことがあったりしたときは、その納税義務者について、財産の差押えや押収がなされることが予測されます。したがって、そのような場合も納税者等について生じた緊急事態として、繰上徴収をすることができることとなっています。

繰上徴収という制度が、このように納税者等の期限の利益を一方的に奪うものであって、本来であれば滞納処分をする前に送達しておく必要のある督促をしなくても、直ちに滞納処分を可能とするものであることを考えると、本条に掲げられている五つの要件は、単に例示として掲げられているのではなく、ここに載っているものだけが繰上徴収の要件であるという意味で、制限列挙であると解されます。つまり、本条第1項各号に掲げられた事項だけが繰上徴収の要件であるということになります。

繰上徴収をするためには、以上の「客観的要件」のほかに、いわゆる「主観的な要件」が必要であるとされています。この主観的要件と言われているものは、条文では「納期限においてその全額を徴収することができないと認められるものに限り」と表現されています（地方税法第13条の2第1項）。本条によれば、前記の客観的な要件に該当するとともに、併せてこの主観的な要件を具備していなければ、繰上徴収をすることができないとされています。繰上徴収の要件のうち、客観的な要件については、それらに当てはまる事実の有無が明らかであるところから、実務上、要件の該当・非該当について疑義が生じる可能性はほとんどありません。

しかし、これに対して、いわゆる主観的な要件とされるものについては、その内容が必ずしも分明（ぶんめい）でないため、何をもって主観的な要件を充足していると見るべきであるか、判断に幅があるようにも思われます。この点については、繰上徴収が、納税者等について生じた緊急事態を契機として、納税者等の期限の利益を奪うという例外的な措置であることを考えれば、徴税吏員が単純に「このままでは全額を徴収することができない」と思ったとか、客観的な要件に該当する事実があったので、そのまま形式的に繰上徴収の手続を取ったというような処理は許されないというべきでしょう。

ところで、このいわゆる「主観的な要件」の定義についてですが、客観的な要件に対置するものとして、このような言い方がされているものと考えられますが、公平・公正な手続の要請が強い税務行政においては、極力、抽象的な表現や多義的かつ曖昧な用語（不確定概念）は使わないことが望ましいので、「具体的な要件」とした方が的確であると考えます。なぜなら、要件というものは、できるだけ客観的であるべきですし、なおかつ一義的に明確であるべきだからです。

それでは繰上徴収における具体的な要件とは何かということですが、当該納税者等を巡る債権債務の状況を、調査によって把握したその財産状況に照らして、課税された地方税を完納するだけの資産・資力があるかどうかによって判断すべきであると考えます。つまり、当初の納期に従って納税するものと仮定した場合、納税者等の財産状況に照らして、果たして完納するのに十分であるかどうか、さらには、それが近い将来、債務超過などにより散逸してしまうおそれがないかなどを判断の要素とすべきだということです。繰上徴収をすべきであるか否かが検討されるのは、いわば緊急事態なわけですから、そのような場合に、時間のかかる綿密な財産調査を要求することはできません。しかし、繰上徴収が納税者等の利害に重大な影響を与える処分であることを考えれば、少なくとも表見財産については、一通りの調査をした上で、(繰上徴収をするかどうかを) 判断する必要があります。緊急事態であることに鑑みれば、この調査は早急に完了する必要がありますので、一人担当者のみならず複数の職員で手分けをして、速やかに、かつ一斉に行うべきでしょう。

(3) 延滞金の取扱いと消滅時効の起算日

繰上徴収によって、納期限を変更した場合の延滞金については、変更後の納期限の翌日ではなく、元々の納期限の翌日から計算することとなります。そもそも繰上徴収の制度は、未到来の納期限を繰り上げることによって、その分の税収を確実に確保することを目的としているのであって、納期限を早めることにより延滞金を余計に徴収することを意図したものではないことからすれば、これは当然のことと言えるでしょう。

また、消滅時効の起算日については、「法定納期限の翌日から起算」(地方税法第18条第1項) することとされており、繰上徴収によって変更された納期限は、この法定納期限から除外されている (地方税法第11条の4第1項) ので、繰上徴収をした場合の消滅時効については、元々の法定納期限の翌日から進行することになります。

4 徴収権の消滅時効

(1) 徴収権と消滅時効

地方税の徴収権が「内容の確定した納税義務の履行を求め、その徴収を図る権利」であることについては、既に説明しました。この徴収権は、民事上の請求権と似た性格を持っています。もっとも請求権は、実際のところ債権とほとんど同じ意味で使われることが多く、学問上はともかく、実務では必ずしも明確に使い分けられているわけではありません。請求権については、債権者が、債務者に対して債権の内容である給付を実現するよう求める権利のことであるなどと説明されていますが、徴収権も地方税債権を実現するために、地方団体の長が、納税義務者に対してその履行を請求する権利であるところから、公法上の請求権と言うことができます。

このように徴収権の性格が請求権に類似したものであるところから、その前提となる地方税債権が完納等により目的を達した場合には、徴収権はその根拠となる実体的権利の消滅と運命を共にすることとなります。それだけでなく、地方税債権が大量かつ反復して発生するものであることを考えますと、これを際限なく存続させることは、事務量の増大や不良債権の累積などを招き、行政の停滞を招来するとともに、地方財政に悪影響を及ぼすこととなります。また、納税義務者と何らかの法律関係にある者（将来、法律関係を築こうとする者も含む）にとっても、強制執行の懸念が払拭（ふっしょく）されないことによる法的に不安定な状態が続くことになります。そこで、徴収権にも請求権と同様に消滅時効の適用を認め、一定の条件の下に、納税義務が絶対的に消滅することとされたのです。

時効制度の存在意義については、一般に次のように説明されています。

① ある事実状態が一定期間継続すると、人々はその事実状態を信頼して、それを前提として契約をするなど法律関係を形成することとなるが、後日になって、「やっぱりこれはなかったことにしてくれ」などとしてこれをひっくり返したりすれば、混乱することになる。したがって、法律関係を安定させ、取引の安全を考えれば、一定期間平穏に経過した事実関係については、これを尊重して覆さないことが妥当である。
② ある事実状態が一定期間継続した場合、それが真実正当な法律関係に合ったものであるかどうかは、時の経過とともにそれを証拠によって立証することは困難になってしまう。逆に言えば、一定期間そのような事実状態が平穏に存続し得たということは、かえってその状態を存続させることの方が社会的な安定性の観点からは望ましいのではないか。
③ 真正なる法律関係に立脚しない状態が生じているにもかかわらず、それを放置して正当な権利を行使しない、いわば「権利の上に眠る者」は、法はこれを保護しない。

学説上、時効制度の存在意義については、必ずしもこれらの理由が同じ重要度をもって説明されているわけではなく、あるものが主でその他はそれに付随するものであるなどと位置づけられているようですが、これらはいずれもそれなりの説得力を持っており、時効制度の説明には欠かせないものと考えられます。

⑵ 時効期間と時効の起算日

徴収権の消滅時効に関する規定としては、地方税法第18条から第18条の３までの３か条があります。地方自治法によれば、「金銭の給付を目的とする普通地方公共団体の権利は、時効に関し他の法律に定めがあるものを除くほか、５年間これを行なわないときは、時効により消滅する」（地方自治法第236条第１項）とされています。そして、この「時効に関し他の法律に定めがあるもの」としては、地方税法の「地方税の徴収権は、法定納期限の翌日から起算して５年間行使しないことによつて、時効により消滅する」（地方税法第18条第１項）という規定が該当します。ちなみに国税も同じく５年間で徴収権が消滅することとなっています（国税通則法第72条第１項）。なお、民事債権の消滅時効期間についても、改正後の民法の規定によれば、原則として５年とされています（民法第166条第１項第１号）。

次に、いつから５年間なのかについてですが、民法によれば、「債権者が権利を行使することができることを知った時から」（民法第166条第１項第１号）時効が進行するとされており、一方、地方税法第18条第１項では、「法定納期限の翌日」から起算することとされています。なお、随時に課税する地方税については、「その地方税を課することができることとなつた日の翌日」（地方税

消滅時効の起算日（地方税法第18条第１項）	
通常の場合（下記のいずれにも該当しない場合）	法定納期限の翌日（第１項本文）。
随時に課税する地方税	課税することができることとなった日の翌日（同上。なお、地方税法第17条の５第１項参照）。
期間制限の特例により更正、決定または賦課決定ができる地方税	更正、決定、裁決、判決があった日の翌日（第１項第１号）。
督促手数料、滞納処分費	発した督促状が送達された日の翌日、滞納処分費が生じた日の翌日（第１項第２号）。

法第17条の5第1項）からとなります。

延滞金と加算金の法定納期限については、「その徴収の基因となった地方税の当該期限をいう」（地方税法第11条の4第1項本文）こととされていますので、その消滅時効の起算日は、本税と同じです。

⑶　時効の援用と時効の利益の放棄

時効の援用とは、時効によって利益を享受することとなる者が、時効による利益を受ける旨の意思表示をすることを言います。この意思表示は、裁判上でも裁判外でもすることができ、裁判外で行うときは、通常、内容証明郵便によって行われます。

時効に関する民法の条文を見てみますと、債権は「債権者が権利を行使することができることを知った時から5年間行使しないとき」（民法第166条第1項第1号）とあるように、5年間が経過することによって当然に債権が消滅するかのような規定となっています。ところが民法第145条によれば、当事者が時効を援用（主張）しなければ、それを前提とした裁判ができないとされており、この両規定は、一見矛盾しているかのようにも見えます。

このことについて通説・判例によれば、次のような説明がなされています。すなわち、時効による債権の消滅は確定的なものではなく、当事者が援用（主張）することによって初めて確定するというのです（停止条件付不確定効果説〈通説〉）。このように民事債権の消滅時効では、時効による債権の消滅を、時効によって利益を享受する者の意思に委ねているところから、債権消滅の効力は、時効を援用（主張）した本人およびその相手方との間でのみ生じることとなります。このことを時効の相対的な効力と言っています。

これに対して地方税の消滅時効では「時効の援用を要せず」（地方税法第18条第2項）として、時効期間が経過すれば、わざわざ時効が完成したことを意思表示（主張）しなくても、当然に地方税債権が消滅することになっています。これは租税債権が、当事者の意思表示にかかわらず、法律（条例）の規定によって、要件の充足を条件として当然に発生するものであり、しかもそれが大量・反復的であるところから、その消滅についても手続が簡素化・合理化されていることによります。このことを時効の絶対的な効力と言います。

次に時効の利益の放棄とは、義務を免れ得る地位を放棄することを言い、民法ではあらかじめこれを放棄することができない旨規定しています（民法第146条）。その趣旨は、債務者を強（し）いて時効の利益の放棄をさせるといった債権者の行動を抑止し、時効制度の形骸化を防止しようというものです。この規定を反対解釈すれば、「あらかじめ」時効の利益を放棄することはできないものの、時効が完成した後であれば放棄することができるということになります。すなわち、時効の利益を享受するか否かについては、援用の場合と同様に、当事者の意思を尊重しようというのです。これに対して地方税法は、「その利益を放棄することができないものとする」（地方税法第18条第２項）として、時効完成後は、地方税債権は絶対的に消滅し、もはや時効の利益を放棄して納税することはできないこととしています。

⑷　時効の更新

徴収権が民事上の「請求権」と似た性格を持っていることについては、既に触れました。このことから地方税に特有の事柄を除き、時効に関する一般的な規定である民法を準用することとしたのです。地方税に特有の事柄としては、前記⑶で見た「時効の絶対的な効力」（地方税法第18条）、「特別な時効更新事由」（地方税法第18条の２）および「特別な時効完成猶予事由」（同前）を挙げることができます。

時効の更新とは、時効の完成を妨げる一定の事由が生じたときに、それまで進行していた時効がいったん全てなかったことになって、いわば「振り出し」に戻り、その更新事由が終了した日の翌日から再び（時効が）進行するというものです。

ア　民法の準用

時効が更新することの説明として、前記⑴のウの立場からは、「権利者が眠りから覚めて権利を行使し、事実状態の継続が阻止されたこと」に時効更新の根拠があるとされ、また同前⑴のイの立場からは、「一定期間の権利不行使が権利の不存在を推定させるのであるから、その推定を破る権利の存在が明らかとなれば」時効は更新するということになります。時効更新事由として民法の規定が準用されるのは、㋐請求、㋑差押え、㋒承認です（民法第147条、同法第148条、同法第152条）。

このうち㋐請求と㋑差押えは、もしも時効が完成すれば徴収権を失うこととなる地方団体の長の側からの権利行使行為で、これに対して㋒承認は、もしも時効が完成すれば納税義務を免れることとなる納税義務者の側から地方団体の長に対してする納税義務承認行為です。このように時効の更新事由には、権利者と義務者という相対立する双方からの行為によるものがあります。

㋐　**請求（民法第147条第１項第１、４号）**

請求とは、課税権者である地方団体の長が、権利の内容を実現するように相手方（納税義務者）に対して主張し、要求することを言います。地方税の徴収で準用される請求には次のものがあります。

地方税の徴収で準用される「請求」	
裁判上の請求（民法第147条第１項第１号）	訴えの提起のことです。具体的には、裁判所に訴状を提出することによって時効は更新します（民事訴訟法第147条）。そもそも租税債権には自力執行権があるので、通常、民事訴訟を提起する必要はありませんが、この点について裁判所は「納税義務者が租税債権の存在を争っていながら、差押えの対象となるべき財産を所持しない場合には、裁判上の請求をするよりほかに時効中断（現「時効更新」）の方法がないから、国は租税債権の行使を裁判上の請求によってする必要があり、したがって、納税義務者に対し租税納付義務の確認を求める訴えの利益を有する」（昭和41年５月19日岡山地方裁判所判決）としてこれを認めました。
破産手続参加（民法第147条第１項第４号）	租税債権は、旧法下では全て財団債権でしたが、新法では財団債権のほか、優先的破産債権と劣後的破産債権に分けられ、後二者については、遅滞なく、裁判所に届け出なければならないものとされました(破産法第114条)。

㋑　**差押え（民法第148条第１項第１号）**

差押えとは、課税権者である地方団体の長が、滞納者の財産の事実上・法律上の処分を禁止して、地方税債権の確保を図るために行う行政上の義務の強制を言います。差押えをすると、差押えを解除するまで時効更新の効力は続きます。なお、捜索については法律の明文の規定はありませんが、「差押えのため捜索をしたが、差し押さえるべき財産がないために差押えができなかった場合は、その捜索に着手した時に時効中断（現「時効更新」）の効力が生ずる（昭和34年12月７日大阪高等裁判所判決、昭和42年１月31日名古屋地方裁判所判決）」（国税通則法基本通達第73条関係２参照）ものとされています。

なお、実例としては少ないと思われますが、詐害行為取消権（地方税法第20条の７、民法第424条）の行使として訴訟を提起[※19]したときに、その保全措置として、詐害行為の目的財産について譲渡禁止の仮処分を行うことがあり、ま

※19　**詐害行為取消権の行使としての訴訟の提起**　この場合、訴訟の相手方は、滞納者から逸出した財産を譲り受けた第三者（受益者）またはその転得者であり、滞納者本人ではないことに留意します（通説・判例）。

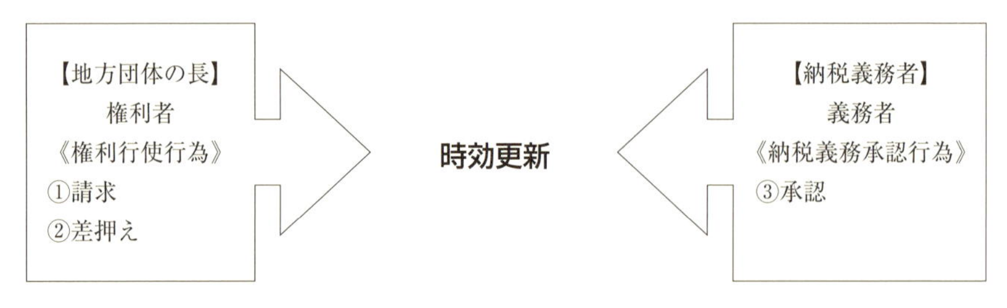

た、相手方の財産に対して仮差押えをすることがあります。それらによっても時効が更新します。

(ウ)　承認（民法第152条）

承認とは、時効の利益を享受する者（納税義務者）が、地方団体の長に対して、地方税債権が存在していることを知っている旨を表示することを言います。この承認の法律的な性質は、意思表示ではなく「観念の通知」であるとされ、したがって、納税義務者が（承認が）時効の更新事由であることを知っているかどうかにかかわらず時効更新の効力が生じることとなります。地方税の徴収で債務の承認と認められるものには次のものがあります。

地方税債務の承認と認められるもの	
期限後申告書の提出（国税通則法第18条参照）	定められた期限内に申告書を提出しなかった者は、期限後であっても、決定があるまでは申告書を提出することができます。申告は、納税義務者が自らの責任と計算において納税すべき税額を算出したものですから、地方税債務の承認と見ることができます。
修正申告書の提出（国税通則法第19条参照）	確定申告書を提出した者が、その申告書に記載した税額が、本来記載すべき税額よりも少ない場合に、税額を修正して改めて申告書を提出する場合、それを修正申告と言います。当初の申告書に誤りがあることに気づき、自らの責任と計算において増額修正したのですから、地方税債務の承認と見ることができます。
徴収猶予の申請（地方税法第15条第１項）	猶予の申請は、納税義務者について生じた一定の理由により、納税義務者が自らの「納税すべき額」について、一時に納税することができないとして、その猶予を申し出ることですから、地方税債務の承認と見ることができます。

換価猶予の申請（地方税法第15条の６第１項）	前項と同じ
納税誓約書の提出（地方税法第16条の２第１項第３号、第20条の９の４、国税通則法基本通達第55条関係１参照）	納税誓約書による実務取扱いについては、地方税法に明文規定はありませんが、同書を徴して滞納処分の執行を一定期間留保した上で、その履行を見守ることが徴収上有利であると認められる場合は、これを是認することがあるというものです。この場合、滞納者は納税誓約に係る税額について、自らその存在を認めたことになりますから、地方税債務の承認と見ることができます。
納付・納入の委託（地方税法第16条の２）	本来であれば、納税しようとする者が自ら行わなくてはならない有価証券の取立てによる現金化と、その現金による納税を、徴税吏員に委託する手続を「納付・納入の委託」と言います。地方税法がこのような取扱いを認めたのは、有価証券の委託を受けることが、実質的に担保を徴したことになる点と、徴収猶予や換価猶予に伴う担保の徴取（地方税法第16条）に比べて手続が簡易である点が徴収上合理的であると考えられたからです。そして、当然のことですが委託する側は、自らの「納税すべき額」を知らなければ、委託する有価証券の券面額を表示することができないわけですから、それをもって地方税債務の承認と見ることができます。
一部の納税（地方税法第20条の９の４参照）	滞納税の一部の納税は、それがあくまでも「一部」の納税であって、まだほかに納税すべき税額が残っていることを滞納者が認識している場合に限って、その残税額について消滅時効が更新します。理論上は、口頭による承認によっても時効更新の効力は生じますが、後日、その効力について争われることとなったときは、結局「証拠」によって判断されることになりますので、実務上は、納付書（領収書）に一部の納税であること、および残余の税額を明記しておくようにします。

イ　地方税独自の更新事由

消滅時効を更新させるものとして、地方税法では前記の民法の準用によるもののほか、独自に㋐納付（または納入）の告知、㋑督促、㋒交付要求の三つを規定しています。

㈠ 納付（または納入）の告知

地方団体の長が地方税を徴収しようとするときは、そのことについて文書で納税義務者に通知しなければなりません。このことを、納税の告知と言います。納税の告知には、納税すべき「税額を確定させる」という意味と、その「税額の履行を請求する」という二つの意味があります（地方税法第13条）。このように、納付（または納入）の告知は、履行の請求としての性質を有しているところから、時効の更新事由とされています（地方税法第18条の２第１項第１号）。

㈡ 督促

単に納税を促す文書を「催告書」と言いますが、これに差押えの前提条件としての機能を持たせた文書のことを「督促状」と言います。「催告書」は任意の文書ですから、いつ出すであるとか何回出すかなどについて法定されているわけではありませんが、「督促状」については、送達することが法律によって義務付けられており（地方税法第329条第１項など）、督促状が送達されていない場合は、差押えをすることができません（国税徴収法第47条）。このように督促には、履行の請求としての意味もありますので、時効の更新事由とされています（地方税法第18条の２第１項第２号）。

㈢ 交付要求

交付要求（参加差押えを含む）は、他で行われている強制換価手続に加わることによって、そこから配当を受けて地方税を徴収しようとする広義の滞納処分です。交付要求は、強制換価手続を行っている執行機関に対して交付要求書を送達することによって行うので、交付要求書が執行機関に到達したときに時効は更新します。ただし、交付要求の通知（国税徴収法第82条第２項）がされていない期間があるときは、その期間は除くこととされています（地方税法第18条の２第１項第３号括弧書き）。これは、滞納者（納税義務者）のあずかり知らないところで行われた手続によって時効を更新させること（滞納者にとって不利益になること）が適切でないことによるものです。

5 会社倒産時の対応

⑴ 倒産とは

従来の滞納整理に関する解説書では、税を滞納している会社が倒産した場合の滞納整理に関しては、「滞納処分と特別法」あるいは「滞納処分と破産・会社更生」などの表題で解説しているものが多かったように思います。

しかし、地方税の滞納整理を担当されている読者のみなさんにしてみれば、実際の滞納整理実務では、どのようなタイミングでどことどこを調査すべきなのか、また、事務処理の手順はどうしたらいいのか、さらには、会社倒産時の一連の滞納整理事務の中で、該当する法律がどのように適用されるのかといった事柄が、最も知りたいところなのではないでしょうか。したがって、ここでは、こうした滞納整理の実務の流れに沿って説明していこうと思います。

そこで、まず倒産の意味ですが、これは法令用語ではなく、慣用語であって、一般には、会社の負債が資産を過剰に上回るなどの原因から、事業が立ちいかなくなった状態といったほどの意味です。倒産という表現の中には、手形・小切手の不渡りによる銀行取引停止、民事再生、破産、会社更生、特別清算、任意整理（内整理）などさまざまな形態の破綻処理（または、それらの処理に進む直前の状態）が含まれており、その意味で、倒産というのは、非常に広範かつ多義的な用語だと言えるでしょう。

ア　銀行取引の停止

ある一定の地域内の銀行が手形交換をするために構成した団体を手形交換所と言い、この手形交換所では、手形・小切手の信用を維持向上させる目的で、不渡りを出した者に対して制裁を科すこととしており、1回目不渡りを出した者が、6カ月以内に2回目の不渡りを出した場合、その者を銀行取引停止処分として、以後2年間にわたって、その手形交換所に加盟している金融機関に当座預金口座を開設することができないこととなっています。したがって、手形・小切手を振り出すこともできないこととなります。また、金融機関からの融資を受けることもできなくなってしまいます。こうなると、資金の融通ができなくなり、事業を継続することが困難になってしまい、事実上の倒産ということになります。

イ　民事再生

これは、旧和議法があまり利用されていなかったことから、見直しをして、利用しやすく、また迅速に会社の再建を可能とする道を開こうとするものです。

和議法では、破産原因がなければ手続を開始することができず、結局、開始時期の遅れから事業が破綻してしまうという欠点がありました。民事再生法では、債務者が経済的に窮境にありさえすれば、破産原因がなくても手続を開始することができるようになりました。さらに、これまでは担保権者は、和議手続とは無関係に競売を行うことができたため、事業の用に供する店舗や工場などが売却されてしまい、事業を継続することができないことがありましたが、同法では裁判所の関与によって、担保権を一部制限することが可能となりました。

ウ　破産

倒産のイメージに最もぴったりするのが、この破産でしょう。債務者は、支払い不能や債務超過などの破産原因がある場合には、裁判所に破産の申立てをすることができます。裁判所に破産の申立てが認められると、「破産宣告」がなされ、破産手続が開始されます。破産は、清算型の会社整理の方法であり、裁判所が任命する破産管財人の下で、資産の整理、債権者への分配などを通じて、残余財産の公平な分配を通じて行う破綻処理です。なお、破産の申立ては、債務者だけでなく、債権者が行うこともできます。

エ　会社更生

これは再建の見込みのある株式会社について、租税や担保権によって保全されている債権についても、ある程度の規制をすることによって、窮境にある会社の再建をサポートしようという典型的な再建型の会社整理です。更生手続が開始されると、会社資産の管理・処分の権限は、その会社から全面的に更生管財人へ移り、裁判所の監督の下に更生管財人が作成する「更生計画」（手続開始から１年以内に提出）にのっとって、利害関係人の利害を調整しつつ、会社の再建を図るというものです。

オ　特別清算

解散した株式会社について、裁判所が関与して行う商法上の特殊な清算手続です。特別清算は、会社の清算を公正に行うことを目的として、破産状態にある会社を破産させないで、財産状態の悪化を防止し、かつ債権者との協定により債権者の最小限度の犠牲において円滑公正に清算を遂行するものです。

カ　任意整理（内整理）

これは法的な整理（破産法などの法律に基づいて行われる、会社の破綻処理のことを言います。なお、それぞれの制度のさらなる詳細については、関連の専門図書を参照されることをお勧めします）ではありませんから、裁判所の関与もありませんし、管財人や管理人などもおらず、会社自身で大口債権者などと債務免除や支払いの繰延べなどの負債の緩和について、内々に話し合って、清算の方向か、それとも再建の方向か、今後の整理の方針を決めていくというものです。

キ　その他

中には法的な整理の手続はおろか、任意の整理もせずに、夜逃げ同然に、何もかも放り出して所在不明となってしまうものもあります。

倒産という言い方の中には、以上のもの全てが包摂されており、具体的滞納事案において、それがこれらのうちのどの形態であるのか、にわかには判然としない場合が稀（まれ）ではありません。しかし、倒産に係る滞納事案について、滞納整理に着手した当初の段階で、これを特定するのは困難な場合が多いので、倒産の兆候または情報（以下「兆候等」と言います）をキャッチしたときは、直ちに、倒産対応のために各担当者の役割分担を決めるなど、倒産に即応した整理体制を立ち上げて（後記の倒産初動チームの編成）、速やかに財産調査および債権の保全（差押え）に着手する必要があります。

⑵　倒産時対応の基本

倒産の形態によって、滞納整理の方法は異なりますが、倒産の兆候等をキャッチしたばかりの段階では情報量が少ないため、その時点では整理の方向性や具体的な事務の内容を確定させることができない場合もしばしばです。そうしたこともあって、会社倒産時の対応は、調査と並行して処分もするという、いわば「走りながら考えつつ、整理の方向性を見極め、そしてまた同時に処分もしていく」といった状況にならざるを得ません。倒産の兆候等をキャッチした場合、なぜこのように「何を差し置いても、真っ先に着手して、処理しなければならない」のかと言えば、

ア　倒産の兆候等をキャッチしたばかりの初期の段階では、前記⑴のうちの、どの形態の倒産なのか判然としないことがある

イ　とりわけ任意整理等においては、各債権者が一斉に債権回収に奔走することから、財産が散逸するおそれがあるため、早期に地方税債権を保全する必要があること

ウ　法的な会社整理においては、管財人に対して、一定の期日までに債権の届出をしなければならないこと

などの事情があるからにほかなりません。会社倒産時の対応にスピードが求められるゆえんです。

㋐ 情報の収集と整理

滞納している会社について、倒産の兆候等をキャッチしたときは、速やかにその旨を上司に報告するとともに、次の情報・資料を整理し、揃(そろ)えます。

a　倒産に関する情報の詳細（新聞・雑誌の記事、企業情報会社の情報、他の税務機関からの情報、倒産会社の取引先からの情報、倒産会社の近隣での聴取り等）。
b　法人税申告書（まだ入手していない場合は、直近のものを大至急入手すること）。
c　滞納している会社に関する処分調書や財産調査記録等、自庁におけるこれまでの調査・納税指導・処分の履歴一式。
d　商業登記簿謄本（まだ入手していない場合は、大至急入手すること）。
e　滞納している会社に関する他の税務機関における滞納状況と処分状況。
f　滞納している会社および取引先等の所在地の明細地図。

㋑ 倒産初動チームの編成

担当者一人で行動できる範囲は限られており、迅速な調査と速やかな財産の保全のためには、複数の担当者を、短期間に一斉に投入して行うことが効率的です。具体的にどれだけの人員を投入するかについては、その会社の規模（保有資産の量や取引先の数など）、滞納税額および調査すべき情報・資料の入手状況などによって決定すべきでしょう。

この倒産初動チームの編成については、一時的であるにせよ、当該滞納会社を本来担当している職員以外の他の職員の応援を必要としますから、係あるいは班という枠を超えた協力を必要とするという意味において、（地方団体によって、収納課、納税課など名称はさまざまであると思われますが）課長職またはそれに相当する職位にある者（以下「課長等」と言います）が、係長、主査または班長（以下「係長等」と言います）の意見を参考に、自ら指揮して編成すべきです。調査や財産の保全といった実際の実務の指揮については、監督職としての係長等が行うこととなります。

そして、倒産という危機に臨んで、当該会社を巡る状況は、刻々と変化する要因を孕(はら)んでいますから、担当者のみならず、チームの構成員と係長等は、処理の進捗(しんちょく)状況を逐一上司である課長等に報告して、必要な指示を仰ぎます。なお、一定の期間に限って、他の事務に優先して部下職員を倒産時対応事務に従事させることとなりますので、課長等は、窓口事務や電話応対など、その他の事務に著しい支障が生じないよう配慮する必要があります。

㈦　倒産初動チームにおける役割分担

a　課長等の役割

課の責任者として、事務全体の優先順位の明確化、緊急対応としての倒産初動チームの編成と指揮、整理の方針・方向性の提示、上司への報告、部下からの相談応需、励ましとねぎらい、などの役割を担うべきです。

b　係長等の役割

係長等は、倒産初動チームの指揮監督者として、職員の役割分担や差押財産の選択など具体的な事務執行上のイニシアチブを取ります。会社倒産時の対応においてスピードが大切であることについては、既に述べたところですが、とりわけ債権の差押えでは、時間単位での先後が債権確保の決定的な要因となることもありますので、チームリーダーとしての係長等には、的確な判断に基づいて迅速な指示をすることが求められています。

そのほか係長等にとっては、関係箇所の調査が完了したかどうかや、保全すべき財産について保全措置が完了したかどうかなど、チームの各職員に配分したそれぞれの役割が、職員各自において確実に履行されたことの進捗管理をすることも大切な役目です。また、倒産時の対応では前述のとおり、係長等は、的確な判断に基づいて、やるべきことを部下に迅速に指示することが肝要ですから、金融機関等関係箇所に赴いた部下からもたらされる情報については、係長等の段階で滞留させることのないよう、上司へリアルタイムに上げて、課長等を交えて多角的に検討をする必要があります。係長等は、逐次入ってくる部下からの情報を、あらかじめ用意しておいた一覧表（「倒産初動事務進捗管理表」[※20]）上に記載して、調査漏れや不十分な点がないかなどをチェックします。

c　担当職員の役割

課長等から倒産初動チームの担当に指名された職員は、係長等の指示を受け、自らの役割分担とその内容を確認し、それに関する留意事項について説明を受けたら、直ちに必要な書類等を揃えて、その分担する事務に着手します。そこで指示された事務については、その首尾について、時機を失することなく

※20　**倒産初動事務進捗管理表**　調査すべき関係箇所や差し押さえるべき財産の種類・金額・所在・数量などを一覧表（チェックリスト）にしたものを作成しておき、係長等は、一つひとつの項目をチェックしていくことによって、調査漏れや処理漏れを防ぐとともに、これによって進捗管理をします。

係長等に連絡をして、指示を仰ぎます。この点、最近は携帯電話が普及したこともあり、非常にスムーズに、かつリアルタイムに連絡することができるようになりました。捜索の場合などにおいてもそうですが、会社倒産の場合でも、このように今や携帯電話は必需品だと言っていいでしょう。

(エ) 具体的な事務

a 法人税申告書の調査

直近の法人税申告書から、預金・売掛金・賃料・不動産・保険・貸付金・有価証券・保証金などの財産を把握します。

b 当該会社の事務所・事業所の調査等

倒産の兆候等をキャッチしたときは、直ちに当該会社の事務所・事業所に臨場して、代表者に対して現況（売上げ等の収入・支払いや返済等の支出・不動産や設備、預金等の資産および経営の具体的な状況）について質問するとともに、金銭出納帳や買掛帳、売掛帳、各種契約書、納品書の写し、請求書の控え等の帳簿・帳票類の検査を実施します。

このとき、滞納税の確保のために財産を差し押さえる旨通告します。ただし、滞納額に見合う財産の差押えを執行すれば足りますから、係長等と連絡を取って、同時に着手した金融機関や取引先等他の複数箇所の調査で発見した財産を差し押さえることによって、滞納額を充足すると認められるときは、必ずしもそこで発見した財産の全てを差し押さえる必要はありません（ただし、現金や債権のように財産の価額が明確なものの場合は、その判断が容易ですが、それ以外の場合は、一刻を争う倒産時の滞納整理では、明らかに超過差押えとならない限り、原則として発見した財産は全て差し押さえます）。

なお、倒産の兆候等をキャッチしたとはいえ、徴収上不利とならない限り、再建型の整理の場合は、できるだけ滞納者の事業の継続に与える支障が少ない財産を差し押さえる配慮（国税徴収法基本通達第47条関係17(2)）をすることが望ましく、他の財産で滞納税の満足が得られるのであれば、事業の継続に大きな影響を与えるおそれのある売掛金の差押えは慎重にした方がいいでしょう。

一方、そのような会社において、仮にこれまで納税誓約に従った分納が履行されていたとしても、倒産の兆候等をキャッチした以上、滞納税額相当分の保全措置（担保徴取の上、猶予または差押え）を講じなければなりません。約束が履行されているからといって、保全措置を怠り漫然としていると、後に財産の散逸により、執行停止（地方税法第15条の７）とせざるを得ないような事態

徴収第○○○号

金融機関の預金等の調査証

預金者住所＿＿＿＿＿＿＿＿＿＿
預金者氏名（名称）＿＿＿＿＿＿＿

滞納市税を徴収するため、上記の者（預金者の名義は異なっているが、上記の者と同一であると認められる者を含む。）および下記各号に該当するものの預金等およびこれに関連する銀行取引を調査する必要があることを証する。

調査担当者＿＿＿＿＿＿＿＿＿＿
調査金融機関＿＿＿＿＿＿＿＿＿

1　預金者名　　○○太郎
2　右の印鑑を使用している者　　㊞

令和○年○月○日
○○市長　□□□□　公印

にもなりかねません。この場合、相手から「会社を潰す気か！」とか「ちゃんと約束を守って納税しているのに、何てひどいことをするんだ！」などと言われると、心中穏やかならざるものがありますが、滞納税の確実な確保のためには、法律にのっとったやむを得ない措置であり、私的な感情に左右されないように留意しなければなりません。

c　金融機関の調査等

法人税申告書や不動産登記簿などから把握した取引金融機関に臨場して、預金の現在額および過去３ないし６カ月程度の取引明細の分かる預金元帳（コム）、ならびに貸出稟議書（とその附属資料）について調査します。

なお、金融機関に臨場して調査権を行使するときは「徴税吏員証」とともに「金融機関の預金等の調査証」を必ず持参の上、調査の目的を告げて、協力を要請します。「徴税吏員証」については、相手から求められた場合にのみ呈示すればよく（国税徴収法第147条）、また「金融機関の預金等の調査証」については、提示するだけで渡す必要はありません。その際、コピーの依頼があれば、これに応じて差し支えありません。

この「金融機関の預金等の調査証」については徴税吏員証のように法令によって呈示が求められているものではありませんが、金融機関の調査を行わな

送達記録書	
送達者 下記のとおり取扱いました。	○○○市役所 職 氏名　　　　　　　　㊞
送達した文書名および通数	
名宛人の住所または居所および氏名	
受取人の署名および捺印	㊞
送達した年月日および時間	令和○年○月○日 午前・午後○○時○○分
受取人がいないときまたは受取人が受け取りを拒み、署名押印を拒んだときは、その理由	
摘　要	

ければ、滞納税の徴収をすることができない場合、つまり、滞納処分のために真に必要な対象に限定して行うことによって、普遍的な調査とならないようにするという趣旨で、このような実務取扱いをしているのであり、国税の取扱いに準じています。既にこうした実務取扱いが定着しているので、金融機関からもこの「金融機関の預金等の調査証」の提示を求められるのが普通です。調査の結果、差押可能な預金等があれば、その場で差し押さえます。

なお、貸金庫契約がある場合は、その場で捜索に着手して（必要な場合は、係長等に連絡して応援を求めます）貸金庫の中身を確認の上、現金や有価証券や貴金属類など差押可能なものが発見された場合は、差し押さえます。金融機関では必ず貸出稟議書（とその附属資料）を閲覧して、貸付けに係る担保の明細（内容）や返済計画、担保物の評価額、消費貸借契約の内容、取引先の一覧、その他の財産など滞納処分をするに当たって参考となる事項について調査します。

d　取引先の調査等

法人税申告書、貸出稟議書（とその附属資料）、企業情報会社の情報または聴取調査などによって把握した取引先に臨場して、倒産会社に係る売掛金（取引先側から見れば「買掛金」となります、以下同じ)、請負代金および貸付金について調査します。回収が容易な売掛金等から債権の回収を図ろうとする債権者が多いので、取引先が複数あるときは、金額が大きく支払いが確実であると思われるところ（例えば官公庁や大手の企業)、および弁済期日の近いものを優先します。

差し押さえることのできる売掛金等の債権を発見し、内容を確認したときは、その場で直ちに差し押さえるとともに（ただし、再建型の整理の場合は、前記ｂ参照)、契約書や注文書、納品書など債権の存在を裏付けるこれらの帳票等の写しを取ります（コピーまたは写真。いずれも困難な場合は、書き写します)。差押通知書を交付したときは、取引先（第三債務者）の代表者から「送達記録書」に、署名および受領印をもらいます。また、併せて「債務確認書」を提出してもらうか、または「聴取書」を作成することとしますが、支払いが確実で、契約書その他の書類から、債権債務の存在が明白で、かつ争いの余地がない確実なものと認められるときは、これらはあえて求め（作成し）なくてもいいでしょう。

e　その他

賃料の差押えについては、第三債務者の数が多く、また、その協力が得られない場合があるなど、手続が比較的煩雑であることに加えて、法定納期限等に優先する抵当権等によって担保される債権を有している私債権者が物上代位（民法第304条、第372条等）を行使すると、それに劣後するという不安定なところはありますが、継続的な収入として、大きな効果が期待できる場合がありますので、調査の結果、倒産会社について賃料債権があるようであれば、差し押さえます。

倒産するような経済的に逼迫（ひっぱく）した会社ですから、所有する不動産があるとしても、既に税の法定納期限等に優先する抵当権等の担保権が幾つも設定されているものと思われます。しかし、会社の倒産といっても、本項の冒頭で説明したように、破産や会社更生のような法的な整理だけではなく、任意整理（内整理）ということもありますので、当該倒産会社名義の不動産を発見したときは、直ちに差し押さえます。

この場合、抵当権等に劣後しているということで、無益な差押え（国税徴収法第48条第２項）を懸念される方もいるのではないかと思われますが、この点に関する裁判例を見てみますと、「不動産に対する執行において、無益なものであるか否かは、最終的に配当が行われる時点で確定するものである」（平成

16年２月26日名古屋地方裁判所判決）とか、「差押処分時に差押えの対象となる財産の処分予定価額を要求すると、租税の滞納処分の円滑な遂行が期待できなくなる」（平成16年２月26日宇都宮地方裁判所判決）などとしており、差押えの段階では、物件価額の厳密な評価は求められていないものと考えられます。したがって、一見して明らかでない限り、不動産の差押えが、無益な差押えとされることはないものと思われます。しかも、任意整理（内整理）の場合は、債務者（滞納者）はもとより、他の債権者たちが、より高い価額で売ろうとして、当該不動産を担保権の実行としての競売ではなく、任意売却にもっていこうとすることが多いので、予想外に高く売れることもあります。そのような場合は、売買の決済と、差押えの解除を同時に行うことによって、差押えに係る滞納税を全額確保することができる場合があります。

保険・貸付金・有価証券・その他（保証金・動産など）の財産についても、原則として、必要な範囲内で全て差し押さえますが、これらの財産の差押えの優先順位は、滞納額に見合う財産であること、換価（取立て）が容易であること、近いうちに確実に取り立てられるものであること、財産の帰属が確実で争いの余地のないものであること、などを判断の指標にして決めます。

⑶　倒産の形態に応じた滞納整理

倒産の意味と形態については、本項の冒頭で簡単に触れましたが、ここではそれぞれの場合において、滞納整理を進める上での注意すべき点と、そこでやるべきことについて説明します。

ア　銀行取引の停止

新聞・雑誌の記事や企業情報会社の情報等により、滞納会社について、銀行取引停止または１回目不渡りの情報を得たときは、直ちに前述した倒産初動チームを編成して、滞納整理に着手します。銀行取引停止または１回目不渡りの場合には、税の滞納整理に対する法的な規制はありません。ただし、次の点に注意して滞納整理を進めることが大切です。

㋐　納税誓約をしてはならないこと

当該会社は、支払期日までに手形を決済することができなかったのですから、それだけ資金繰りに困窮していたということになります。この期に及んで、そのような資金的窮状にある会社からの申出に基づいて、納税誓約を承諾するようなことはすべきでなく、また納付・納入の委託についても、当然のこ

となが ら受けることはできません。

特に1回目の不渡りを出した会社の場合、「今は会社存亡の危機なのだから、差押えなどされたら息の根を止められてしまうようなものだ」などと言って哀願したり、あるいは逆に怒鳴るような調子で、滞納処分に抵抗したりすることがあります。しかし、1回目の不渡りを出した会社のほとんどが、2回目の不渡りを出して銀行取引停止となっている実態を考えますと、代表者らがそのような態度に出る心情はやむを得ないとしても、そうした彼らへの感情移入から滞納処分に消極的・自制的にならないよう留意しなければなりません。

そもそもこのような会社が、往々にして、事ここに至るまで納税よりも金融機関等への返済を優先させ、税にしわ寄せをしてきたことや、あるいは従業員からの預かり金である給料天引きの住民税（特別徴収分）を、会社の運転資金に流用するなど、健全な納税秩序を踏みにじるようなこれらの行動を取ってきたことを、「窮境にあるのだからやむを得ない」として不問に付していたのでは、税負担の公平を保つことができません。

そして、何よりも会社経営の責任は、経営者が負うべきものであり、納税を免れて事業活動をすること自体が許されないことだというべきでしょう。なお、徴収猶予の要件の一つに「事業の休廃止」（地方税法第15条第1項第3号）が、そして換価猶予の要件の一つに「事業継続の困難」（地方税法第15条の5第1項第1号）が挙げられていますが、これは、そのような状況にある納税者または滞納者であっても、徴収上有利で、かつ完納することが見込めるならば猶予を認めるという趣旨であり、表現上はこれらの事由と類似しているものの、このような完納の見込みのない「銀行取引の停止」の場合は、徴収猶予や換価猶予の要件を満たすものとは認められません。

(イ)　既に納税指導をする段階ではないこと

銀行取引停止または1回目の不渡りを出したということは、事実上の倒産ということであり、直ちに当該会社に赴き、代表者等に対して質問し、帳簿等を検査するとともに、滞納処分することを通告します。ここでの質問・検査は、まさに「滞納処分をするために必要」（国税徴収法第141条）だから行うのであって、納税指導の一環として行うものではありません。会社は既に実質的に破綻していますから、もう既に納税指導をしている段階などではなく、滞納税債権の確保を図るために一刻でも早く滞納処分をしなければなりません。

イ　民事再生

民事再生手続においても、滞納処分ができないという規定はないので、原則に従って滞納整理を進めていきます（民事再生法第122条）。ただし、滞納整理は、危機に陥った会社を決定的な破綻に追い込むのが目的ではありませんから、調査・聴取りの結果、納税緩和措置の要件に合致する事実（徴収猶予および申請による換価猶予については、申請が必要）があれば、担保を徴取の上、これを認めて差し支えありません。民事再生は、一定程度裁判所が関与して、会社を再生しようとする再建型の手続ですから、滞納税の確保に支障がないと認められる限り、猶予や延滞金の減免などは、場合によってはやむを得ないでしょう。

ウ　破産

破産手続では、税は一定の範囲で財団債権として位置づけられ（破産法第148条第１項第３号）、破産債権よりも優遇されているのですが、破産手続開始決定後は、新たに滞納処分をすることができなくなります（同法第43条第１項、国税徴収法基本通達第47条関係39）ので、破産の申立てがなされたとの情報を得たときは、直ちに滞納処分をして破産手続開始決定の前に滞納税債権の確保を図ります。

なお、破産財団に属する財産について、破産手続開始決定前になされた滞納処分については、破産手続開始決定後も続行することができます（破産法第43条第２項）。財団債権とは、破産財団という元々は破産者に属していた財産について、財団設立後、当然に発生する出費として、公平の観点などの政策的な理由から、破産債権に優先して支払うべきものと位置づけられた一定の債権のことを言います（同法第151条）。前述のとおり破産手続開始決定後は、新たに滞納処分をすることができませんから、破産管財人に対して交付要求（国税徴収法第82条）をします。

エ　会社更生

会社更生手続の開始決定があると、直ちに同決定が公告され、既に確定している租税債権者に対しては、更生債権者として、公告事項が通知されます（会社更生法第43条第２項）。更生債権については、管財人により更生手続の中から弁済されることとなりますから、遅滞なく滞納税の金額、原因および担保権の内容を裁判所に届け出ます（同法第142条）。この届出が遅滞なく行われたかどうかは、裁判所が判断することとなりますが、原則として、更生計画案を審理するための関係人集会までに提出する必要があります。

また、会社更生手続の開始決定があると、同開始決定の日から更生計画認可または更生手続終了までの期間か、開始決定の日から1年間か、いずれか早い期間内は、新たな滞納処分はすることができませんし、既にされている滞納処分については中止されます。なお、租税債権の消滅時効については、この期間中は進行しないこととされています（同法第50条第10項）。

オ　特別清算

特別清算の場合も、銀行取引停止や民事再生と同様、滞納処分ができないという規定はありませんので、倒産時の滞納整理の原則に従って処理を進めていきます（国税徴収法基本通達第47条関係35）。

カ　任意整理その他

これらの場合も滞納処分に対する法的な規制はありませんが、滞納処分による滞納税債権の確保を最優先させるべきです。

⑷　倒産時対応における留意点

ア　個別的な損失と社会的な損失

1回目の不渡りを出した会社または危機的な状況にある会社の経営者にありがちなのが、滞納税の確保のために行った滞納処分に対して「潰れたらお前らの責任だ！」という抗議とも脅しともつかないようなリアクションです。しかし、「租税とは、国又は地方公共団体が、その課税権に基づき、特定の給付に対する反対給付としてではなく、これらの団体の経費に充てるための財力調達の目的をもって、法律の定める課税要件に該当するすべての者に対し、一般的標準により、均等に賦課する金銭給付である」（『租税法』田中二郎、有斐閣）のですから、当該会社をして、このように強い公益性のある義務（納税義務）を履行することができないような経営状況に至らしめた会社経営上の責任は、挙げてその会社の経営陣にあると言うべきであって、それを滞納処分をした地方団体の責任に転嫁するかのような、そうした発言を認めることはできません。

確かに倒産という事態は、会社の従業員やその家族、また取引先や融資している金融機関等などにとっては憂慮すべき状況ですし、極めて深刻な事態であることには違いありません。しかし、それはあくまでも当該会社を中心とした個別的な損失であり、かつ社会的観点からは局所的な損失であって、これに比して税が滞納となり、地方団体に納税されないということになれば、その影響は、当該会社だけにとどまらず、自治体が行うさまざまな事業にまで及び、より広範囲に及ぶという意味において、それはまさに社会的な損失ということにほかならないのです。

すなわち、前述のとおり、直接の反対給付を伴わない一般財源である税の性格に照らして、それが納税されないことによって生じる影響は、当該会社と直接関係のない住民全般にも及ぶことになるのです。納税緩和措置の要件を充足するのであれば別ですが、そうでない場合は、毅然（きぜん）とした姿勢で倒産会社に対して滞納処分を執行していかなければなりません。

イ　一日でも早くではなく、一刻でも早く

倒産時の対応では、複数の担当者を、短期間に一斉に投入して行う必要があることについては、既に述べたところですが、倒産の兆候等をキャッチしたら、直ちに倒産初動チームを編成し、遠隔地などの場合を除き、可能な限りの箇所について、一両日中（できればその日のうち）に調査と滞納処分を完了させます。一日でも早くではなく、一刻でも早くという認識で臨むことが大切です。

第IV部

専門用語の基礎知識

地方税の滞納整理について書かれた書物自体が少ないこともあり、初めて地方税の滞納整理に携わることとなった地方団体の職員にとって、その独特で難解な用語の理解に苦労しているのではないでしょうか。

実務では「知識」とその「理解」、さらにはそれを「実行」することの三拍子が揃(そろ)って、初めて実践的な技量が身についたことになるのです。すなわち、知識だけ覚えていても、それを実際に使って実績を挙げなければ、実務としてはほとんど意味のないことであり、それだけでは、それこそ単なる「自己満足の域を出ない」のです。

知識は、実務を遂行する上で、極めて有益な道具ですが、それを効果的に使ってこそ道具としての機能を果たすことになります。道具を効果的に使うためには、ただ知っているだけでは不十分です。知識を土台として、その背景となっている制度の趣旨や、経緯についての理解が伴うことによって、より一層本来の姿に近い形で制度を実務に反映させることができるのだと思います。

ところで、『不思議の国のアリス』というイギリスの童話をご存じでしょうか。その中に、濡れた体を乾かすために、ネズミが延々と無味乾燥な話を続けるのですが、それでも乾かすことができないので、ドードーという幻の鳥が、法廷で交わされる無味乾燥で一般の人にはとても理解できないような難解な専門用語を使って、乾かそうとする話が出てきます。これは、法律家がそうした難解な専門用語を使って裁判をしていることを皮肉っているのではないかと思います。

地方税の実務に携わっている地方団体の職員も、ひょっとしたら、この童話の例のように、地方税に関する難しい専門用語を、一般の人に対して無意識のうちに使っているようなことはないでしょうか。

難しいことを、その意味を損ねないで、やさしい表現に言い換えるためには、それを説明する人自身が、説明しようとする専門用語を正確に、なおかつ深く理解している必要があります。

徴収関係の専門用語を比較的短期間のうちに身につけるためには、普段の滞納整理の中で頻繁に使う（とりわけ地方税法と国税徴収法の）条文を繰り返し読み、そして、同時にそれらの逐条解説書を紐(ひも)解いて、該当する条文の解説を、声に出して読むことが大切です。できればその際は、自分が抱えている具体的な滞納事案を頭に思い描いて、それに個々の条文を当てはめて考えてみるといいでしょう。個々の条文自体は、先ほどの『不思議の国のアリス』のお話に出てくるように無味乾燥であっても、それが具体的な滞納事案と結びついた瞬間、一気に現実味を帯びた問題解決のための有用なツールとして徴税吏員の心強い「よりどころ」に変身するのです。

そのためには、幾つかの工夫が有益であると考えられますので、以下にその例を紹介します。

① 滞納整理は決して徴税吏員個人で行うものではなく、組織的に行うものであり、そのことは滞納者への納税指導だけでなく、徴収技量を身につけることについても言えることです。したがって、職場内で計画的に研修（職場内研修：ＯＪＴ＝On-the-job Training）を実施することが有益です。

② 「好きこそものの上手なれ」です。滞納整理に興味と関心を持ち続けることが大切ですから、そのためには、成功体験を重ねることが自信につながり、最も近道だと言えるでしょう。そこで、一定期間は上司や先輩がマンツーマンで部下と一体となって実務を行い、部下に自信をつけさせることが部下の（滞納整理に関する）興味と関心を持続させることとなり、難解な専門用語への継続的な学習姿勢にプラスに働くことになります（途中で挫（くじ）けてしまうことなく、継続的な学習に必ずや貢献することでしょう）。

③ 税の徴収に関する仕組みや法の規定は、民法や民事執行法によるものと類似のものが多いので、税法の規定と併せて民法や民事執行法の規定にも目を通すことが極めて有益であり、そうすることで、両者の異同も、より一層明瞭になります。

④ 知識を血肉とするためには、とにかく繰り返し頻繁に使うことですが、同時に、具体的な滞納事案の解決方法を巡って先輩や上司などと大いに議論することが大切です。

⑤ 難解な専門用語を自らのものとして自在に使いこなすまでになるためには、人から聞いて学習するのではなく、「書く」「考える」「話す」といった自分の「手」「頭脳」「口」を実際に使って学習することの方が何倍も効果的です。つまり、受動的な姿勢ではなく、能動的な姿勢で学ぼうとする方が、経験則に照らして、身につく度合いは数段優れているのです。

1 実体法と手続法

法律は、基準の取り方によってさまざまに分類することができます。例えば、法律の効力に着目すれば、一般に適用される「一般法」と、特殊・特別な場合に適用される「特別法」とがあり、また、法律の強制力に着目すれば、当事者の意思にかかわらず適用される「強行法（規）」と、当事者が法律の規定と異なる意思を表示しないときだけ適用される「任意法（規）」とがあります。

このほかにも、公法・私法・社会法といった分類や、国内法・国際法、成文法・不文法などという分類もあります。

見出しの「実体法」と「手続法」という分類は、法律が定めている内容そのものであるか、それともその実現方法であるかの違いによるものです。前者、すなわち権利と義務の実体（中身）を定めているのが実体法で、その実体法の中身を具体的に実現するための方法（手続）を定めているのが手続法です。民法に対する民事訴訟法、民事執行法や、刑法に対する刑事訴訟法などが典型的なものです。

これを税法に当てはめてみると、所得税法や法人税法などが実体法で、国税通則法や国税徴収法が手続法ということになります。

地方税の場合は、国税とはやや異なっていて、道府県民税や市町村民税などの個別の税目の課税に関する規定が実体法に相当し、総則や徴収に関する規定が手続法に相当します。

つまり、地方税法では、実体法と手続法がオール・イン・ワンのセットになっているのです。ただし、滞納処分については、国税滞納処分の例による（地方税法第331条第６項ほか）として、国税徴収法で定める滞納処分の例に倣うこととなっています。

2 租税法律主義と地方税条例主義

租税は、直接の反対給付を伴わないで、国民（住民）に対して一方的に財政的な負担を求めるものであるところから、その要件や手続が明確になっていないと恣意的な運用を許すこととなります。

現代のように法律が整備されていなかった昔は、王や天子や領主が意のままに租税（年貢）の内容を決め、そして容赦なく取り立てるようなことも行われていました。このことを古の中国では苛斂誅求（苛酷に税を取り立てること）と言っていました（孔子「礼記」、柳宗元「蛇を捕うる者の説」→「ああ賦斂の毒、この蛇より甚だしきものあるを知らんや」〈苛斂誅求の害毒はこの猛蛇よりももっとひどいのだ〉穆宗紀「旧唐書」などを参照）。

日本国憲法の下では、「あらたに租税を課し、又は現行の租税を変更するには、法律又は法律の定める条件によることを必要とする」（日本国憲法第84条）として、為政者が勝手気ままに租税の内容を決めたり、強引な取立てをしたりすることができないようになっています。このことを「租税法律主義」と言います。

租税法律主義を、法律ではなく、国家の基本法である憲法で定めたところに大きな意義があるのです（それだけ改正しにくい＝動かしがたい原則だということです）。

法律の改正は、国会で衆・参両院で出席議員の過半数で可決されると成立します（日本国憲法第56条、第59条）が、憲法の改正は「各議院の総議員の３分の２以上の賛成で、国会が、これを発議し、国民に提案してその承認を経なければならない。この承認には、特別の国民投票又は国会の定める選挙の際行はれる投票において、その過半数の賛成を必要とする」（日本国憲法第96条）ので、容易ではありません（このことを改正手続が非常に厳格であるところから「硬性憲法」と言います）。

これは、民主的な政治を財政面で支えるためには、こうした仕組みを制度的に（憲法で）保障する必要があったからにほかなりません。

地方税条例主義というのは、地方税法は、いわゆる「枠法（または標準法）」であって、納税者を直接規制するものではなく、地方税の課税は、同法の枠内で制定される地方団体の地方税条例によらなくてはならないとする考え方のことを言います（地方税法第３条）。そして、この考え方の説明としては、次の二つがあります。

[考え方１]

日本国憲法第84条の租税法律主義は、国税・地方税を問わず、凡（およ）そ租税として国民または住民に負担を求めるに当たって、民主的に選出された議員によって構成される議会で制定された法規によるべきだとするものです。それが国にあっては法律であり、地方団体にあっては条例ということになりますから、租税法律主義とは、租税法規主義と言い換えることができます。すなわち、地方税に関しては、法律を条例と読み替えて理解すべきだとする考え方です。

[考え方２]

日本国憲法第84条は、国税について規定したものであって、これを地方税に当てはめようとすること自体に無理があります。したがって、同条の言う法律に条例も含まれるとすることはできません。しかし、条例制定権は憲法によって自治体の権能であるとされており（日本国憲法第94条）、同時に憲法は、地方自治を保障しています（日本国憲法第８章）。自治体が固有の事務を行おうとするとき、そのための資金を自らが調達できなければ、自治の意味がないことに鑑みれば、地方自治の本旨（日本国憲法第92条）に基づいて、自治体は条例で地方税を課すことができるとする考え方です。

3 地方公共団体と地方団体

自治体の職員であれば、地方公共団体という用語については、誰もが聞いたことがあるはずですし、その意味についても知っていることと思います。しかし、知っているといっても公務員として必要最小限の知識として、それが地方自治法という法律に規定されていて、普通地方公共団体と特別地方公共団体の２種類があり、普通地方公共団体には、都道府県と市町村が、そして特別地方公共団体には、特別区があるというほどのものではないでしょうか。

地方自治法は、日本国憲法第92条～第95条の規定を受けて制定された法律です。地方自治法は、地方公共団体が法人であることを規定している（同法第２条）ものの、そのほかには地方公共団体の役割と、どのような種類の地方公共団体があるのかについて規定している（同法第１条の２および３）だけで、地方公共団体の意義そのものについて明確に定義していません。

どのような団体を地方公共団体というのかについては、学者の間でもさまざまな議論があるようですが、最高裁判所はこれについて、「憲法上、地方公共団体と言いうるためには、単に法律で地方公共団体として取り扱われているということだけでは足らず、事実上、住民が経済的文化的に密接な共同生活を営み、共同体意識をもっているという社会的基盤が存在し、沿革的に見ても、また現実の行政の上においても、相当程度の自主立法権、自主行政権、自主財政権等地方自治の基本的権能を付与された地域団体であることを必要とするものというべきである。そして、かかる実体を備えた団体である以上、その実体を無視して、憲法で保障した地方自治の権能を、法律をもって奪うことは、許されないものと解する」（昭和38年３月27日最高裁判所判決）としています。そして、今日では、この考え方が通説的な地位を占めています。

これに対して地方団体という用語は、地方税法に特有のもの（このほか、地方交付税法でも「地方団体」という用語が使われています＝同法第２条第２号）です。

地方税法によれば、地方税の課税権を有するのは、普通地方公共団体と、特別地方公共団体のうちの特別区となっています（同法第１条および第２条）。

地方公共団体のうち課税権のある団体と、課税権のない団体を見てみると、課税権のある団体には、課税客体としての所得を生み出す住民や、交換価値のある資産が普遍的に存在していますが、課税権がないとされる団体は、特定の限定された目的で設立されたものであり、課税客体が普遍的に存在していない

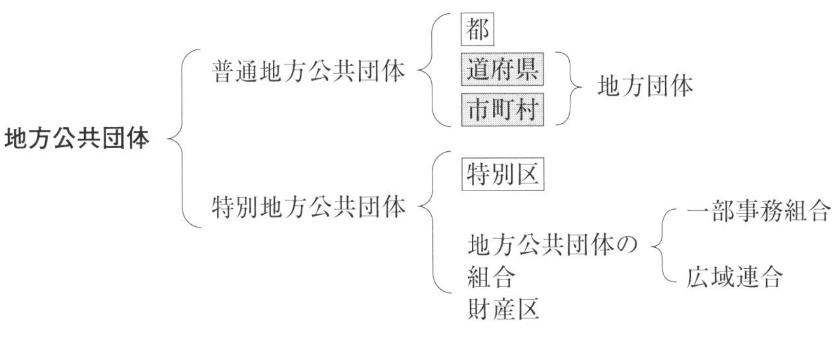

注 □で囲ってあるのは、地方税の課税権がある団体です。

ことが分かります。地方税法は、課税権のある団体のうち、道府県と市町村を地方団体と称して（同法第１条第１項第１号）、日本国憲法や地方自治法などとは異なった呼称を用いています。なお、都には道府県に関する規定が、特別区には市町村に関する規定が準用されています（同法第１条第２項）。

4 課税権と徴収権

課税権とは、地方団体が公共サービスを提供するための資金を自ら調達する権能のことを言います。課税権については、「地方団体の課税権は、地方自治の不可欠の要素であり、地方団体の自治権の一環として憲法によって直接に地方団体に与えられている」（法律学講座双書『租税法』金子宏、弘文堂）と説明されていたり、「地方公共団体がその住民に対し、国から一応独立の統治権を有するものである以上、事務の遂行を実効あらしめるためには、その財政運営についてのいわゆる自主財政権ひいては、財源確保の手段としての課税権もこれを憲法は認めているものというべきである」とする趣旨の判決（昭和55年６月５日福岡地方裁判所「大牟田市電気税訴訟」第一審判決）が出ています。

この課税権に基づいて実際に納税義務の内容を確定する権利のことを、確定権（または賦課権）と言います。

これに対して徴収権とは、「内容の確定した納税義務の履行を求め、その徴収を図る権利」（前掲『租税法』）のことを言います。

確定権は、納税義務の内容を確認するものであり、納税義務者の同意を必要とせずに、租税債権者の意思表示に基づく一方的な確定行為によって法律関係が確定するという意味で、法律的には一種の形成権であると考えられています。一方、徴収権は、私法上の債権の請求権とほぼ同じ性質であると考えられています。

このような両者の法律的な性質の違いから、地方税法は、確定権については、権利の存続期間である除斥期間による規制を受け（同法第17条の５）、徴収権については、私法上の債権の請求権に準じて消滅時効による規制を受けることとしています（同法第18条）。

5 納税者と滞納者

地方税法を見てみると、納税者という用語のほかに、納税義務者、特別徴収義務者、第二次納税義務者、そして滞納者というように、似たような用語が幾つも使われています。初めて税の職場に配属され、このような税法特有の用語を目にしたとき、おそらく多くの人は「税法は難解でとっつきにくい」という印象を抱くことでしょう。その上、納税者という同じ用語でありながら、国税通則法、国税徴収法、地方税法では、その意味が微妙に異なっています。

一般に納税者とは、地方団体に対して地方税を納税する者のことを言い、納税義務者とほぼ同じ意味であると理解していいでしょう。ただ、地方税法は、賦課に関する規定では「納税義務者」という用語を使い、徴収に関する規定では「納税者」という用語を使っています。

〔**納税義務者としている例**（賦課関係）〕
第294条（市町村民税の納税義務者等）
第343条（固定資産税の納税義務者等）
第442条の２（軽自動車税の納税義務者等）
〔**納税者としている例**（徴収関係）〕
第319条の２（個人の市町村民税の普通徴収の手続）
第364条（固定資産税の徴収の方法等）
第９条の２（相続人からの徴収の手続）
第11条（第二次納税義務の通則）

地方税法の総則（第１条～第22条の31）は、徴収に関する規定が多いため、納税者という用語を使っている規定が多くなっています。なお、同法と国税徴収法では、納税者の中に第二次納税義務者と保証人を含んでいますが、国税通則法では除かれています（同法第２条第５号）。これは、国税徴収法や地方税法の徴収関係の規定では、税を納めるという本来的な意味での納税者だけでなく、税の確実な確保という観点から納税者の概念を規定しており、広く税を徴収すべき者までを納税者としているからです。

一方、滞納者とは、「納税者でその納付すべき国税をその納付の期限までに納付しないものをいう」（国税徴収法第2条第9号）のですが、地方税法自体には滞納者という用語を定義した規定はありません。

しかし、地方税の滞納処分については、「国税徴収法に規定する滞納処分の例による」（地方税法第331条第6項ほか）となっており、この「例による」というのは、国税徴収法第5章の滞納処分に関する規定だけでなく、用語の定義も含めた滞納処分に関する国税徴収法の他の規定も包括的に適用されるものと解されています。したがって、地方税法の随所で「滞納者」という用語が使われていますが、それらは国税徴収法で規定している滞納者と同義であると理解して差し支えありません。

6　免除と減免

免除とは、いったん成立した本税または延滞金の納付義務を、地方税法で規定している要件を満たす場合に、それを解除する命令処分のことを言います（同法附則第6条第4項等参照）。この意味の「免除」と紛らわしいものに「課税免除」（同法第6条第1項）と「非課税」（同法第295条等）があります。

前者は、申請や届出のように納税者が手続をしなくても、地方団体の一定の政策目的によって画一的に課税をしない措置のことを言います。しかし、いかに政策目的とはいえ、租税の根本原則である負担の公平は尊重されるべきですから、仮にこの負担の公平を多少犠牲にしたとしても、課税をしないことにそれを上回る公益が認められる場合に初めて許されると考えるべきでしょう。

この「課税をしない」というのは、いったん成立した納税義務を解除することを意味するのではありません。そもそも当初から納税義務が生じないということであって、いわば「不課税」と言うべきものです。

これに対して後者の「非課税」とは、課税権を行使しないという点では課税免除と同じですが、国が法律（地方税法）の規定で、一定の政策目的によってその対象となる課税客体を選択的に特定する措置であり、課税免除のように地方団体の政策的な判断によるものではありません。

一方、減免とは、地方団体の条例で具体的な該当理由を掲げて、それらに該当する事実が認められる場合に納付義務の一部または全部を解除する命令処分のことを言います。つまり、税負担を軽減し、または免除することです。免除が納付義務を100％解除することだとすると、軽減する場合は理屈上、１％から99％までの範囲内で解除することが考えられますが、実際には運用面を考慮して、３分の１とか２分の１などとしているところがほとんどでしょう。

減免の例としては、本税に関して「市町村長は、天災その他特別の事情がある場合において市町村民税の減免を必要とすると認める者、貧困に因り生活のため公私の扶助を受ける者その他特別の事情がある者に限り、当該市町村の条例の定めるところにより、市町村民税を減免することができる」（地方税法第323条）とする規定などがあります。

7 本税と附帯金

法律上、本税という用語は使われていません。本税とは、地方団体が課税する道府県税と市町村税のことを言います。地方税の本体部分の金額、あるいは延滞金などの計算の基礎となる金額のことで、法律では「地方税」（地方税法第１条第１項第４号、同法第14条の５第１項、同法第20条の９の４など参照）と表記されています。

一方、附帯金とは、本税に附帯して（本税債権を基礎としてそれに付加して）課される地方団体の徴収金のことを言い、督促手数料、延滞金、過少申告加算金、不申告加算金、重加算金および滞納処分費がそれに当たります（同法第１条第１項第14号）。ちなみに、地方税の附帯金に相当するものとして、国税では附帯税として、延滞税、利子税、過少申告加算税、無申告加算税、不納付加算税および重加算税があります（国税通則法第２条第４号、国税徴収法第２条第４号参照）。

延滞金は、納期限までに本税が納付されない場合、納期限の翌日から納付される日までの期間に応じて一定の率で本税に加算して徴収される金額で、その法律的な性質は遅延損害金（債務不履行に伴う損害賠償）と遅延利息に相当し、国税の延滞税に当たります。なお、国税では民事債権の約定利息に相当するものを利子税として区別しています（国税通則法第64条）。延滞金以外の各種加算金は、地方税制度の適正な運用を阻害することとなる作為・不作為を抑止するとともに、そのような作為・不作為の事実が認められた場合に罰則的に課されます。滞納処分費は、差押財産の保管や、運搬、換価などのために要した費用を滞納者から徴収するもので、徴収金に先立って配当し、または充当することとなっています（地方税法第14条の５第２項）。このように、滞納処分費をその徴収の基因となった徴収金に先立って徴収することとしたのは、強制執行法制に共通する共益費用優先（民法第306条第１号、同法第307条参照）という考え方によるものです。

〔附帯金一覧〕

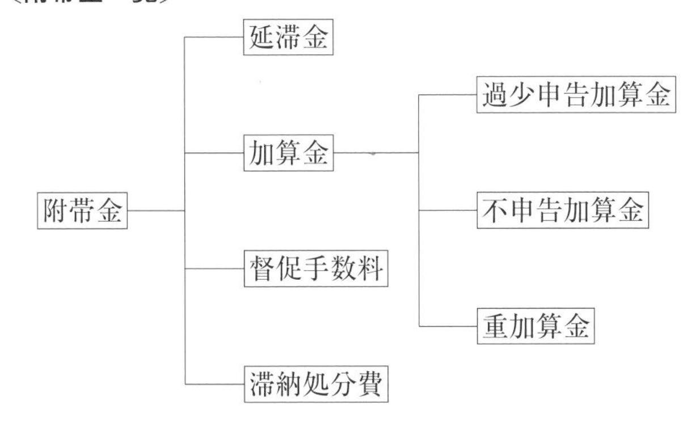

8 取立権

取立てとは、差し押さえた債権を金銭に換えるための手続のことを言います（国税徴収法第67条）。

債権は、債務者に対して一定の給付を請求することができる権利ですから、この債権を差し押さえたときは、何らかの手続でこれを金銭に換えてから滞納税に充当する必要があります。つまり、債権のままでは一定の金額を請求することができる「権利」（法によって保護・保証された一定の地位ないしは行動領域）という観念的なものを確保しただけであり、それを金銭という税の納付が可能な具体的なものに転換させる手続が必要なのです（国税通則法第34条第１項、国税徴収法第67条第３項参照）。

この取立権は、滞納者の代理人または承継人として滞納者の名において行使するのではなく、徴税吏員が法律の規定によって創設的に取得し、そして行使するものであるとされています（『国税徴収法精解』第67条の解説参照）。

【参考判例】平成11年９月９日　最高裁判所第一小法廷判決

金銭債権を差し押さえた債権者は、民事執行法第155条第１項により、その債権を取り立てることができるとされているところ、その取立権の内容として、差押債権者は、自己の名で被差押債権の取立てに必要な範囲で債務者の一身専属権的権利に属するものを除く一切の権利を行使することができるものと解される。

※　この判決は、民事に関するものでしたが、その後、この判決を受けて国税徴収法基本通達第67条関係６が整備されました。

9　超過差押えと無益な差押え

「租税の本来の機能は、公共サービスを提供するための資金を調達すること」（前掲『租税法』参照）にありますから、もしも租税が任意に納税されない場合は、何らかの手段によってこれを徴収しなければ、国または地方団体の財政基盤が揺らぐこととなり、公共サービスの提供に支障をきたすおそれがあります。

このことを受けて法律は、「……徴収職員は、滞納者の国税につきその財産を差し押えなければならない」（国税徴収法第47条第１項）とか、「……市町村の徴税吏員は、当該市町村民税に係る地方団体の徴収金につき、滞納者の財産を差し押えなければならない」（地方税法第331条第１項）などとして、国や地方団体に対して、滞納者の同意がなくても一定の要件を満たしたときは、差押えによって強制的に租税を確保することを求めています。

差押えとは、滞納者の財産の処分を禁止して、それに続く換価という売却手続（または取立て）に備えるための滞納処分のことを言います。つまり、差押えには、租税債権を保全して、いつでも換価できる状態にしておくという意味があります。

このように、差押えは、滞納者の財産権を一定の条件の下で制限する効力を持った非常に強い処分です。したがって、その行使は、税収を確保するために真に必要である場合に限って認められることはもちろん、必要性の範囲を超えて執行することや、明らかに自庁に配当が見込めない場合の執行については、その本来の趣旨を逸脱するものとして、一定の制限が加えられています。

前者を「超過差押えの禁止」（国税徴収法第48条第１項）と言い、後者を「無益な差押えの禁止」（同法第48条第２項）と言います。

ところで、滞納者の財産を差し押さえるに当たって、どの財産を差し押さえるかについては、法令の定めはなく、徴税吏員の合理的な裁量に委ねられています（昭和53年３月14日東京高等裁判所判決）。差押財産の選択について、国税徴収法基本通達第47条関係17によれば、次のような基準が示されています。

〔財産の選択〕

① 第三者の権利を害することが少ない財産であること。
② 滞納者の生活の維持または事業の継続に与える支障が少ない財産であること。
③ 換価に便利な財産であること。
④ 保管または引揚げに便利な財産であること。

滞納者の財産であれば、何でも差し押さえていいというわけではなく、このように滞納税を確保するに当たっては、手続の合理性とともに、滞納者の生活や第三者に対しても一定の配慮をした上で、差し押さえる財産を選択することが求められているのです。そうした後に、差押えをする場合、その財産の処分予定価額が、滞納税の額を著しく超えないようにしなければなりません。

この場合、もしも滞納税に優先するほかの債権があるときは、その財産の処分予定価額から、それらの債権額を差し引いた後の価額が、滞納税の額を著しく超えないようにする必要があります。

滞納処分というのは、その強制力によって租税債権を満足させるために行うものですから、必要以上の財産を差し押さえて換価することが禁止されるのは、当然のことだと言えるでしょう。

一方、差し押さえようとする財産が、分割することができないものであるときは、たとえ滞納額がその財産の価額に見合わないものであったとしても、それを差し押さえなければ滞納税を確保することができないわけですから、それは「徴収するために必要な財産」ということになり、超過差押えにはなりません。ただ、その場合、当該財産とは別に滞納額に見合う財産があるようなときは、そちらを差し押さえれば滞納税を満足させることができるのですから、そのような場合にまであえて当該財産までも差し押さえるのは、滞納税を確保するための必要性を超えており、超過差押えとなります。

すなわち、複数の財産があって、その一方を差し押さえれば滞納税を十分満足させられるにもかかわらず、あえてその双方の財産とも差し押さえることによって、差押財産の価額が滞納額を著しく上回ることとなるのは、超過差押えとして許されないのです。

差押えが、滞納者の財産の処分を禁止して、それに続く換価という売却手続（または取立て）に備えるためのものであるとすると、滞納税に充てる見込みがないのに、滞納者の財産を差し押さえて処分を禁止しても、滞納処分としては凡（およ）そ意味のないことになります。すなわち、滞納税の強制的な確保のための手段であるはずのものが、実益のないことが確実であるとしたら、そうしたことを法律で「可能である」とすることは、いわば権利の濫用を許すことにもなるので、法律は、こうした実益のない差押えを禁ずることとしたのです（国税徴収法第48条第２項）。

超過差押えの禁止と無益な差押えの禁止につき、それらの規定に反してなされた差押えは、いずれも「取消し得べき行為」であって、当然に無効な行為ではないとされています（昭和46年６月25日最高裁判所判決）。これは、差押えのときに、厳密で、かつ正確な財産の評価をしなければならないこととすると、差押えの時機を失することとなるので、一見して明らかに「超過」または「無益」でない限り、一応有効な差押えとすべきであるという考え方によるものです。

税務事務の大量性・反復性を考えれば、差押えのたびに一件一件手間暇をかけて厳密に評価することなど、実務上とてもできないわけですから、実務を尊重した当然の考えであると言えるでしょう。つまり、最初から無効であるとするのではなく、後に取り消されるまでは「一応有効」という扱いにしておくということです。

10 差押えと参加差押え

滞納処分というと、税務職員でなくとも誰もが差押えをイメージするのではないでしょうか。それほどまでに差押えという用語は一般化しており、聞いたことすらないという人は、おそらくいないでしょう。

この差押えの意味は、租税債権者がその履行を確保するために、滞納者の特定の財産について、法律上・事実上の処分を禁止して、滞納者の意思にかかわらず、いつでもこれを強制的に換価できる状態に置くことを言います。

民事執行でも差押えが行われることがありますが、租税の滞納処分として行われる差押えは、司法機関である裁判所に申し立てることなく、徴税機関が自らの判断と権限で執行することができます（自力執行権）。これは、租税の賦課徴収が、議会の議決を経て制定された法律（条例）に根拠を置いており、なおかつ租税が行政の運営経費であるために高い公益性を有しており、それの確保のために、いちいち裁判所の判断を仰ぐだけの時間をかけ、また手続的な負担をかけることが適切でないとの理由によります。

差押えは、督促状を発した日から起算して10日を経過した日までに完納されない場合、または繰上徴収によって変更した納期限までに完納されないときに執行することができます。差し押さえられると、その財産は、法律上も、事実上も処分ができなくなるため、差押えは極めて強力な財産権の制約を伴う行政処分だと言えるでしょう。差押えは、このように強い処分であるため、法律によって次のような一定の制約が加えられています。

〔差押えに係る制約〕

① 無益な差押えの禁止（国税徴収法第48条第２項）
② 超過差押えの禁止（同法第48条第１項）
③ 差押禁止財産（同法第75条～第78条）
④ 第三者の権利の尊重（同法第49条）
⑤ 新たな差押えの禁止（地方税法第15条の２の３第１項）
⑥ 差押えの猶予（同法第15条の５の３第１項、同法第15条の６の３第１項）

一方、参加差押えには、「差押え」という文言が付いているものの、その本質は差押えではなく、交付要求の一種です。すなわち、参加差押えとは、一定の財産について、それらが差押えのできる状態にある場合で、既に他の税務機関によって差押えがされているときは、通常の交付要求に代えて、先行して差押えを執行している税務機関に配当を要求する手続のことです。そして、先行する税務機関の滞納処分が換価まで至らずに終了し、差押えが解除されると、参加差押えがされたときに遡って、差押えの効力が生じることとなります（国税徴収法第87条第１項）。

参加差押えをすることができる財産は、動産、有価証券、不動産、船舶、航空機、自動車、建設機械、小型船舶、電話加入権です（同法第86条第１項）。この参加差押えは、既に差し押さえたこれらの財産につき、同一滞納者の新規発生滞納税額を徴収するために、同一の地方団体の長によって執行することもできます。つまり、差押え後に新たに発生した滞納税額について、自庁のところに参加差押えをすることができます。

11 契約自由の原則

契約自由の原則とは、契約によって法律関係を築こうとする場合、それは当事者の自由な意思によって築かれるべきであり、公の権力が介入すべきではないとする近代私法の原則の一つです。私的所有権絶対の原則や過失責任主義とともに、近代私法の三大原則と言われています。

これらの原則は、個人の自由・平等を尊重するという近代資本主義経済をその構造的な基盤としていますが、時代の進展とともに、法が保護しようとしているのは個人だけでなく、社会における私法秩序そのものでもあるというように考えられるに至りました。

つまり、個人の権利保護・権利行使は、常に社会全体の私法秩序維持と調和的でなければならないということです。この契約自由の原則の内容には、①契約を締結するかしないかの自由（締結の自由）、②どのような内容の契約にするかという自由（内容の自由）、③誰と契約するかという自由（締結相手の自由）、④どのような方式で契約を締結するかという自由（締結方式の自由）——があります。

しかし、現代社会では、この契約自由の原則は、さまざまな修正を余儀なくされています。例えば、生命保険の差押えに関して触れた附合（ふごう）契約（附従契約とも言います）もその一つです。生命保険契約のように、同じような内容の契約が繰り返し大量に締結される場合、契約者の一方（会社）が契約内容を規格化することによって、もう一方の当事者である購入者（顧客）は、その規格化された契約内容を承諾するか拒否するかの選択をするほかなく、個々の契約内容を当事者間で決めることはありません。

労働契約における附合契約は、就業規則として、また、保険契約などにおける附合契約を約款として、それぞれ監督官庁による指導監督の対象となっています。

ところで、私法上の債権債務は多くの場合、契約によって成立しますが、地方税の債権債務は、法律・条例の規定に基づいて地方団体が行う課税という処分を通じて成立します。ここに個人の自由・平等を基調とする私法上の当事者関係と、公正で公平な負担を原理・原則とする税法上の当事者関係との違いがあります。

12 公序良俗

「公の秩序と善良な風俗」のことを略して公序良俗と言います。そして、民法は、この公序良俗に反する法律行為は無効であると言っています（第90条）。「『公の秩序』とは、国家社会の一般的利益を指し、『善良の風俗』とは、社会の一般的道徳観念を指す」とされています（『新訂　民法総則』我妻栄、岩波書店）。しかし、どのような行為が公序良俗に反するのかを明らかにするのは、なかなか困難なことです。なぜなら、何をもって公の秩序と言えるのか、また何が善良の風俗と言えるのかについては、時代の進展に伴って変わり得るからです。

そこで、公序良俗のこのような抽象的な性格を捉えて、「社会的妥当性」と言い換えることもあります。つまり、社会そのものの仕組みや価値観が変われば、それに伴ってその社会の中において妥当とされる事柄も変わり得るということです。とはいえ、これまでの判例によれば、おおむね次に掲げる行為は、公序良俗に反して無効であるとされています。

正義の観念に反する行為

例えば、談合の契約や悪事を働くことに報酬を支払う契約などは、人々の正義感に反しており、法律上、無効であるとされます。

倫理に反する行為

例えば、不倫関係の維持・継続を目的とした契約や、母と子が同居しないとする父子間の契約などは、健全な道徳や親子間の秩序に反しており、法律上、無効であるとされます。

個人の自由を極端に制約する行為（人権を侵害する行為）

前借金弁済のための芸娼妓契約（実質的な人身売買）は、本来自由であるべき個人の意思と行動を極端に制約し、人権を侵害する行為であって、法律上、無効であるとされます。

著しく射幸的な行為

社会秩序を混乱させるような度を超すものでなければ、多少の「賭け事」は、社会的に許されてしかるべきでしょう。しかし、それが高じて多数の犠牲の上に特定の少数の者が多大な利得を得ることとなれば、人々の納得が得られないだけでなく、不信感や不満が増幅しかねず、社会の不安定要因にもなり得ます。このようなことから、著しく人々の射幸心をあおるような行為は、法律上、無効であるとされます。ただし、宝くじや競馬など法律によって認められている行為については、その秩序の範囲内で行われる限り、問題はないとされています。

人の無思慮・窮迫に乗じた不当な利得行為

例えば、消費貸借契約において、法外な利息を得ようとする場合や、債務不履行時の損害賠償額を過大に予定する契約などは、法律上、無効であるとされます。

民法第90条は、この公序良俗に反する法律行為は無効であると言っていますが、どのような行為が法律上無効であるかについては、上記の５例が参考になるものの、結局、最終的には裁判所の判断に委ねられることになります。

13 善良な管理者の注意義務

過失とは「うっかり」したことを言いますが、その前提には何らかの注意義務があります。つまり、あることに注意すべきであったのに、その注意を怠ったために重大な結果が生じたので、その責任を問われるのです。善良な管理者の注意義務（略して「善管注意義務」と言います）とは、平均的な注意力を持った人間ならば、できるであろうとされる程度の注意という意味です。民法ではこれに対するものとして、「自己のためにするのと同一の注意」（第827条）とか、「自己の財産に対するのと同一の注意」（第659条）というものを規定しています。これらは、平均的な注意力を持った人間を想定したものではなく、行為者自身の能力に応じた注意力のことを言い、善管注意の程度よりも軽いものであるとされています。なぜなら、人は誰でも自分の物については、他人の物よりも気を使わないのが一般的だからです。

滞納整理でもこの善管注意が必要な場合があります。例えば、差し押さえた動産や有価証券の保管については、「善良な管理者の注意をもつて管理しなければならない」（国税徴収法施行令第23条第１項）とされています。

【参考】国税徴収法基本通達第60条関係

（滞納者及び占有する第三者以外の第三者の保管責任）

４　法第60条第１項の第三者以外の第三者は、差押財産の保管について、特約のない限り、次に掲げる注意義務を負い、故意に又はその注意義務を怠ったことにより、保管中の財産を滅失し、亡失し、又はき損したときは、国に対してその損害を賠償する責めを負う。

⑴　無償で保管する場合（⑶の場合を除く。）には、自己の財産におけると同一の注意をもって保管する義務（民法第659条）

⑵　有償で保管する場合には、善管注意義務（民法第400条）

⑶　保管者が倉庫営業者その他営業の範囲内で保管する商人（例えば、差押財産の運送を依頼した場合の運送人）である場合には、善管注意義務（商法第595条、第610条、第575条、第560条参照）

14 一身専属権

ある特定の人だけが行使したり、享有したりすることができる権利のことを一身専属権と言います。例えば、慰謝料請求権は不法行為の相手方のみに認められるものであるし（ただし、生命を侵害された被害者の父母、配偶者、子は除く。民法第711条）、親権は父母がその未成年の子に対して持ち得るものであって、誰でもいいというわけではありません。

一身専属権には、帰属上の一身専属権と行使上の一身専属権があります。前者は、法律上、ある特定の人にだけ認められた権利であって、ほかの人は、その人の持っている権利を取得したり、享有したりすることができないもので、享有専属権とも呼ばれています。これに対して後者は、その権利を行使するかどうかについて、ある特定の人自身の「意思」に任せるべきであるとされるもので、行使専属権とも呼ばれています。

ところで、滞納となった地方税を強制徴収しようとするときは、差押えをしますが、最終的には、差し押さえた財産を換価によって現金化して、滞納税に充てるわけですから、差押えの対象となる財産は、現金化することができる財産でなければなりません（換価性のある財産）。つまり、売って現金にすることができたり、強制的に現金として取り立てたりすることができる財産でなければならないわけです。しかし、一身専属権は、前述のとおり、ある特定の人だけが行使したり、享有したりすることができる権利なので、他人には譲渡することができません。ましてや親権などは譲渡ができないだけでなく、それ自体が身分権そのものであって、換価することもできません。このように一身専属権は、差押えの対象財産とはなりません。

【参考】国税徴収法基本通達第47条関係
（財産が譲渡又は取立てができるものであること）

8　差押えの対象となる財産は、譲渡又は取立てができるものでなければならない。

なお、次のことに留意する。

(1)　略

(2)　相続権、扶養請求権、慰謝料請求権、財産分与請求権等は、納税者の一身に専属する権利であるから、譲渡することができない。ただし、その権利の行使により、金銭債権等の具体的債権となったときは、その債権を差し押さえることができる。

(3) 略

15 消滅時効と取得時効

時効という言葉から私たちが想起するのは、例えば「あの有名な３億円強奪事件も犯人が捕まらないまま、とうとう時効になってしまったね」という具合に、専ら刑事事件に関することが多いのではないでしょうか。しかし、時効という制度は、刑事法だけでなく、私法にもありますし、もちろん税務の世界にも時効制度はあります。

そもそも時効という制度の根底にある思想は、ある一定の事実状態が相当の期間にわたって継続している場合、それが真実の権利関係に合っているかどうかに関係なく、その事実状態を尊重して、そこに権利関係を認めようとするものです。

一般に、一定の事実状態が長期間継続することによって、通常、そこには幾重にも権利関係が築き上げられている場合が多く、後になって、それを帳消しにして、元の状態に戻そうとすると、大きな混乱と法的な争いを生じることになります。

このようなことから、相当の期間にわたって平穏裏に継続した事実状態については、法的な安定性の観点から、これを覆さないことが望ましいという結論が導かれることとなり、ここに時効制度の存在理由があるとされています。

私法上の時効には、消滅時効と取得時効があります。消滅時効とは、権利を行使しない状態が一定の期間継続することによって、その権利が消滅して、一定期間経過後は、もはや権利を行使することができなくなる時効のことを言います。

これに対して取得時効とは、権利者であるかのような状態が、一定の期間継続することによって、その権利を取得することとなる時効のことを言います。

しかし、地方税の賦課徴収では、課税して徴収するという事務の特質上、この取得時効については対象となるものがなく、ただ徴収権の消滅時効のみが制度として設けられています。地方税の消滅時効について規定しているのは、地方税法第18条から同条の３までです。

なお、地方税法には、この時効制度と似ているものの、法律的な性質の異なる期間制限という制度があります。これは、地方税を課税する場合、一定の期間までは遡ることができるというものです。

租税は、直接の反対給付がなく、国民（住民）に対して一方的に課される負担ですから、何年も際限なく遡って課税されたのではたまりません。そこで、遡って課税することができる期間を、一定の合理的な期間に制限しているのが、この期間制限の制度です。

期間制限には時効のように更新ということはなく、いわば絶対的な固定した期間で、この期間が経過してしまえば、もはや課税できなくなるという意味で、法律上は、時効と区別して除斥期間とされています（地方税法第17条の5では、この除斥期間のことを期間制限と言っています。法的には失権期間と言うこともあります）。

除斥期間である期間制限の制度の目的は、納税者をいつまでも「課税されるかもしれない」という不安定な状態のままに置かないという趣旨の法的安定性に求めることができます。

16 積極財産と消極財産

積極財産と消極財産という用語は、あまり聞き慣れないのではないかと思います。これは、法律上、財産を分類する場合の一形態です。法律では、資産、つまりプラスの財産だけでなく、負債も財産（マイナスの財産）と言っています。すなわち、資産と負債とを合わせて財産としているのです。前者を積極財産と言い、後者を消極財産と言います。

しかし、このような言い表し方は講学上ないしは実務上のものであって、法文の中には積極財産あるいは消極財産という文言は出てきません。

具体的には、民法の第306、668、768、922の各条と、破産財団に係る財産は、積極財産であるとされ、民法第25条と、第896条に係る財産は、積極財産と消極財産の両方を含むとされています。

17 競売と公売

競売は「けいばい」または「きょうばい」と読みます。専門家は法令用語として、「けいばい」と言っています。ただ、納税者など一般の市民に対しては「きょうばい」と言った方が分かりやすいでしょう。国語辞典にも「きょうばい」と載っていることが多いようです。

最も広義の解釈では、競売とは、売主が不特定多数の者に対し、買受けの勧奨をして、それに応じて最も高価で買い受けることを申し出た者に承諾を与えて、目的物を売却することを言います。

民事執行法上は、融資に伴いその担保として物件に設定された抵当権等の担保権の実行としての競売と、裁判の判決など債務名義に基づいて執行される強制競売があります。

いずれの場合もわが国の法律では、権利者自身は、自分の力で目的物を強制的に売却して未収の債権に充当する機能がないため、民法などの実体法上の権利を実現するために、その手続として裁判所の力を借りることになります。

これに対して公売とは、国や自治体といった公の団体が、租税など公の債権が滞納となったときに、それを強制的に実現しようとする場合に行う「公の競売」のことを言います。租税の最大の特徴は、その大量性と反復性にあります。したがって、民事の債権のように、それを実現しようとするときに、いちいち裁判所に申し立てていたのでは効率が悪く、実務に著しい支障が生じてしまいます。

そこで、徴税機関は、一定の要件が整ったときは、裁判所の力を借りることなく、自らの力で強制的に租税債権の実現を図る必要があるところから、公の競売（公売）では、裁判所の手続によらないで、自力で滞納者の財産を差し押さえた上で売却して、滞納税に充てることができることとしたのです（国税徴収法第47条、第94条など）。このことを自力執行権と言います。

このように自力執行権が、租税債権の速やかな実現のために国および地方団体に付与された権能であることを考えれば、いつまでも催告や納税指導ばかりしていて、自力執行権の行使に消極的ないしは自制的な姿勢で滞納整理に臨むような態度は、望ましくありません。

18 配当と充当

充当という用語を聞いたことがない人でも、配当という用語はおそらく聞いたことがあるのではないでしょうか。例えば、「株主への配当」とか「配当所得」などという用語は、テレビや新聞などのニュースでも使われることがあるので、耳にしたことがある人もきっと少なくないはずです。

一般的に言えば、配当とは、財産をある決まった基準に従って分配することを言いますが、法律的に正確に言うと、「利益の配当」と「執行法上の配当」とに分けることができます。「株主への配当」や「配当所得」という場合の配当は、利益の配当という意味です。一方、執行法上の配当とは、民事執行法や破産法や国税徴収法に基づいて債権者へ割当弁済（交付）することを言います。国税徴収法第５章第４節の「換価代金等の配当」も、執行法上の配当に当たります。国税徴収法上の配当は、同法第128条および第129条の規定によって、次の原則に従って行われます（下表参照）。

充当という用語には二つの意味があります。一つは、地方団体と納税者等とがそれぞれ地方税に関する債務（過誤納に係る還付金債権と地方税債務）を負っている場合、それらを対当額で消滅させるために、地方団体の長が行う処分のことで、これを過誤納金の充当（地方税法第17条の２）と言います。もう一つは、配当金として交付された金銭を、地方団体の未納の徴収金に具体的に充てる手続のことを言います。

過誤納金の充当は、対立する債務を対当額で消滅させるものであるところから、民法の相殺に類似した処分とされています。したがって、この意味での充当に関する理解を深めるためには、民法の相殺と比較しながら学習するといいでしょう。税法上の充当は、次の点で民法の相殺と異なっています。

① 充当することができるのは、地方団体の長だけであり、納税者等からはできない（地方税法第17条の２第１項）。民法第506条第１項を参照。

② 政令で定めた充当をするに適することとなったときに、必ず充当しなければならず、当事者による反対の意思表示は認められない（強行規定）。民法

配当しなければならない金銭（第128条）	配当の対象となる債権（第129条）
○差押財産の売却代金（第１号） ○有価証券、債権又は無体財産権等の差押により第三債務者等から給付を受けた金銭（第２号）	○差押えに係る国税（第１項第１号） ○交付要求を受けた国税、地方税及び公課（第１項第２号） ○差押財産に係る質権、抵当権、先取特権、留置権又は担保のための仮登記により担保される債権（第１項第３号） ○第三者が占有している滞納者の動産、自動車又は建設機械を差し押さえた場合に、第三者に発生する損害賠償請求権又は前払いの借賃債権（第１項第４号）※第59条、第71条参照
○差し押えた金銭（第３号） ○交付要求により交付を受けた金銭（第４号）	○差押え又は交付要求に係る地方団体の徴収金（第２項）
○以上により配当した金銭に残余があるときは、滞納者に交付する（第129条第３項） ○第二次納税義務者、保証人又は譲渡担保権者が、それぞれの財産について滞納処分を受けたときは、これらの者に残余金を交付する（第２条第６号、第９号、第24条第３項参照） ○担保のための仮登記がある財産の売却代金については、第129条第１項各号の債権のほか、その被担保債権にも配当する（第129条第４項）	

第505条第２項を参照。

充当をするに適することとなったときのことを、充当適状といい、地方団体の未納の徴収金の法定納期限と過誤納金が生じたときとの、いずれか遅いときとされています（地方税法施行令第６条の14)。民法第506条第２項を参照。

なお、地方税法第20条の９によれば、地方税に関する相殺は禁止されていますが、この過誤納金の充当は、双方とも地方税に関する債務であるところから、相互に対当額で消滅させることが、手続上、合理的であると考えられ、同条の例外として認められています。

配当金を未納の徴収金に充てるものである充当に関する税法上の規定はほとんど存在しません（ただし、国税徴収法第129条第２項、第６項および地方税法第14条の５参照）が、充当する金銭が、充当しようとする未納の徴収金の全額に満たない場合に、僅(わず)かに次の規定があるだけです。

①　本税（地方税法第14条の５で言う「地方税」のこと）

地方団体の徴収金を滞納処分により徴収する場合において、当該地方団体の徴収金に配当された金銭を地方税及び当該地方税の延滞金、過少申告加算金、不申告加算金又は重加算金に充てるべきときは、その金銭は、まず地方税に充てるものとする。

②　滞納処分費（同条第２項）

滞納処分費については、その徴収の基因となつた地方団体の徴収金に先立つて配当し、または充当する。

この二つの規定のほか、弁済の充当の項で触れた、法定充当（民法第488条第４項）に準拠して充当するのが合理的であると考えられます（国税徴収法基本通達第129条関係19)。なお、この意味での充当の場合、配当金として交付された金銭を、いずれの徴収金に充てたのか滞納者に通知するという規定は存在しません。ただ、何年度のどの税目の第何期に充当し、残余がどのくらいあるのか、その内訳を滞納者に知らせることは、処理内容の透明性、公正さを確保するためと、その後の滞納整理のことを考えれば、滞納者に納税のための資金調達のめどを了知させるという意味もあり、充当通知を送付する実務取扱いが望ましいでしょう。

19　超過公売の禁止

もとより滞納処分は、滞納税を確保するための手段ですから、その行使は滞納税を確保するために必要な範囲内にとどめるべきであることは当然です。したがって、その範囲を超えて行われた公売が妥当でないことは論理的な帰結と言えるでしょう。この超過公売の禁止については、超過差押えの禁止（国税徴収法第48条第１項）とパラレルに考えることができます。

すなわち、複数の財産を差し押さえている場合において、１個の財産を売却することで、差押えに係る滞納税を充足することができると認められるときは、その他の財産をあえて売却するまでもなく、（滞納税の確保という）滞納処分の目的を達することができるので、それ以上ほかの財産を公売にかけるのは、超過公売として違法になるということです。

ただし、差押財産が１個で、しかも不可分物であるときは、当該財産を公売したとしても、超過公売となることはありませんし、またそれが分割可能な物で、その一部を分割して公売することで、滞納税を充足すると認められるときは、滞納者に分割を勧奨し、その分割に係る財産を公売することができます。

20 無剰余公売の禁止

差押財産の見積価額が、滞納税に優先する抵当権等によって担保されている優先債権を弁済すると、剰余を生ずる見込みがないと認められるときは、公売をしても自ら配当を受けることができないので、実益がないこととなります。このようにわざわざ公売という煩雑な手続を取ってみても滞納税への配当が見込めない場合は、無剰余の公売として禁止されます。この無剰余公売の禁止に関する直接的な法律の規定はありませんが、無益な差押えの禁止（国税徴収法第48条第２項）や事由消滅による差押えの解除（同法第79条第１項第１号）の規定の趣旨から、その論理的な帰結として、無剰余公売の禁止が導かれることとなります（なお、民事執行法第129条参照）。

21 原始取得と承継取得

原始取得とは、他の者から受け継ぐのではなく、新たに独立して取得することを言い、承継取得とは、他の者が有していた権利をその者から受け継ぐという形で取得することを言います。前者の例としては、遺失物の拾得や時効取得が、後者の例としては、売買や相続などがあります。換価により財産を取得した買受人は、当該財産を原始取得したのではなく、滞納者という前主からの承継取得であるとされています（国税徴収法基本通達第89条関係７および同基本通達第116条関係１参照）。

23 現実の引渡しと指図による引渡し

現実の引渡しとは、物を占有している者（滞納者）が、その物に対して有している支配を、外形上、買受人に移転することを言い、物理的実力による事実上の支配を移すだけでなく、社会観念上も滞納者の支配圏から離脱して、買受人の支配圏に入ったと認められることが必要です。

指図による引渡し（簡易な引渡し）とは、換価した財産を滞納者または第三者に保管させている場合に、換価する者の意思表示（売却決定通知書）によって当該財産の占有権を移転させることを言い、現実の引渡しのように物理的な支配の移動などは伴いません（国税徴収法第119条、民法第182条参照）。

【参考図書】

以下の参考図書の中には、既に絶版になっているものもあります。また、ここに掲げている参考図書は、あくまでも私が本書を著すにあたり参考としたものであって、全て私と考え方が同じであるということではありません。

（　実務関係　）

『ケーススタディ滞納整理50選』徴収事務研究会（編）　ぎょうせい
『月刊地方税別冊　地方税　質疑応答集』編集兼発行　地方財務協会
『国税地方税　租税徴収の技術』小林武廣（著）　ぎょうせい
『新訂　滞納整理の実務』岩橋憲治（著）　ぎょうせい
『税務訴訟入門』中尾　巧（著）　商事法務研究会
『租税徴収実務講座１・２・３』浅田久治郎ほか（共著）　ぎょうせい
『滞納処分と財産調査』城下達彦（著）　ぎょうせい
『地方税滞納整理と財産調査の進め方』加藤正治・古津富一（共著）　ぎょうせい
『地方税の徴収実務事例集』日高全海（著）　学陽書房
『徴収事務のマネジメント』東京都税務事務研究会（編著）　都政新報社
『徴収訴訟の理論と実務』租税事件訴訟研究会（編）　税務経理協会
『任意売却の法律と実務』
上野隆司（監修）、高山　満ほか（共著）　金融財政事情研究会
『民事執行の実務（不動産執行編）上・下』
東京地方裁判所民事執行センター実務研究会（著）　金融財政事情研究会
『問答詳解　換価事務提要』丸田　晃（監修）　ぎょうせい
『事例解説　地方税とプライバシー』地方税事務研究会（編著）　ぎょうせい

（　税法関連　）

『キーワードの比較で読む　わかりやすい地方税のポイント105』
地方税事務研究会（編著）　ぎょうせい
『国税徴収法基本通達逐条解説（平成25年版）』塚田利彦（編著）　大蔵財務協会
『国税徴収法精解』吉国二郎ほか（共著）　大蔵財務協会
『図解　地方税総論』吉住俊彦（監修）、森元恒雄（著）　良書普及会
『税法解釈の常識』荒井　勇（著）　税務研究会出版局
『租税法』金子　宏（著）　弘文堂
『地方税法総則逐条解説』地方税務研究会（編）　地方財務協会
『地方税法総則入門（逐条問答）』滝野欣彌（著）　ぎょうせい
『要説　地方税のしくみと法』碓井光明（著）　学陽書房
『リーガルマインド租税法』増田英敏（著）　成文堂

（　税法以外の法律関連　）

『行政法要論』原田尚彦（著）　学陽書房

『債権総論』水辺芳郎（著） 法律文化社
『条解　民事執行法』浦野雄幸（著） 商事法務研究会
『新訂　債権総論』我妻　栄（著） 岩波書店
『新版　民法入門』中川善之助（著） 青林書院
『担保物権法　新版』近江幸治（著） 弘文堂
『民法講義Ⅳ　債権法総論』近江幸治（著） 成文堂

（　その他　）

『経営者の条件』P. F. ドラッガー　ダイヤモンド社
『失敗の本質』寺本義也ほか（共著） 中公文庫
『死の家の記録』ドストエフスキー（著） 新潮文庫
『超入門　失敗の本質』鈴木博毅（著） ダイヤモンド社
『ドラッガー名著集８　ポスト資本主義社会』P. F. ドラッガー　ダイヤモンド社
『脳と創造性』茂木健一郎（著） PHP 研究所
『街場の現代思想』内田　樹（著） 文春文庫
『「みんなの意見」は案外正しい』ジェームズ・スロウィッキー（著） 角川文庫

索引

【ス、セ】

【ソ】

【タ】

【著者紹介】

鷲巣 研二（わしず・けんじ）

1953年生まれ、横浜市出身。横浜市役所入庁後、区納税課収納係長、総務省自治大学校派遣、企画財政局主税部税務課収納指導係長、福祉局担当課長、区保険年金課長、区総務部納税課長、財政局主税部収納対策推進室長、区総務部総務課長、監査事務局調整部長、副区長、財政局主税部債権回収担当部長などを歴任。2014年３月定年のため退職。現在は、全国の自治体で職員への講演活動を行っている。

改訂新版 よくわかる 地方税滞納整理の実務とマネジメント

2015年３月25日 初版発行
2017年６月25日 第２刷発行
2022年11月７日 改訂新版

著　　者 鷲巣研二
発 行 者 花野井道郎
発 行 所 株式会社時事通信出版局
発　　売 株式会社時事通信社
〒104-8178 東京都中央区銀座5-15-8
電話03（5565）2155 https://bookpub.jiji.com

印刷／製本 藤原印刷株式会社

ISBN978-4-7887-1858-6 C2031 Printed in Japan